MINHA PARIS DO SABOR
EM 200 ENDEREÇOS

Editora Senac São Paulo - São Paulo - 2012

"A Gwénaëlle, que partilha meu amor por Paris, e a nosso filho Arzhel."

PARIS não nasceu ontem! É uma capital que alia a história com a famosa tradição culinária. É a cidade da moda, do capricho e das criações autênticas. Ressalta-se que a arte da mesa e a ciência da gastronomia foram encorajadas e promovidas por um público conhecedor. Além de Paris ser a sede da grande culinária, caracteriza-se pelo charme dos bistrôs e das *brasseries* de outrora e pelo *insight* das experiências e das novidades. Essa cidade possui uma atmosfera que suscita a competição, a inventividade e a renovação. Tanto faz procurar um restaurante na margem direita ou esquerda do Sena. Eu amo Paris por sua diversidade plural, jamais previsível. Paris não cessa de me surpreender, e se os dias tivessem mais de 24 horas, que felicidade seria poder flanar, tagarelar e jantar escolhendo ao acaso os bairros, que são verdadeiras cidades em miniatura. Em Paris, estou muito longe do meu sul, mas são frequentes aqui os devaneios que me convidam a viagens imaginárias no tempo e no espaço.

SUMÁRIO

Paris será sempre Paris	11
Paris dos *terroirs*	297
Paris, encruzilhada dos mundos	399
Paris em doçuras	515
Índice e agradecimentos	586

PARIS
SERÁ
SEMPRE
PARIS

Mogettes à la boutargue	26
Tartare de bar et saumon	25
Hareng consu main	13
Sardines confites Achards	20
Tartare de haddock, bacon	26
Soupe de poissons et crustacés	20
Emincé de haddock huile tomates confites	20
Lentilles à la Corse	22

Bar de ligne au vert	48
Fish & chips bacon & egg	36
Pasta Supions au main	34
Sole poêlée, beurre salé	
Haddock, œuf à cheval, bacon	38
Goujonnettes de joues de lotte curry safran	37

21

Come-se à sombra dos vidros de conservas caseiras que invadem a parede dos fundos. Não são compotas de doces, mas filé de atum basco, *hors d'oeuvres* de legumes, óleo de lagosta e sardinhas frescas em azeite de oliva, embaladas em uma bela caixa preta, com assinatura em prata. É que estamos no restaurante de Paul Minchelli, que trata o peixe com despojamento inventivo. No menu, naquele dia: feijão-branco com ovas de peixe, tartar de robalo e salmão, arenque preparado com esmero, seguidos de *fish & chips*, *bacon & egg*, de pasta de sibas *au noir*, ou de filezinhos de bochechas de *lotte* ao *curry* e açafrão. Na mesa, o jornal "de interesse local, de anúncios e de diversos avisos": *Le Phare de Ré*, lembrança da Ilha de Ré, onde o *chef* abriu seu primeiro restaurante.

21 21 rue Mazarine Paris VIe

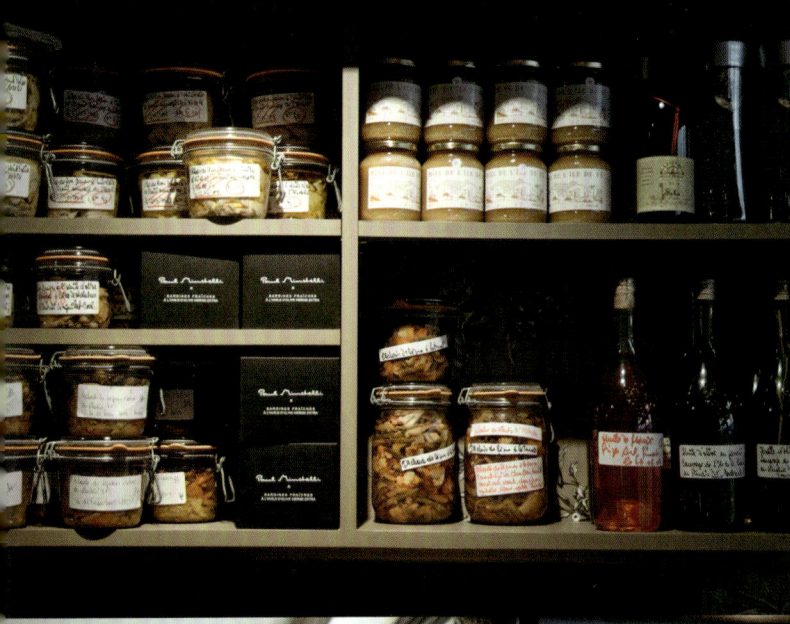

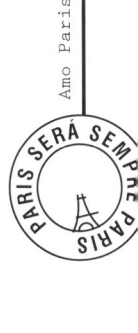

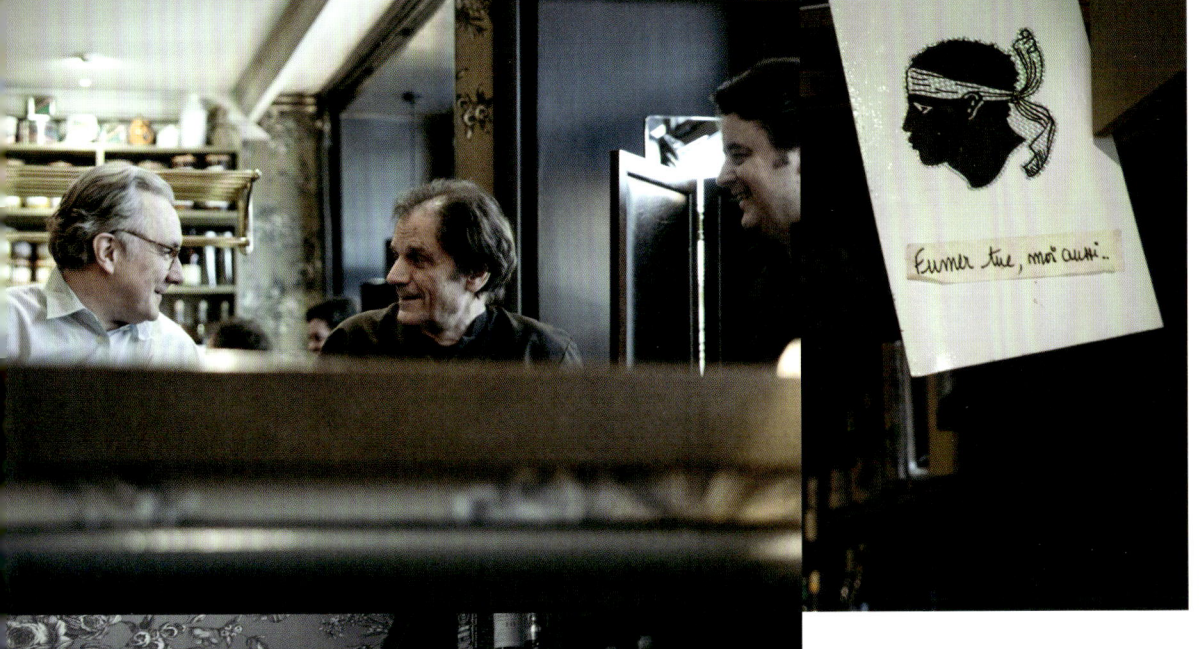

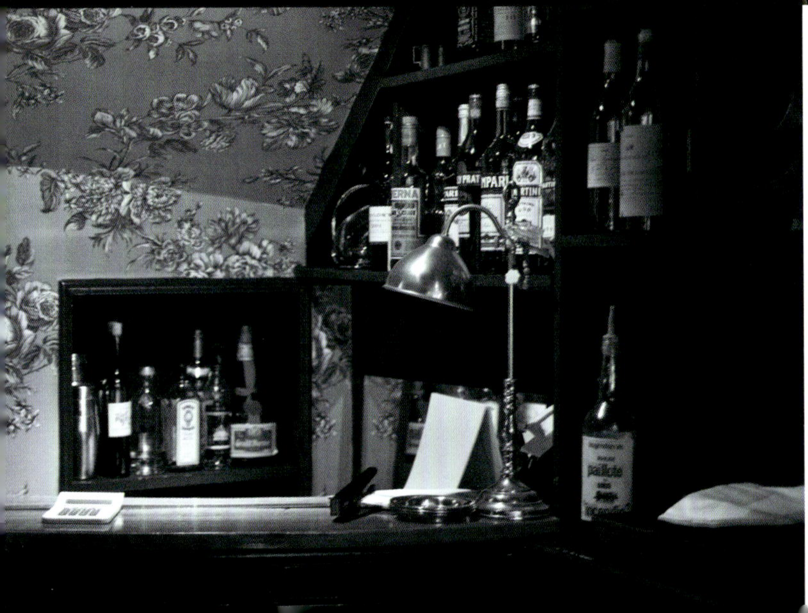

39 V 39 avenue George V Paris VIIIe

PARIS SERÁ SEMPRE PARIS — Amo Paris

39V

"O 39V é, antes de tudo, uma maravilhosa história de harmonia. Eu quis reunir nesse lugar os ingredientes da minha receita de felicidade: amor, cumplicidade, humanidade, convívio, troca, partilha, rigor, beleza, sensualidade, respeito... E também recolocar a hospitalidade no centro de nossas preocupações do dia a dia, tanto na sala quanto na cozinha... Situado em pleno coração do triângulo de ouro e escondido sob os tetos de Paris, o 39V é um verdadeiro porto de paz que propõe uma culinária simples. Os bons produtos são o resultado de um perfeito acordo entre a natureza e os homens que se inspiram nela..."

Frédéric Vardon

39 V 39 avenue George V Paris VIIIe

PARIS SERÁ SEMPRE PARIS — Amo Paris

019

1728 8 rue d'Anjou Paris VIIIe

PARIS SERÁ SEMPRE PARIS Amo Paris

1728 8 rue d'Anjou Paris VIIIe

1728

Aqui viveu La Fayette, e a marquesa de Pompadour mantinha o seu salão. No pequeno salão Trois Ors, antigo e encantador, a culinária de inspiração asiática é singular, mas inusitada. Mais clássica, a elegante carta dos chás, com os doces de Arnaud Larher, discípulo de Pierre Hermé.

023

58 TOUR EIFFEL 6 avenue Gustave Eiffel Paris VIIe

58 TOUR EIFFEL

É meio-dia no gigantesco quadrante solar do Champ de Mars. É hora de fazer um piquenique no primeiro andar da Torre Eiffel, tendo toda Paris a seus pés. Comece por um refresco no bar banhado de luz e aproveite para contemplar o panorama da colina de Chaillot. Em seguida, dirija-se à cozinha. Um cesto espera por você. Costela de vitela na chapa, miolo de filé de boi, queijo Vacherin com temperos da moda ou profiteroles: Alain Soulard propõe, à noite, um jantar gastronômico a 95 metros de altura.

58 TOUR EIFFEL 6 avenue Gustave Eiffel Paris VIIe

Amo Paris

ALAIN DUCASSE AU PLAZA ATHÉNÉE — 25 avenue Montaigne Paris VIIIe

ALAIN DUCASSE AU PLAZA ATHÉNÉE 25 avenue Montaigne Paris VIIIe

PARIS SERA SEMPRE PARIS — Amo Paris

ALAIN DUCASSE AU PLAZA ATHÉNÉE 25 avenue Montaigne Paris VIIIe

AD PA

"Aqui resolvi retornar ao essencial. Recomeçar tudo a partir do zero. Onde estão os verdadeiros gostos, os temperos originais. Deixar que sua força e sutileza se exprimam. Devolver à técnica seu verdadeiro e único papel: a revelação do sabor da natureza. É necessário um procedimento radical: ousar fazer uma culinária rude para produzir o que há de melhor com coisas simples. Há um esmero nas preparações - um produto, um acompanhamento - para que o paladar se sobressaia. É essa história simples, justa, absoluta que me esforço para contar desde que exerço essa profissão, cuja quintessência hoje libero no Plaza Athénée, com a assistência de Christophe Saintagne."

Alain Ducasse

ALAIN DUCASSE AU PLAZA ATHÉNÉE 25 avenue Montaigne Paris VIIIe

PARIS SERÁ SEMPRE PARIS — Amo Paris

ALFRED

Jardins do Palais-Royal - descemos alguns degraus. O charme está presente desde as escadas metálicas, que evocam a Torre Eiffel. Estamos com William Abitbol, suspensos no nível do primeiro andar da Opéra. A luz bege dourada do antigo abajur ilumina a galinha *gauloise*, o tartar de dourado com ora-pró-nobis. Tudo parece muito simples, mas cada legume da grande travessa foi preparado de maneira diversa para respeitar gostos diferentes. Visitas diárias ao mercado, mas uma mousse de chocolate atemporal.

PARIS SERÁ SEMPRE PARIS — Amo Paris

ALFRED 52 rue de Richelieu Paris Ier

On peut
Apporter
son Mange

L'ASSIETTE 181 rue du Château Paris XIVᵉ

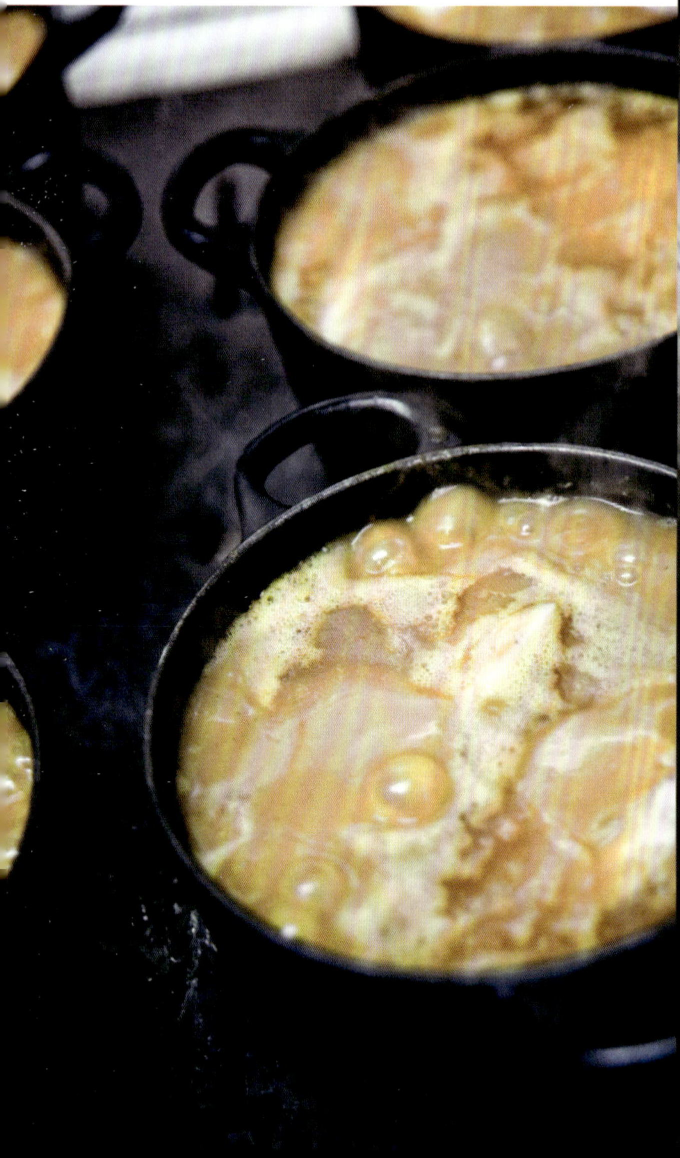

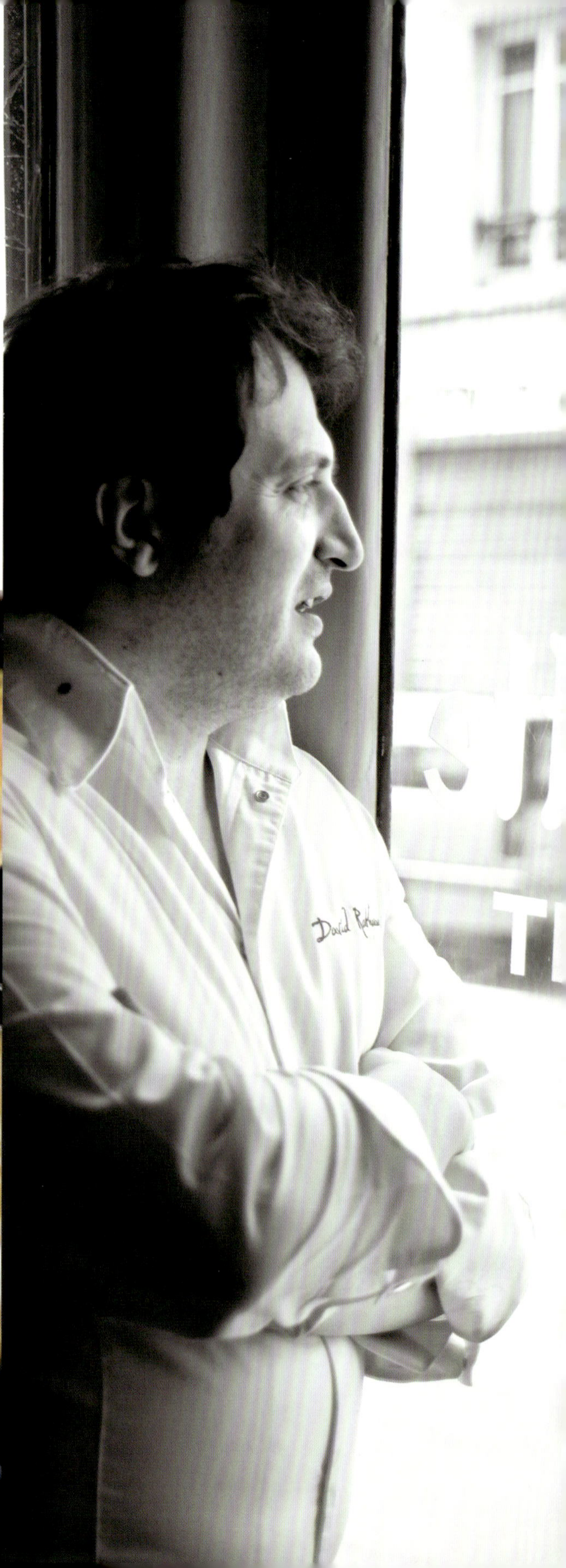

PARIS SERÁ SEMPRE PARIS — Amo Paris

L'ASSIETTE 181 rue du Château Paris XIV

L'ASSIETTE

Alain Ducasse: Após tantos anos perto de mim, fico contente de ver David realizado no seu próprio bistrô. Ele assumiu o restaurante depois de Lulu, o que foi um verdadeiro desafio! O que você tem para saborearmos hoje?

David Rathgeber: Meu improviso gastronômico: timo de vitelo, pitus, cogumelos dos bosques, foie gras quente. Faço escalopes grandes com o timo de vitelo e misturo manteiga cremosa. Acrescento os pitus, os cogumelos de la Saint-George e algumas pontas de aspargos. Uso conhaque para dissolver bem os ingredientes, junto o molho Nantua, misturo ligeiramente com um pouco de creme e coloco os escalopes de foie gras fritos, uma pitada de sal, um bom punhado de pimenta... Vamos para a mesa!

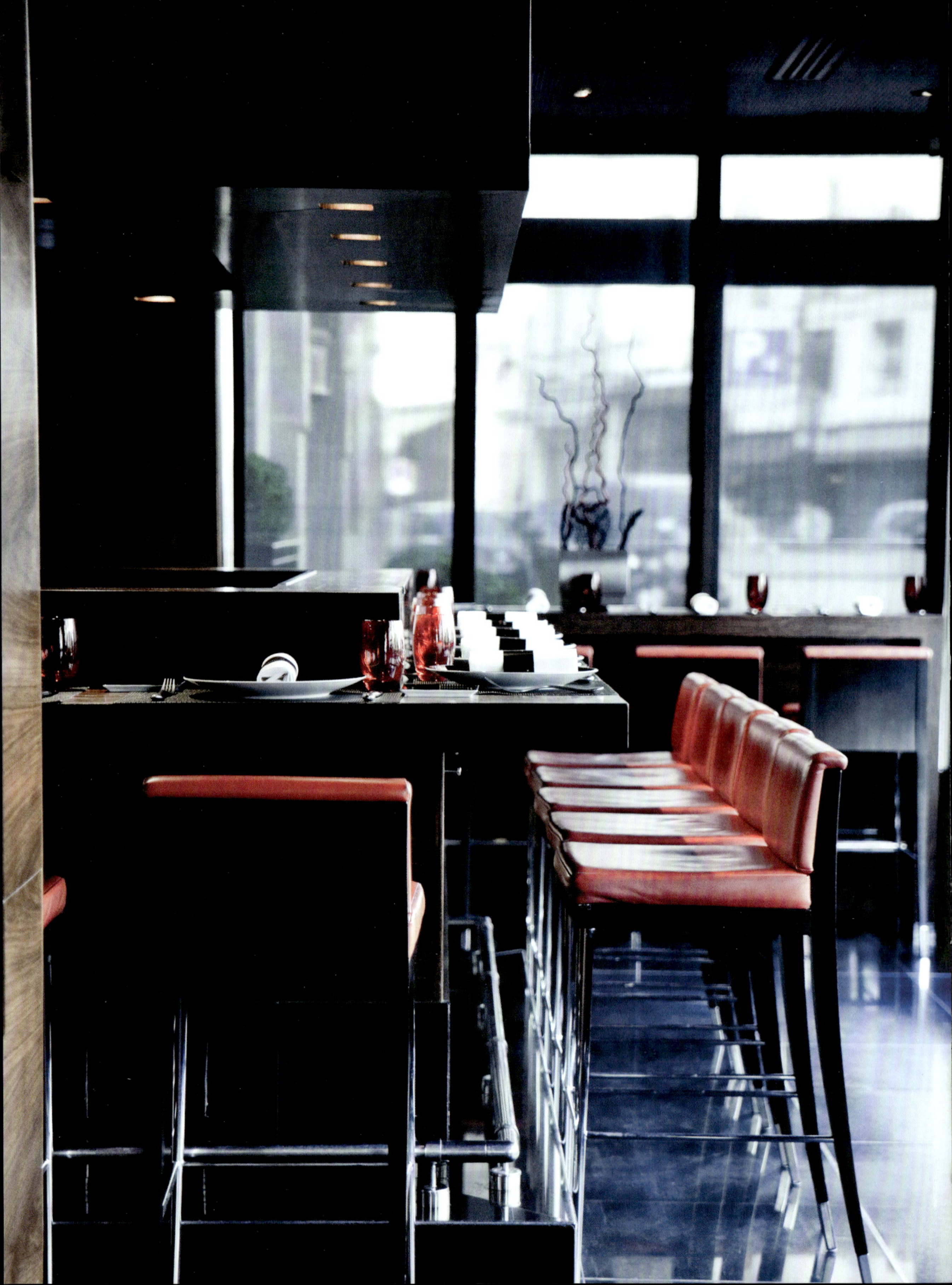

PARIS SERÁ SEMPRE PARIS — Amo Paris

L'ATELIER DE JOËL ROBUCHON 5 rue de Montalembert Paris VIIe

043

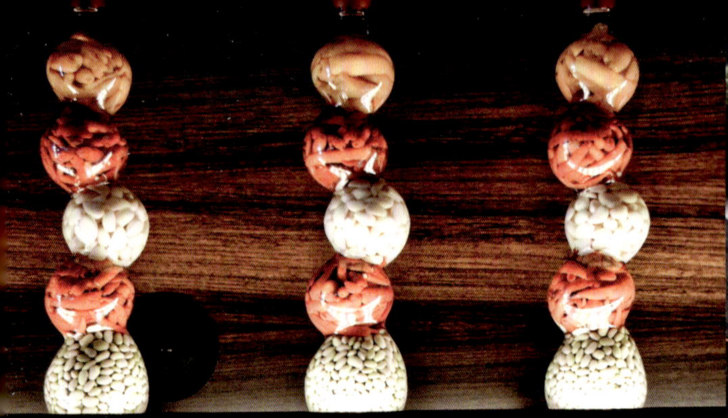
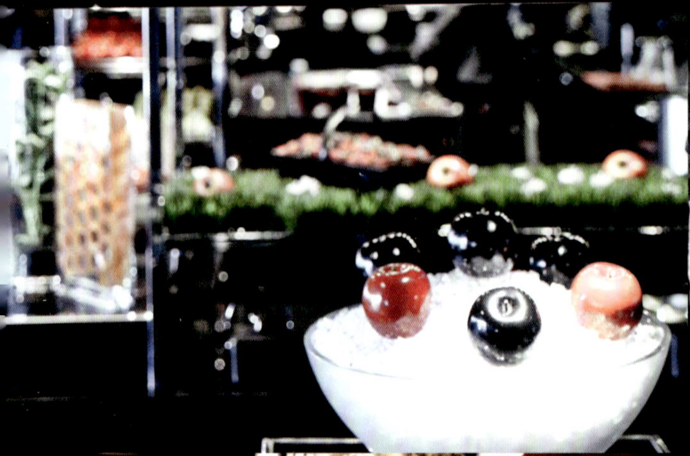
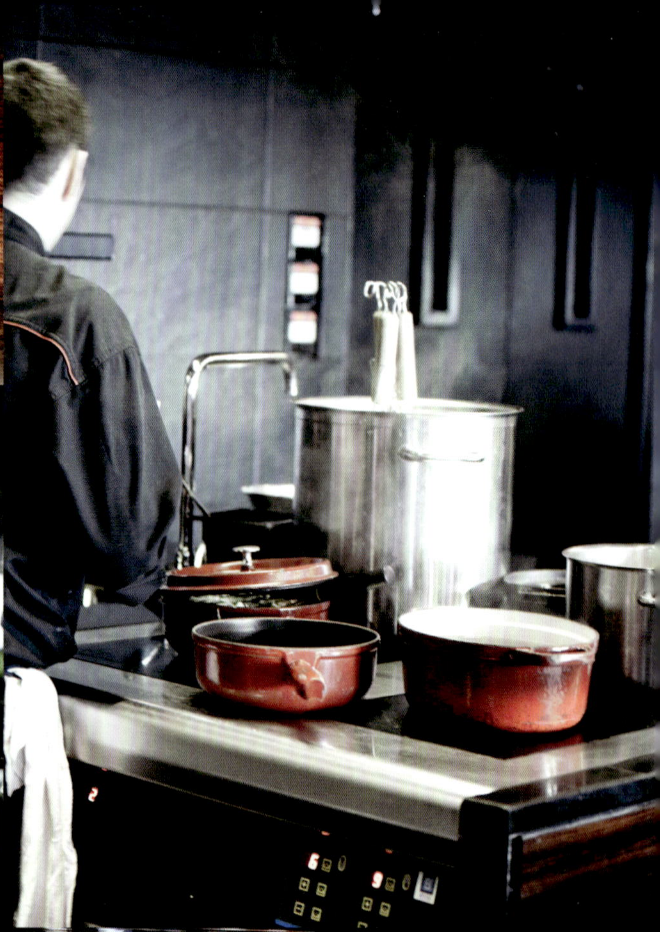
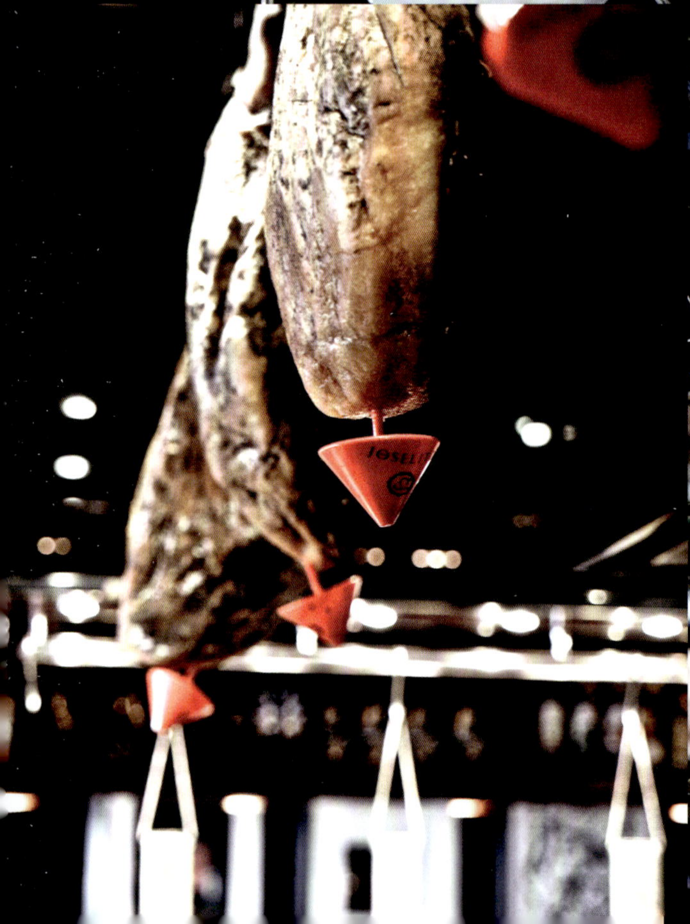
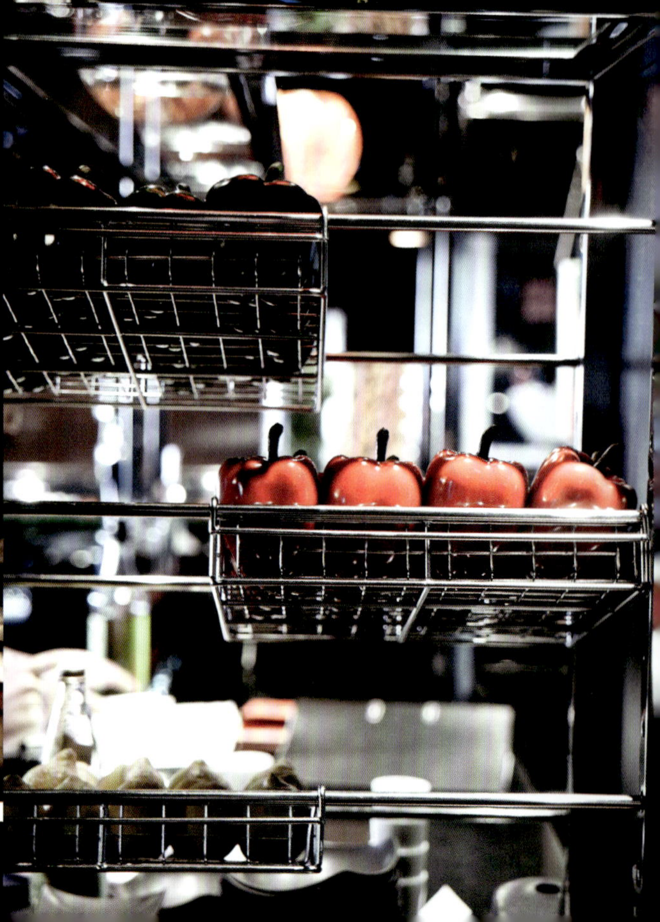

ATELIER JOËL ROBUCHON

"Eu trabalho com *monsieur* Robuchon desde 1982. Em 2003, quando ele quis criar esse novo conceito de restaurante, associou-se naturalmente a seus principais colaboradores. No início, desejávamos trabalhar sem pressão, e principalmente ficar mais próximos de nossos clientes, por isso surgiu a ideia dessa cozinha aberta. E o espírito da culinária também evoluiu: sempre um bom produto, cultivado ou colhido por nossos produtores e preparado com muita simplicidade. Atualmente, recebemos nossos clientes como amigos. Essa é a nossa melhor recompensa."

Éric Lecerf

PARIS SERÁ SEMPRE PARIS — Amo Paris

L'ATELIER DE JOËL ROBUCHON 5 rue de Montalembert Paris VIIe

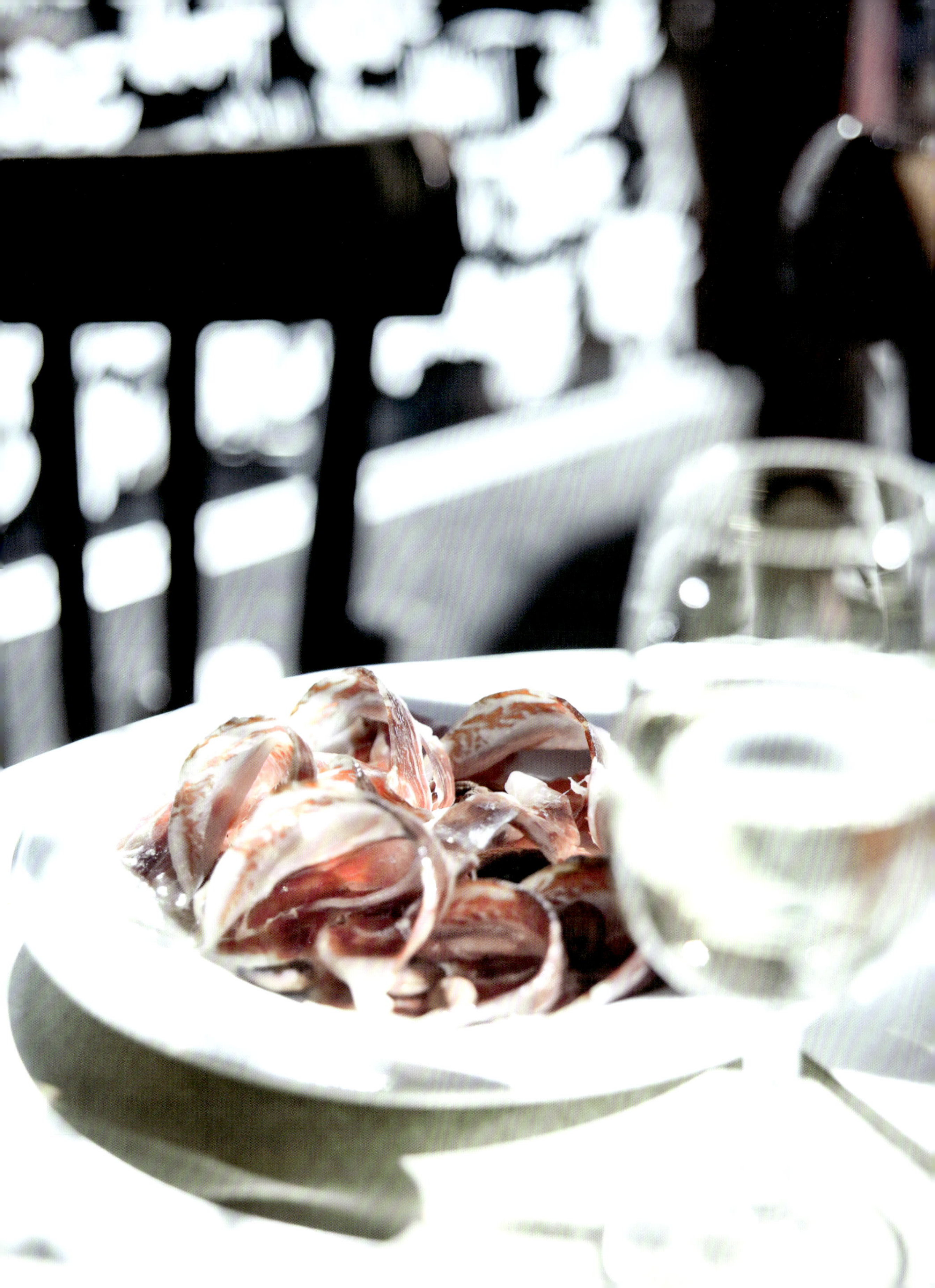

PARIS SERÁ SEMPRE PARIS — Amo Paris

AUX DEUX AMIS 45 rue Oberkampf Paris XIe

CAFE   AUX DEUX AMIS   COMPTOIR

AUX DEUX AMIS

O restaurante Aux Deux Amis renovou-se. Embora a decoração não tenha mudado, há novidades no menu. Debruçados no balcão, podemos saciar a sede com um excelente vinho natural, depois nos acomodarmos debaixo das luminárias de néon para saborear os pratos triviais. Não há necessidade de complicar as coisas para ficar satisfeito, aproveitemos o momento. É interessante partilhar um último copo na varanda que dá para a calçada: ao vento!

AUX DEUX AMIS 45 rue Oberkampf Paris XIe

PARIS SERÁ SEMPRE PARIS
Amo Paris

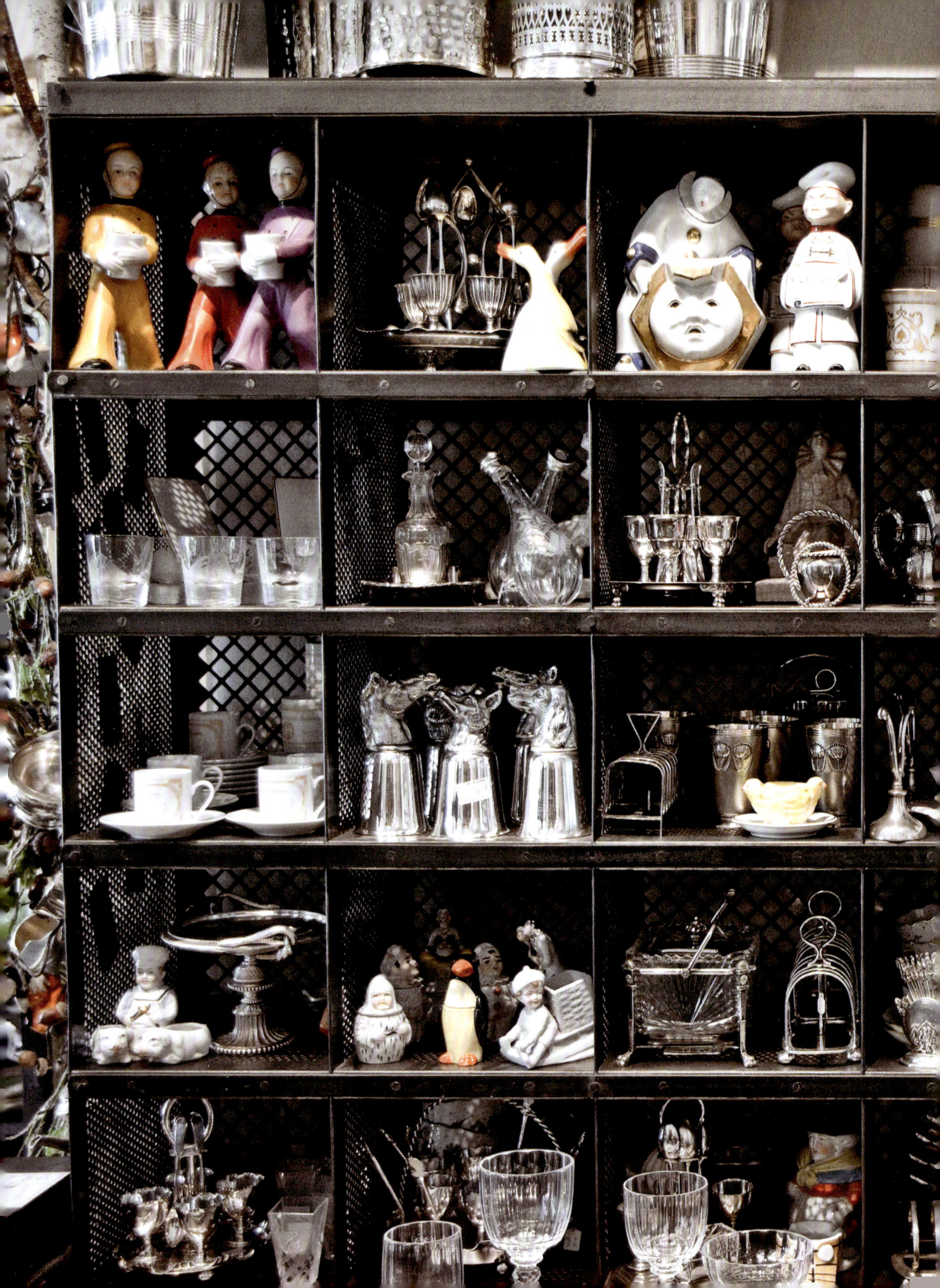

PARIS SERÁ SEMPRE PARIS Amo Paris

AU BAIN MARIE 56 rue de l'Université Paris VII

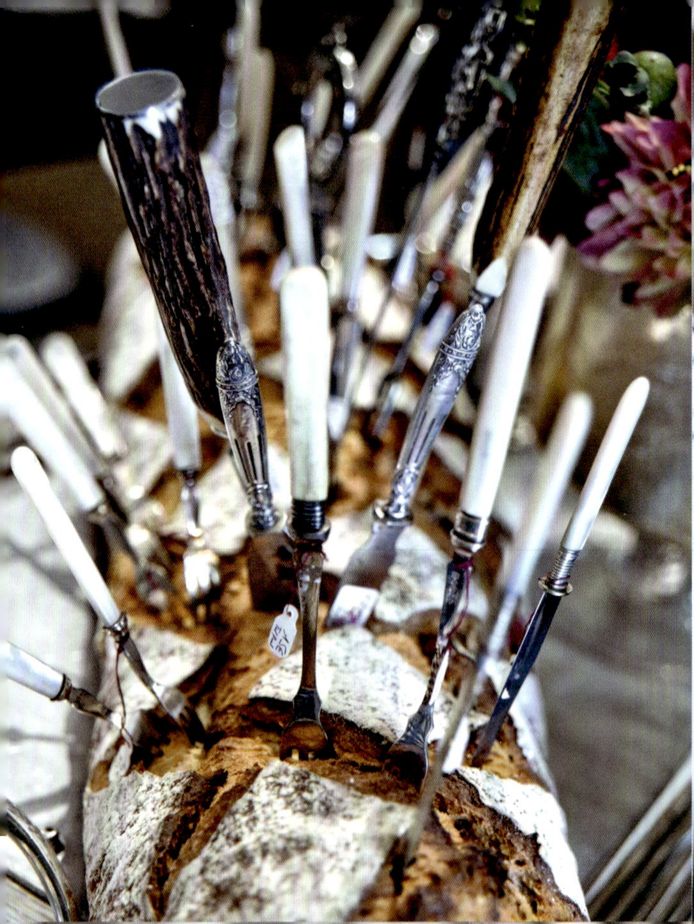
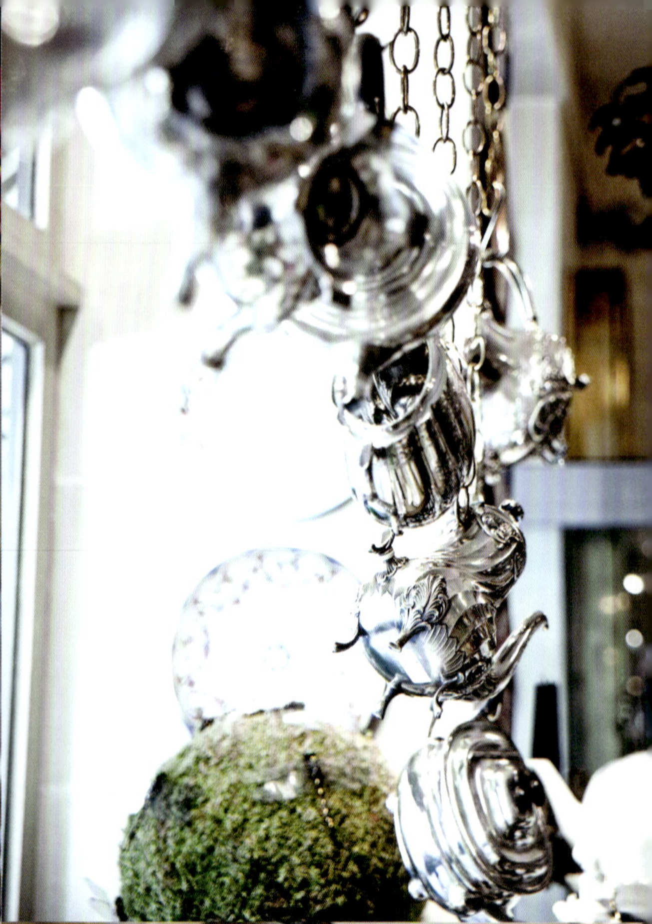
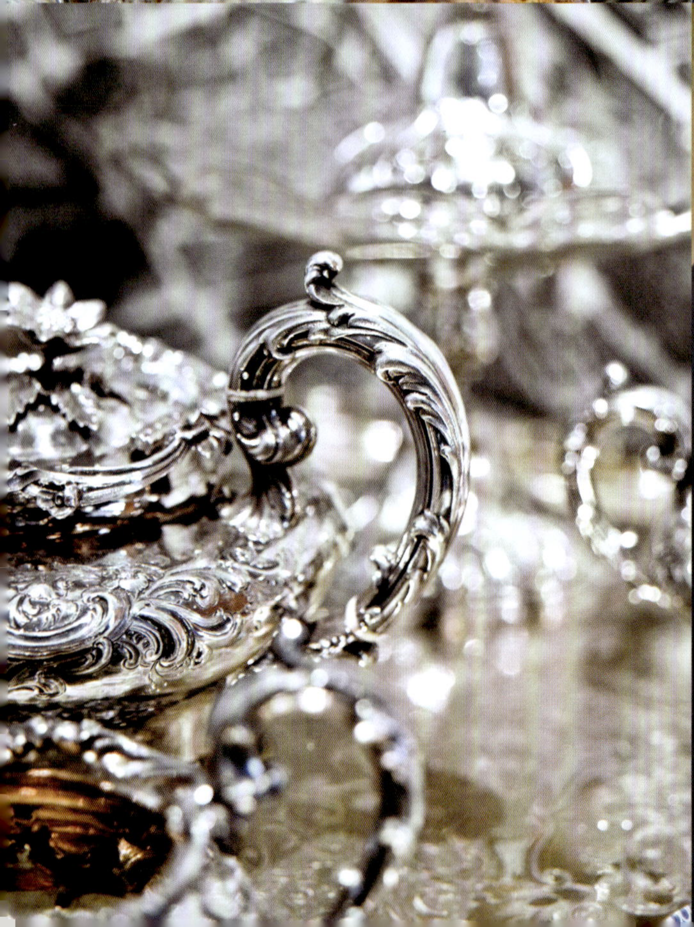
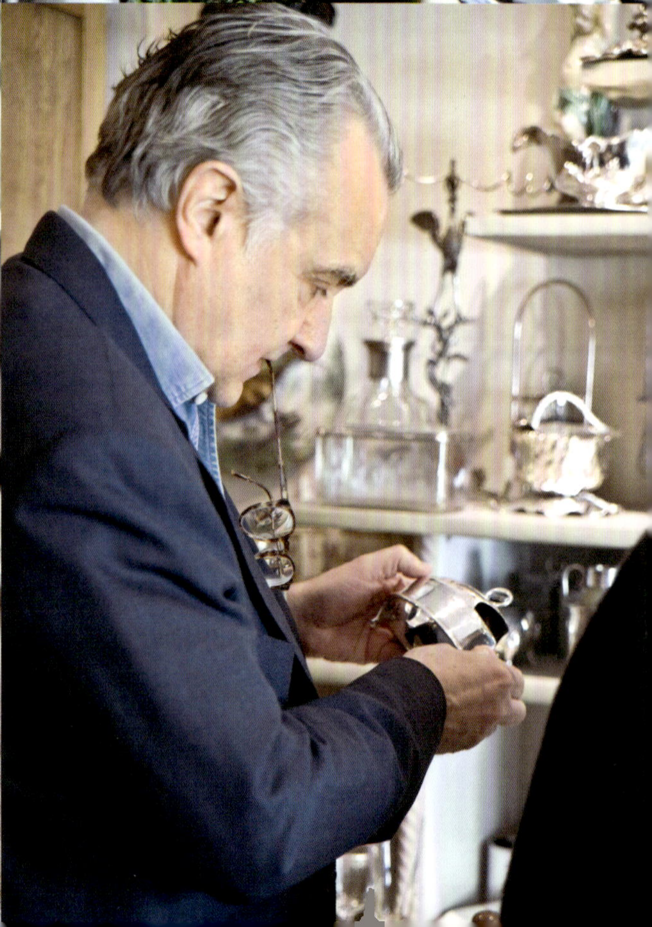

BAIN MA RIE

Uma prensa inglesa para patos. O trabalho requintado de uma maleta de piquenique de 1920. Uma série de espremedores de frutas cítricas em forma de cidra, do final do século XIX. Um curioso ralador de trufas, em marfim. Estamos com Aude Clément, no sótão de uma colecionadora, uma viajante. Seu cofre de preciosidades está aberto. Esfregando o lenço, o gênio sai da sopeira...

PARIS SERÁ SEMPRE PARIS — Amo Paris

AU BAIN MARIE 56 rue de l'Université Paris VIIe

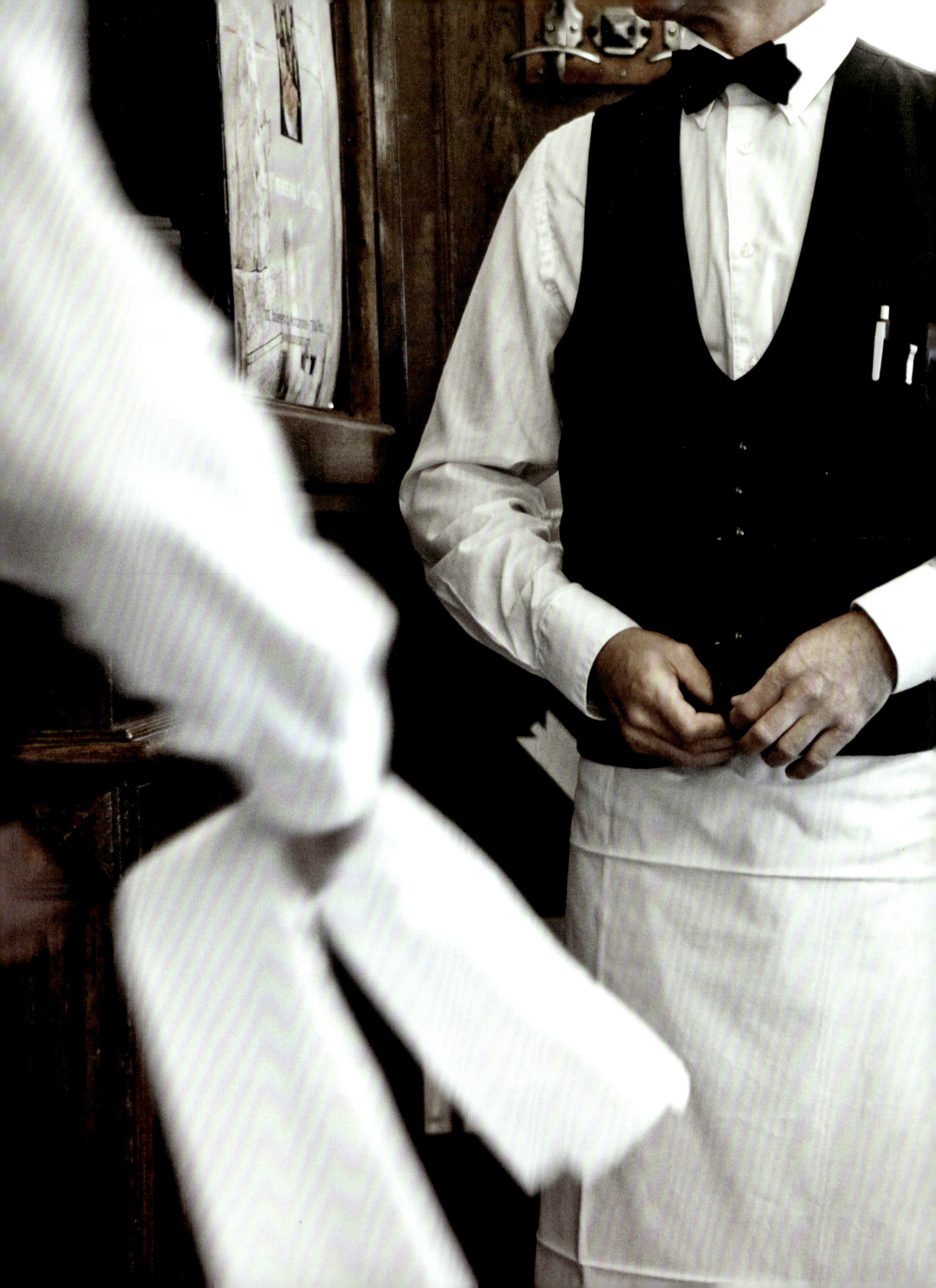

Amo Paris

BALZAR 49 rue des Écoles Paris V[e]

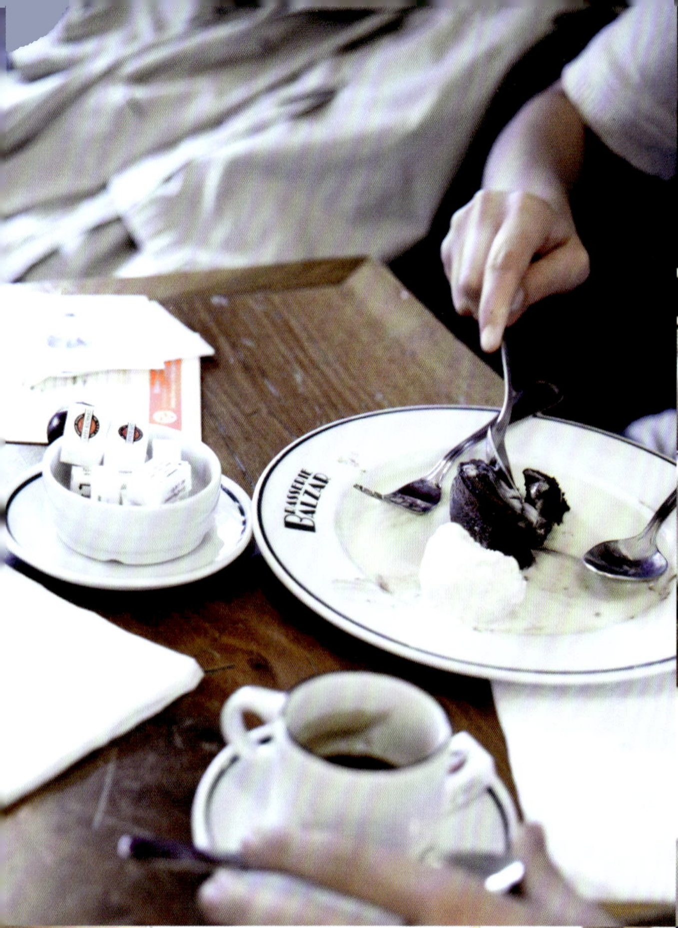

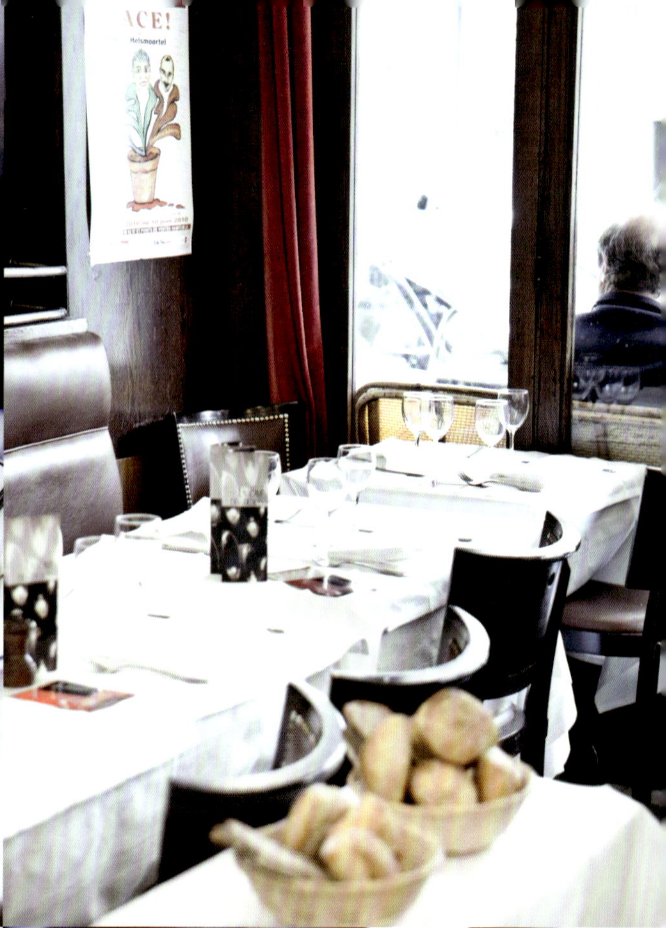

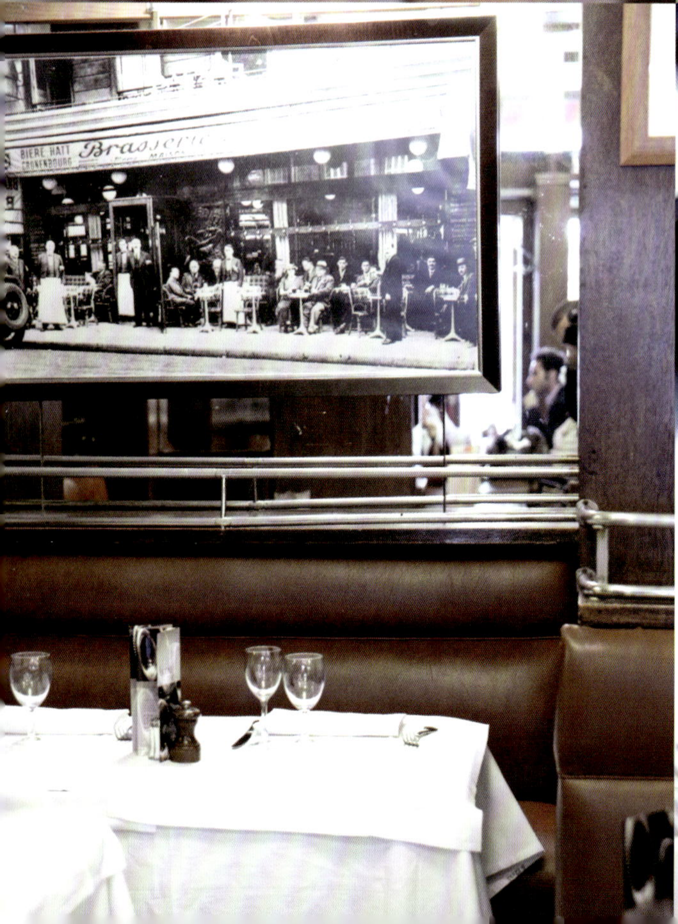

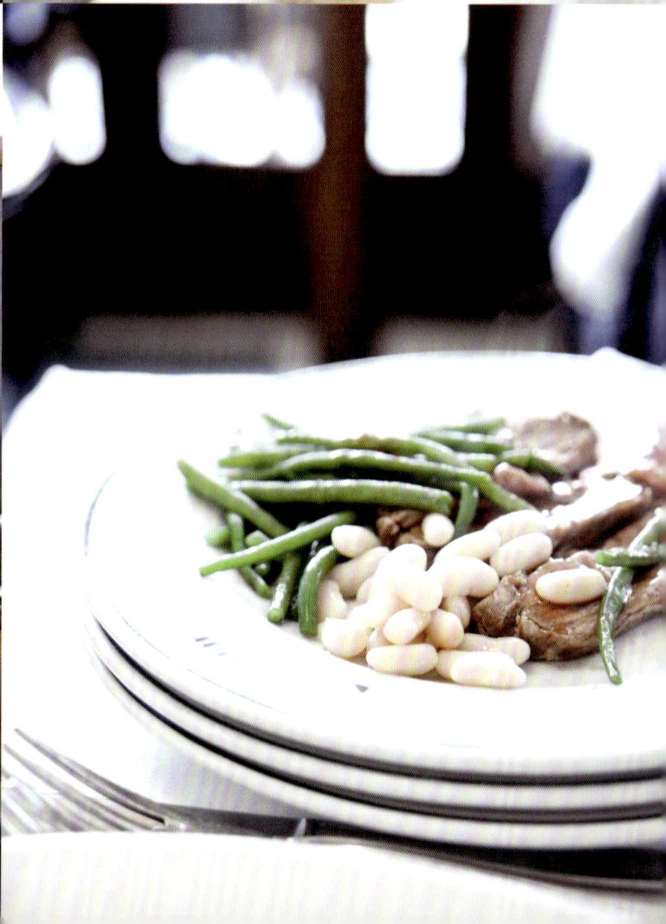

BAL ZAR

O terraço foi feito para duendes. Nossas pernas não cabem sob as mesas e pensamos que, em torno da Sorbonne, há lugares com mesas maiores. Mas vamos lá por causa de Sartre e Camus – e para esperar a hora do cinema, onde ficaremos ainda mais mal sentados –, para que os garçons, muitas vezes mais cultos do que os clientes, nos provoquem. E para nos deliciarmos com os clássicos de bistrô: o aipo em *rémoulade* e o nabo em vinagrete. Uma instituição.

BALZAR 49 rue des Écoles Paris V[e]

Amo Paris
PARIS SERÁ SEMPRE PARIS

057

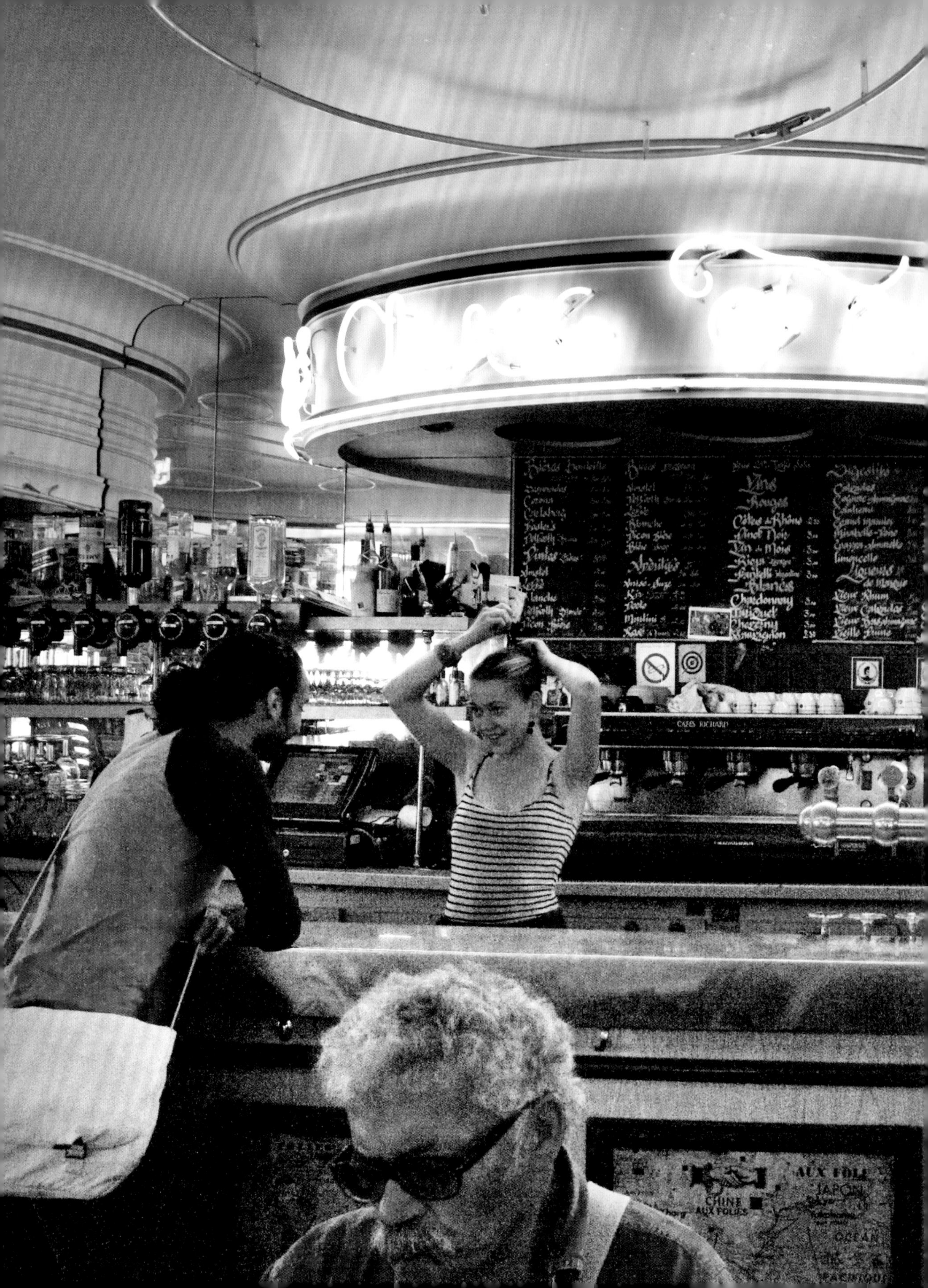
CAFES RICHARD
CHINE
AUX FOLIES

BAR AUX FOLIES 8 rue de Belleville Paris XXe

Era um cabaré. Piaf e Maurice Chevalier cantaram ali. O local conserva o ar de espetáculo parisiense, com colunas e pavimento em mosaico. Passa-se para tomar um café no balcão, como nos bons velhos tempos, evitando o reflexo dos néons coloridos no grande espelho que se estende ao longo do bar. Cede-se ao prazer da pequena mousse na varanda e de observar os passantes. Logo nos sentimos à vontade, entrando no legítimo burburinho parisiense.

BAR AUX FOLIES

BAR AUX FOLIES 8 rue de Belleville Paris XXe

061

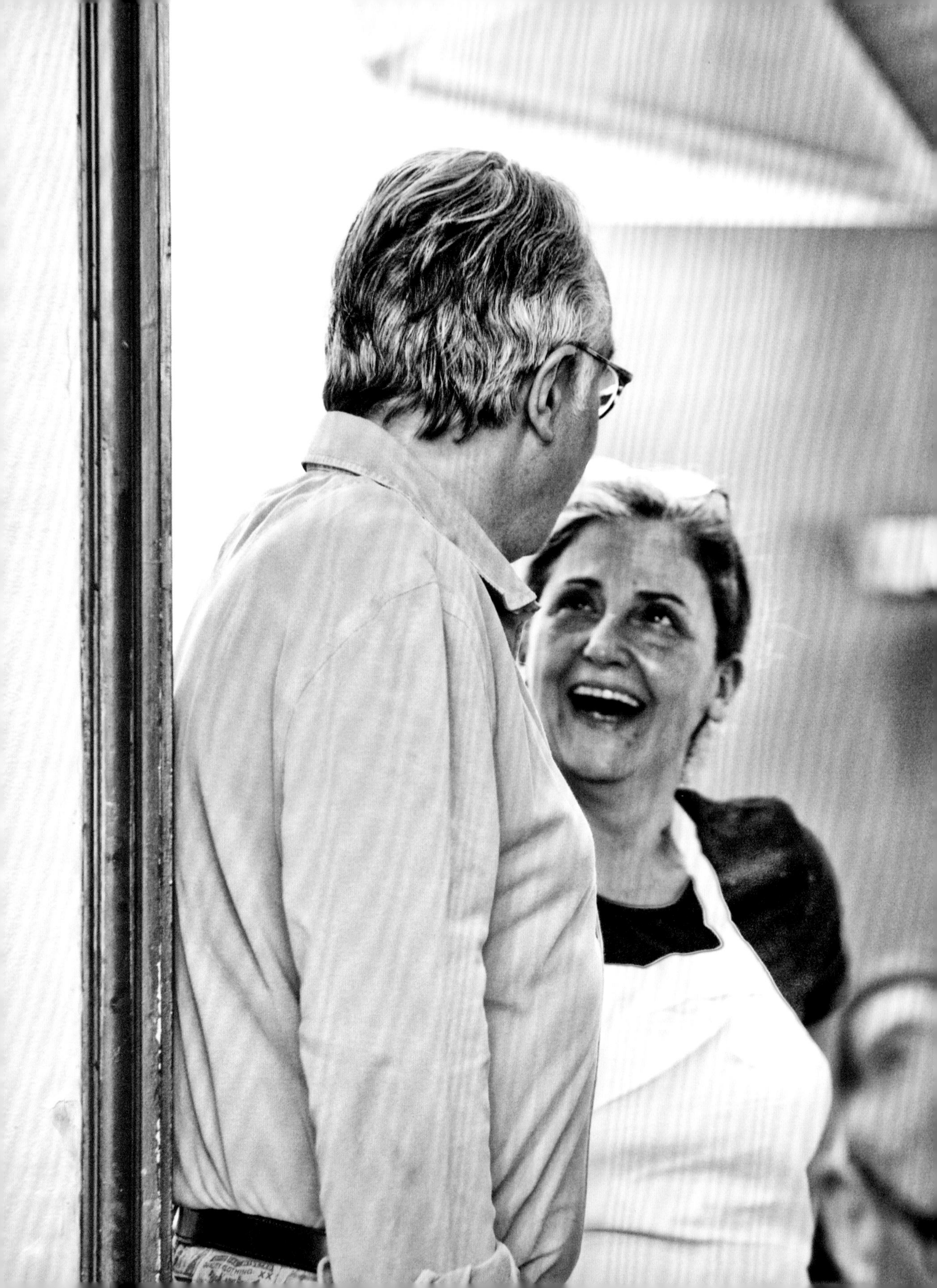

PARIS SERÁ SEMPRE PARIS Amo Paris

LE BARATIN 3 rue Jouye-Rouve Paris XXe

BAR ATIN

Ela não fala, a Raquel. Não fala do tempo. Pois o tempo é gosto. A simplicidade - é preciso que isso cozinhe a fogo lento, devagarzinho, na calma de suas grandes caçarolas de alumínio brilhante, na intimidade de sua minúscula cozinha. Os habitués querem se aconchegar sob a foto de Willy Ronis, uma das primeiras feitas em Paris - é emocionante! Sobre os bancos escolares, a perna de vitela que se come com uma colherzinha, e os feijões-brancos da Espanha que derretem na boca. A delicada terrina de fígado de *lotte*, o sashimi de cavalas, o rábano negro e a framboesa fresca difundem as cores de uma culinária pessoal, perfeitamente dominada. A carta de vinhos naturais, selecionados por Philippe Pinoteau, "Pinuche" para os íntimos, encarrega-se da conversação.

LE BARATIN 3 rue Jouye-Rouve Paris XXe

Paris sera semper Paris — Amo Paris

065

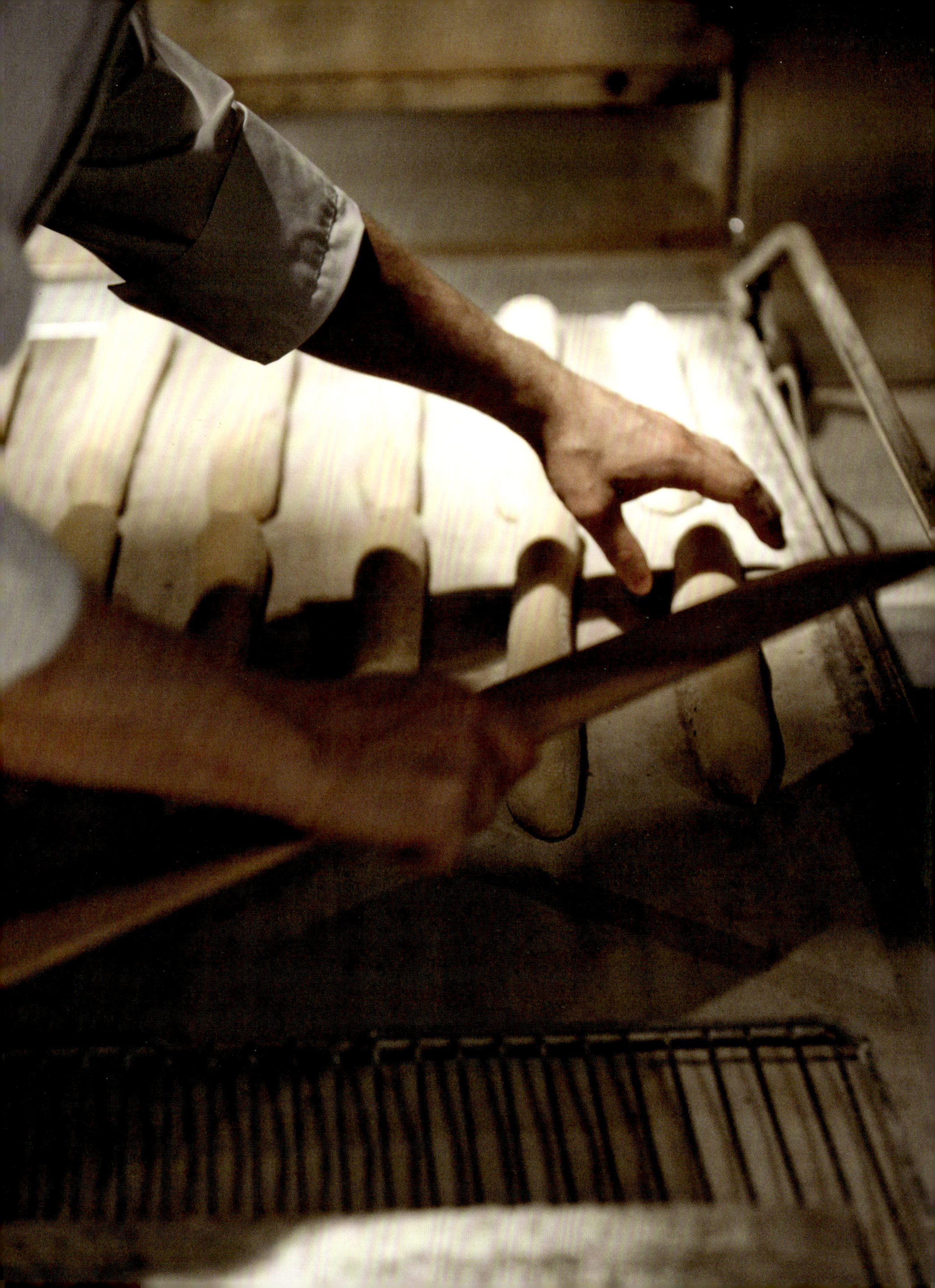

BE 73 boulevard de Courcelles Paris VIIIe

Amo Paris

BE Levar uma vida de louco não justifica ter de comer mal. E não é o *chef*, Dominique Saugnac, que expressará opinião contrária. Aqui o pão, preparado no local, sai do forno que impera no centro da padaria/épicerie. Você escolhe: feito com nozes do Périgord, algas, figos... A sopa é a da manhã, com legumes da estação. Torradas e sanduíches feitos com os melhores produtos: atum, sardinhas ao óleo, tomates em conserva, presunto de Cerda, roquette... Em cinco minutos, vamos embora com a nossa *be box*®. À noite, pegamos nas prateleiras um chouriço negro, um pacote de boas massas e um notável azeite de oliva, e seguimos as instruções de preparo da etiqueta. Doces divinos, pizza de chocolate.

PARIS SERÁ SEMPRE PARIS — Amo Paris

BE 73 boulevard de Courcelles Paris VIIIe

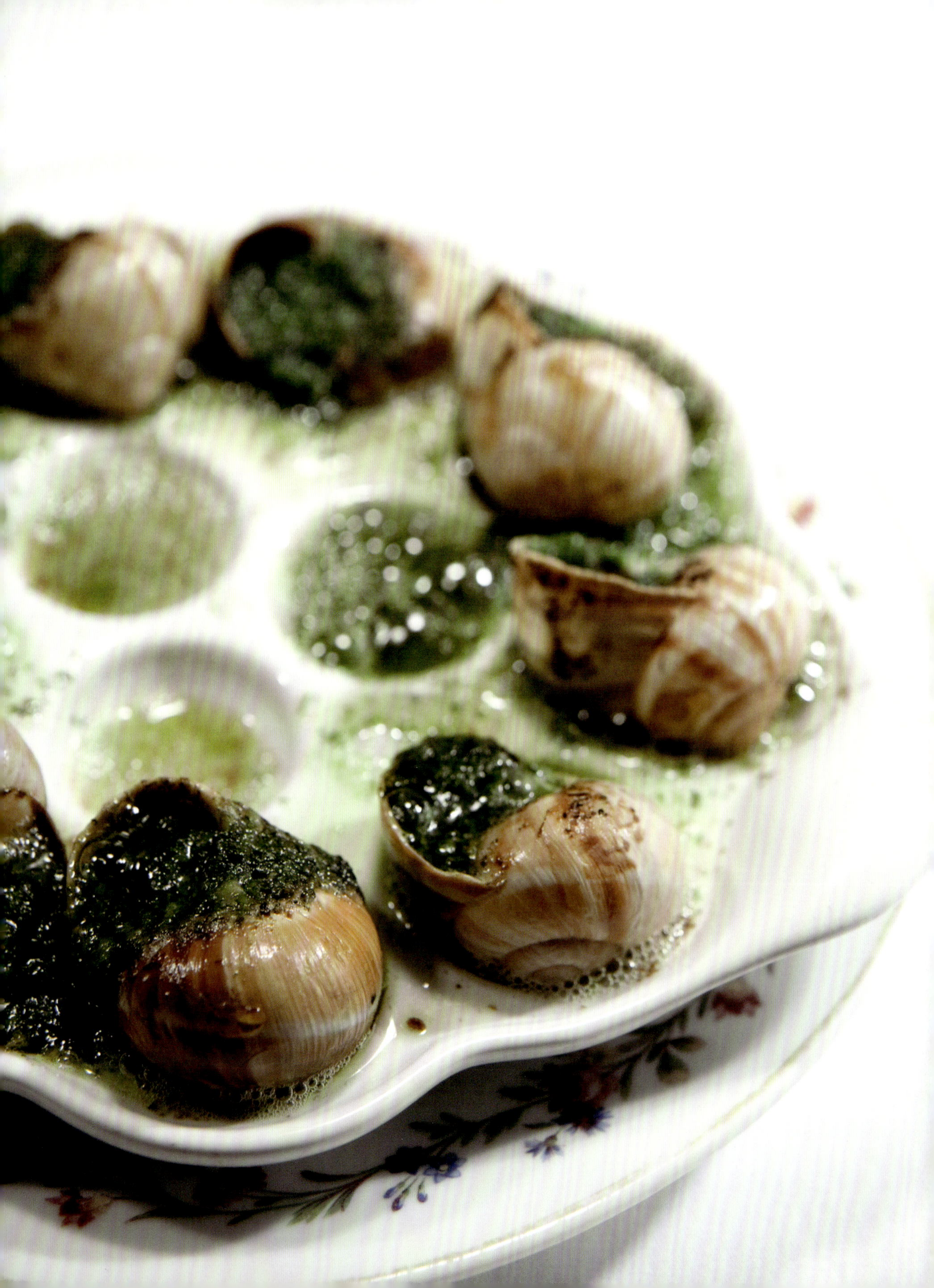

PARIS SERÁ SEMPRE PARIS — Amo Paris

BENOIT 20 rue Saint-Martin Paris IVe

071

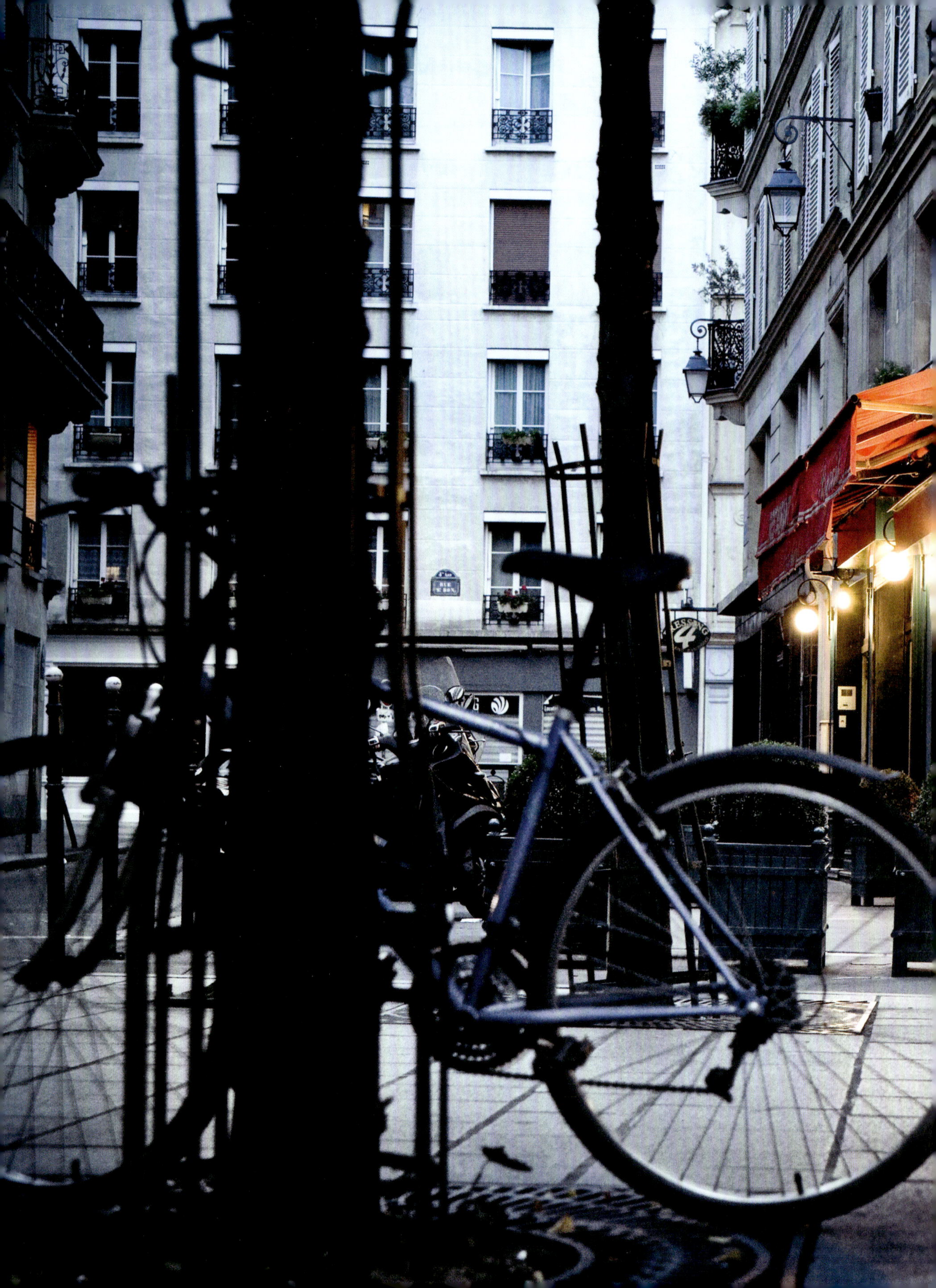

RUE
S.͏t MARTIN

Amo Paris

PARIS SERÁ SEMPRE PARIS

BENOIT 20 rue Saint-Martin Paris IVᵉ

073

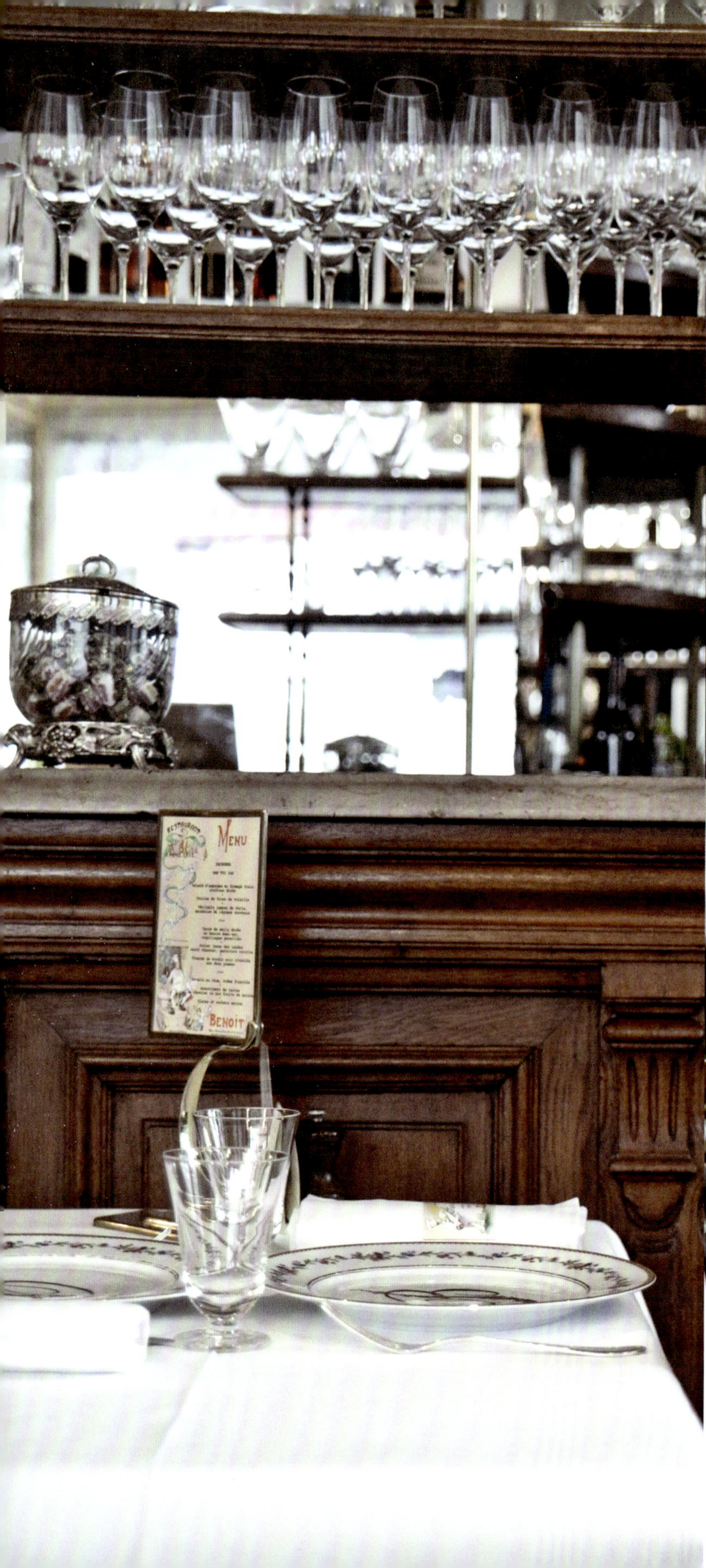
MENU
BENOIT
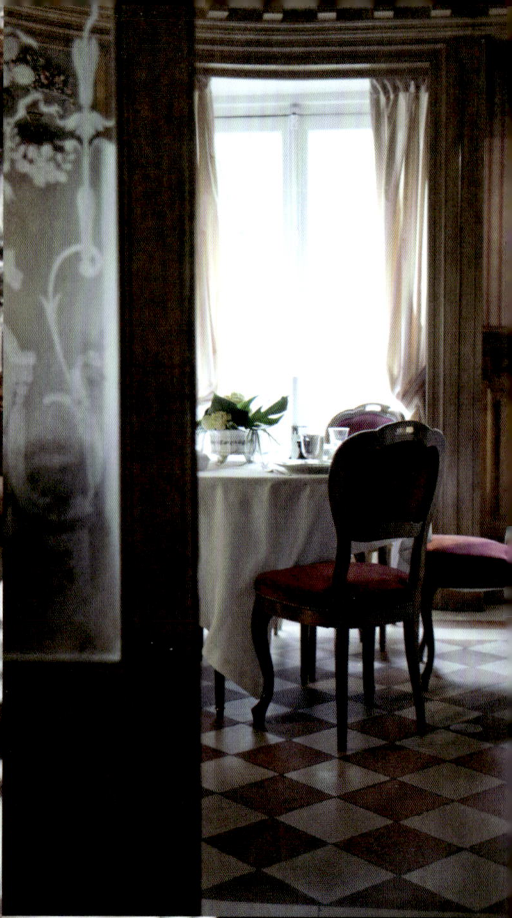
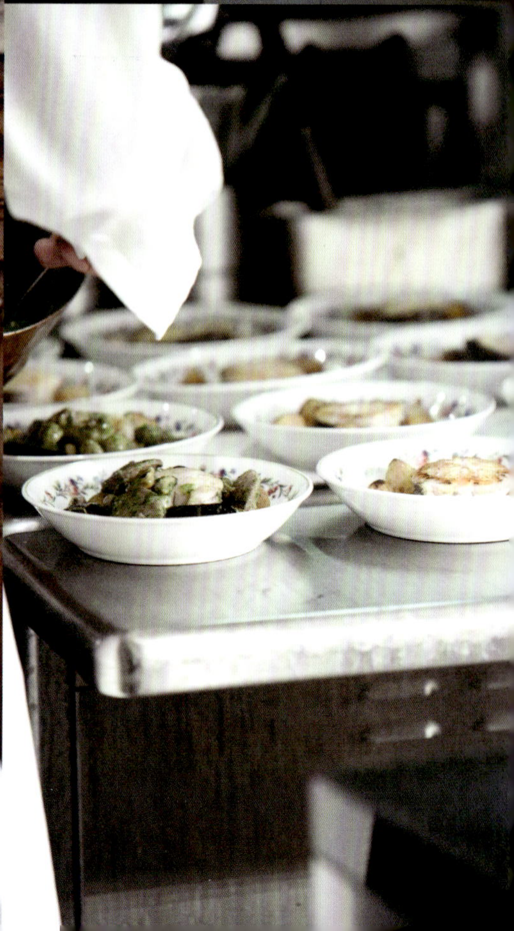

BENOIT

PARIS SERÁ SEMPRE PARIS — Amo Paris

BENOIT 20 rue Saint-Martin Paris IVᵉ

Monumento histórico de guloseimas parisienses, o Benoit reconforta as papilas da capital desde 1912. Fiel aos clássicos, Wilfrid Hocquet exibe uma culinária partilhada, tradicional, mas tratada de forma popular, uma verdadeira cozinha de Paname. Na estação certa, aproveitamos para comer tomates recheados ou aspargos *mousseline*, seguidos de um linguado ao molho Nantua ou de uma língua de vitela Lucullus. O prazer raro dos autênticos *profiteroles*. O acordeonista pode arrumar os suspensórios: o espírito bistrô está presente no prato.

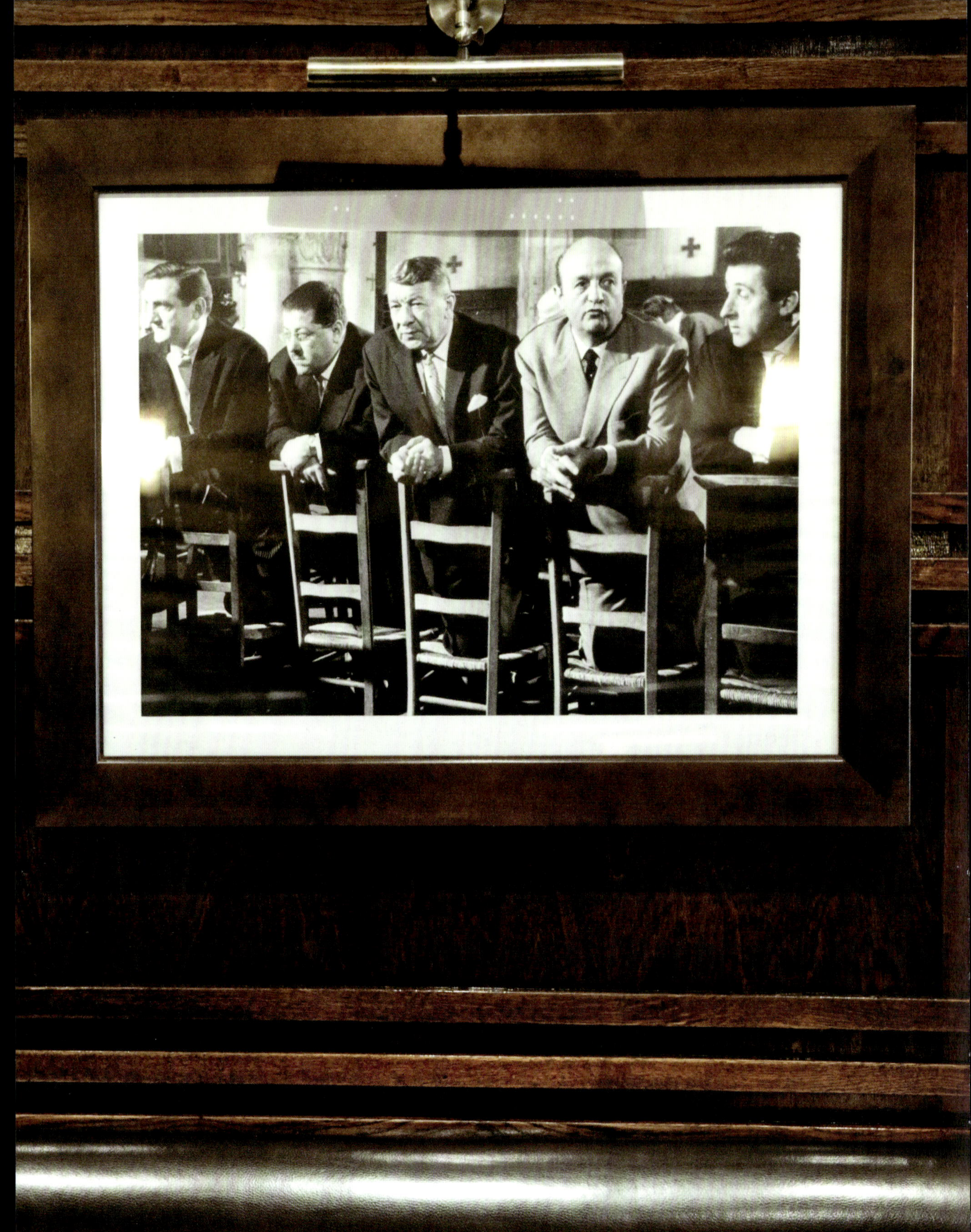

PARIS SERÁ SEMPRE PARIS — Amo Paris

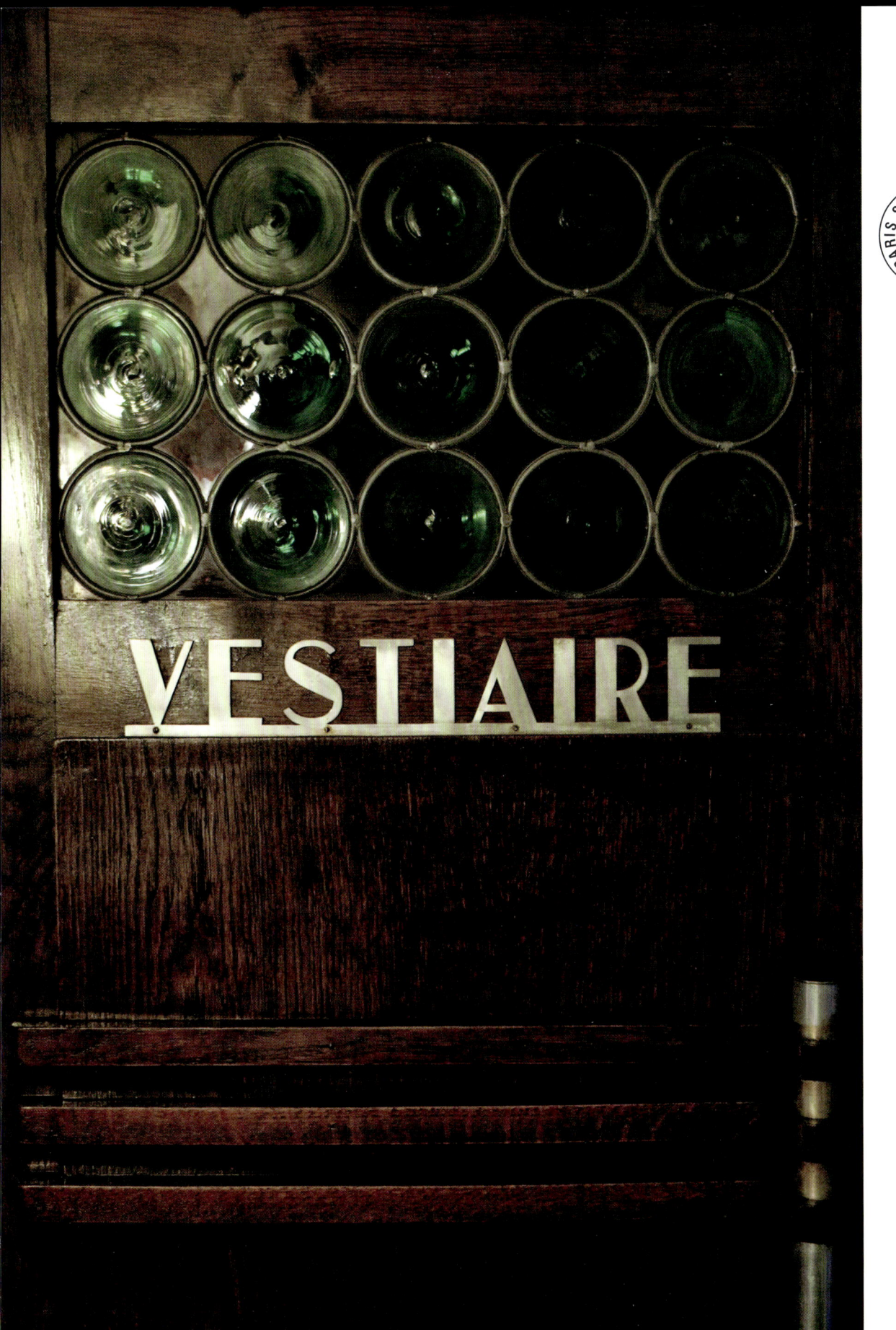

BIDOU BAR 12 rue Anatole de la Forge Paris XVIIe

077

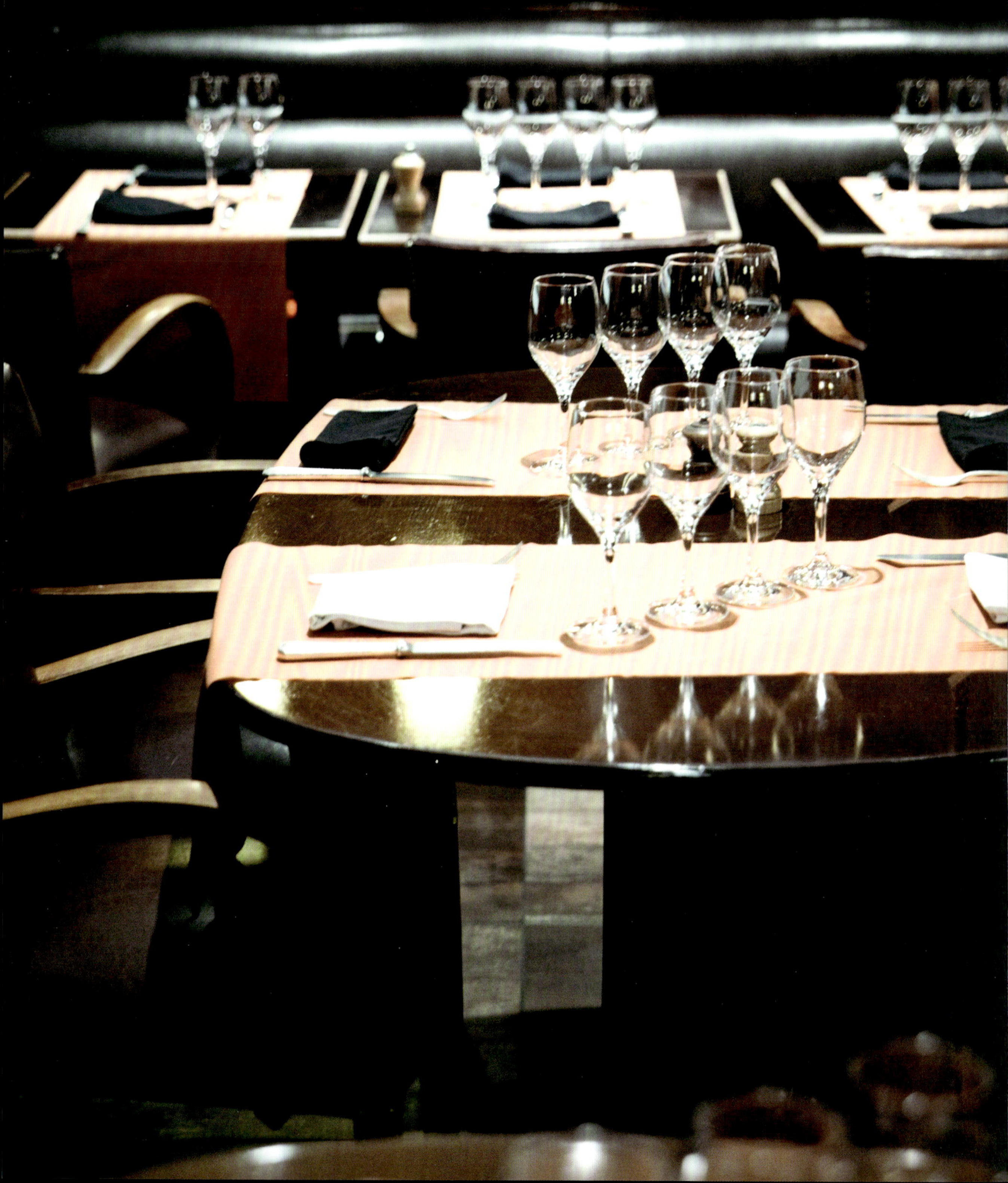

BIDOU BAR

Piaf está ali, a dois tamboretes de distância. La Môme vinha sempre aqui. Devia sentir-se em casa nesse bar que se tornou mítico: entre as garrafas bem cuidadas, os móveis sombrios de ângulos arredondados e as banquetas de couro e linhas refinadas. O ambiente é descontraído. Os personagens de *Les Tontons Flingueurs* ficam em vigília - seu retrato reina na parede do fundo, entre dois antigos aparelhos de rádio TSF. Ainda hoje, uma culinária no puro espírito parisiense: cabeça de vitelo. Das 11 horas às 2 da manhã, os pratos do dia estão escritos na lousa. Bela seleção de vinhos. Champanhe!

PARIS SERÁ SEMPRE PARIS — Amo Paris

BIDOU BAR 12 rue Anatole de la Forge Paris XVIIe

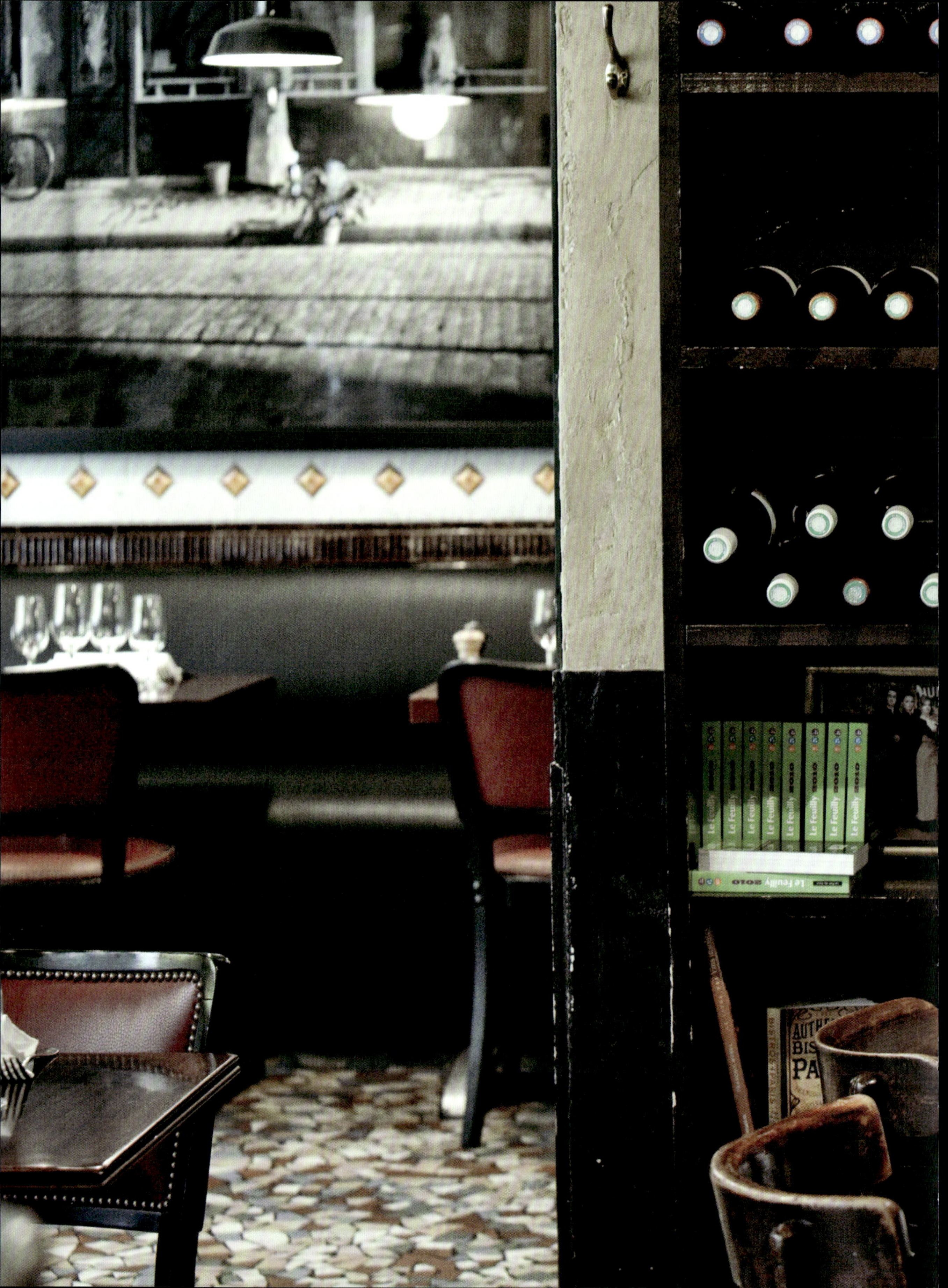
Le Feuilly 2010

MENU À : 34

ENTRÉE + PLAT + FROMAGE OU DESSERT

Salade de longue de veau à l'estragon
Salade de haricots verts frais, champignons et parm...
Terrine de campagne et ses petits légumes acidulés
Gaspacho andalou à la coriandre fraîche
Céviche d'Espadon
Sardines crues marinées au piment d'Espelette
Ravioles de Pigeon et son bouillon à la citronnelle

Les viandes rouges sont servies bleues, saignantes ou...
Pavé de thon et ses petits légumes en tempura
Rognons de veau à la graine de moutarde
Tartar de Boeuf et ses frites maison
Pigeonneau Rôti au jus et ses petits pois à la fran...
Joue de Boeuf à la vinaigrette d'estragon petits légumes de Binte...
Petite lotte "juste cuite" aux asperges vertes
Pied de Cochon désossé, aux morilles fraîches +6€

Melon Surprise

Ile flottante aux pralines roses
Riz au lait "Grand-mère" au dulce de leche
glaces et sorbets maison
Macaron aux fraises
Tartelette aux fraises des bois
Baba au Rhum & fo...

ENTRÉE : 8€ + supl   PLAT: ...+supl   FROMAGE : 8...
OU DESSERT

La maison n'accepte plus les...

BISTROT PAUL BERT 18 rue Paul Bert Paris XIe

PARIS SERÁ SEMPRE PARIS
Amo Paris

081

BIS TROT PAUL BERT

Jean Gabin tem problemas com seu filho, chamado Claude Brasseur, bem como com sua filha, Jeanne Moreau. Gabin vem do campo, Brasseur é um ciclista e Jeanne Moreau cai de amores por um velho atraente. Quando nos instalamos no Bistrot Paul Bert, tudo é *Gas-oil*, os grandes filmes de Gabin, o sorriso de Moreau e Paris em branco e preto que passam diante de nossos olhos.

BISTROT PAUL BERT 18 rue Paul Bert Paris XIe

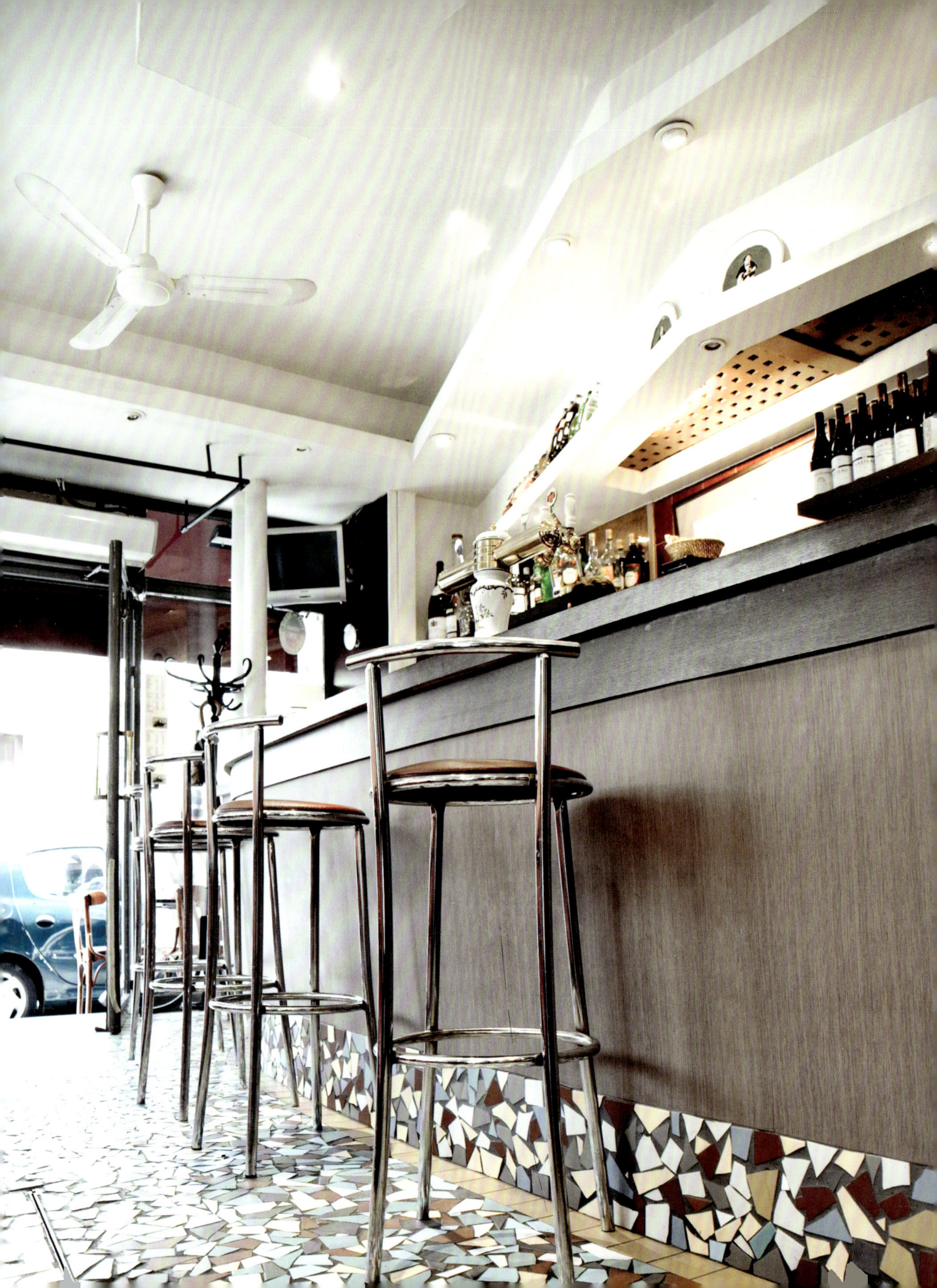

CAFÉ CONSTANT 139 rue Saint-Dominique Paris VIe

Amo Paris

PARIS SERÁ SEMPRE PARIS

Suggestions du Chef

Entrées

* Salade de haricots verts, pêches et copeaux de foie gras 12€
* Queues d'écrevisses, gelée de homard et velouté de blette 12€
* Raviole de homard relevée au gingembre, sauce crustacés 16€

Plats

* Tête, langue et cervelle de veau croustillante, pommes vapeurs et sauce gribiche 29€

Prix nets, service compris

CAFÉ CONSTANT 139 rue Saint-Dominique Paris VIe

CAFÉ CONSTANT

Christian Constant confiou a direção a seu antigo *chef* do Fables de La Fontaine. À mesa, uma cozinha de *brasserie*, inspirada na de Maman, mas revisitada por um pirralho que sabe o que quer. Mergulhada na infância, graças às aves de Berry assadas na manteiga com ervas ou com arroz ao leite aromatizado com baunilha. Excursionando pela modernidade, este embutido de dorso de coelho ao carpaccio de alcachofras ou este crocante de camarões ao manjericão. Voltamos na manhã seguinte para um *chocolat-croissant* no balcão.

CAFE DI

CAFÉ DE FLORE 172 boulevard Saint-Germain Paris VIe

CAFE DE FLORE

CAFÉ DE FLORE

Chega a frigideira, quentíssima, dourada. O habitué apenas dá uma olhada no seu "Welsh", uma delícia feita de queijo cheddar derretido. Aromatizado com cerveja, ele oferece uma cobertura oleosa e gratinada aos apetitosos bocados de miolo de pão. No terraço, à sombra de Sartre e de seu "Castor", acaricia-se com as costas da colher a caligrafia verde do pires, saboreando a vida que passa. Um cappuccino cremoso preparado como um suflê, uma torrada de filãozinho parisiense com manteiga, na medida exata para começar bem o dia.

CAFÉ DE FLORE 172 boulevard Saint-Germain Paris VIe

PARIS SERÁ SEMPRE PARIS — Amo Paris

091

JAZ

CÔTES DU ROUSSILLON 08
LES FOULARDS ROUGES
CÔTES DE PROVENCE ROSÉ

A dois passos do Panthéon, o almoço é servido ao abrigo da pracinha sombreada. Os estudantes saem do liceu Henri-IV, da rua d'Ulm. Eles aproveitam seu tempo livre e ganham bigodes ao tomar chocolate quente, quase sólido. Uma bela loura lê o jornal, debaixo de uma lousa onde está escrito: *Fines bouteilles, vins nature* ("Belas garrafas, vinho natural"). Um copo de *anjou*, uma terrina de lebre, dá quase vontade de voltar aos tempos de escola.

CAFÉ DE LA NOUVELLE MAIRIE

CAFÉ DE LA NOUVELLE MAIRIE 19 rue des Fossés Saint-Jacques Paris V^e

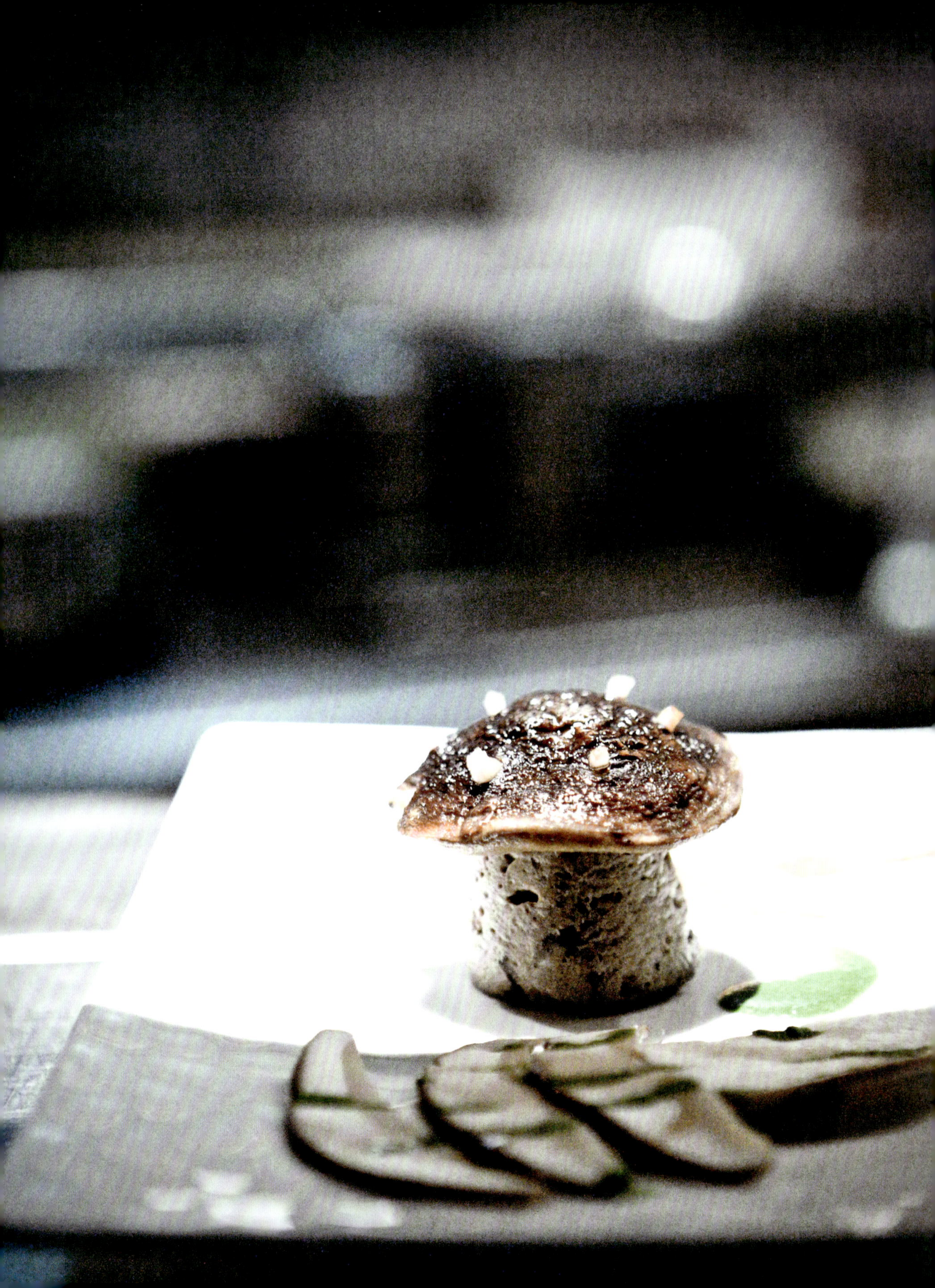

PARIS SERÁ SEMPRE PARIS

Amo Paris

LE CARRÉ DES FEUILLANTS 14 rue de Castiglione Paris Ier

CARRÉ DES FEUILLANTS

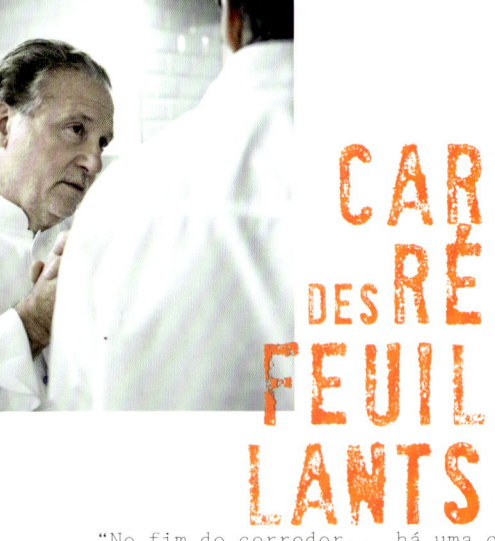

"No fim do corredor... há uma caixa de joias" no lugar do antigo convento dos Feuillants, do reinado de Henrique IV. Alain Dutournier tem senso estético, ele nos faz viajar com seus pratos elegantes, contemporâneos e com ares do sudoeste. Vai-se ao Carré des Feuillants para degustar uma culinária generosa e característica: foie gras, pitus *à la nougatine d'ail doux*, timo de vitelo com *morilles* frescos, doces feitos com morangos silvestres, rosa e lichias. Estamos a dois passos da Place Vendôme e, no entanto, quase no sul da França.

PARIS SERÁ SEMPRE PARIS — Amo Paris

LE CARRÉ DES FEUILLANTS 14 rue de Castiglione Paris Ier

097

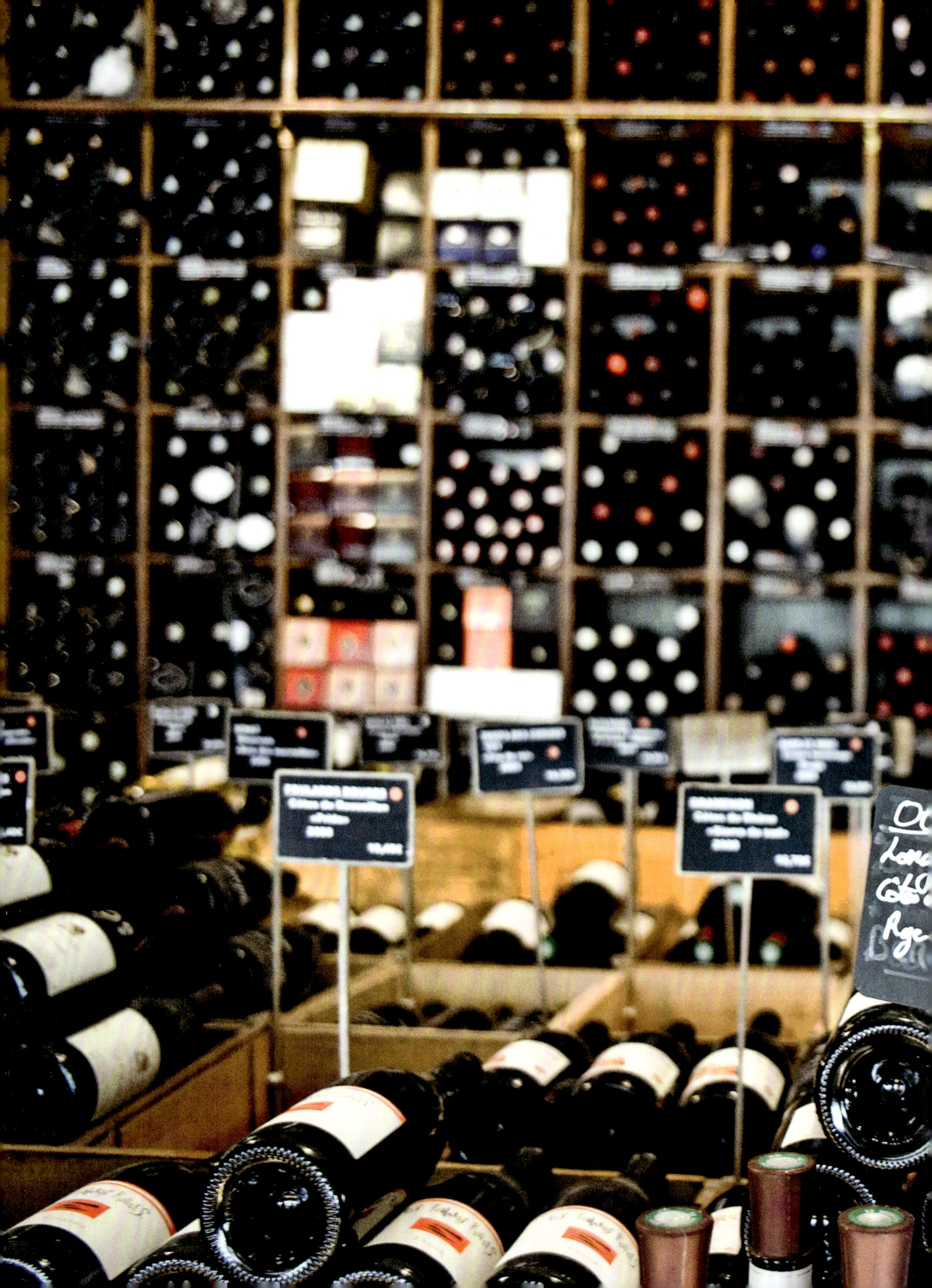

LES CAVES AUGÉ 116 boulevard Haussmann Paris VIIIe

PARIS SERÁ SEMPRE PARIS — Amo Paris

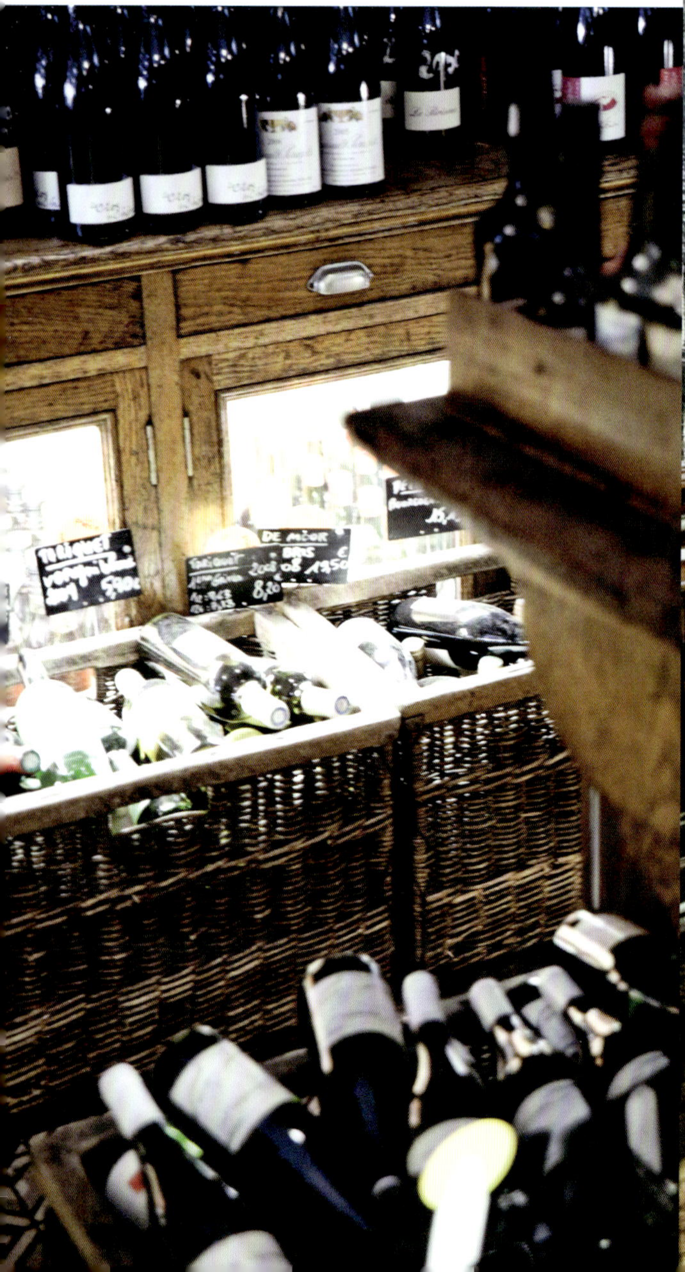

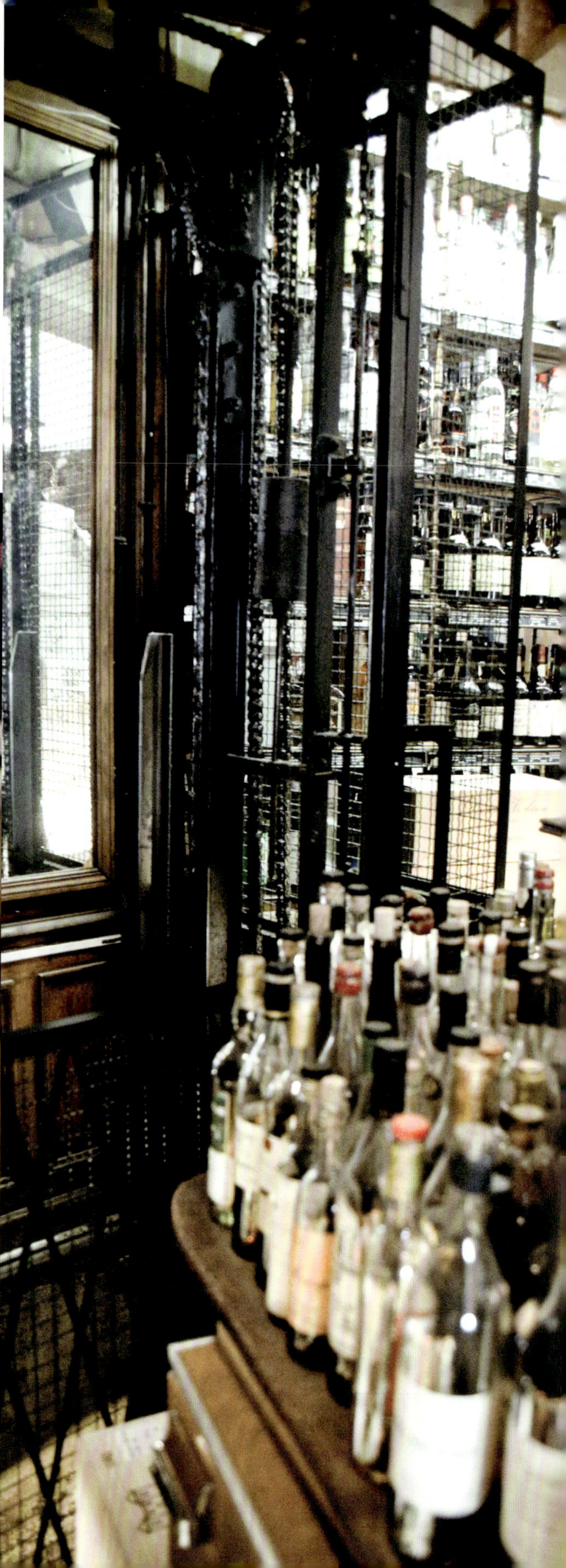

LES CAVES AUGÉ 116 boulevard Haussmann Paris VIIIe

PARIS SERÁ SEMPRE PARIS — Amo Paris

CAVES AUGE

Há mais de vinte anos os apóstolos do vinho natural pregam aqui. O vivaz proprietário Marc Sibard, antigo *chef* sommelier do Fouquet's, resiste, defendendo a honra dos pequenos produtores. De sua caverna de Ali Babá, o sentinela traz garrafas muito bonitas, com garantia de procedência, vinhos sem produtos químicos e despretensiosos.

101

Maison

PARIS SERÁ SEMPRE PARIS · Amo Paris

LE CHARDENOUX 1 rue Jules Vallès Paris XIe

CHAR DE NOUX

"Eu procurava um lugar muito parisiense, carregado de história, para fazer uma culinária descomplicada e com muita simplicidade. Um bistrô, quer dizer, um local com um cozinheiro, eterno, charmoso, autêntico, gastronômico...
Empurrei a porta do Chardenoux e falei: é aqui. Desde então, interpretamos os grandes clássicos parisienses: o *tartare* de boi, os aspargos-mimosa das Landes, o lombo de cordeiro em crosta de argila, o frango ao funcho, as rabanadas, os doces... Sem nos proibirmos de 'viajar', por exemplo, com os moluscos ao *curry*..."

Cyril Lignac

LE CHARDENOUX 1 rue Jules Vallès Paris XIe

Amo Paris

105

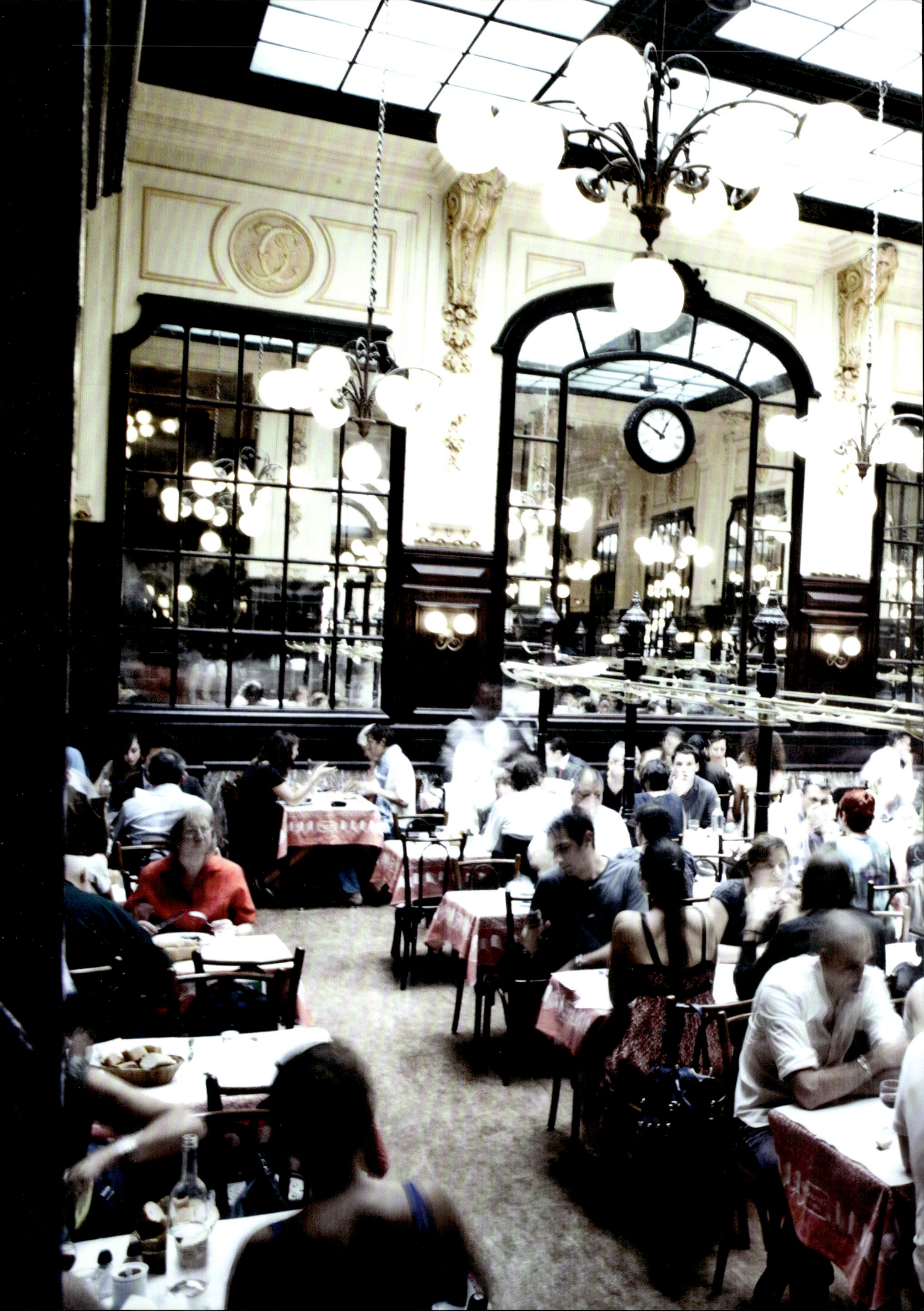

RESTAURANT CHARTIER 7 rue du Faubourg Montmartre Paris IX*

CHARTIER

Era um local sem expressão antes de ser um restaurante respeitável. Verdadeiramente um lugar sem categoria, que servia caldo de carnes e de legumes, que se consumia na própria mesa. Vem-se ao Chartier por essa mistura curiosa de uma culinária bem simples, de bistrô com decoração faraônica. Aninhados em uma "banheira" de veludo vermelho, olhamos de cima a plateia e os bastidores, mordendo um ovo com maionese. Nos deleitamos com um prato feito, cenouras raladas, pepino com creme. Valeria a pena emoldurar sob um vidro o menu rabiscado na toalha de papel.

PARIS SERÁ SEMPRE PARIS
Amo Paris

RESTAURANT CHARTIER 7 rue du Faubourg Montmartre Paris IX*

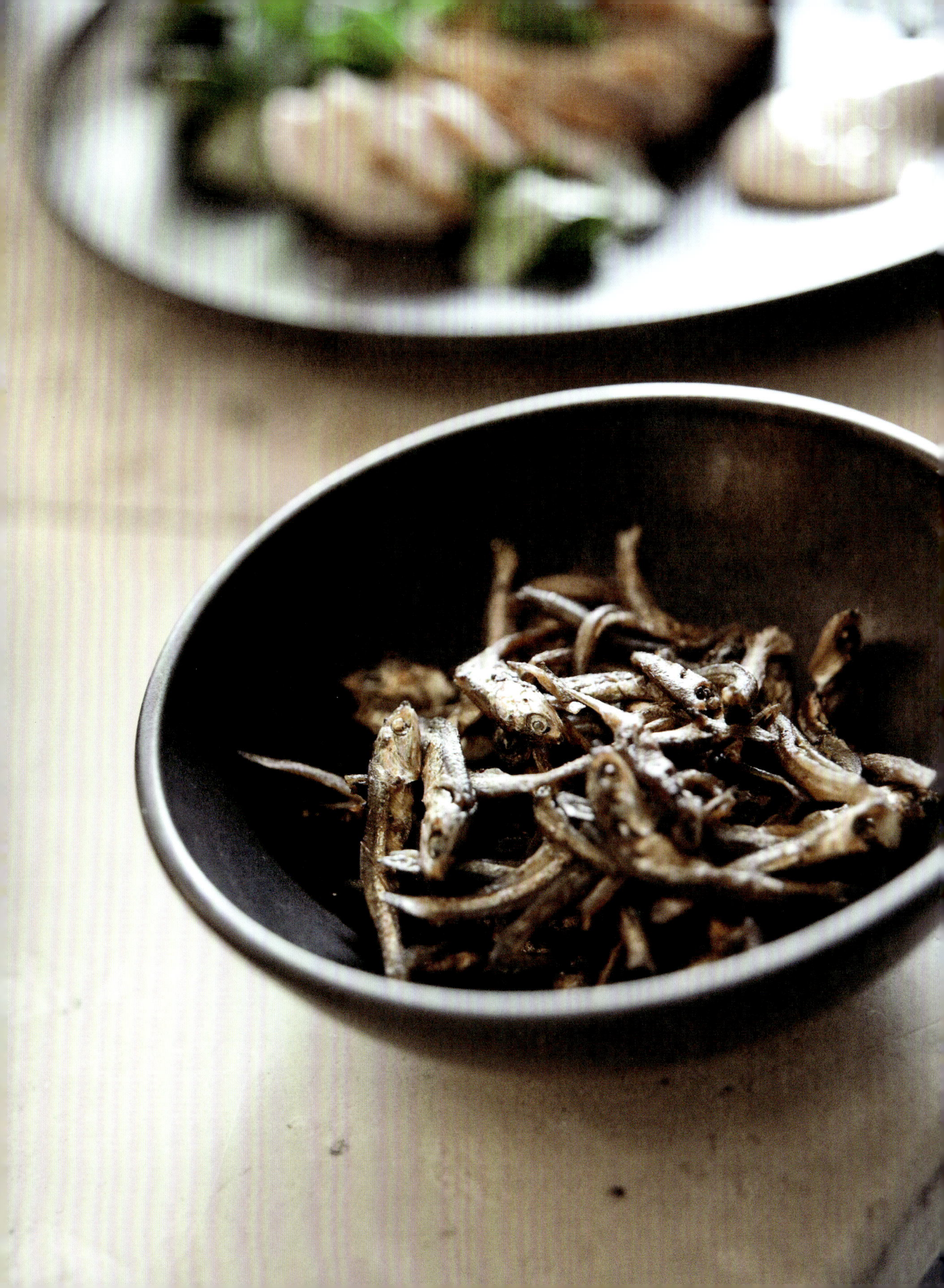

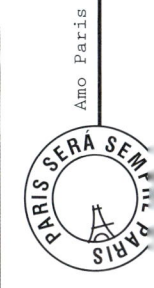

LE CHATEAUBRIAND 129 avenue Parmentier Paris XIe

CHATEAU BRIAND

Atenção, cozinha a todo vapor. Sacudidelas frequentes. Vertigens possíveis. Encontro inesperado de mariscos e caldo *dashi*, choque entre o sabor da anchova ou da manga sobre um carpaccio, da laranja sobre o abadejo. A papila se expande, explora as virtudes das coisas cruas, do nu, do simples. No controle do navio, Inaki Aizpitarte sorri alisando a barba. Ele extrai de sua origem basca um molho de pimenta e frutos vermelhos, um queijo fresco como uma rosa recém-aberta. Como sobremesa, ele ousa apresentar a já famosa banana amassada. Saímos ligeiramente atordoados pela descoberta de outros horizontes, como depois de um pequeno passeio em um disco voador.

LE CHATEAUBRIAND 129 avenue Parmentier Paris XI[e]

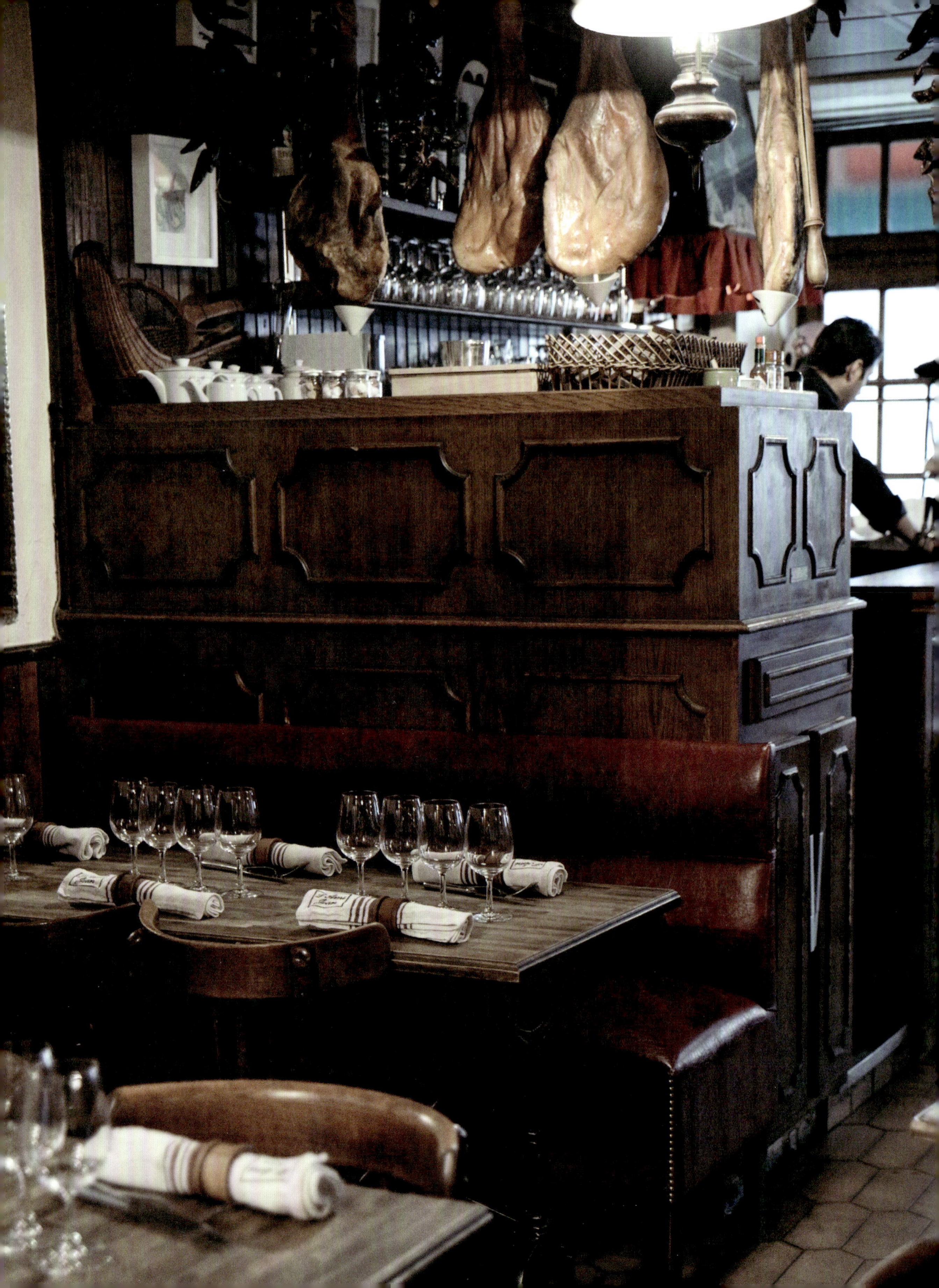

CHEZ L'AMI JEAN 27 rue Malar Paris VIIe

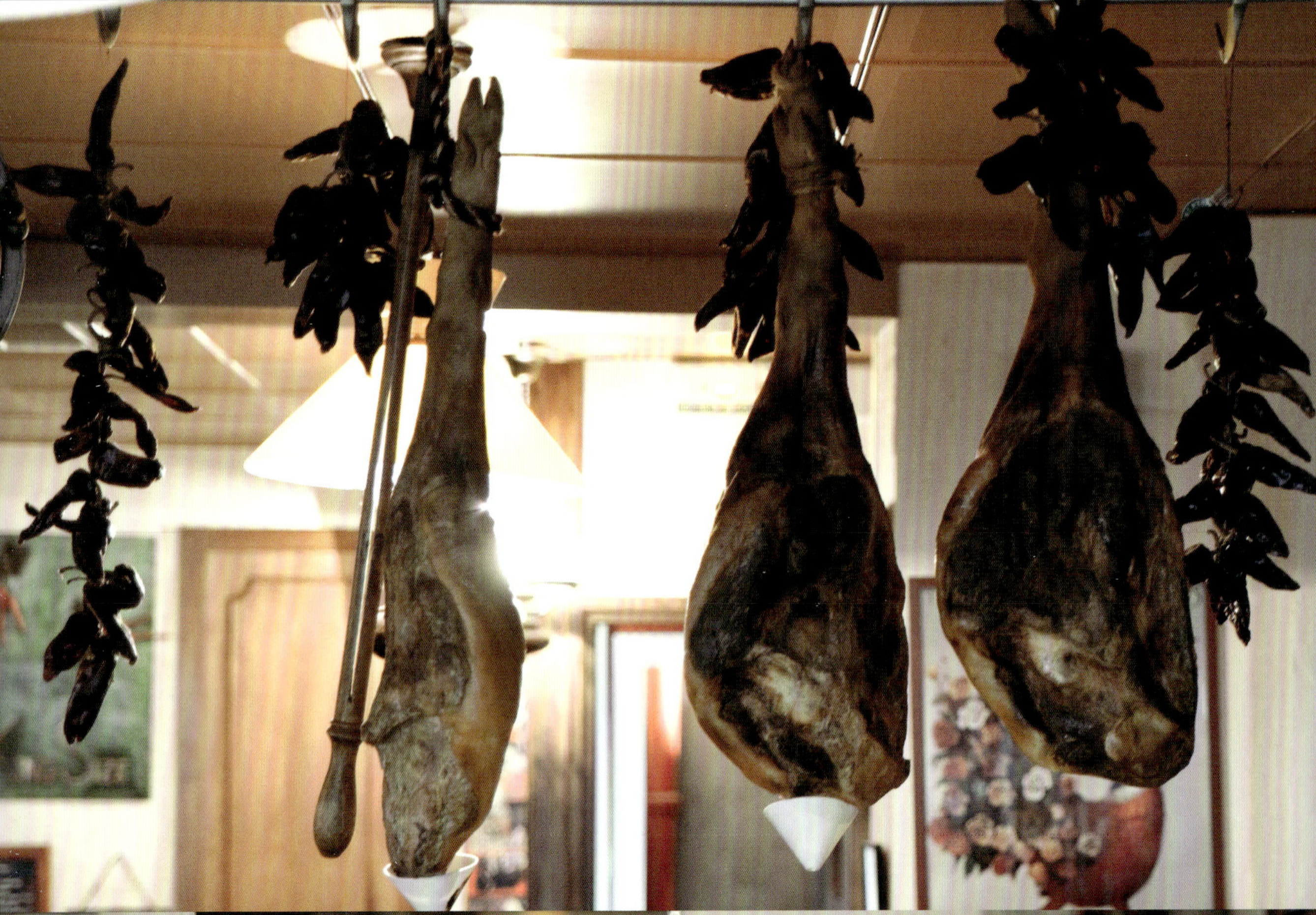
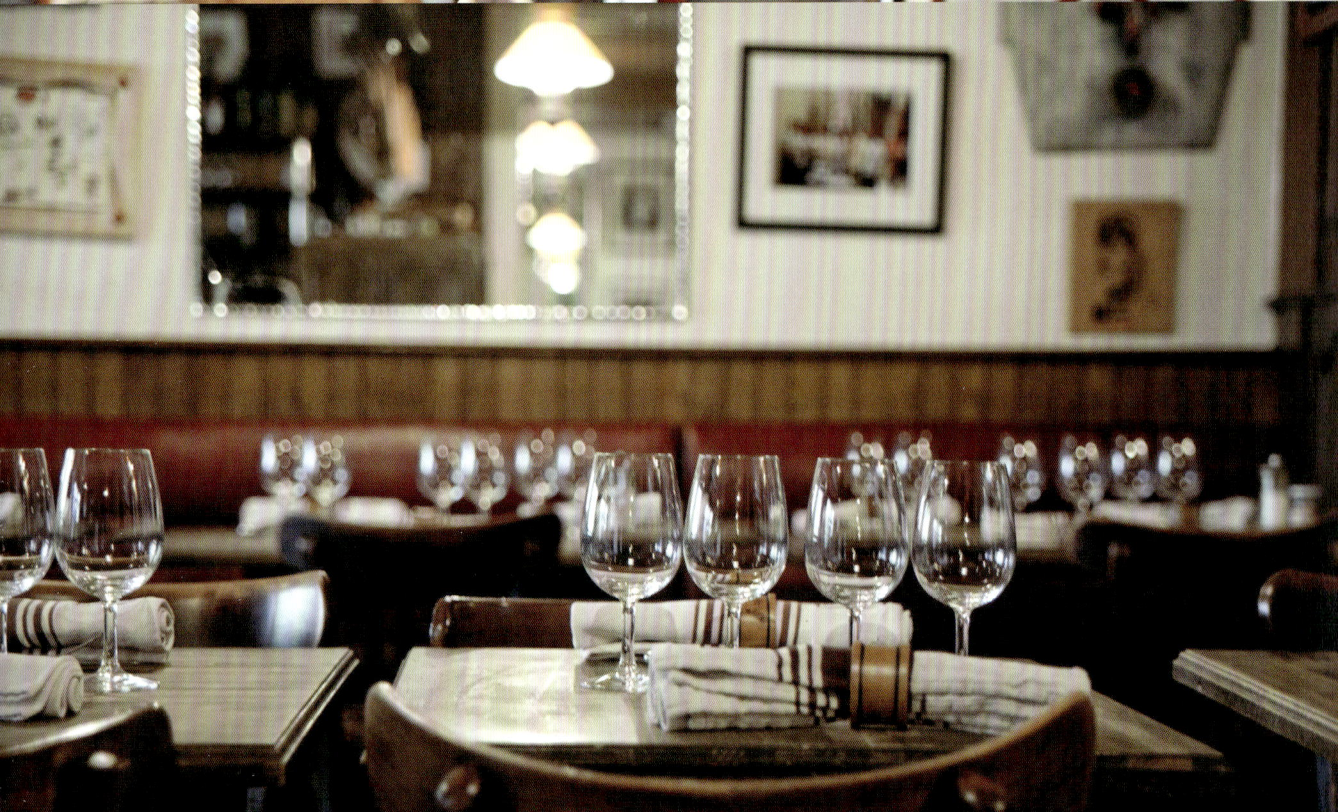

CHEZ L'AMI JEAN

"Minha filosofia de cozinha é simples: nem grades nem barreiras, inspirando-se na tradição. Ser livre... está vendo?
Gastronomia, bistrô, o rústico, a cozinha, o que for! O objetivo do jogo é procurar os melhores produtos que chegam de toda a França, e então se faz de tudo, de A a Z, uma coisa diferente todos os dias. Veja, para hoje, preparei isto: uma terrina de polvo com foie gras e sal defumado. Hoje é isso, amanhã não sei, e isso talvez não se repita nunca mais. Seria uma facilidade refazer, mas não é nada divertido...
Aqui, somos livres!"

Stéphane Jego

CHEZ L'AMI JEAN 27 rue Malar Paris VIIᵉ

PARIS SERÁ SEMPRE PARIS — Amo Paris

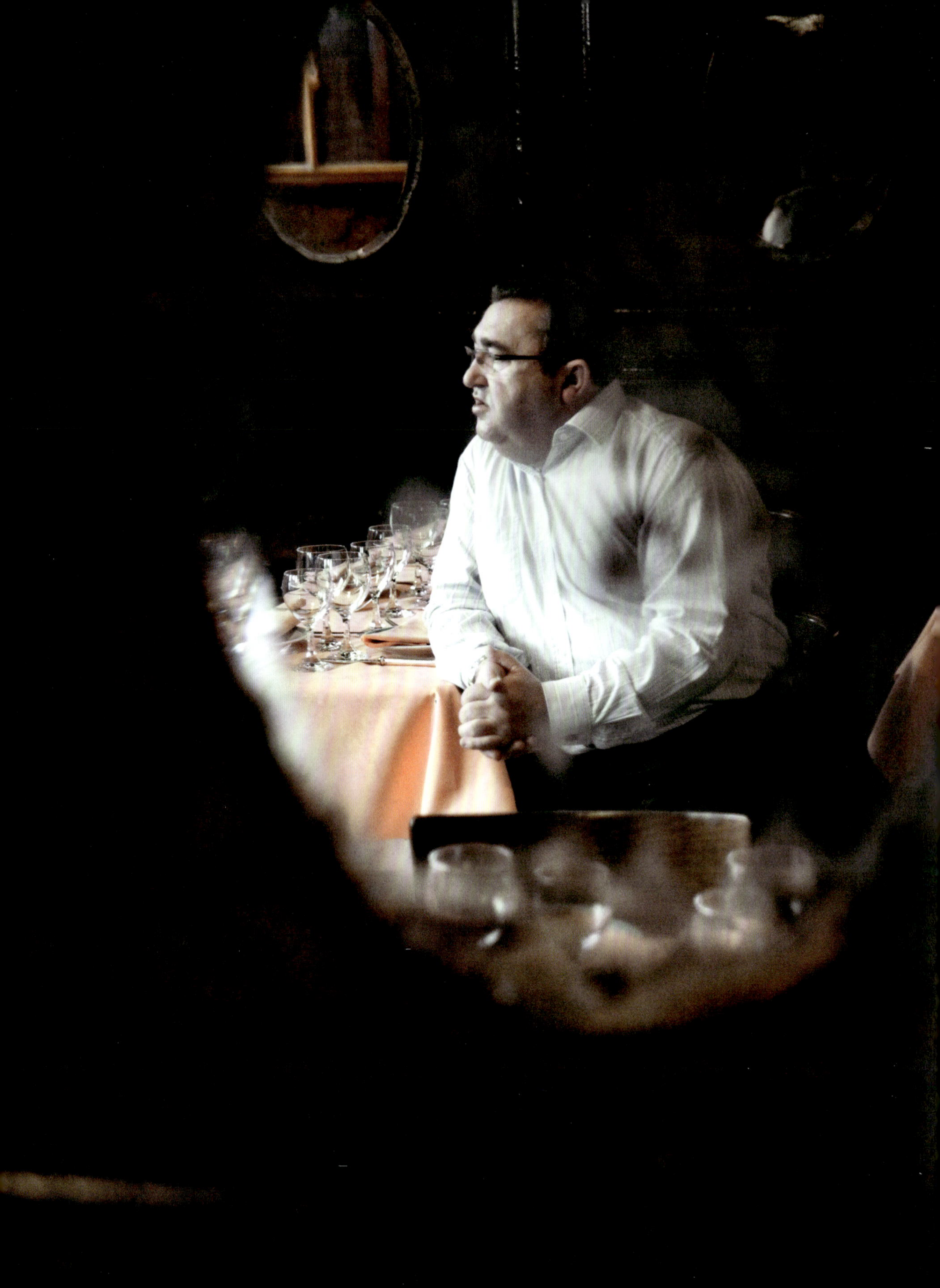

CHEZ L'AMI LOUIS 32 rue du Vertbois Paris IIIe

PARIS SERÁ SEMPRE PARIS — Amo Paris

SANCERRE LES MONTS DAMNES 2008 H. BOURGEOIS 60 – TRONQUOY LALANDE 2005 81 –VIEUX
CHATEAU LANDON 2005 60 -   M.A VENT MERLIN 2005 56 – MARIUS 2005 115 – RESERVE DE LOUIS 2006 80

    FOIE GRAS DES LANDES   57
    JAMBON PATA NEGRA   52
    CONFIT DE CANARD FROID   38
    ESCARGOTS DE BOURGOGNE LA DZ   39
    CUISSES DE GRENOUILLES A LA PROVENCALE   60

    AGNEAU DE LAIT ROTI P. BEARNAISES 2 pers. 64 p. pers.
    COTE DE BŒUF GRILLEE   2 pers.   60 p. pers.
    ENTRECOTE   POELEE   64
    COTES DE MOUTON GRILLEES   45
    CONFIT DE CANARD AUX POMMES BEARNAISE 47
    COTE DE VEAU GRILLEE   47
    COTE DE VEAU A LA CREME   53
    ROGNON DE VEAU GRILLE   48
    ROGNON DE VEAU FLAMBE 54
    PIGEON ROTI AUX PETITS POIS 49
    CAILLES D ELEVAGE AUX RAISINS   45
    POULET ROTI (entier)   78   2pers
                                        SALADE

    FRUITS DE SAISON
    FRUITS ROUGES (selon arrivage)   24
    GÂTEAU AU CHOCOLAT 24
    NOUGATINE AU RHUM   24
    ANANAS FRAIS 24 OU AU KIRSCH 24
    PRUNEAUX A L ARMAGNAC 24
    GLACES ET SORBETS AU CHOIX 24
            PRIX NETS SERVICE 15% COMPRIS

CHEZ L'AMI LOUIS

Em 1924, havia um restaurante de "caldo e frituras" mantido por Louis Pedebosq, natural de Berna. A partir de então a decoração não mudou muito. 1936: Antoine Magnin, célebre chef da época, compra o negócio e continua a propor essa cozinha de caça, de pequenos pássaros e de pratos tradicionais.

Logo após a guerra, os jovens americanos que frequentavam a Escola Central - a dois passos dali - fizeram do restaurante seu quartel-general. E se lembrariam sempre dele dali por diante. Hoje, várias gerações de clientes frequentam o estabelecimento, cada qual com um laço afetivo particular. Seu último proprietário, Thierry de La Brosse, preservou com perfeição o espírito do local. Agora que ele já se juntou aos anjos, certamente seus sucessores saberão perpetuar a tradição, sob a tutela benfazeja de monsieur Louis.

CHEZ L'AMI LOUIS 32 rue du Vertbois Paris IIIe

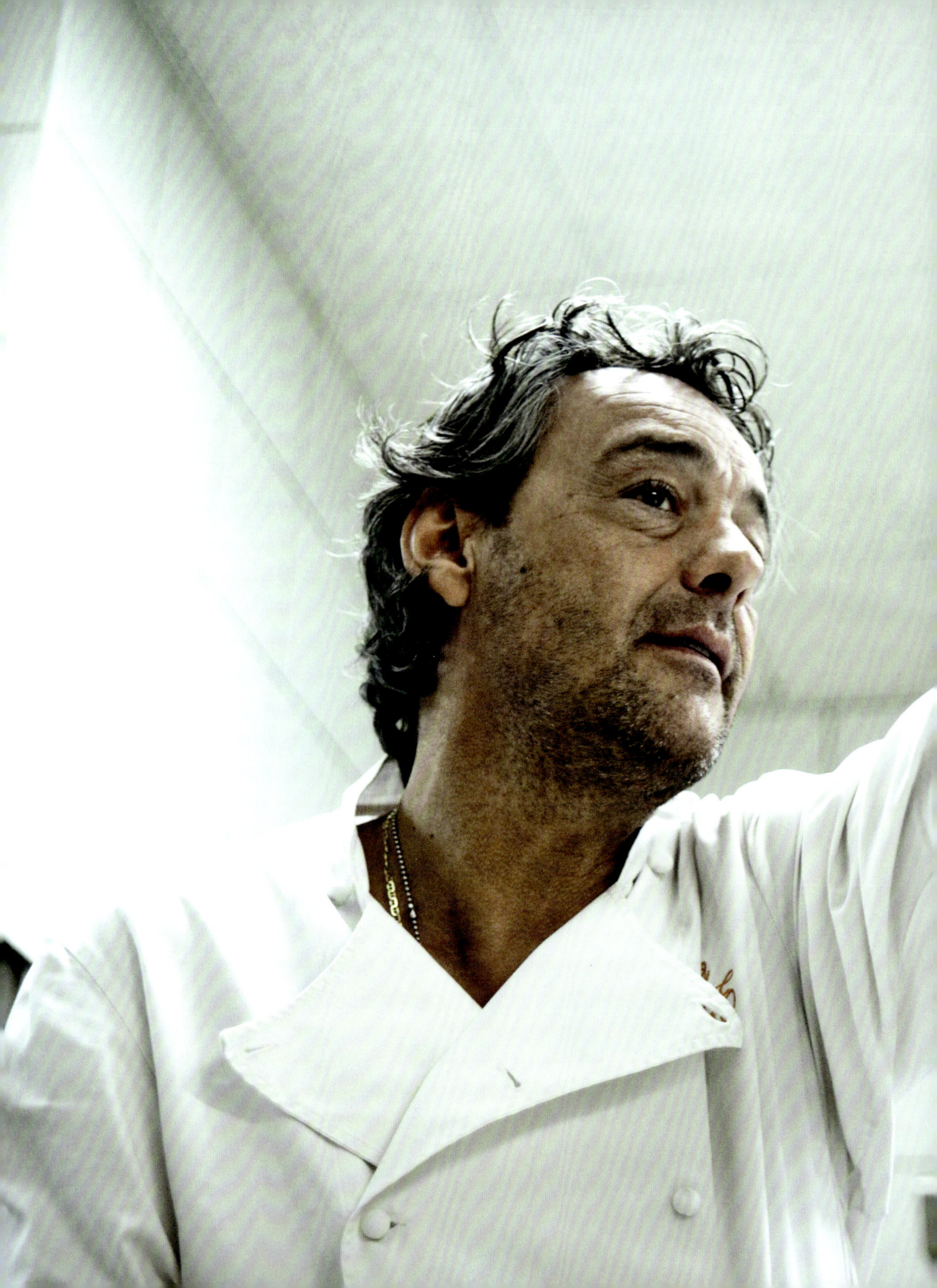

CITRUS ÉTOILE 6 rue Arsène Houssaye Paris VIIIe

PARIS SERÁ SEMPRE PARIS — Amo Paris

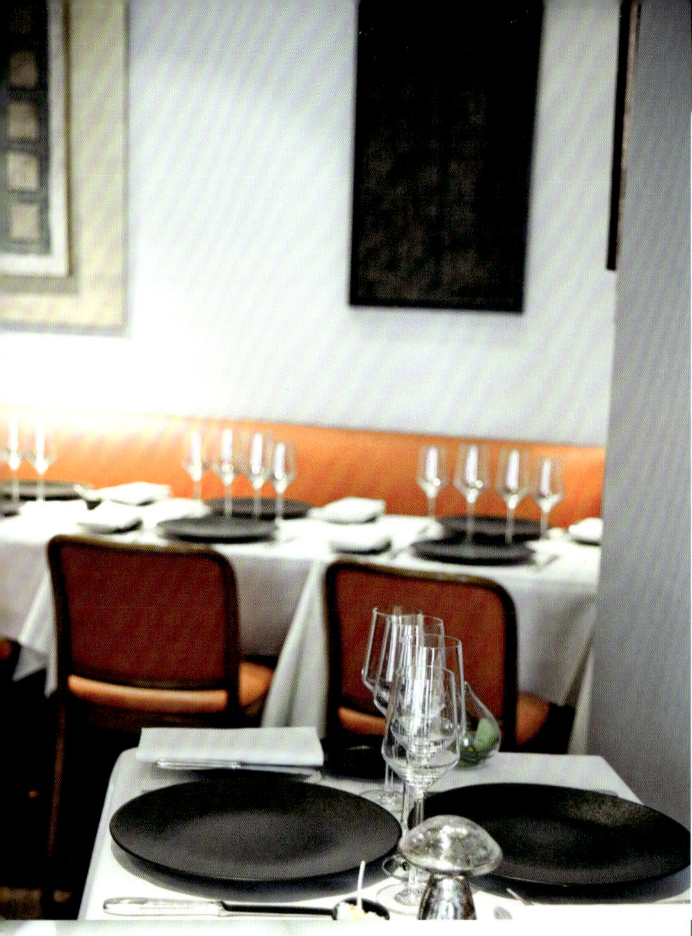
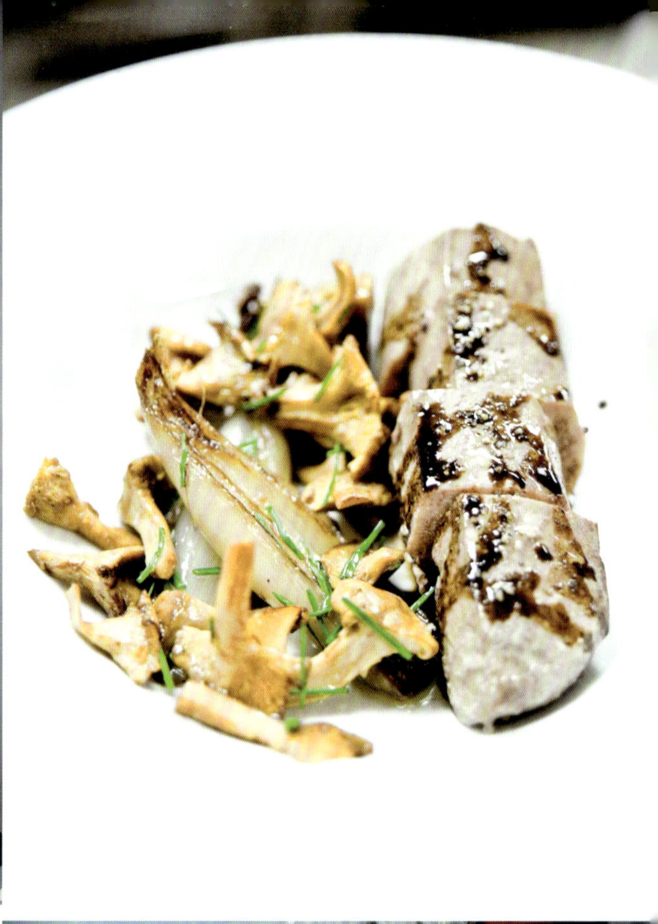
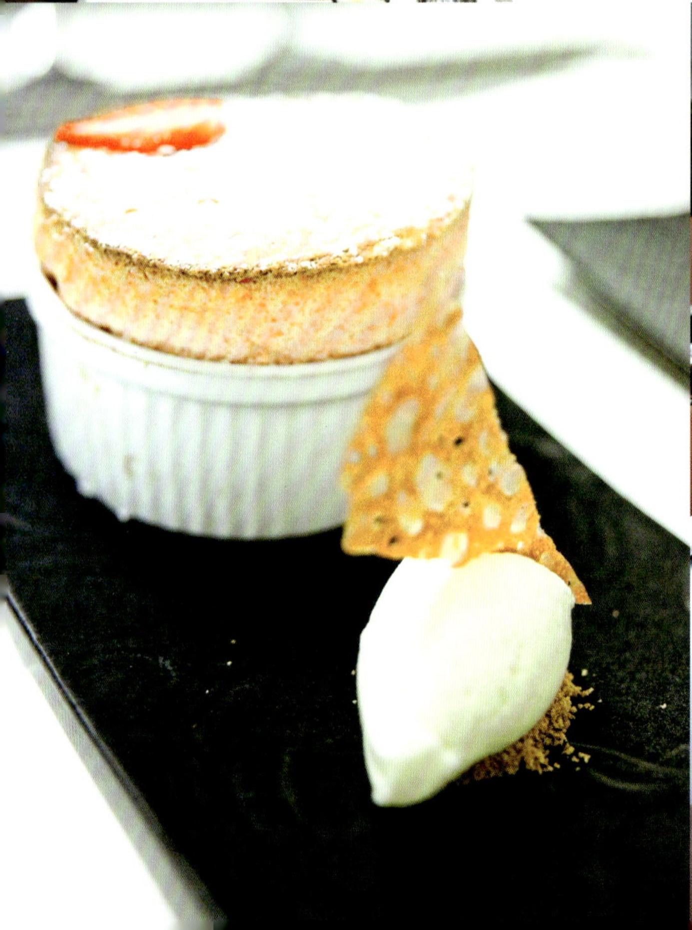
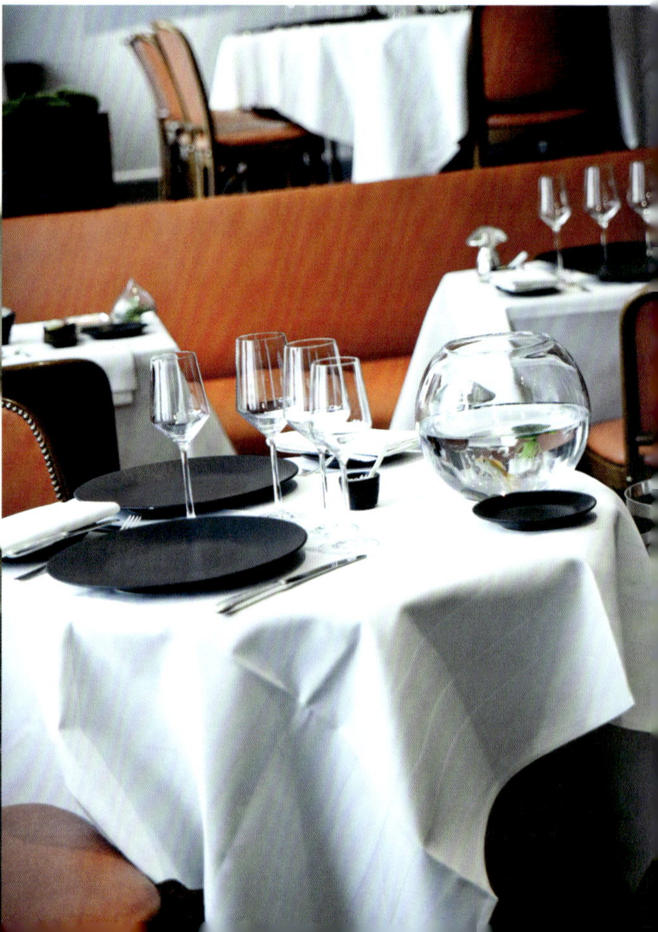

Dos dez anos que passou em Hollywood, cinco dos quais no restaurante L'Orangerie, Gilles Epié aprendeu a fazer uma culinária viva e leve, sem creme nem manteiga. Um cozimento a vapor e um suco de limão bastam para valorizar os produtos. Os clientes visivelmente gostam disto: ravióli de foie gras de pato com trufas e *morilles*, fígado de vitelo ao vapor com cogumelos ou uma posta de *cabillaud* marinada e assada com seu *matignon* de abobrinha *à la grassoise*. Tudo em uma decoração *chic-tonique* com tons cítricos que eletrizam...Sua mulher, Elizabeth, ex-modelo que ele conheceu em Los Angeles, é uma maîtresse de maison cheia de entusiasmo e energia, que acolhe todos os clientes com extrema gentileza.

CITRUS ÉTOILE

CITRUS ÉTOILE 6 rue Arsène Houssaye Paris VIIIe

PARIS SERÁ SEMPRE PARIS — Amo Paris

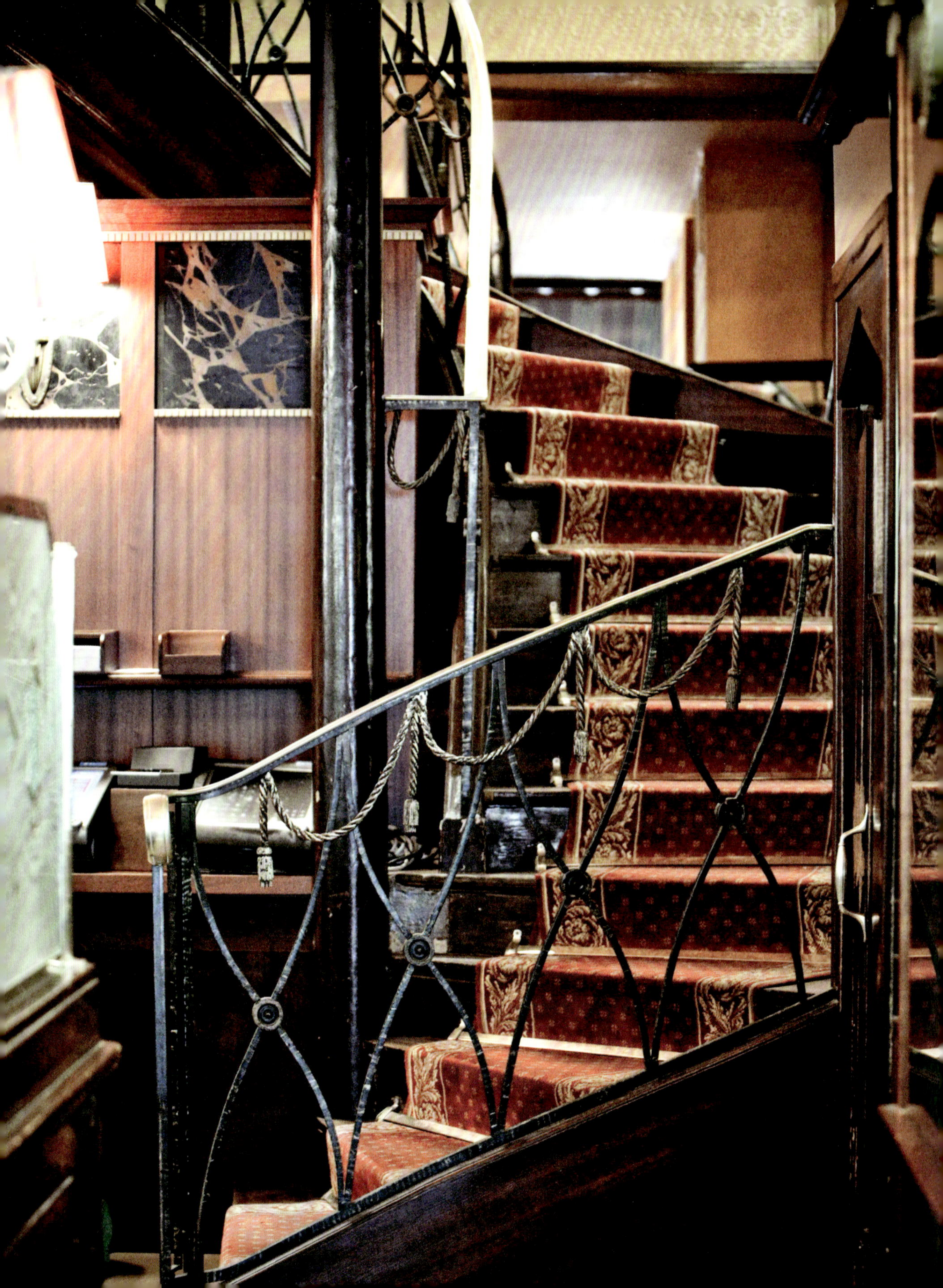

LA CLOSERIE DES LILAS 171 boulevard du Montparnasse Paris VIe

Amo Paris

PARIS SERÁ SEMPRE PARIS

DES LILAS
171, BOULEVARD DU MONTPARNASSE, PARIS

CLOSERIE DES LILAS

Amo Paris

LA CLOSERIE DES LILAS 171 boulevard du Montparnasse Paris VIe

Instintivamente olhamos debaixo da banqueta para verificar se Picasso não deixou cair um pingo de tinta, ou Hemingway, uma página de manuscrito. Rimbaud, um verso livre. Os habitués, que vinham já com Aragon, sabem disto: é à *brasserie* que se deve ir, o restaurante é para os burgueses. Que importa, aproveita-se o caramanchão e os famosos lilases, deixando derreter sobre as papilas o lendário tartare *au couteau* ou o haddock *à la crème*.

129

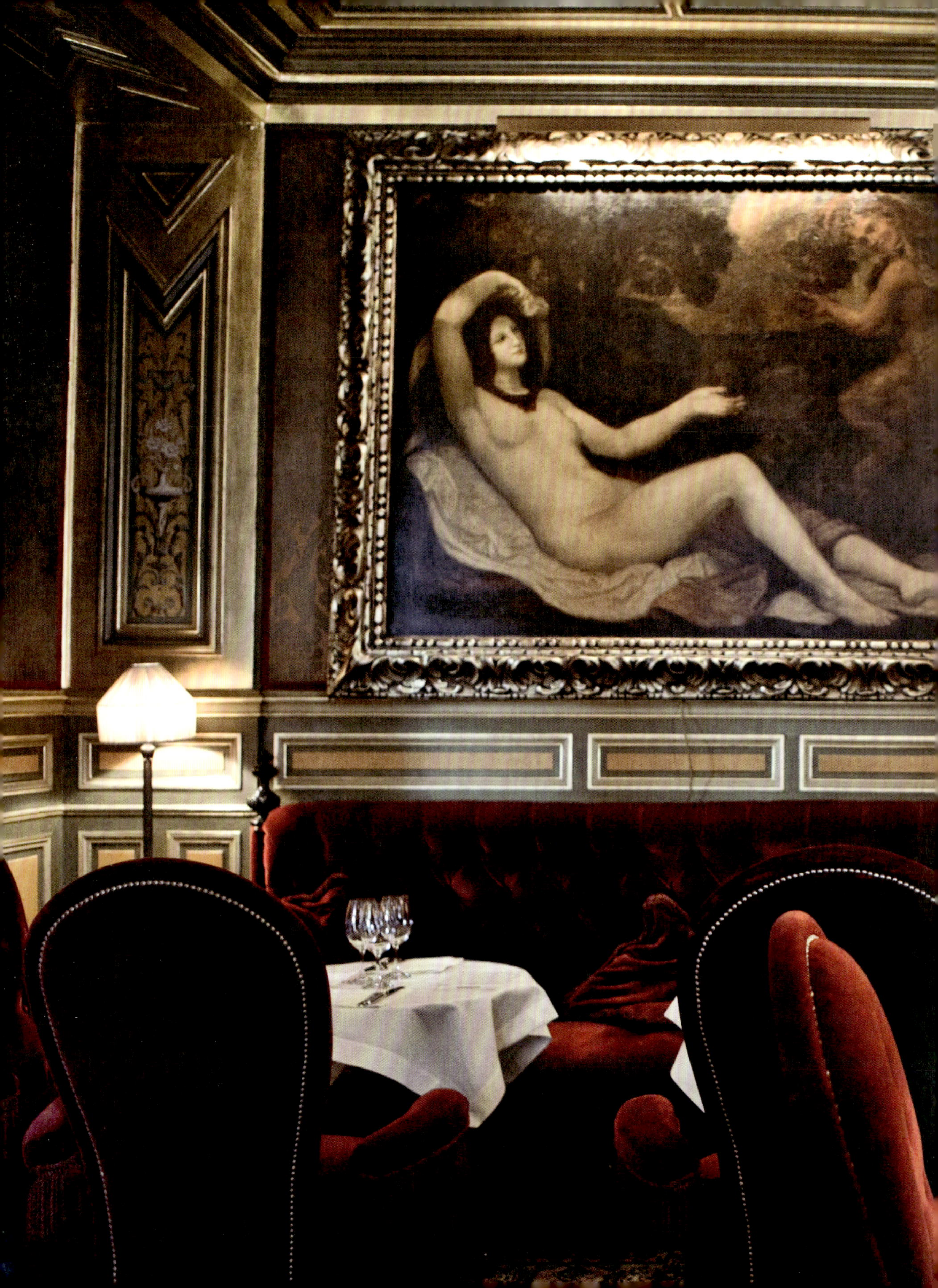

HÔTEL COSTES 239 rue Saint-Honoré Paris 1er

PARIS SERÁ SEMPRE PARIS
Amo Paris

HÔTEL COSTES

Ao Costes, ao modo Jean-Louis, vai-se para observar e ser maltratado. O quadro assinado por Jacques Garcia, estilo neo-Napoleão III, cores e veludos vermelho-cardeal, vale o desvio: a clientela também. Mas, se voltamos lá, não é por acaso. A culinária é precisa, muito correta, no limite da mania. O menu não varia com muita frequência, mas por que mudar algo que vai bem? Alguns pratos-fetiche, entre os quais o famoso tigre qui pleure, uma versão renovada do clássico thai.

HÔTEL COSTES 239 rue Saint-Honoré Paris Ier

Amo Paris

PARIS SERÁ SEMPRE PARIS

133

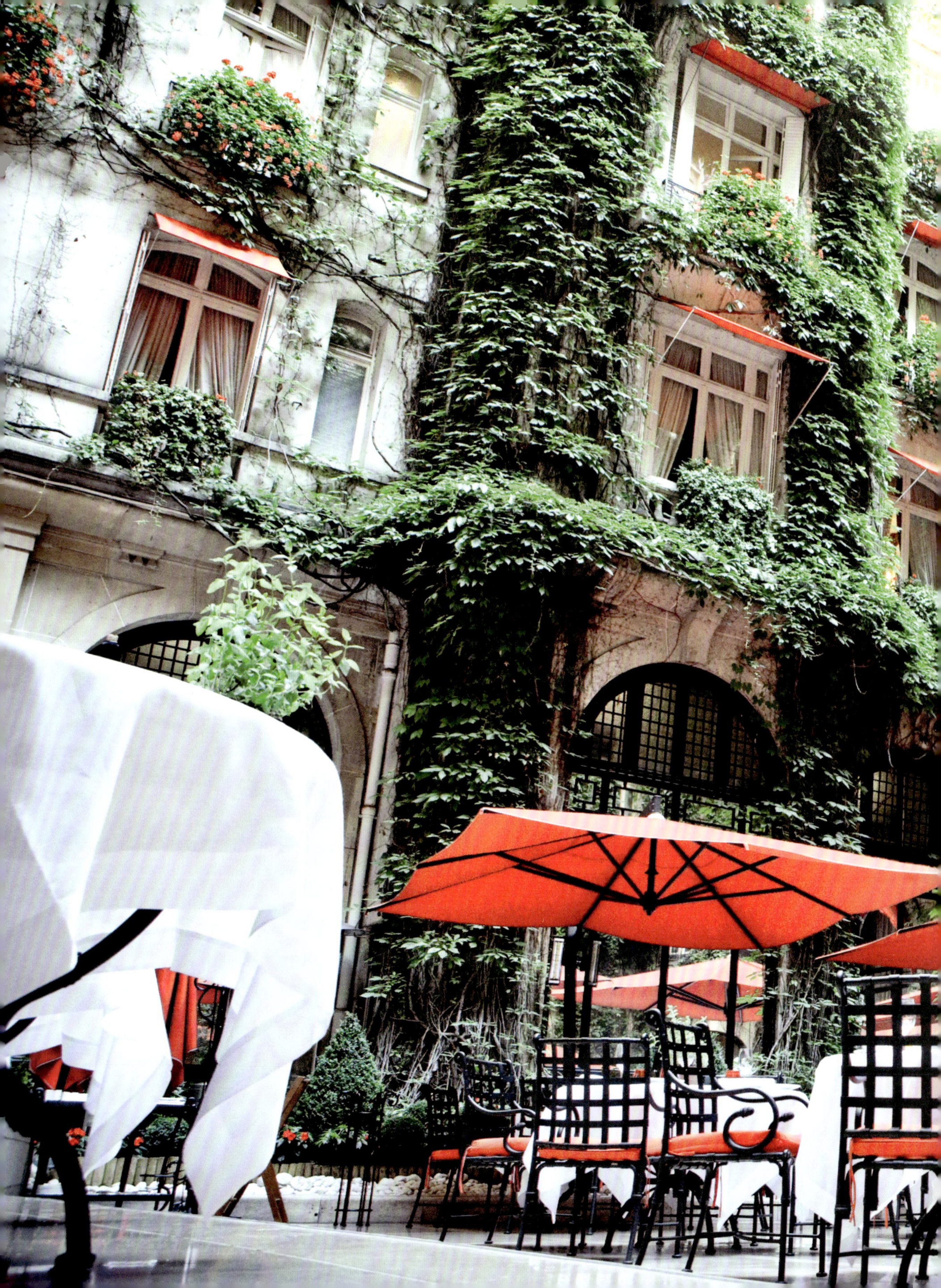

LA COUR JARDIN 25 avenue Montaigne Paris VIIIe

PARIS SERÁ SEMPRE PARIS — Amo Paris

135

COUR JARDIN

De maio a setembro, o Plaza Athénée abre seu pátio para instalar um restaurante de verão. Protegidos pelo frescor do jardim, vamos saborear ali um momento privilegiado, de toques mediterrâneos. Tomates maduros, favas pequenas, alcachofras, funcho, flores de abóbora... os legumes monopolizam o prato. Nos alegramos ouvindo os pássaros, em um elegante ambiente campestre.

PARIS SERÁ SEMPRE PARIS — Amo Paris

LA COUR JARDIN 25 avenue Montaigne Paris VIII

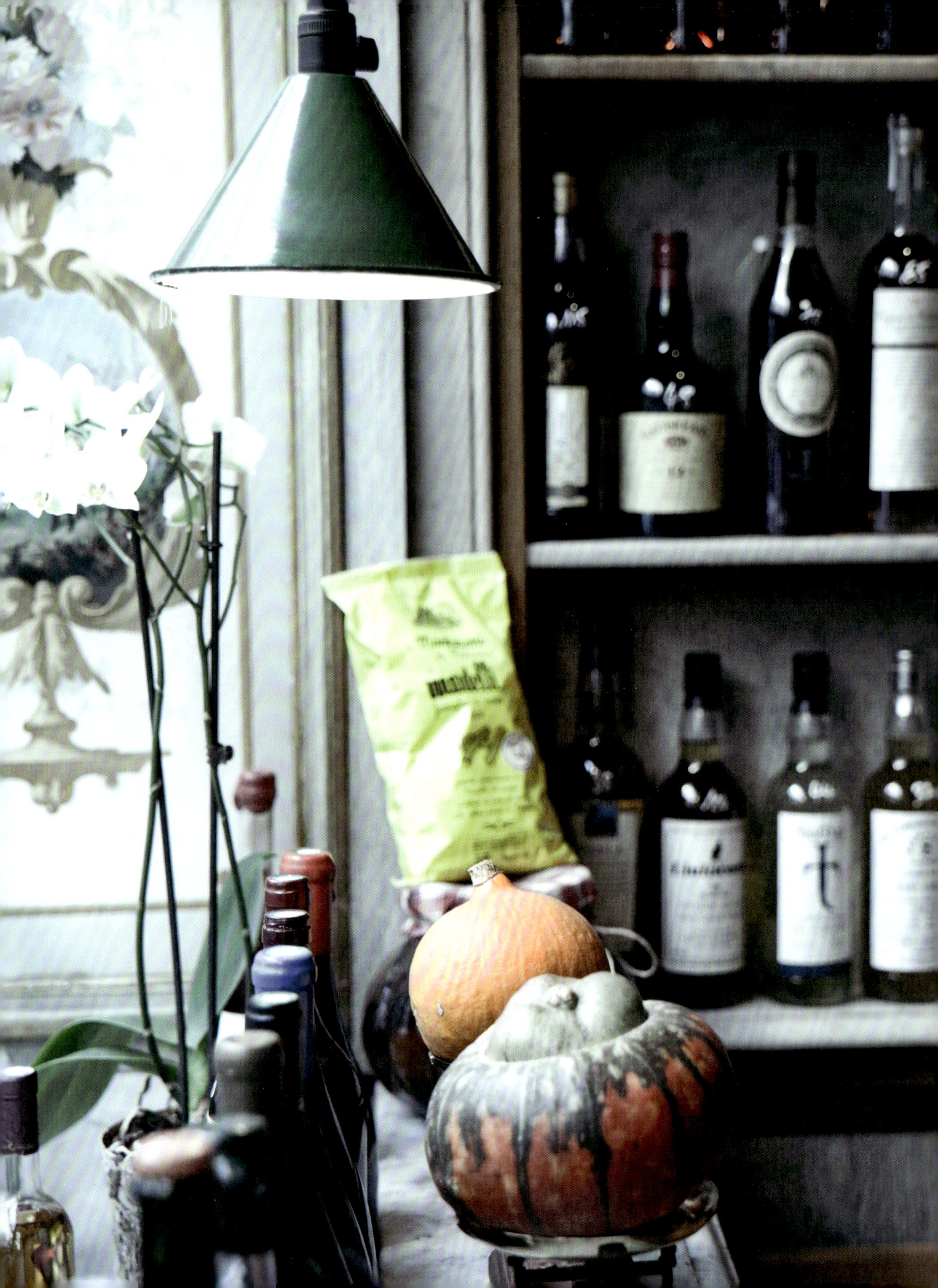

LA CRÉMERIE 9 rue des Quatre-Vents Paris VIe

Amo Paris

PARIS SERÁ SEMPRE PARIS

LA CRÉMERIE

É sempre mágico o momento em que a ponta da tesoura corta a embalagem do queijo, que se abre em flor. No interior, a felicidade assume um ar de *burrata cremosissima*. Um fiozinho de azeite de oliva, alguns tomates-cereja, alguns temperos, apenas. A colher afunda e gostaria de ficar ali toda a vida. Enquanto Serge corta o *prosciutto* à la Berkel, Hélène cuida do grande prato de legumes. Nos preparamos para o *camembert à coeur*, o orgulho do belo Serge.

LA CRÉMERIE 9 rue des Quatre-Vents Paris VIe

Le Divellec

LE DIVELLEC 107 rue de l'Université Paris VIIe

PARIS SERÁ SEMPRE PARIS — Amo Paris

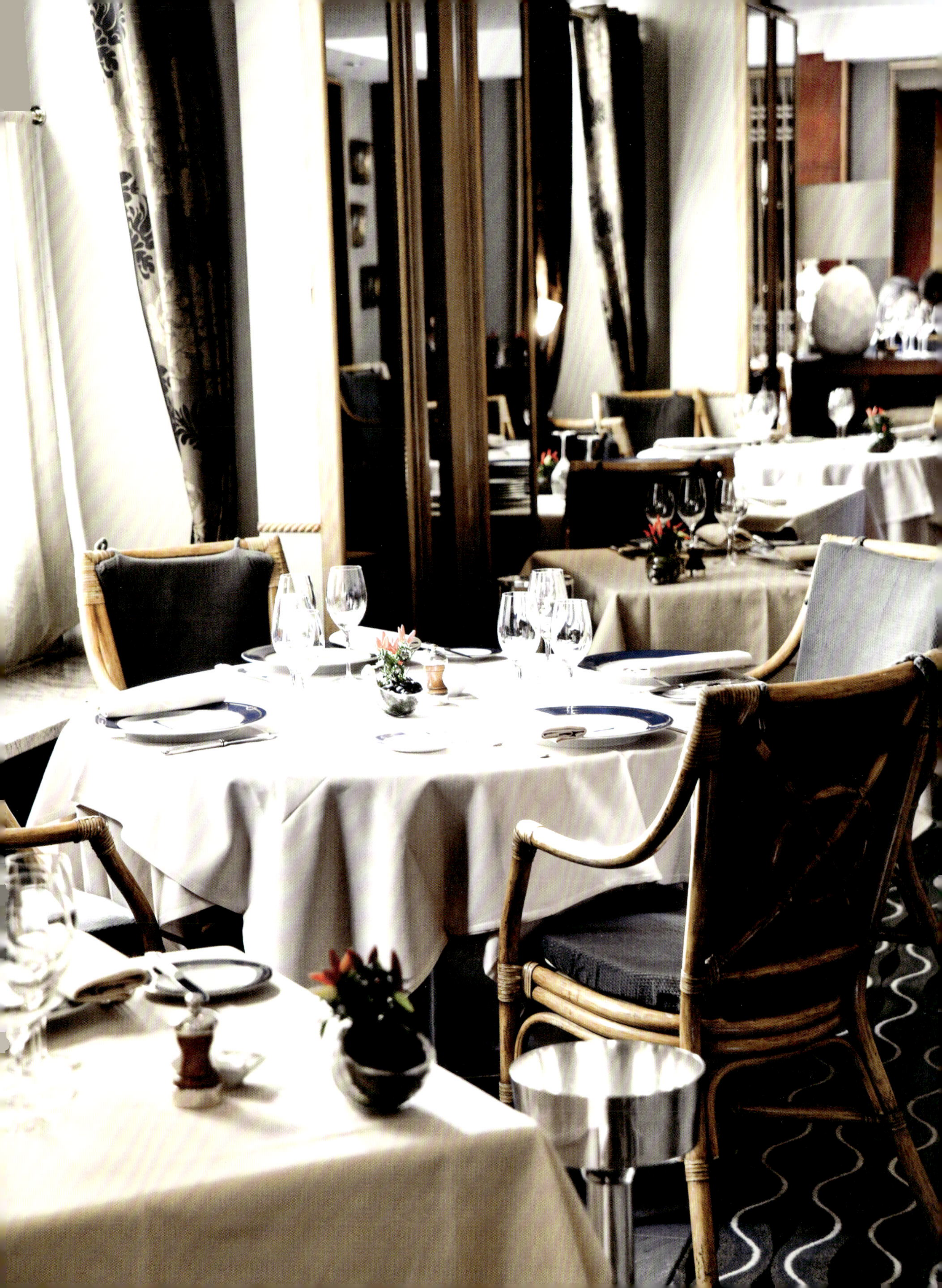

LE DIVELLEC

"Paris? Nasci aqui, mas meus pais, de origem bretã, instalaram-se em La Rochelle quando eu era jovem. Passei lá 25 anos, fazendo uma culinária de caças no inverno e de peixes no verão. Depois vim para Paris, em 1983, e trouxe comigo a culinária do mar: peixes, crustáceos, mariscos... Hoje a minha cozinha parece clássica. Mas naquela época não havia muita gente a quem se podia servir timo de vitelo com lagostins ou crustáceos com foie gras.

Hoje de manhã recebi dos meus fornecedores da Bretanha *turbots* de sete quilos, *céteaux* frescos, cavalas, tainhas da espessura de um braço. Ensinei meus empregados a tirar a espinha dos peixes diante dos clientes. Faço muita questão disso, essa é a identidade da casa. No fundo, sou um solitário. Cada um com sua culinária!"

Jacques Le Divellec

LE DIVELLEC 107 rue de l'Université Paris VIIe

PARIS SERÁ SEMPRE PARIS — Amo Paris

EDMOND
et
JULES
DE
GONCOURT
JOURNAL
MÉMOIRES
DE LA VIE
LITTÉRAIRE

DROUANT 16-18 place Gaillon Paris IIe

Amo Paris

PARIS SERÁ SEMPRE PARIS

DR OU ANT

"Um dia, na minha vida de cozinheiro, acordei sob outro céu. Disse a mim mesmo que seria preciso tornar minha culinária mais avançada. Reduzi então minhas três estrelas a zero e deixei minha cozinha mais leve, retirando dela a encenação gastronômica. Reexaminei os valores que me estruturavam sobre o que me parecia essencial e sobre o que eu tinha vontade de cozinhar daquele momento em diante.

Mas todo mundo sabe que, quando se reduz de um lado, há pilares nos quais não se pode tocar: prazer, gourmandise, convívio e generosidade quando se trata de culinária. Desde 2006, o Drouant, esse monumento da arte parisiense dos restaurantes e da literatura, permite que eu me exprima e crie asas..."

Antoine Westermann

PARIS SERÁ SEMPRE PARIS Amo Paris

DROUANT 16-18 place Gaillon Paris IIe

PAIN A LA FARINE DE M[...]

ET DE CHAUSSONS

AUX POMMES FRAICHES

PARIS SERÁ SEMPRE PARIS — Amo Paris

DU PAIN ET DES IDÉES 34 rue Yves Toudic Paris X^e

DU PAIN ET DES IDÉES

"É o tempo que faz a diferença. O tempo e o número das etapas. O trabalho lento preserva os fermentos mais selvagens. Que são também os mais frágeis. É como o vinho. Certos fermentos só se revelam se não forem muito remexidos. É matéria viva que se transforma. Nos adaptamos à matéria."

Christophe Vasseur, padeiro

PARIS SERA SEMPRE PARIS — Amo Paris

DU PAIN ET DES IDÉES 34 rue Yves Toudic Paris Xe

153

MENU HOMARD — 46€

12 Huîtres Plates du Belon N°5

½ Homard "Bleu" au Kari-Gosse
et ses Frites "Maison"

Émincé de Pommes et son Caramel

MENU

- Salade de King-Crab frais — 20€
- Oursins de Tourteau décortiqué — 14€
- Sashimi de bar de ligne — 16€
- Asperges Verts tièdes et sauce Fraîche — 12€ · Huîtres Plates 000 Spéciales 15€
- Mille-feuille de homard "Bleu" et légumes Confits — 18€
- Langoustines Vivantes rôties au beurre d'algues — 16€
- Assiette de Couteaux aux épices — 10€
- Langoustines Royales Vivantes rôties au beurre d'algues, riz crémeux à la tomate — 36€
- Demi-homard "Bleu" frais, macédoine de légumes — 32€
- Demi-homard "Bleu" au Kari-Gosse, frites "maison" — 32€
- Sole "Petit Bateau" meunière, pommes ratte à l'echalote — 36€
- Blanc de turbot "Sauvage" et jeunes poireaux — 36€
- Joues de Lotte du Guilvinec aux petits légumes — 22€
- Filet de St Pierre aux girolles — 36€
- Turbotin "Sauvage" pour 2 personnes — 36€/personne
- Assiette de Fromages fermiers affinés de chez Bernier — 9€
- Fondant au chocolat, crème de mentir — 8€

ÉCAILLER DU BISTROT

É o restaurante de peixes e frutos do mar do Bistrot Paul Bert, o lugar preferido de Edith Piaf, do qual tanto gostamos. Seu lado elegante está um estágio acima. Quanto aos pratos, também são ótimos, sempre. Por uma razão: o sogro de Bernard é pescador. Na lousa, consta uma dúzia de produtos do mar: peixes, mariscos, siris descascados... E um menu de lagostas tão bom quanto acessível.

L'ÉCAILLER DU BISTROT 22 rue Paul Bert Paris XIe

PARIS SERÁ SEMPRE PARIS — Amo Paris

155

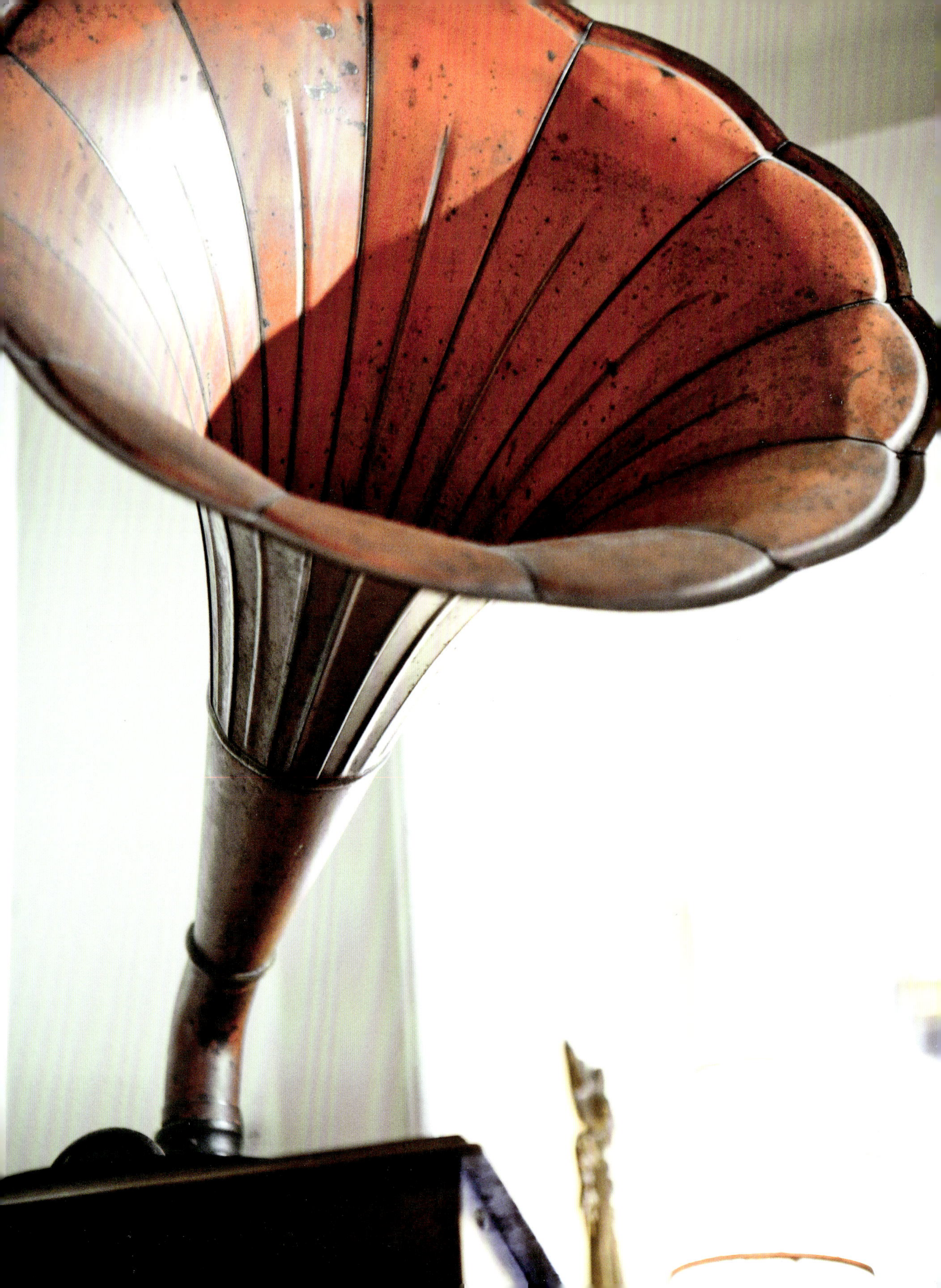

LA FONTAINE DE MARS 129 rue Saint-Dominique Paris VIIe

FON TAINE DE MARS

Outrora, os cavalos da guarda napoleônica vinham matar a sede na fonte de Marte, deus da guerra. Os cavalos continuaram seu caminho, mas a fonte sempre murmura seu convite aos passantes ou a algum presidente americano em visita oficial. Nesse bistrô de grande tradição, entre a toalha xadrez, a banqueta de couro vermelho e as cadeiras de palhinha, Christiane e Jacques Boudon exibem os produtos do Grande Sudoeste: cassoulet com feijões de Tarbes, chouriço basco de Christian Parra, torta das Landes... Sem negligenciar o resto do mundo: produtos de porco do Auvergne, da casa Laborie, salsichas Duval. Paixão pelos ovos em molho de vinho tinto.

PARIS SERÁ SEMPRE PARIS — Amo Paris

LA FONTAINE DE MARS 129 rue Saint-Dominique Paris VIIe

Hi-Fidelity

PARIS SERÁ SEMPRE PARIS — Amo Paris

LE FORUM 4 boulevard Malesherbes Paris VIIIe

FO RUM

Mas por que diabos é tão bom? Bebidas alcoólicas de todas as cores, registradas no decurso do tempo. Mais de 125 receitas. Uma atmosfera de terceiro milênio londrino. Logicamente, as bebidas deveriam ser impossíveis de beber. No entanto, os coquetéis dessa instituição noturna, agitada, mas não sacudida, por Josiane Biolatto, são verdadeiras criações culinárias. Sentimos neles rigor, equilíbrio, inventividade e também humor. Poderíamos apreciá-los, mesmo que fosse apenas para fazer a ligação entre a noite que acaba e o dia que começa.

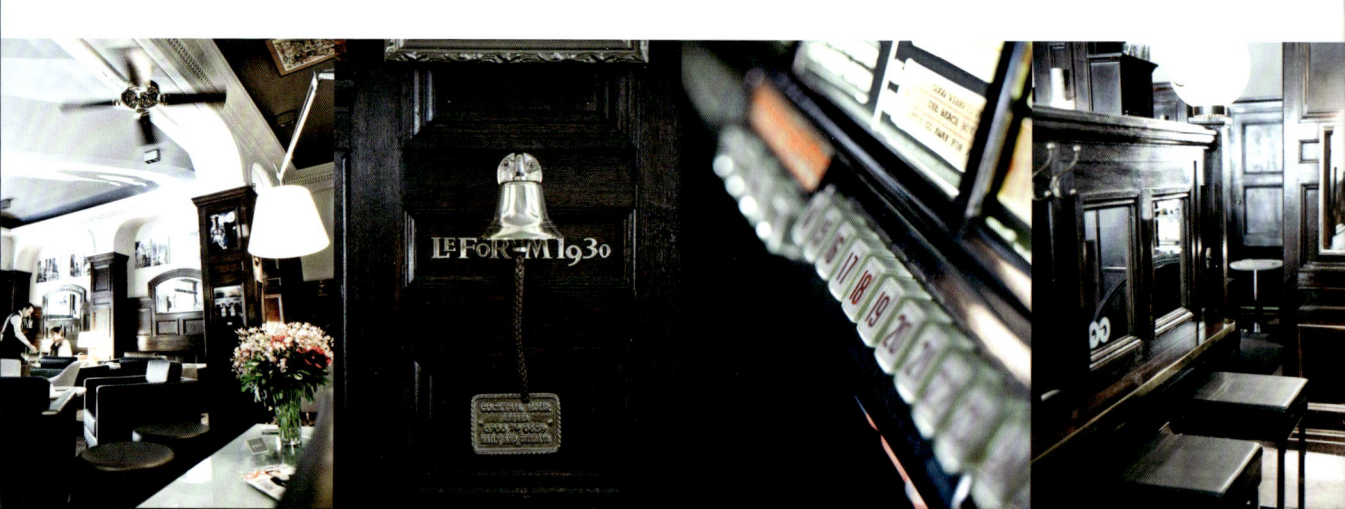

LE FORUM 4 boulevard Malesherbes Paris VIIIe

PARIS SERÁ SEMPRE PARIS — Amo Paris

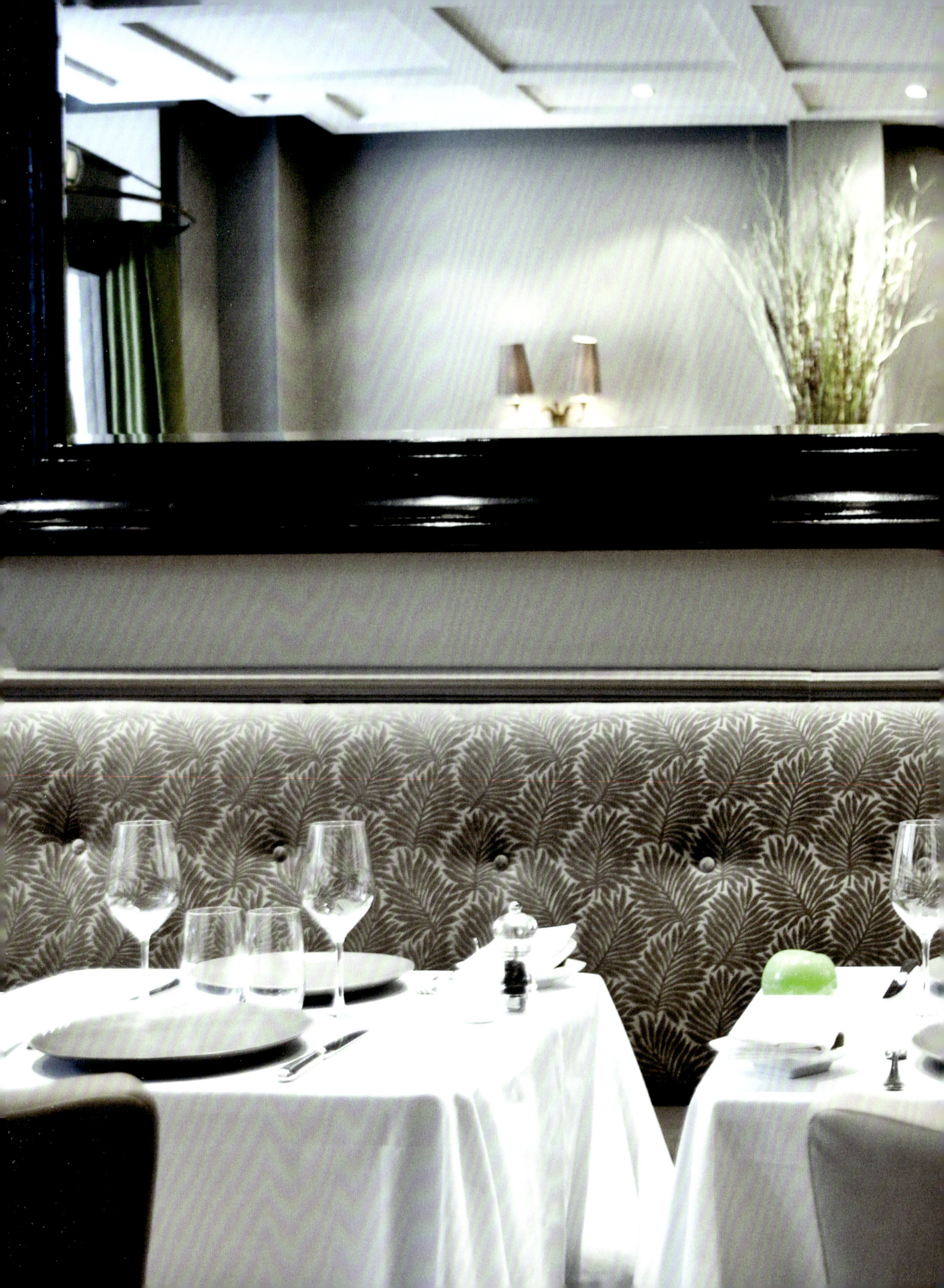

LES FOUGÈRES 10 rue Villebois Mareuil Paris XVIIe

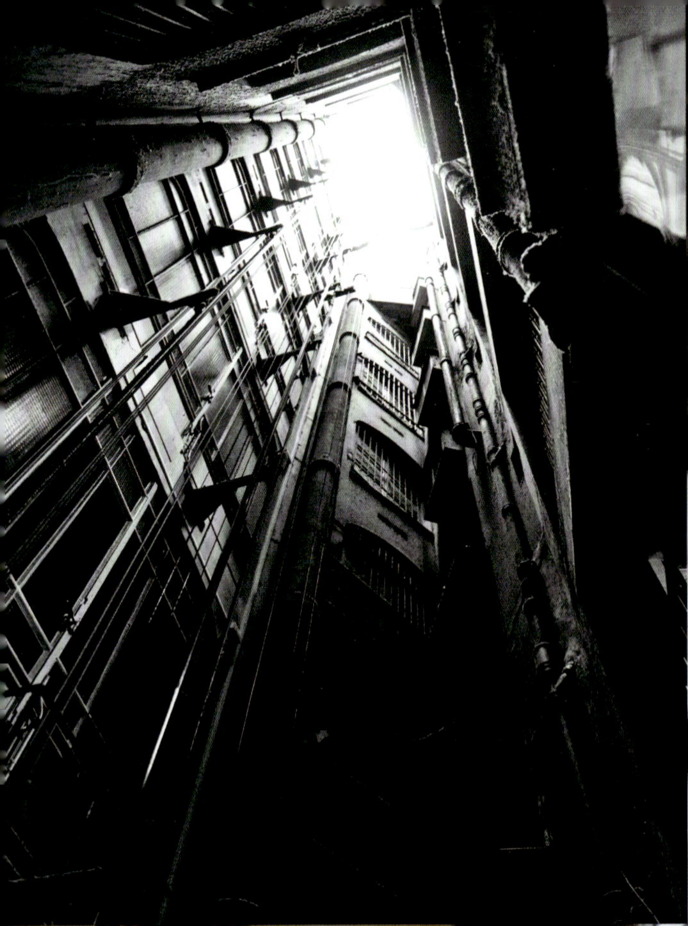
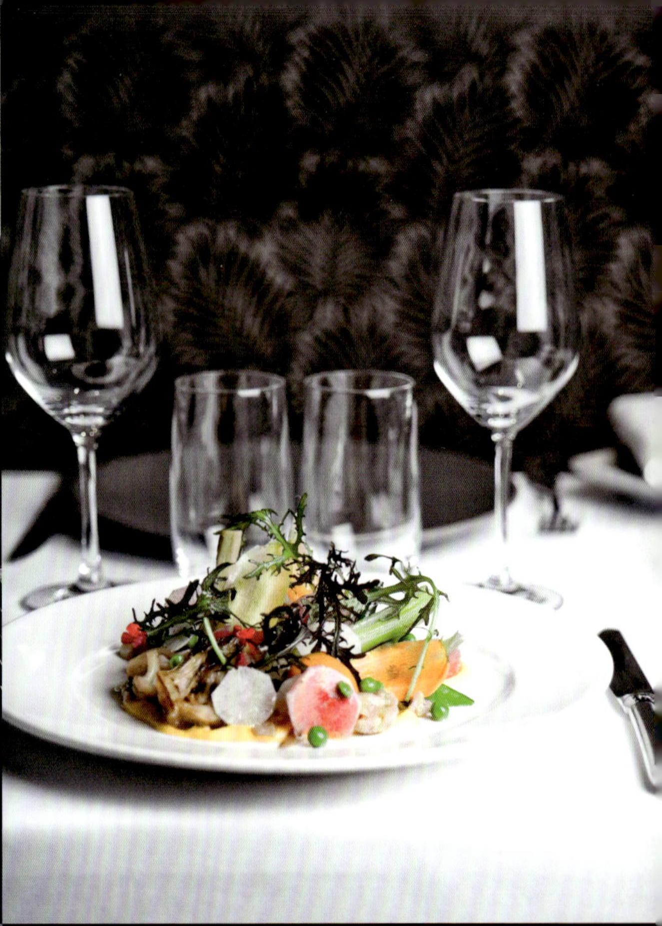
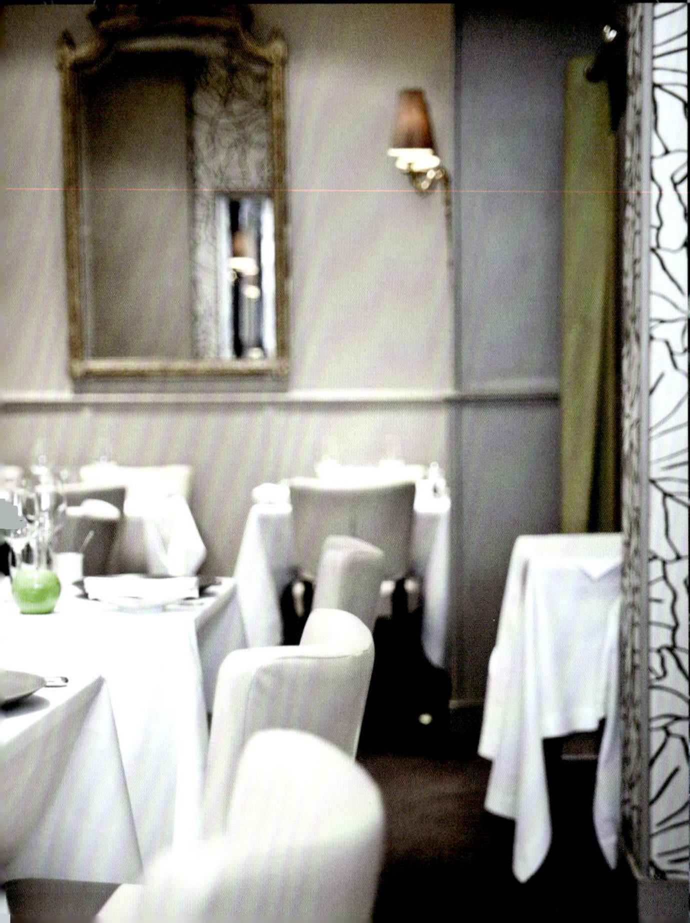
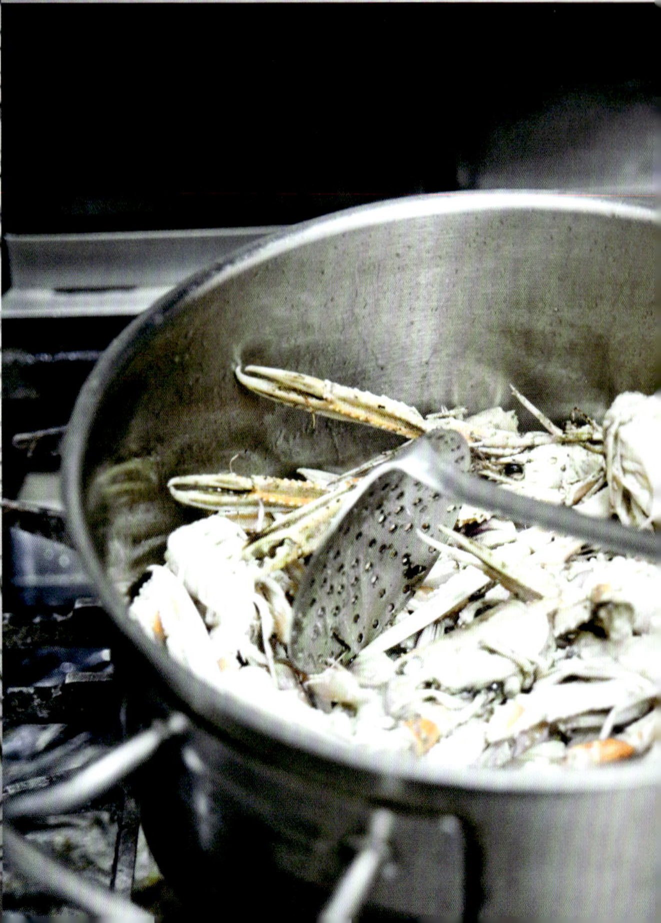

FOUGÈRES

Stéphane Duchiron, o *chef* do Fougères, declara: "Meu produto preferido é a cavala. Gosto de pegar um produto simples e acessível a todos para revelar toda a complexidade de um prato e surpreender meus convidados. Minha receita preferida é o *blanc* de sibas com legumes da estação. Em maio, o shitake é perfeito, com pronunciados toques de trufa negra. O que me agrada: utilizar ingredientes inesperados, como a "escuma do mar", a Juliette das areias - uma variedade de batata da baía de Somme -, o suco de limão para realçar os produtos do *terroir*, como esse sublime porquinho da fazenda."

PARIS SERÁ SEMPRE PARIS — Amo Paris

LES FOUGÈRES 10 rue Villebois Mareuil Paris XVIIe

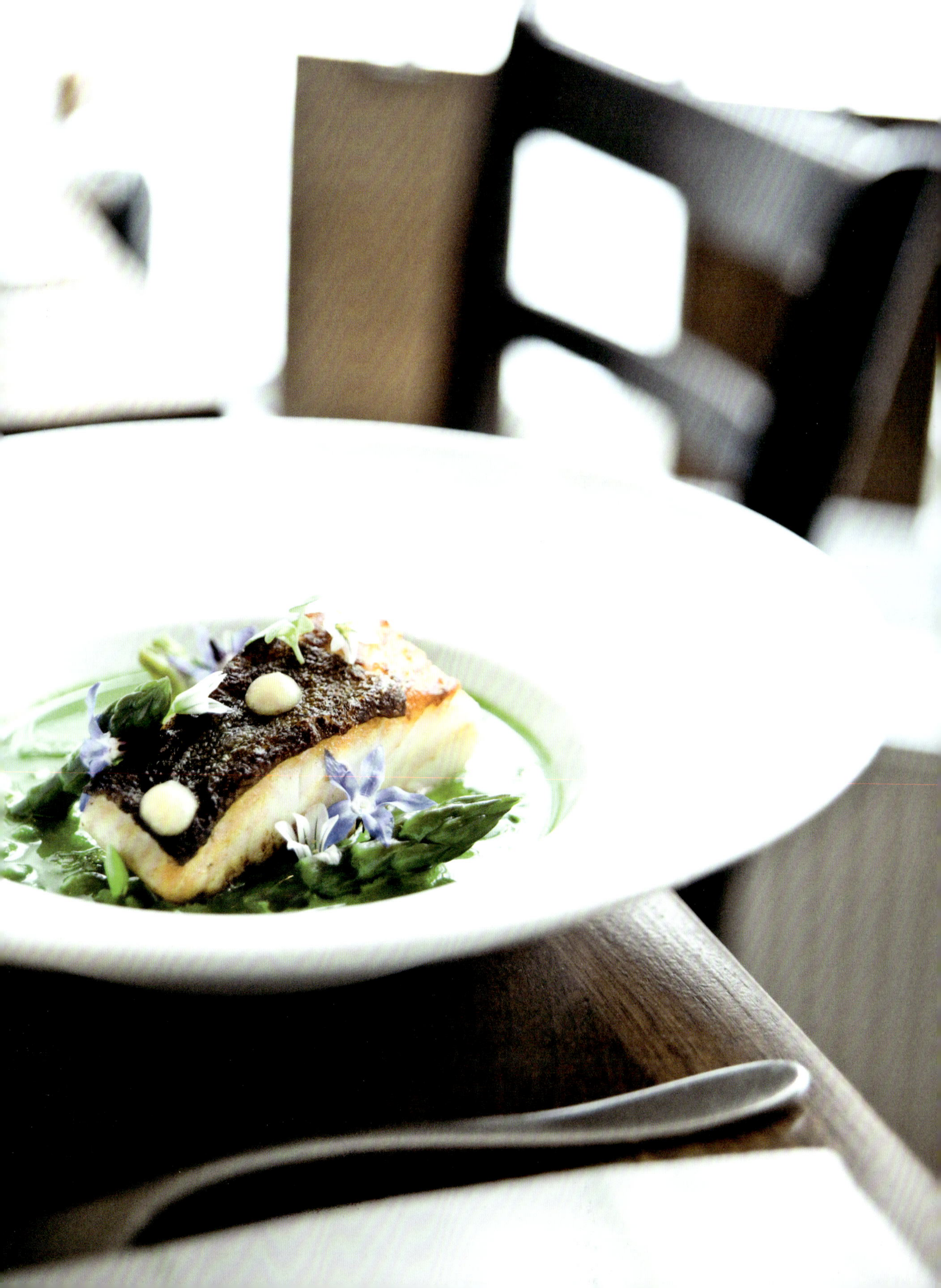

PARIS SERÁ SEMPRE PARIS — Amo Paris

FRENCHIE 5 rue du Nil Paris IIe

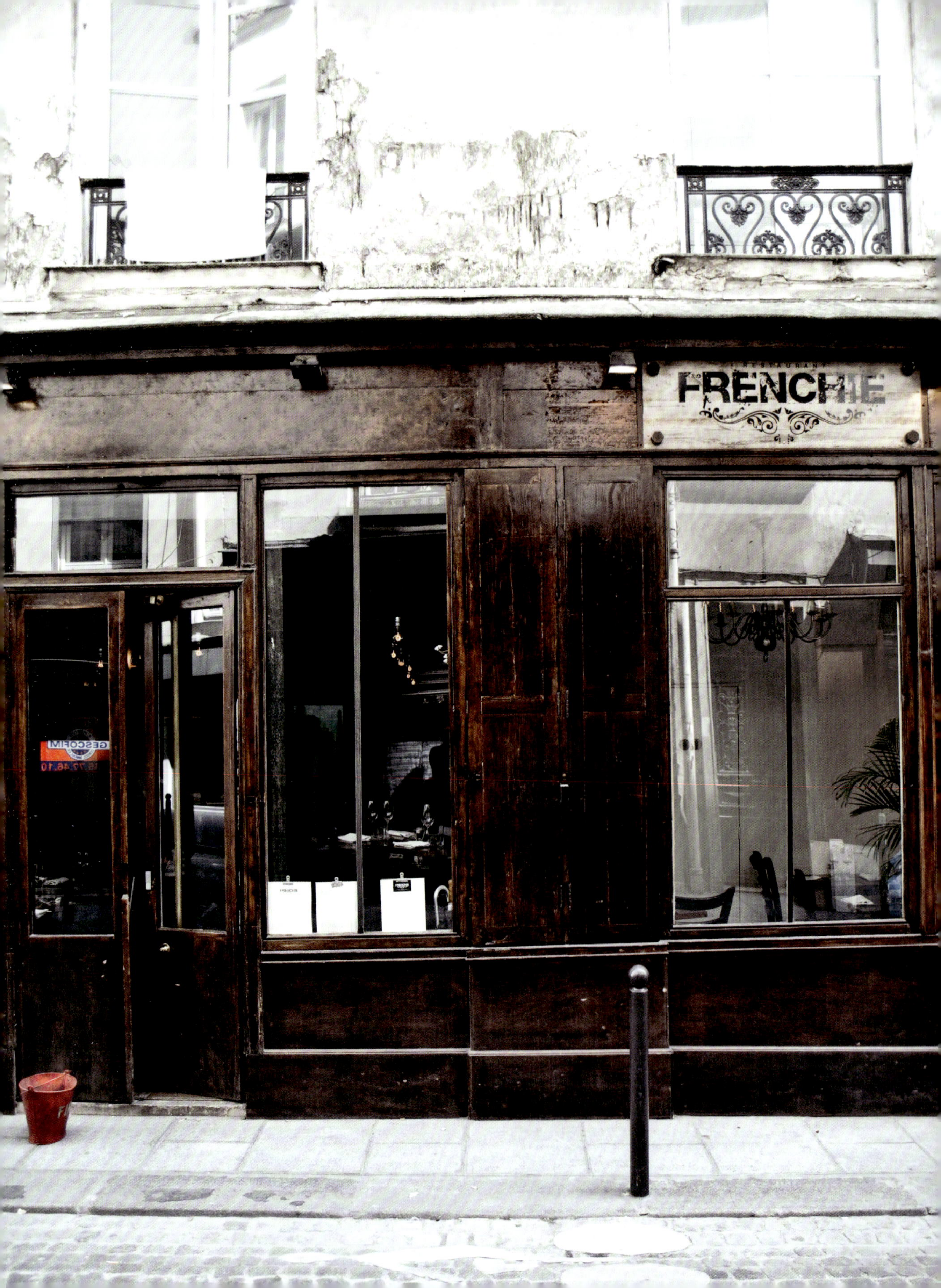
RESTAURANT
FRENCHIE

FRENCHIE

"Fui para o exterior bem jovem, logo após concluir a escola de hotelaria. Trabalhei em Nova York e Londres. Desses anos de formação, tento conservar uma cozinha instantânea, honesta, com sabores pouco habituais para a França: picles, *chutneys* e condimentos cítricos. Frequentemente faço peixes defumados, de minuto...
Como sou sozinho na cozinha, preciso visar ao essencial, ao gosto!
Depois, para arrumar a cozinha, há a escola 'jardim à francesa'... Eu sou mais 'jardim à inglesa': a bagunça organizada, mas sempre harmoniosa!"

Grégory Marchand

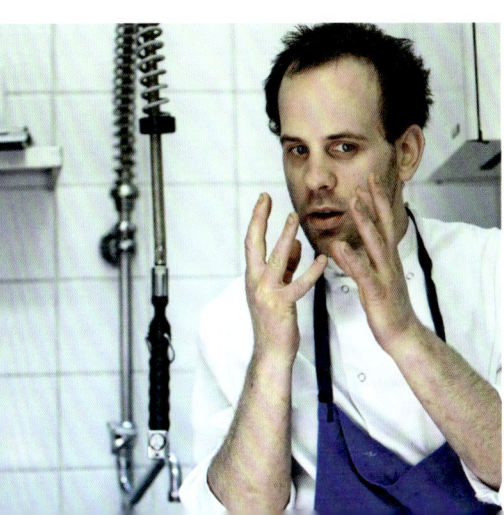

PARIS SERÁ SEMPRE PARIS — Amo Paris

FRENCHIE 5 rue du Nil Paris IIe

De père en fils   Les Gourm

PARIS SERÁ SEMPRE PARIS
Amo Paris

LES GOURMETS DES TERNES 87 boulevard de Courcelles Paris VIIIe

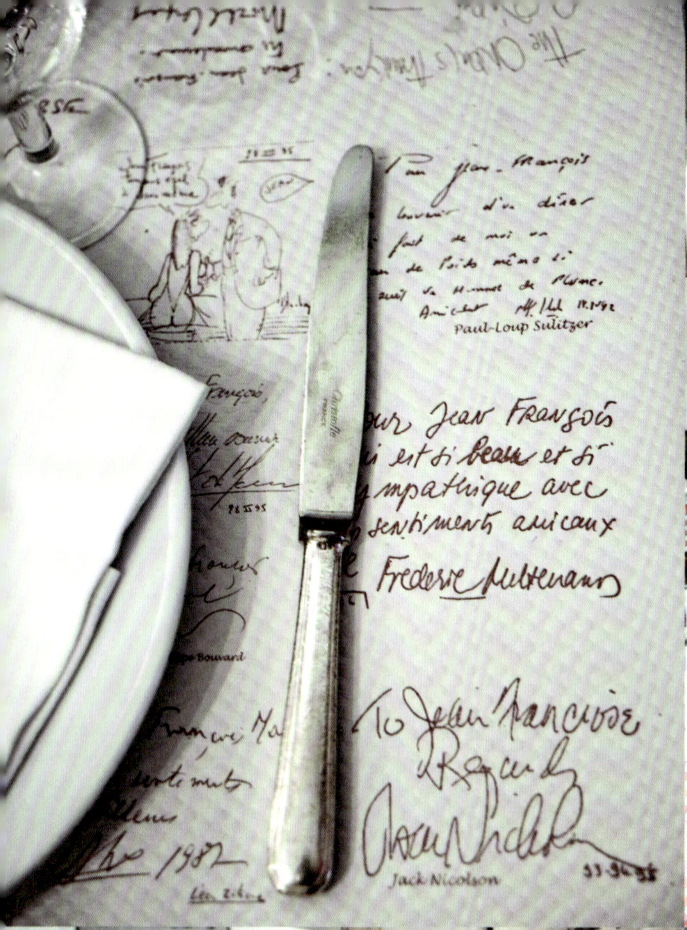
Paul-Loup Sulitzer
Jack Nicolson
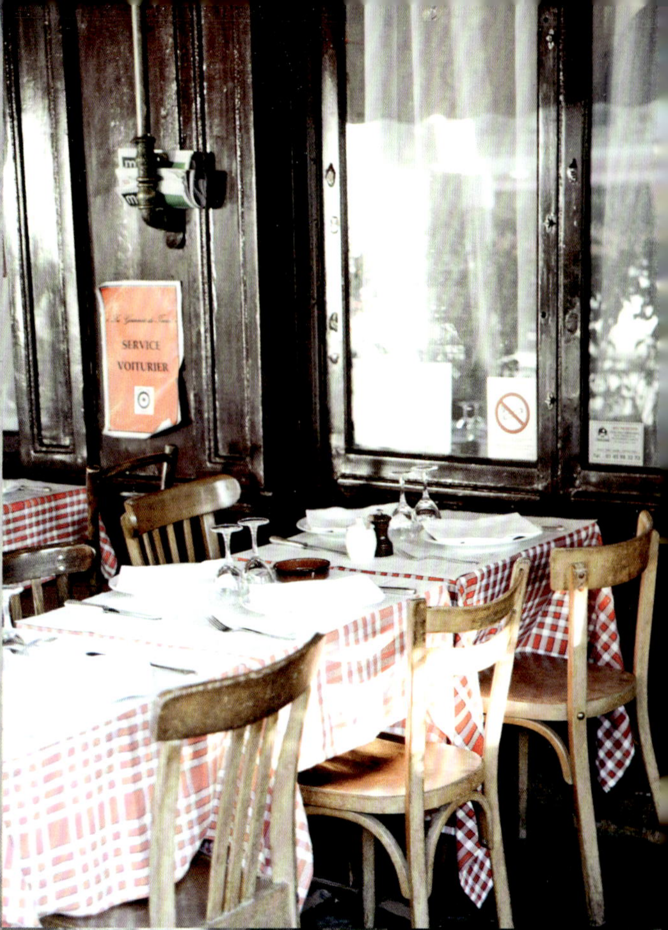
SERVICE
VOITURIER
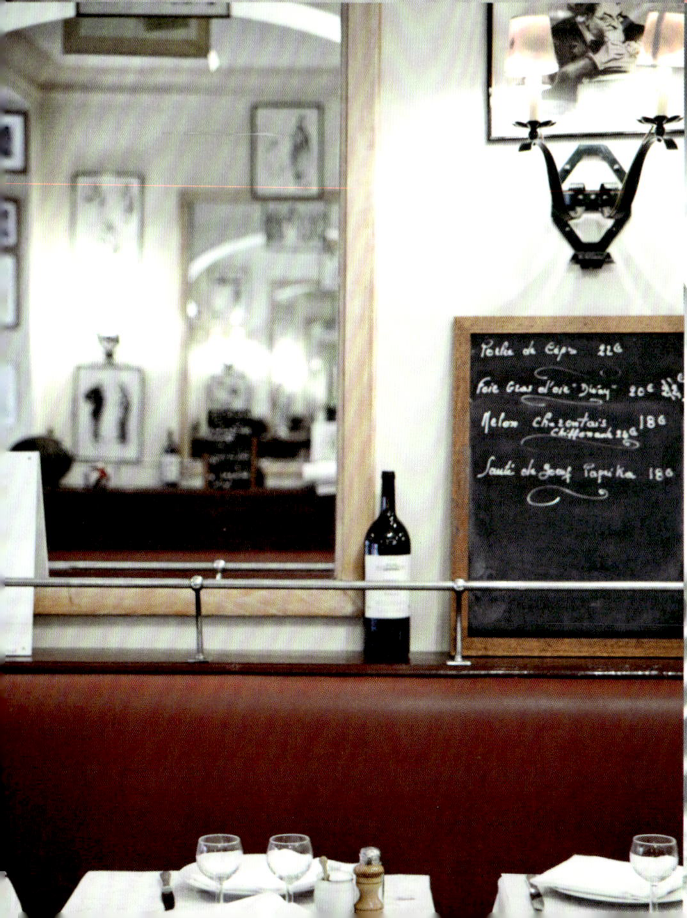
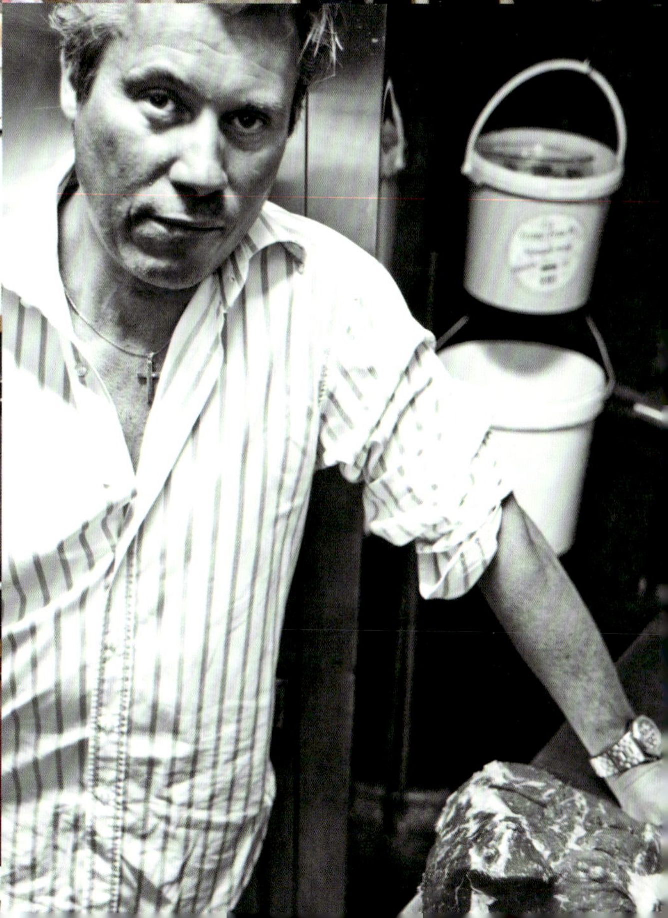

Amadores na cozinha, tipo colarinho aberto e ombros largos, eis um bistrô muito bom. Com *pâté de tête*, salsichas, alho-porró ao vinagrete. Mas principalmente com seu corte de carne bovina "especial" e colossal, ao tutano. Quanto à sobremesa, quase obrigatória, o *bab chantilly*, que só rima com *youpi* e provoca paixões. Recomenda-se fazer reserva.

GOUR METS DES TERNES

LES GOURMETS DES TERNES 87 boulevard de Courcelles Paris VIIIe

PARIS SERÁ SEMPRE PARIS — Amo Paris

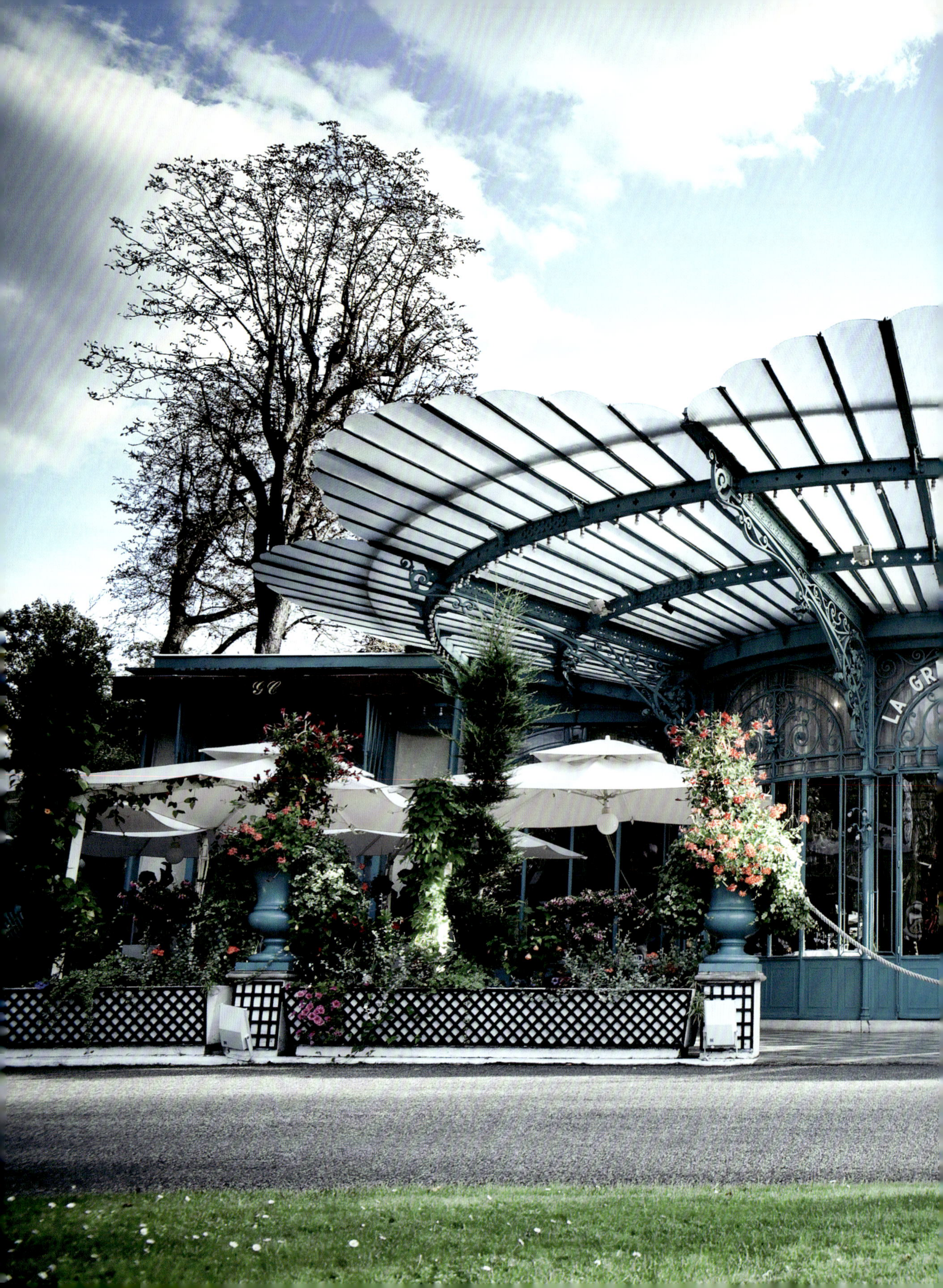
GC
LA GR

LA GRANDE CASCADE Bois de Boulogne Paris XVIe

GRANDE CASCADE

Ao meio-dia, ficamos encantados com o charme do seu *décor*, com o pavilhão de Napoleão III, o murmúrio fresco da cascata. À noite, fora de Paris, fora do tempo, degusta-se uma culinária elegante, nave-capitânia da família Menut. Clássicos que ostentam um leve toque de inventividade: escargots com manteiga de verbena, pavê de peixe assado com creme de *butternut*, espuma de raiz-forte e bolo austríaco torrado para comer com foie gras de pato. Impressionista como um domingo no campo.

LA GRANDE CASCADE Bois de Boulogne Paris XVIe

179

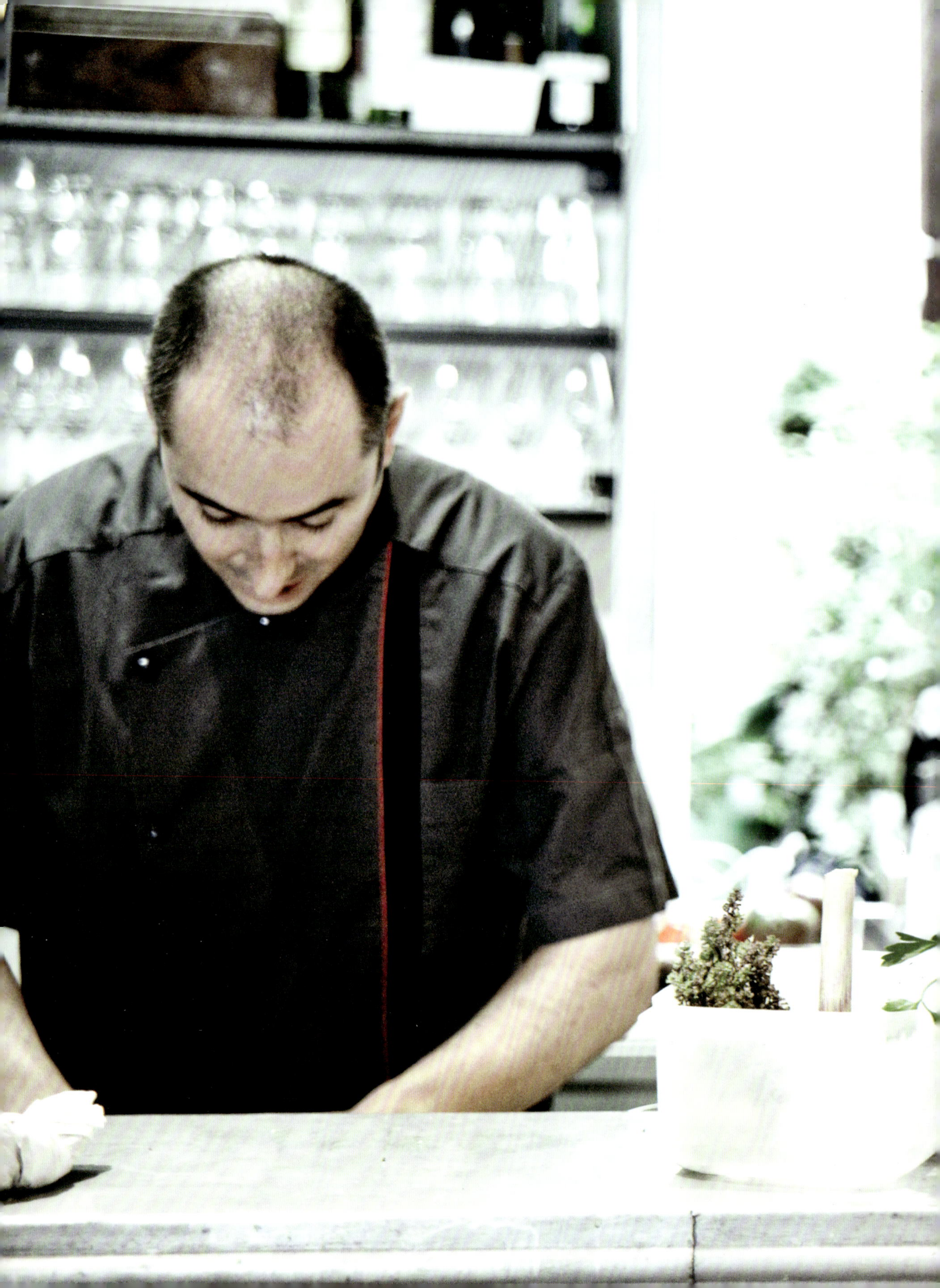

LE JEU DE QUILLES 45 rue Boulard Paris XIVe

JEU DE QUILLES

Um pequeno balcão de épicerie para todos os gostos... Soberba seleção de produtos brutos servidos generosamente por Benoît Reix, que comanda tudo por trás de seu balcão. Naquele dia, para o prazer da degustação: *burrata des Pouilles*, mistura suave de leite de vaca com mussarela cremosa que se come obrigatoriamente com uma colherzinha – notável na estação do ano com um tomate maduro escolhido, com pontas de aspargo embebidas em azeite de oliva suave... uma pitada de sal seria demasiado! Quanto aos vinhos, Benoît propõe que sejam do tipo bio, nos clássicos do gênero – mas dos bons!

PARIS SERÁ SEMPRE PARIS — Amo Paris

LE JEU DE QUILLES 45 rue Boulard Paris XIVe

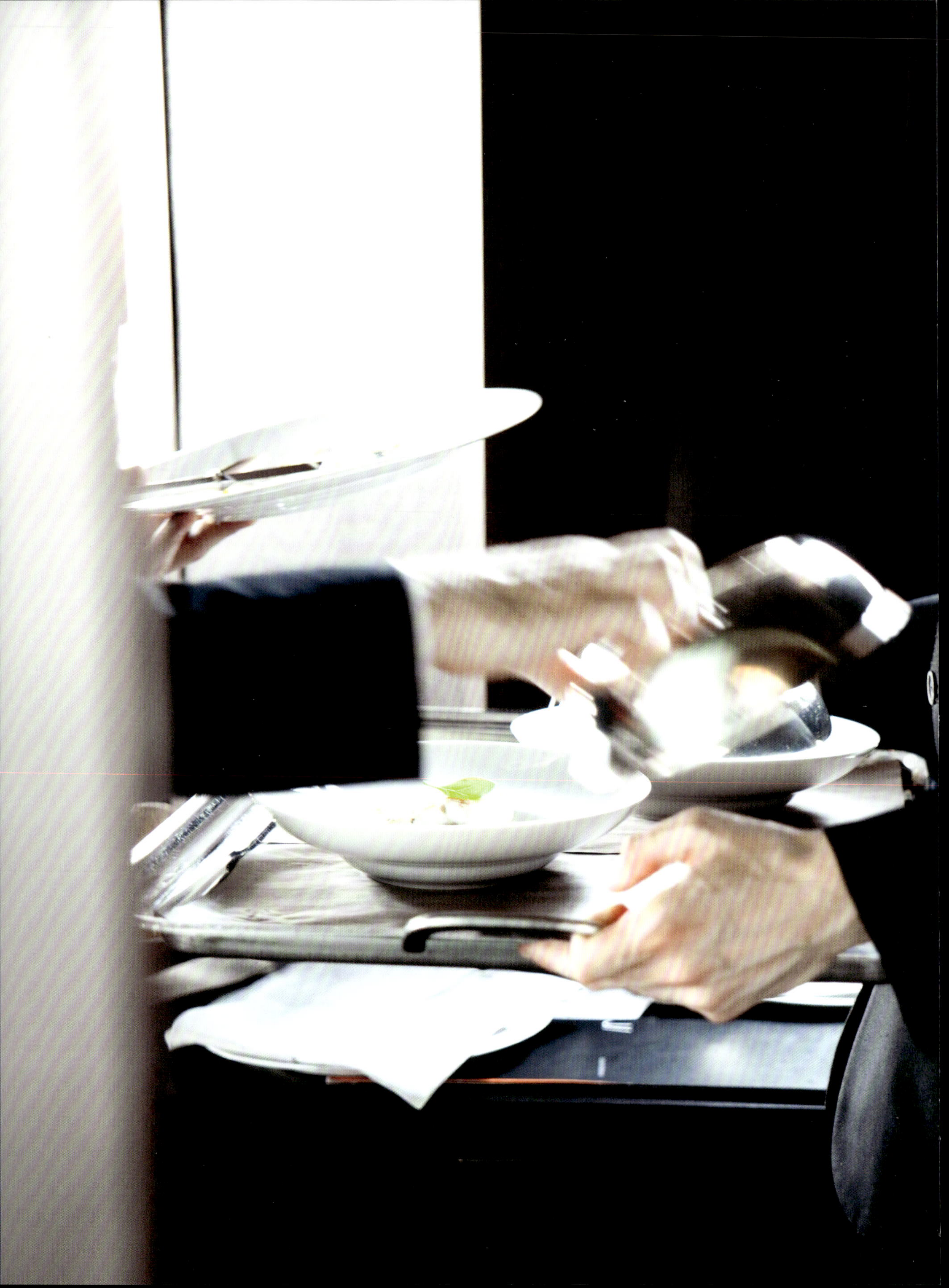

LE JULES VERNE Altima – 6 avenue Gustave Eiffel Paris VIIe

PARIS SERÁ SEMPRE PARIS — Amo Paris

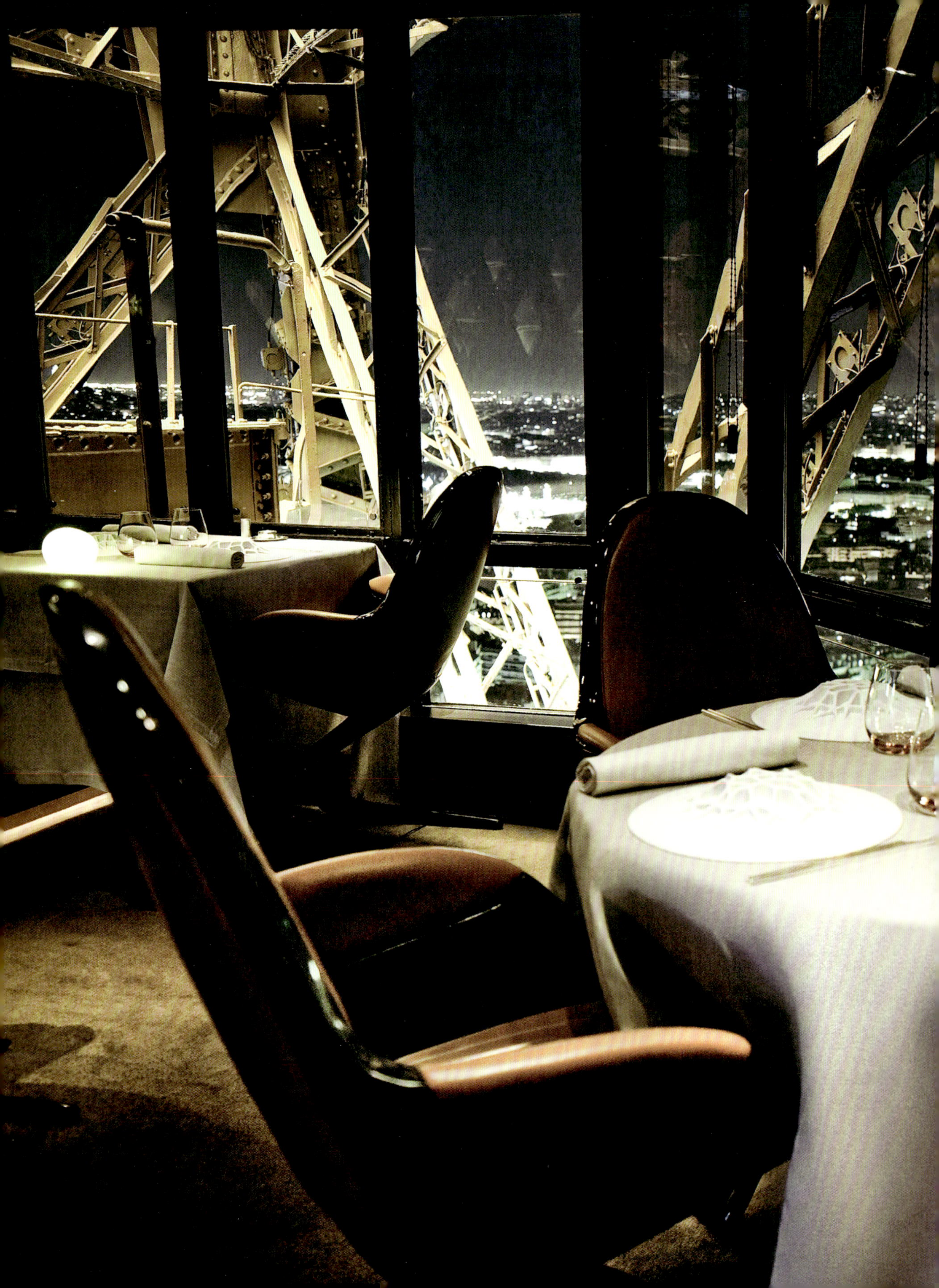

LE JULES VERNE Altima – 6 avenue Gustave Eiffel Paris VIIe

PARIS SERÁ SEMPRE PARIS — Amo Paris

J/ LeJulesVerne

LE JULES VERNE Altima – 6 avenue Gustave Eiffel Paris VIIe

Amo Paris
PARIS SERÁ SEMPRE PARIS

JULES VERNE

A Torre Eiffel. Nenhum parisiense se cansa dela. Quando começa a cintilar no momento exato em que se olha para ela, quando subimos por entre as vigas de metal dourado em um elevador que mais parece uma bolha de champanhe, quando se descobrem do terraço envidraçado as luzes da cidade, a Torre Eiffel nos oferece como presente a magia de Paris.
Nesse lugar único, emblema da França, a culinária de Pascal Féraud é 100% nacional. Do azeite de oliva às *morilles*, é um arco-íris azul-branco-vermelho dos melhores produtos de nossas regiões. Uma culinária bem pé no chão para um momento de relaxamento.

189

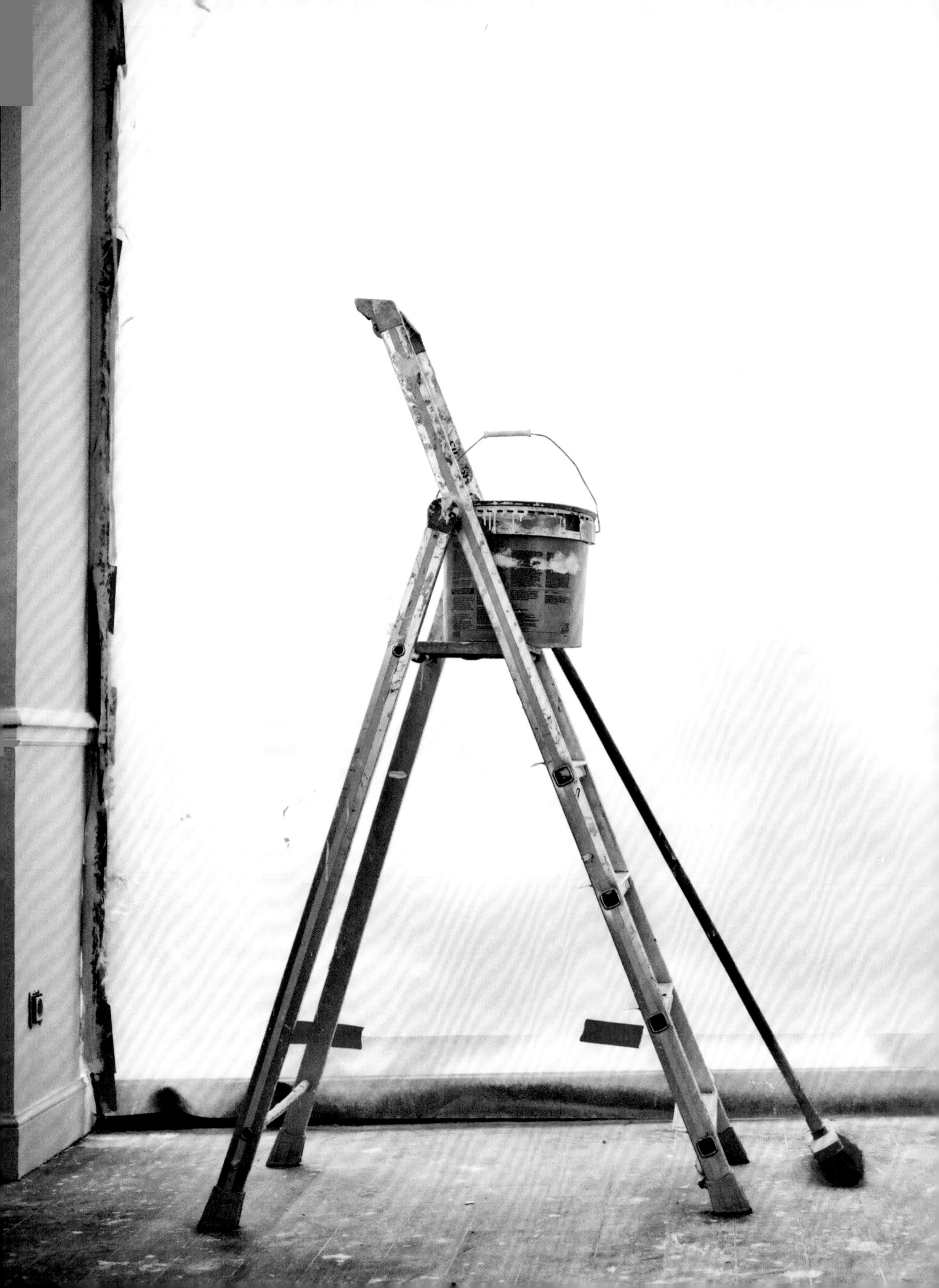

PARIS SERÁ SEMPRE PARIS — Amo Paris

KEI 5 rue Coq-Héron Paris Ier

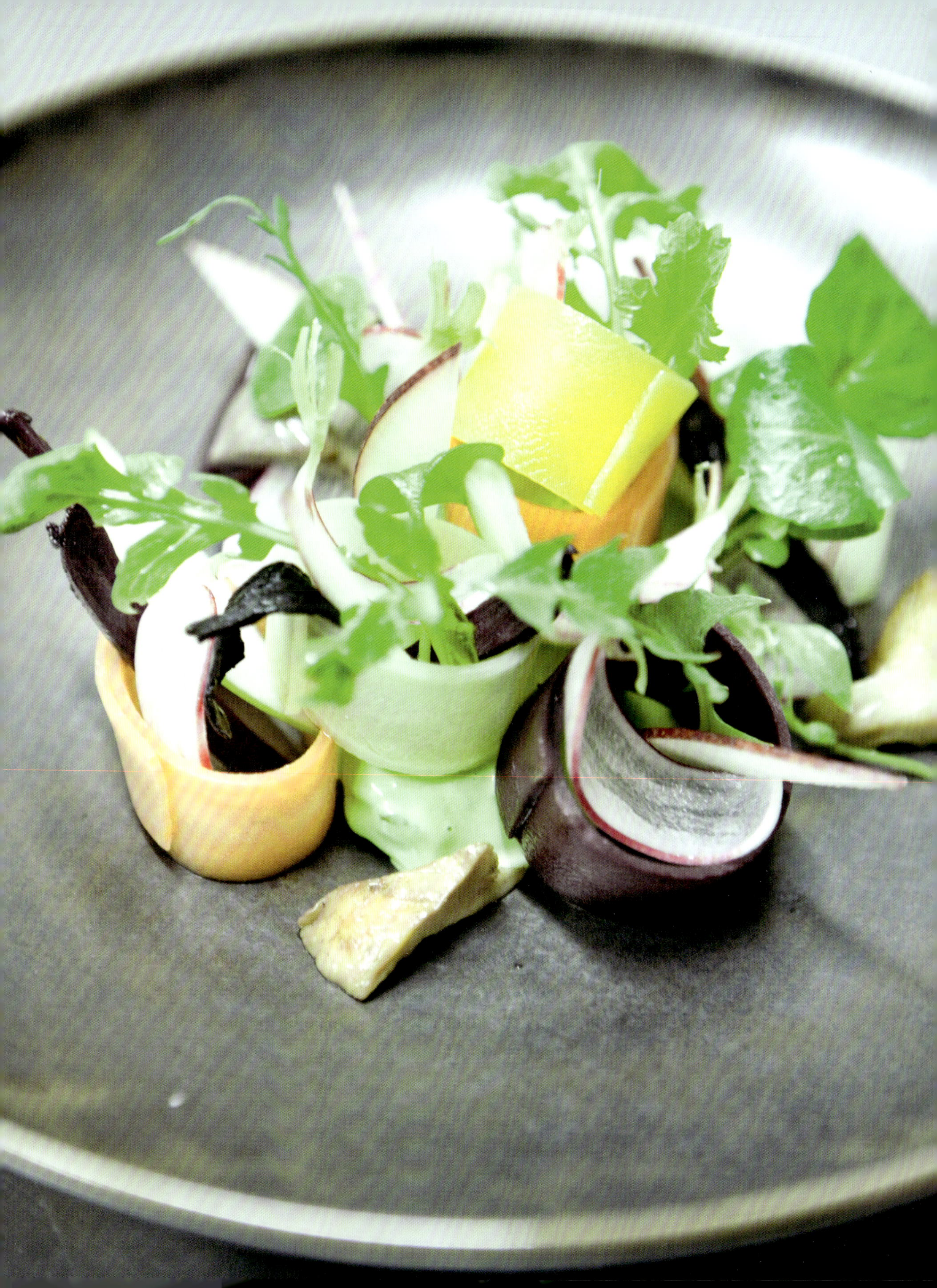

KEI

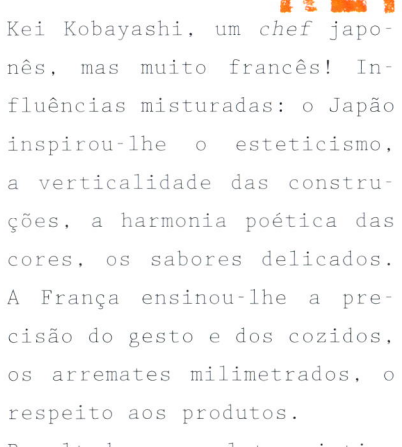

Kei Kobayashi, um *chef* japonês, mas muito francês! Influências misturadas: o Japão inspirou-lhe o esteticismo, a verticalidade das construções, a harmonia poética das cores, os sabores delicados. A França ensinou-lhe a precisão do gesto e dos cozidos, os arremates milimetrados, o respeito aos produtos.
Resultado: uma paleta criativa e rica de composições sutis, em que os sabores diferenciados oferecem uma cozinha perfeita e acessível.

PARIS SERÁ SEMPRE PARIS — Amo Paris

KEI 5 rue Coq-Héron Paris Ier

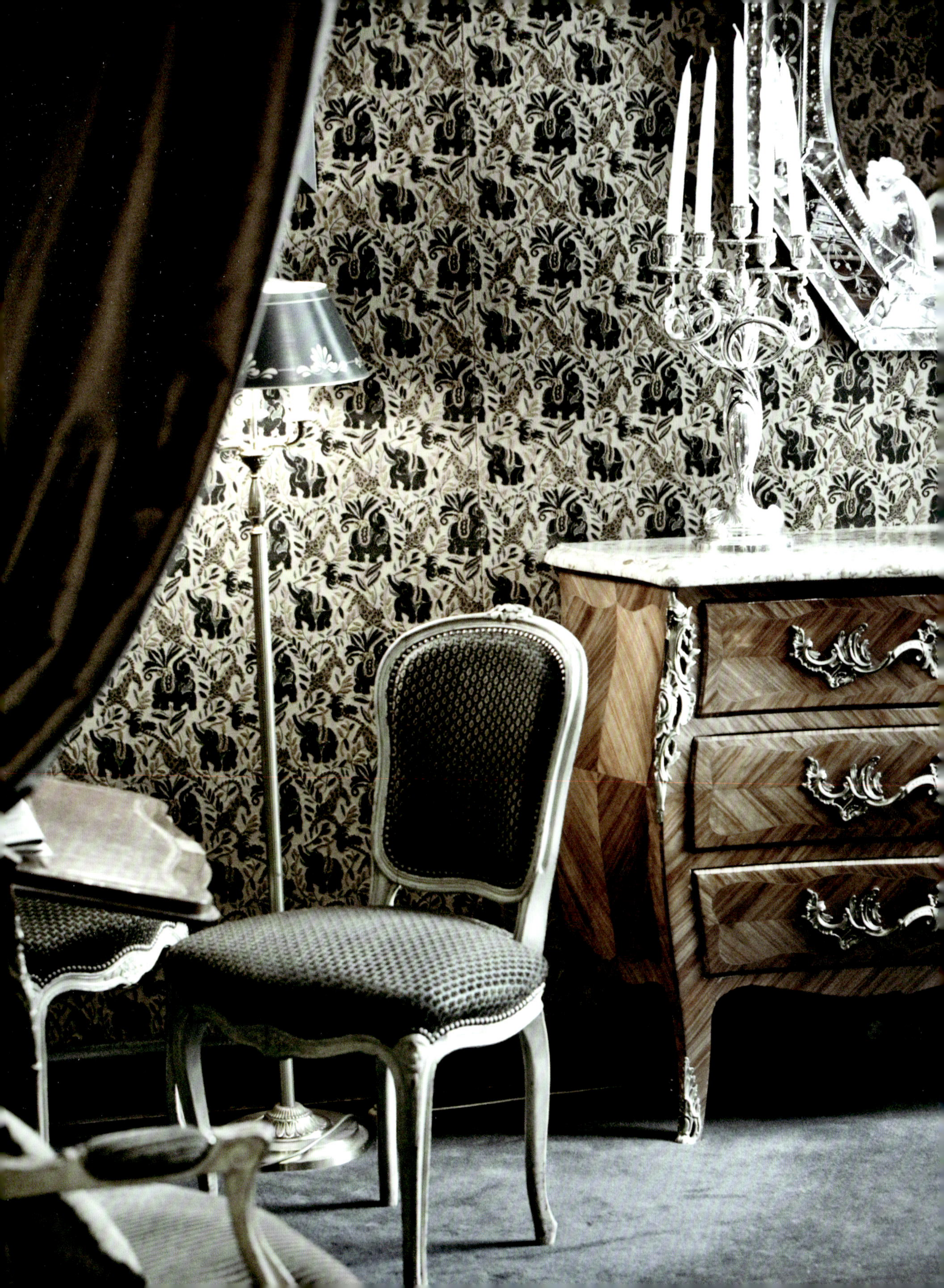

LASSERRE 17 avenue Franklin Roosevelt Paris VIIIe

PARIS SERÁ SEMPRE PARIS
Amo Paris

LASSERRE

René Lasserre adquiriu em 1942 um pequeno bar de madeira, criado para a Exposição Universal de 1937. Depois da guerra, transferiu seu modesto bistrô para uma mansão próxima, restaurada. Esse lugar mítico é o fruto do trabalho e da paixão do homem que, no decurso dos anos, o fez ganhar renome internacional e soube dar vida à culinária "à la française", clássica e delicada.

Hoje, o restaurante Lasserre tomou novo alento com a chegada do *chef* Christophe Moret, que trabalhou durante seis anos no Plaza Athénée. A casa aproveitou para refazer a decoração da grande sala, onde se pode ver o teto se abrir para um jantar sob as estrelas... É uma página nova na história do restaurante.

PARIS SERÁ SEMPRE PARIS — Amo Paris

LASSERRE 17 avenue Franklin Roosevelt Paris VIIIe

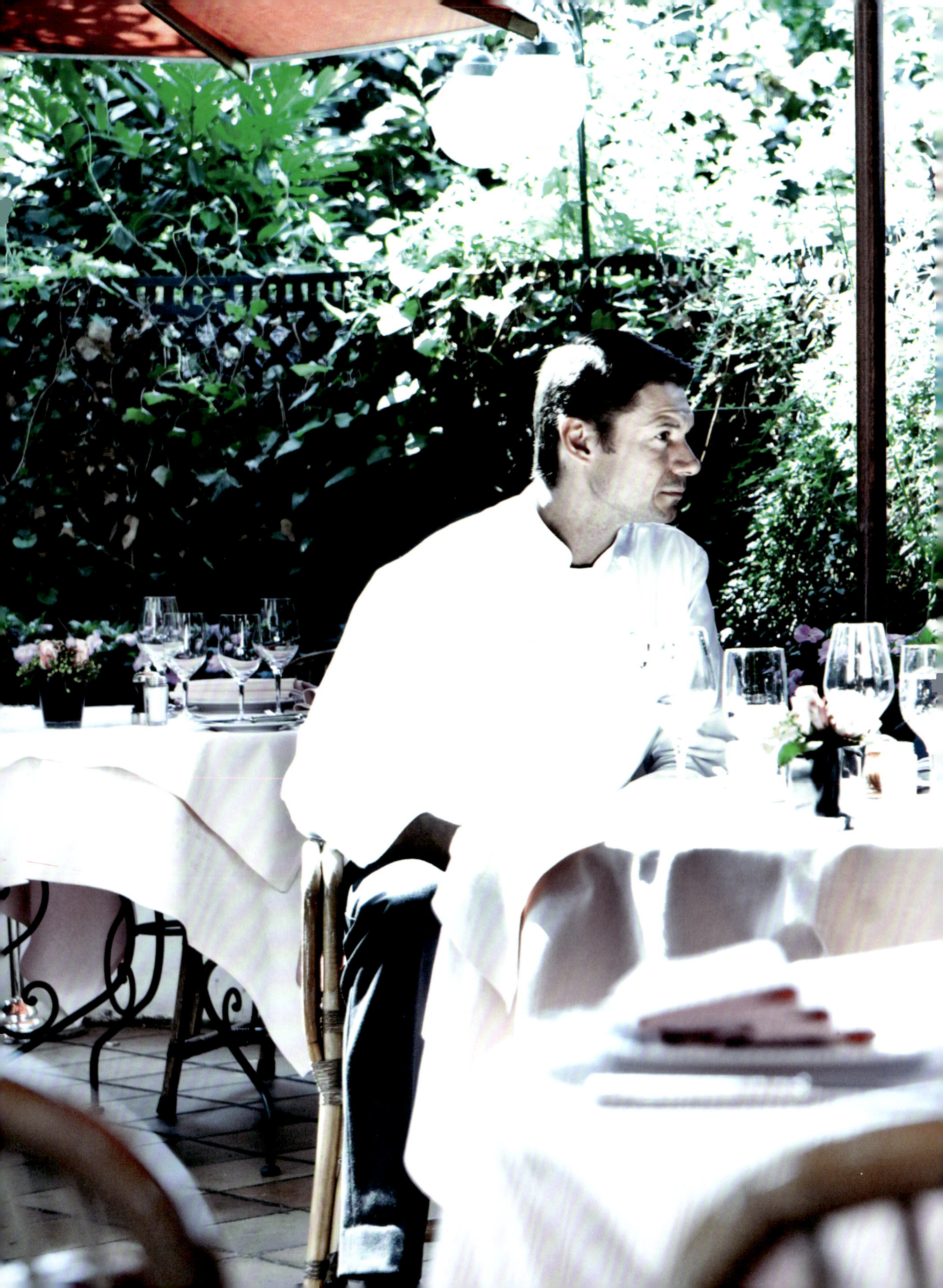

PARIS SERÁ SEMPRE PARIS — Amo Paris

LE LAURENT 41 avenue Gabriel Paris VIIIe

LAURENT

LAU RENT

PARIS SERÁ SEMPRE PARIS Amo Paris

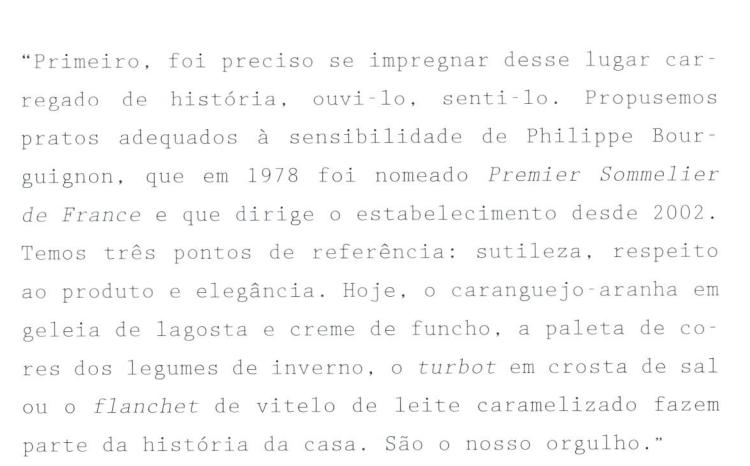

LE LAURENT 41 avenue Gabriel Paris VIII⁰

"Primeiro, foi preciso se impregnar desse lugar carregado de história, ouvi-lo, senti-lo. Propusemos pratos adequados à sensibilidade de Philippe Bourguignon, que em 1978 foi nomeado *Premier Sommelier de France* e que dirige o estabelecimento desde 2002. Temos três pontos de referência: sutileza, respeito ao produto e elegância. Hoje, o caranguejo-aranha em geleia de lagosta e creme de funcho, a paleta de cores dos legumes de inverno, o *turbot* em crosta de sal ou o *flanchet* de vitelo de leite caramelizado fazem parte da história da casa. São o nosso orgulho."

Alain Pégouret

LEDOYEN 1 avenue Dutuit Paris VIIIe

PARIS SERÁ SEMPRE PARIS — Amo Paris

LEDOYEN 1792

LE DOYEN

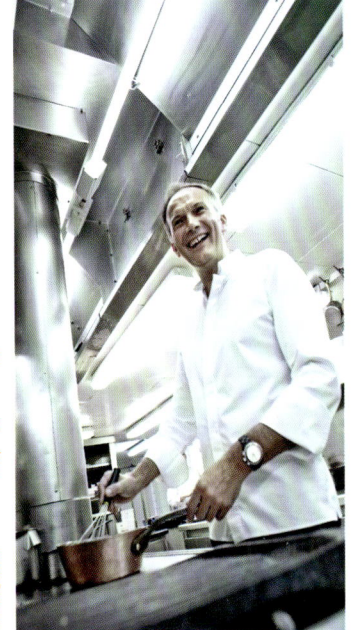

"Cresci e iniciei minha formação no golfo do Morbihan. O *chef* da época me dizia sempre: 'Para ser um bom cozinheiro, é preciso formar-se nos grandes estabelecimentos parisienses'. Em 1998, foi assim que entrei no Pavillon Ledoyen como *chef* de cozinha.

Minha culinária de hoje? Ela combina um visual simples com sabores complexos. É ao mesmo tempo elegante e fresca.

Entre os itens imperdíveis, degustam-se o timo de vitelo com molho de limão, o *turbot* com emulsão de trufas ou ainda lagostins ao molho cítrico. Um prazer para ser sempre descoberto no Carré des Champs Elysées: um lugar mítico, situado no meio de uma ilha de verde. É a Paris mágica!"

Christian Le Squer

PARIS SERÁ SEMPRE PARIS — Amo Paris

LEDOYEN 1 avenue Dutuit Paris VIIIe

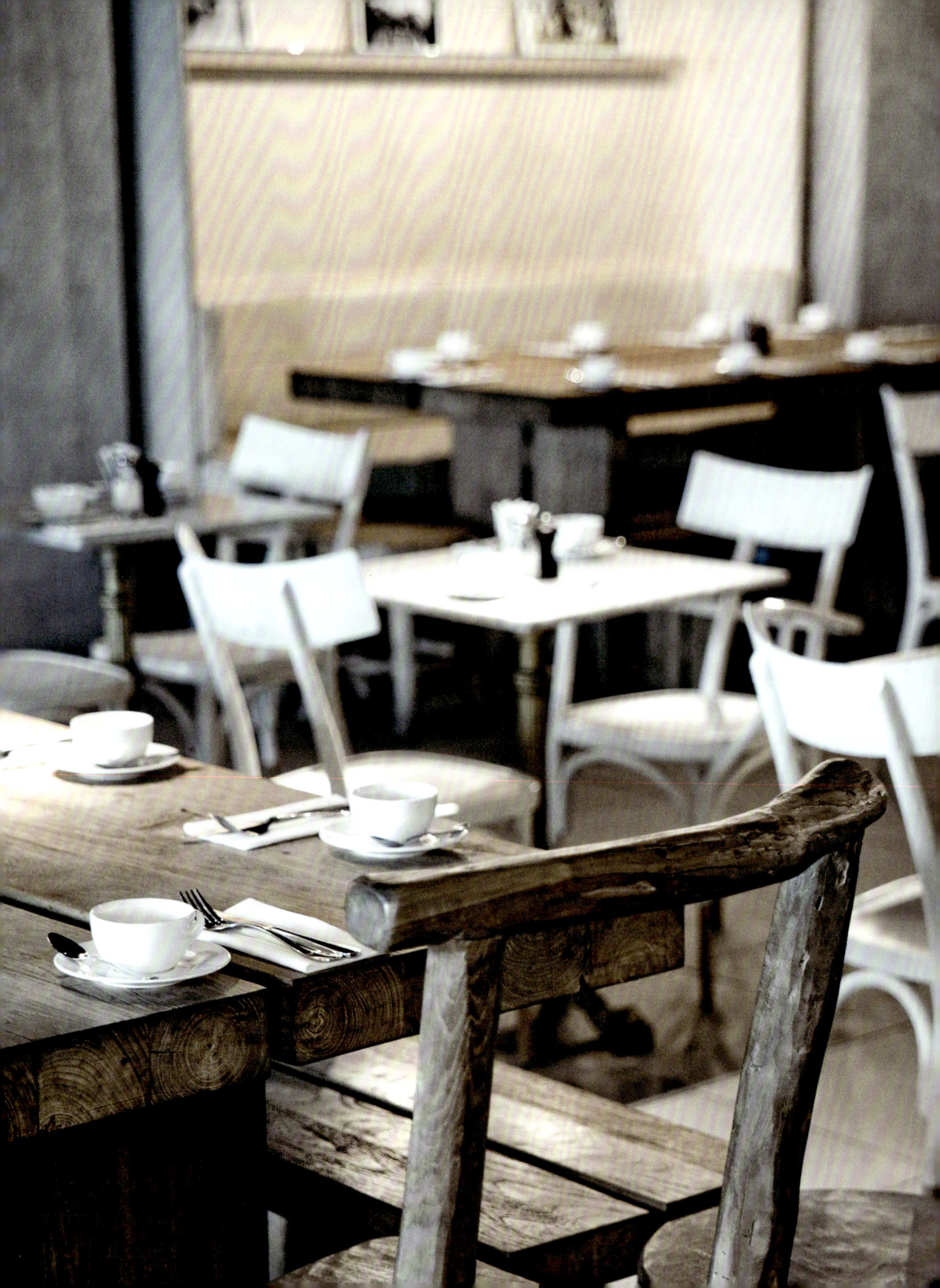

PARIS SERÁ SEMPRE PARIS — Amo Paris

MAMA SHELTER 109 rue de Bagnolet Paris XXe

MA MA SHEL TER

Beber, comer, olhar e até mesmo dormir é no Mama Shelter! Beba no bar - com design de Philippe Starck, que não teme nem a mistura de gêneros nem as "derrapagens controladas". Levante o nariz para dar prazer aos olhos - é incrível o teto de ardósia ornado com grafites elegantes. Seja árbitro de uma inflamada partida de *baby foot* enquanto faz sua comanda - por que não entre amigos, em torno da mesa grande? O "menu simples de Alain Senderens": alho-porró aquecido e que derrete na boca, servido com vinagrete de ervas, salmão à moda da casa realçado por um leve creme de raiz-forte, terrina de foie gras de pato. Para sobremesa: babe como uma criança diante do *baba* da Mama.

PARIS SERÁ SEMPRE PARIS Amo Paris

MAMA SHELTER 109 rue de Bagnolet Paris XX\ewline

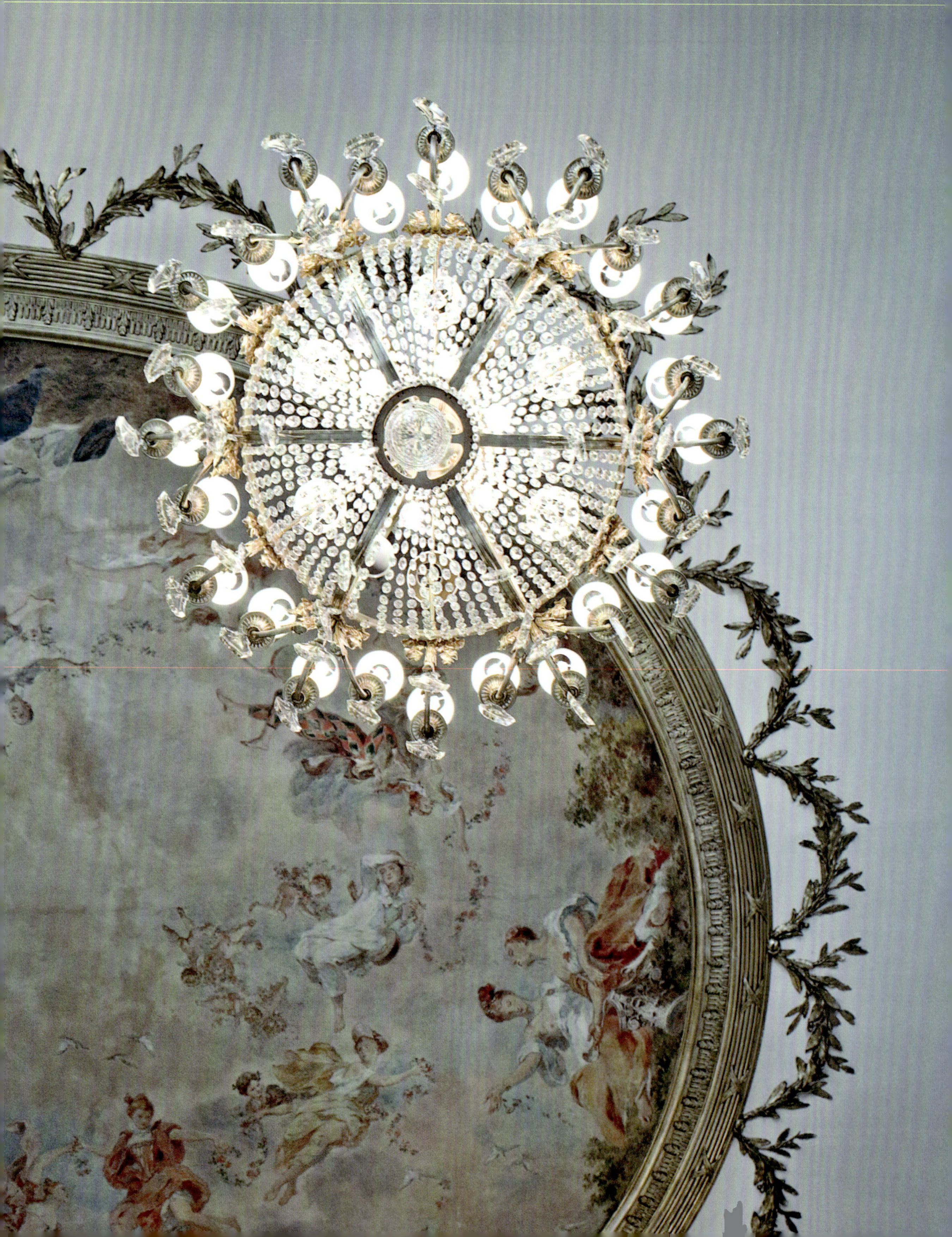

LE MEURICE 228 rue de Rivoli Paris I[er]

PARIS SERÁ SEMPRE PARIS
Amo Paris

MEU RICE

"Nasci em Puteaux. Meus pais gerenciavam bistrôs em Paris e nos arredores. A culinária parisiense faz, portanto, parte da minha cultura desde sempre. Os *chefs* das províncias frequentemente se instalam em Paris e trazem com eles o espírito de suas regiões. Naturalmente me dediquei a fazer o inventário do regionalismo parisiense para depois me divertir com esses produtos. Hoje, mantemos e valorizamos no Meurice uma porção de produtos tipicamente parisienses, tais como o repolho de Pontoise, o aspargo de Argenteuil, a galinha de Houdan, as ervilhas de Paris..."

Yannick Alléno

PARIS SERÁ SEMPRE PARIS
Amo Paris

LE MEURICE 228 rue de Rivoli Paris Ier

213

MON VIEIL AMI 69 rue Saint-Louis en l'île Paris IVe

PARIS SERA SEMPRE PARIS — Amo Paris

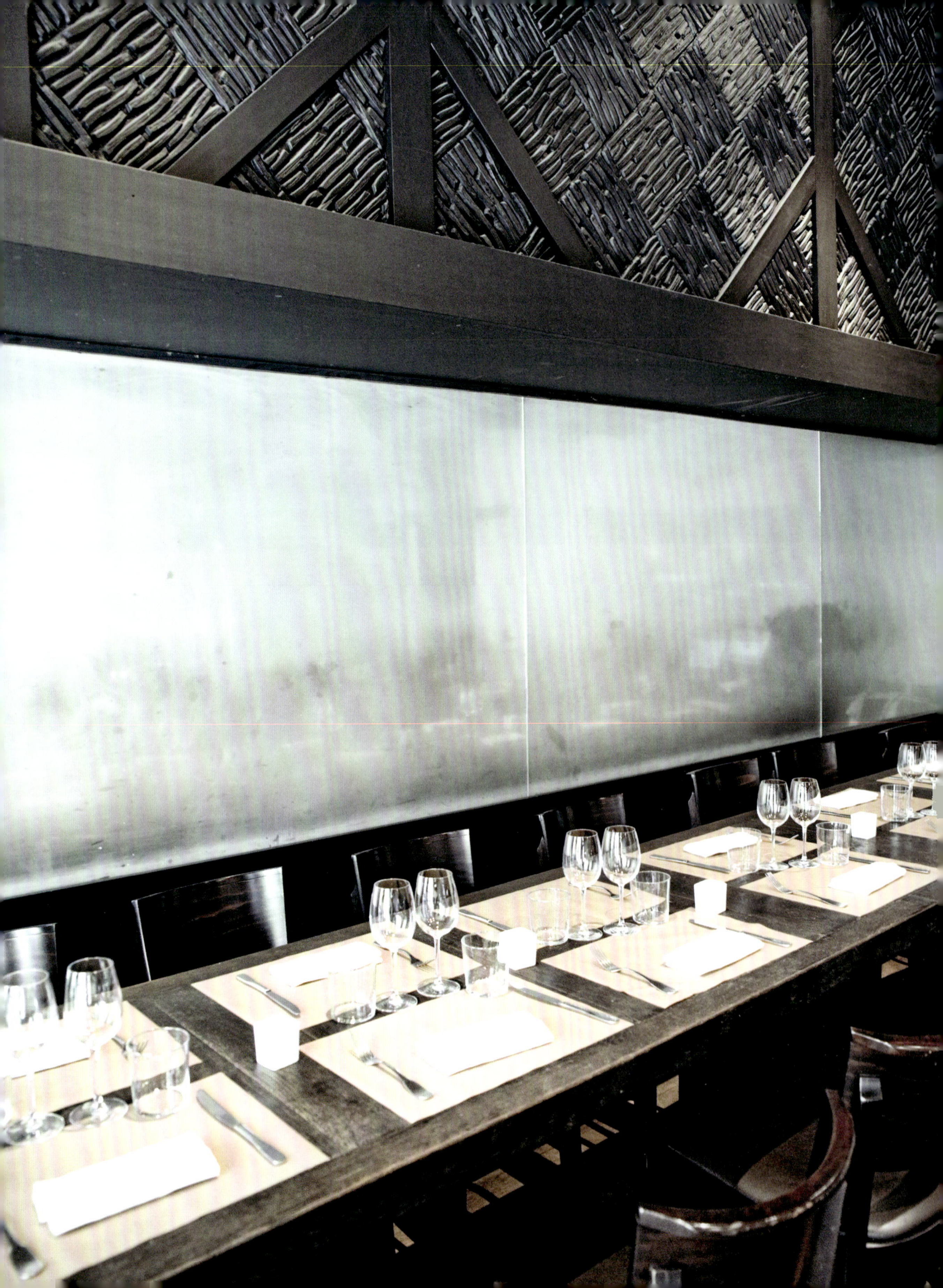

MON VIEIL AMI

"Lembra, Alain, foi você que me encorajou a visitar esse pequeno bistrô da Île Saint-Louis, há sete anos. Meu desejo era simples: receber as pessoas como amigos, como faria em casa. Prestando uma homenagem à minha mãe, que me fez gostar de legumes e que sabia prepará-los de 360 maneiras diferentes: *sautés*, caramelizados, em compota, crus... Mon Vieil Ami tem uma culinária simples, do meu jeito, saborosa e generosa. Meu bistrô entre companheiros."

Antoine Westermann

PARIS SERÁ SEMPRE PARIS
Amo Paris

MON VIEIL AMI 69 rue Saint-Louis en l'Île Paris IVe

FOURS J. LE

PARIS SERÁ SEMPRE PARIS
Amo Paris

LE MOULIN DE LA VIERGE 105 rue Vercingétorix Paris XIVe

MOU DE LA LIN VIER GE

Farinha: biológica com fermento natural. Cozimento: em um antigo forno a lenha, quase impossível de encontrar em Paris. Pecado mortal: a "Preguiçosa" -, uma baguete feita com fermento. Logo depois, vem o famoso pão camponês, de miolo leve e crosta crocante, preparado por Alexandre Kamir, grande padeiro diante do Eterno. Pecados capitais: o mil-folhas com chantilly, que não é ortodoxo, mas bem leve e maravilhosamente caramelizado, a torta de maçãs à moda do formidável Tatin, o flã de pâtissier próximo do paraíso, os excepcionais *palmiers*...

PARIS SERÁ SEMPRE PARIS
Amo Paris

LE MOULIN DE LA VIERGE 105 rue Vercingétorix Paris XIVe

221

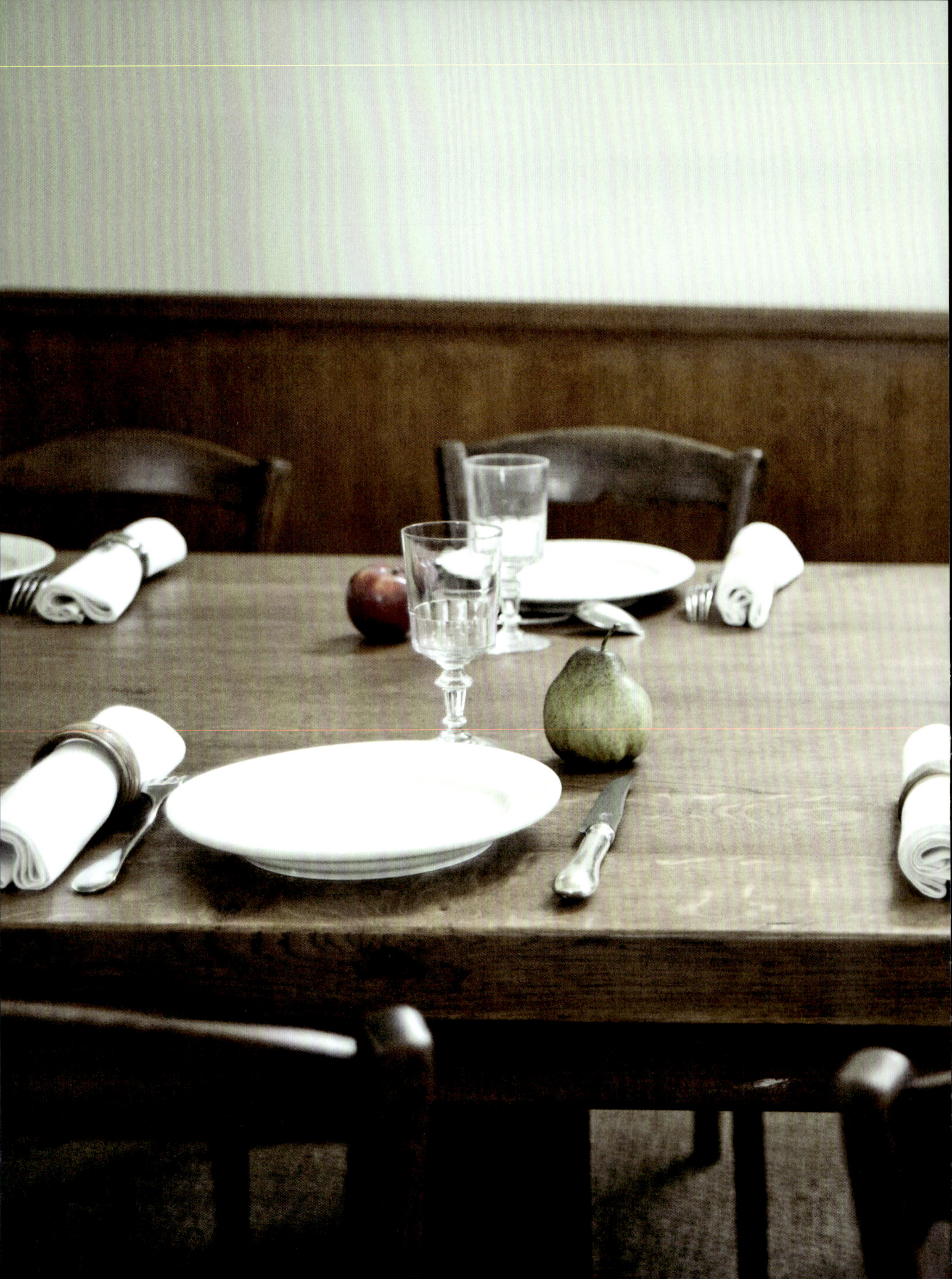

MUSÉE **NISSIM DE CAMONDO** 63 rue de Monceau Paris VIIIe

PARIS SERÁ SEMPRE PARIS — Amo Paris

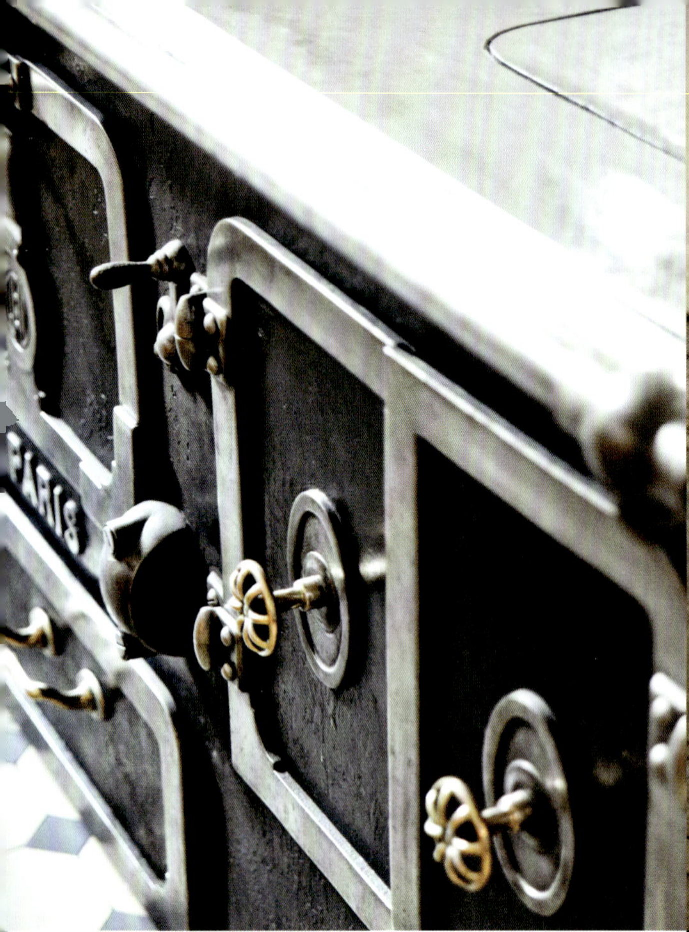
PARIS

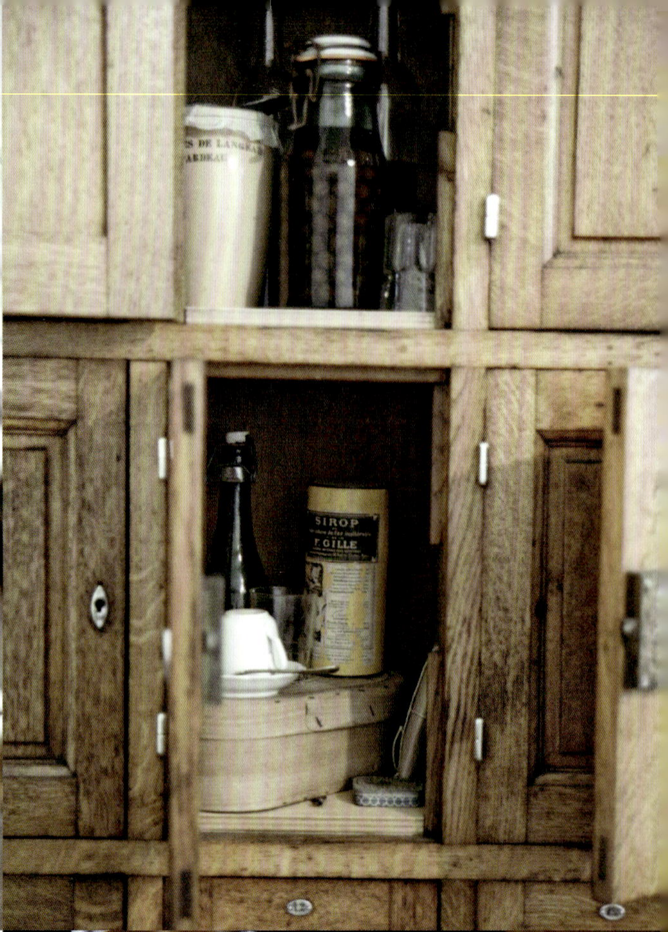
SIROP

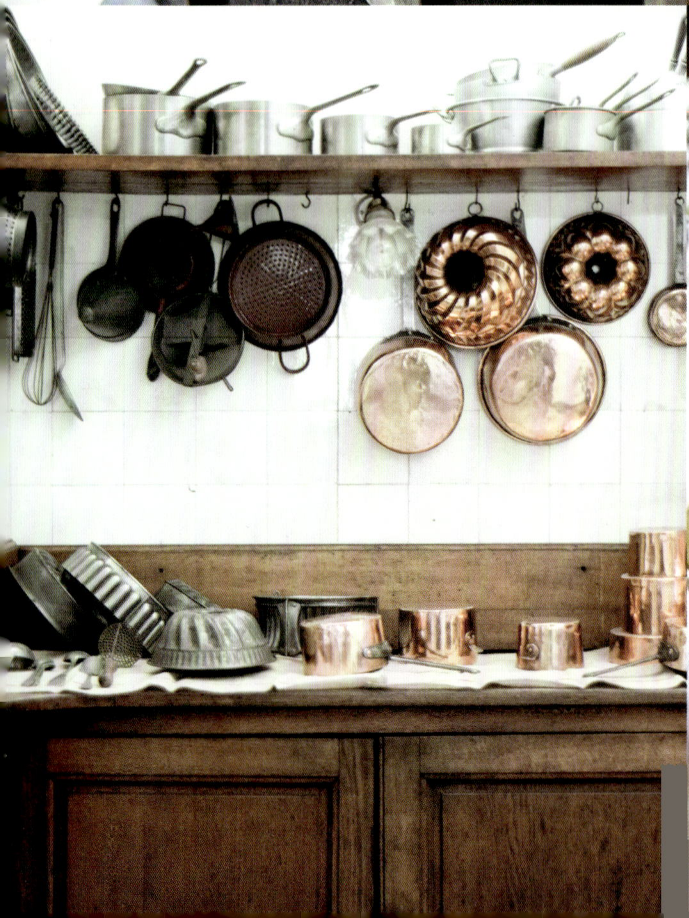

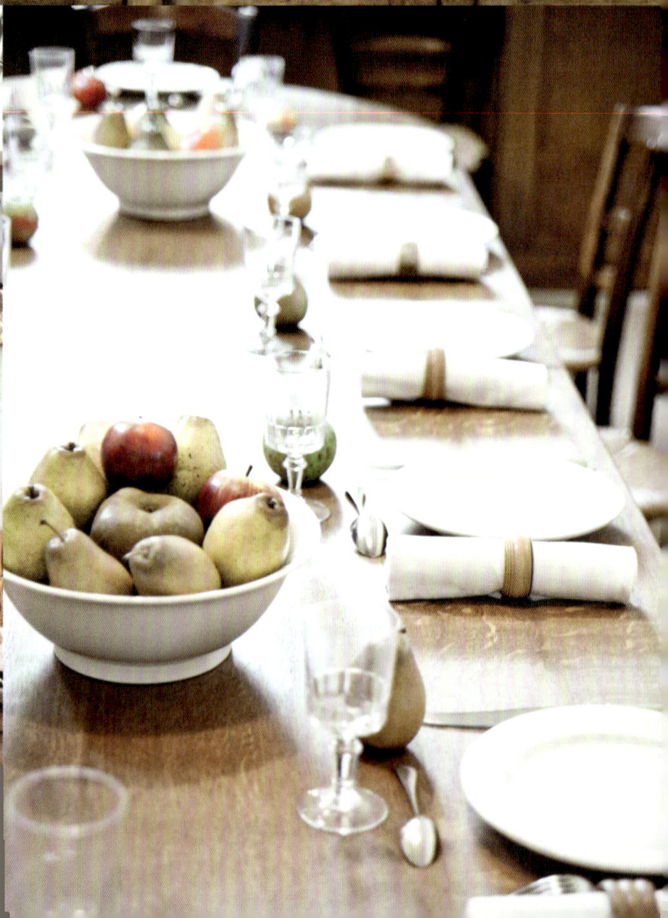

Vamos começar a sonhar: sem passar pelo escritório, entremos pela porta de serviço diretamente na cozinha, local reservado para a baixela de porcelana. Um majestoso forno central e uma impressionante assadeira rotativa em metal nos esperam. "As janelas dão para o parque Monceau; a sala onde come o pessoal, toda revestida de madeira e de toalhas adamascadas, é ideal para um jantar encantador. Tudo foi pensado, refletido para dar prazer aos olhos e ao amor - trabalho bem-feito." Elegantes e funcionais, as cozinhas dessa residência particular do conde Moîse de Camondo impõem seu refinamento até na incrível coleção de cobres e saúdam ainda hoje a glória do gosto francês.

MUSÉE NISSIM DE CAMONDO

MUSÉE NISSIM DE CAMONDO 63 rue de Monceau Paris VIIIe

PARIS SERÁ SEMPRE PARIS — Amo Paris

RIPOCHE   Entrepreneur

HÔTEL DU PETIT MOULIN 29-31 rue de Poitou Paris IIIe

HÔTEL DU PETIT MOULIN

Fora, é uma padaria de 1900. Dentro... é uma viagem. Há um toque felliniano no veludo vermelho e lilás que se choca com uma almofada de pele de leopardo e um tamborete turquesa. Há música nessas salas pintadas como uma máscara veneziana ou, ao contrário, depuradas com cal provençal. Passa-se um momento único, abrigado nessa concha fantástica. A decoração é de Christian Lacroix. É só habituar-se...

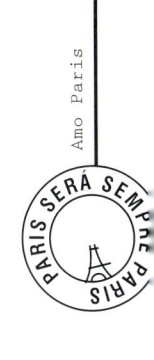

Amo Paris

PARIS SERÁ SEMPRE PARIS

HÔTEL DU PETIT MOULIN 29–31 rue de Poitou Paris IIIe

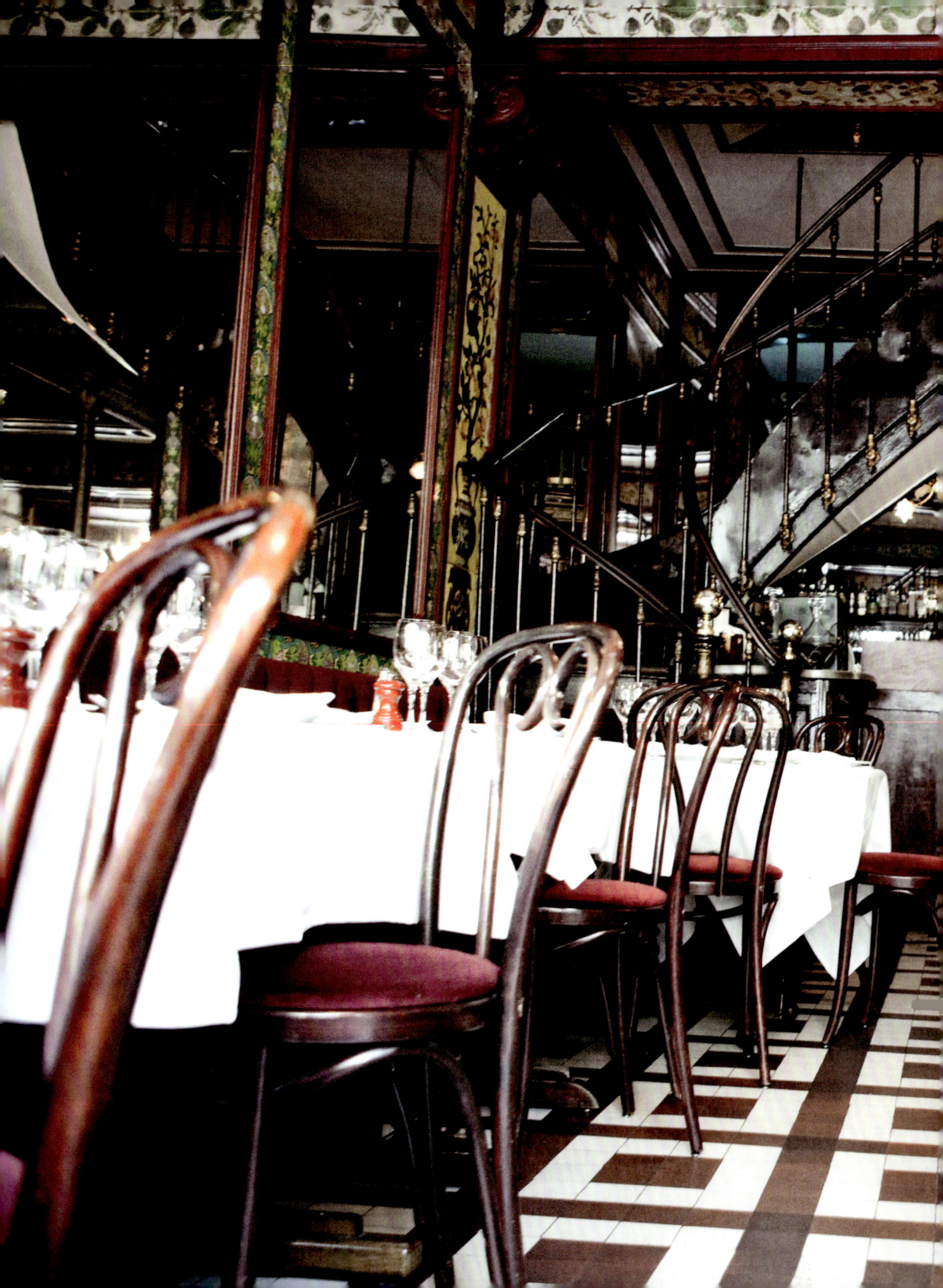

PHARAMOND 24 rue de la Grande Truanderie Paris Ier

PHARAMOND

Chega a dar medo quando se abre um caminho por entre os pátios de Les Halles. E, depois, encontra-se esse cantinho tranquilo da Normandia em Paris, com seu ar de autenticidade. A caçarola de tripas à moda de Caen compõe a história da casa. Com a passagem das estações, sob as cerâmicas retrô e os espelhos de cobre, a opulenta costela de vitelo normanda provoca uma gourmandise irracional. Os habitués empanturram-se com os suntuosos escargots, recheados de manteiga e de alho, assados de maneira ideal. Quanto às celebridades desse mundo, elas aproveitam os salões íntimos do primeiro andar, onde o fantasma de Clemenceau cruza com o de Coluche. Não deve ser um encontro triste...

PHARAMOND 24 rue de la Grande Truanderie Paris Ier

PARIS SERA SEMPRE PARIS — Amo Paris

233

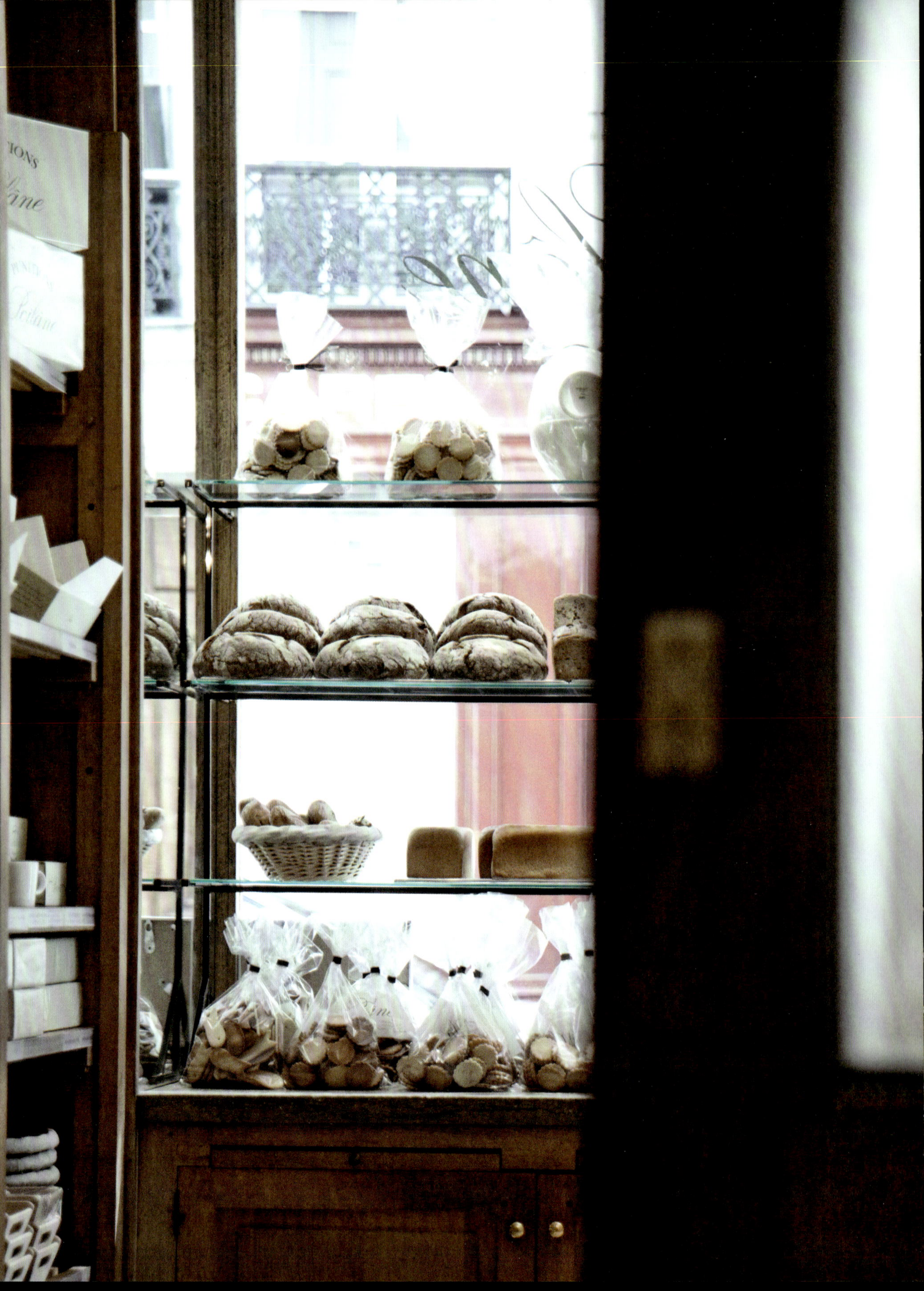

BOULANGERIE POILÂNE 8 rue du Cherche-Midi Paris VIe

PARIS SERÁ SEMPRE PARIS — Amo Paris

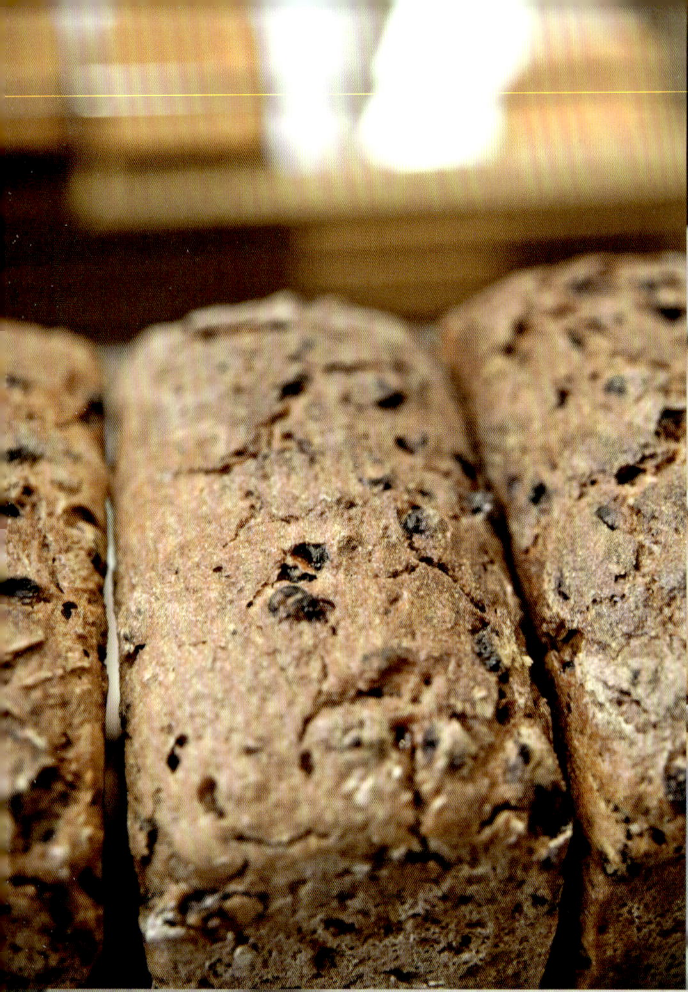

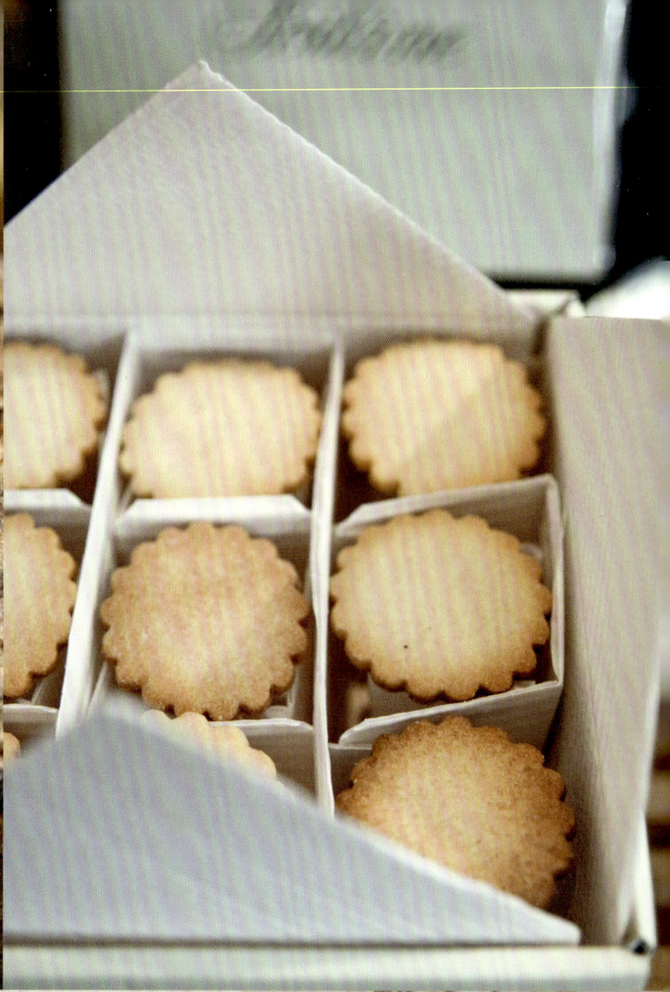

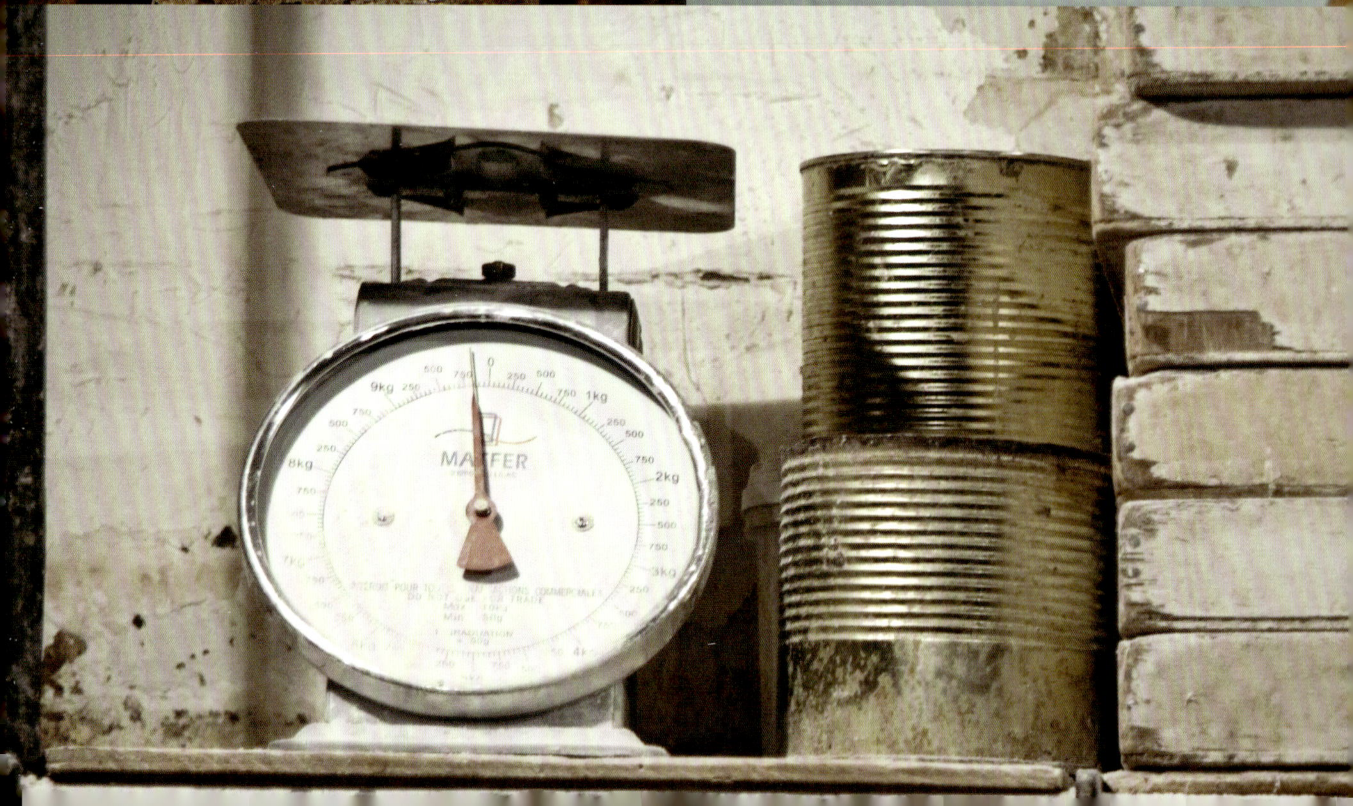
MATFER
9kg
1kg
8kg
2kg
3kg

POILÂNE

Appolonia Poilâne: A baguete, emblema do parisiense, no início era um pão de ricos, um pão branco. Nossa casa atingiu seu sucesso com os cafés populares, que requeriam um pão camponês.

Alain Ducasse: Para se comer uma fatia com frios, presunto, salsichão...

AP: Exatamente. E esses quadros que estão aí em cima foram dados pelos pintores do bairro, que, com fome, trocavam suas obras por um pedaço de pão: "Uma crosta (de pão) contra uma crosta (de pintura)", diziam.

AD: O pão ainda é feito à mão?

AP: Hoje temos a batedeira mecânica, mais higiênica do que quando dois ou três artesãos levantavam a massa usando sua musculatura... e seu suor. Todos os pães são fabricados ao alvorecer, nos nossos 24 fornos a lenha, como aquele que está no subsolo. A entrega em Paris e arredores é feita de manhã e, no resto da França, no período da tarde. Ou seja, sete mil pães por dia, fabricados artesanalmente: são necessárias seis horas para se fabricar um pão.

BOULANGERIE POILÂNE 8 rue du Cherche-Midi Paris VIe

PARIS SERÁ SEMPRE PARIS — Amo Paris

PRUNIER

POUSSEZ

PRUNIER

PRUNIER
RÉSERVATION - TÉL : 01 44 17 35 85

RESTAURANT PRUNIER 16 avenue Victor Hugo Paris XVIe

PARIS SERÁ SEMPRE PARIS
Amo Paris

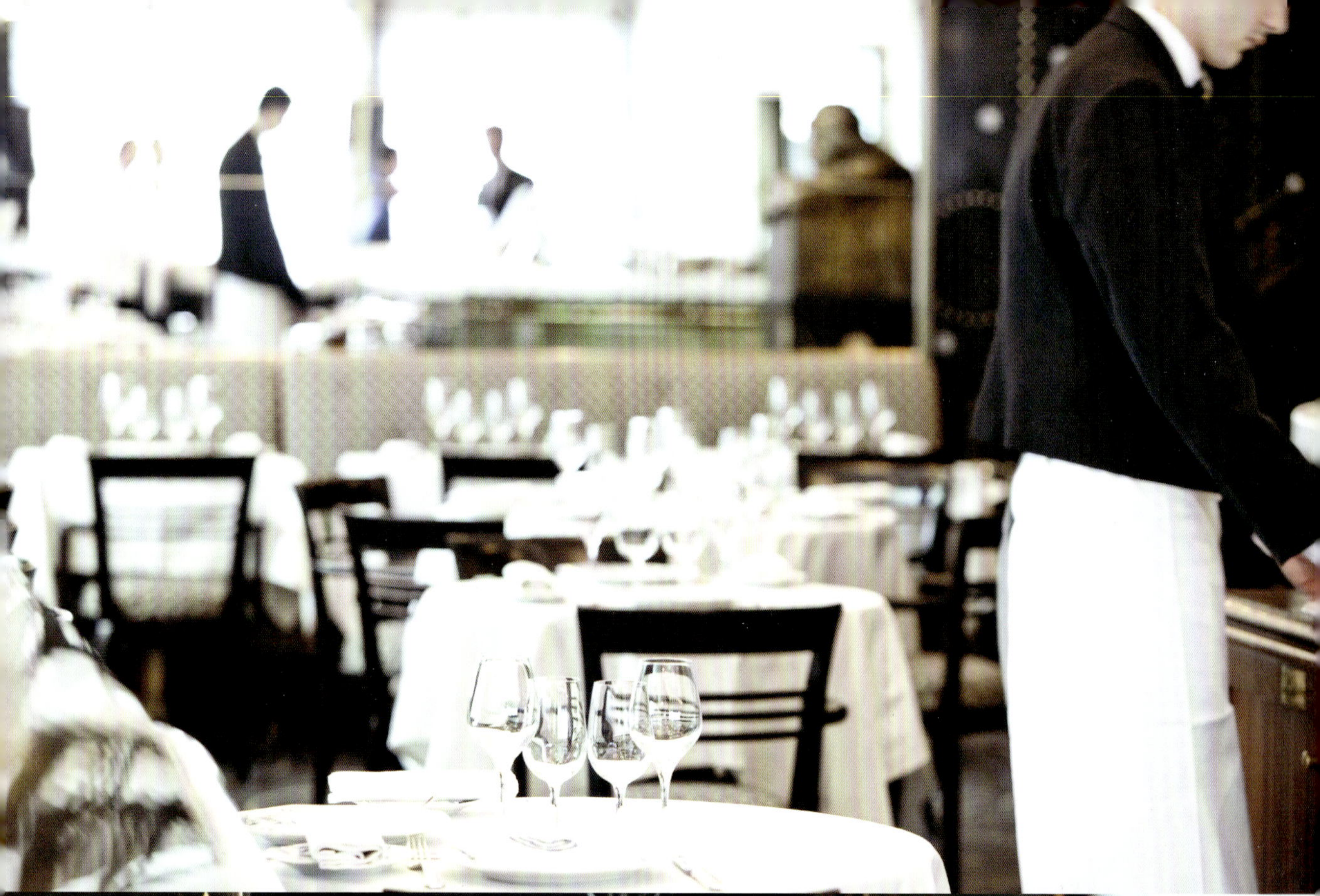
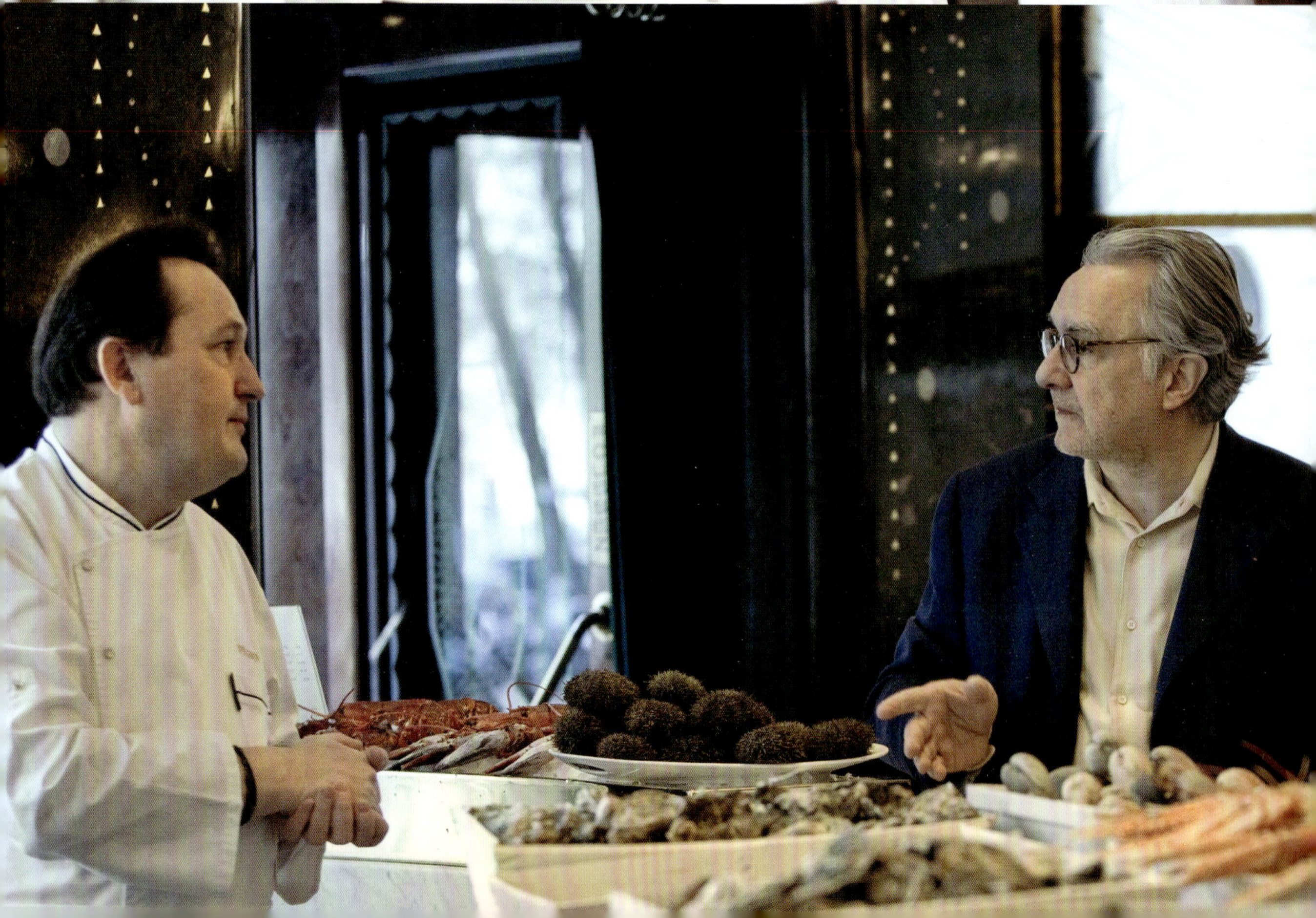

PRUNIER

PARIS SERÁ SEMPRE PARIS — Amo Paris

RESTAURANT PRUNIER 16 avenue Victor Hugo Paris XVIe

"Defumados e Caviares", anuncia o menu de 1932. Já naquela época a antiga peixaria reinava tanto em Paris como em Londres, oferecendo "tudo o que vem do mar": filés de linguado Dugléré, *coquille Saint-Jacques lutée* e o famoso caviar fresco. O menu atravessou as épocas, intacto ou quase, com o pão com trufas, seus pés de carneiro com molho *poulette* e o velho queijo Stilton servido à mesa. Um pequeno grão de eternidade sobre uma torrada art déco.

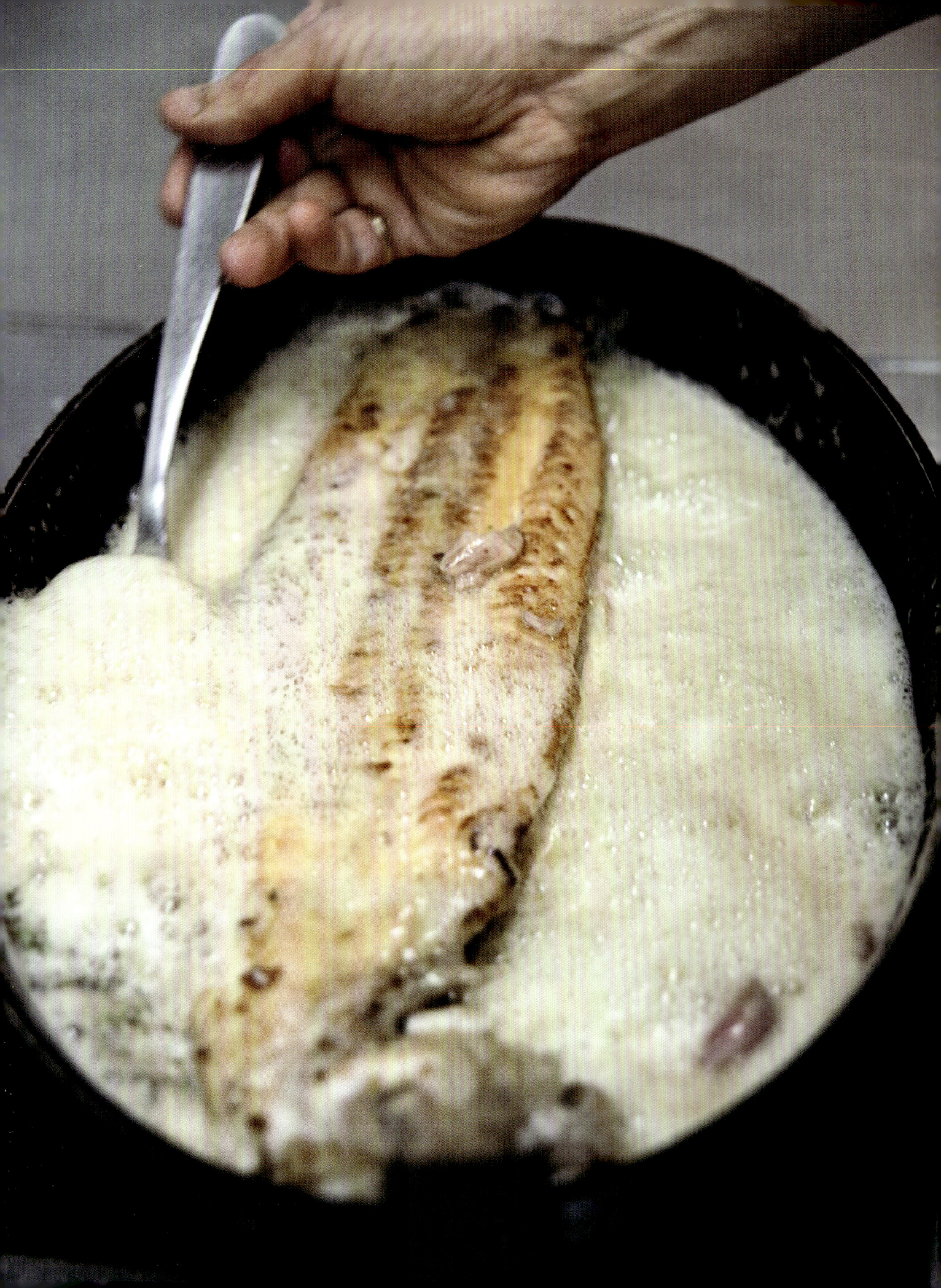

PARIS SERÁ SEMPRE PARIS Amo Paris

RECH 62 avenue des Ternes Paris XVIIe

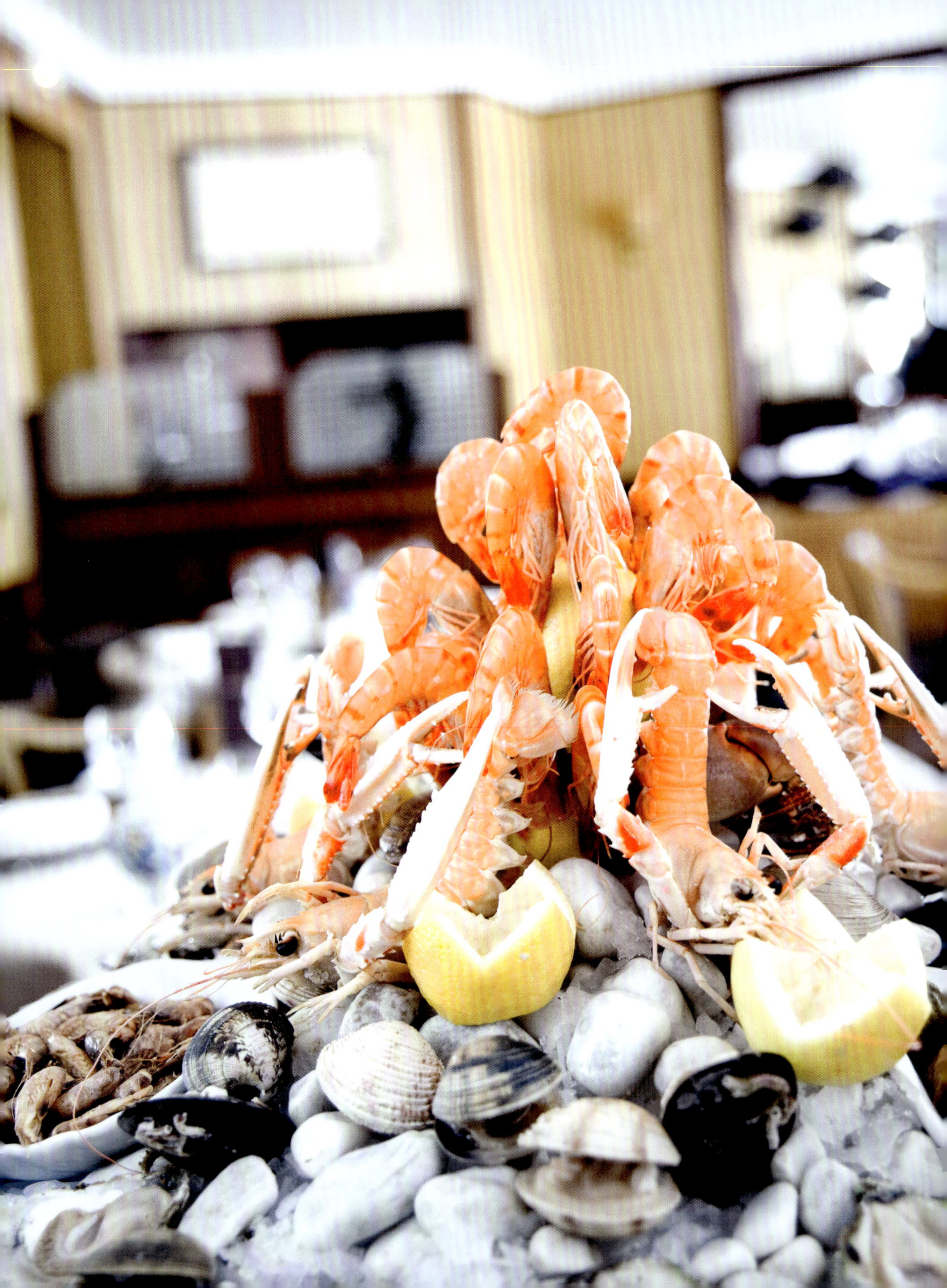

RECH 62 avenue des Ternes Paris XVIIe

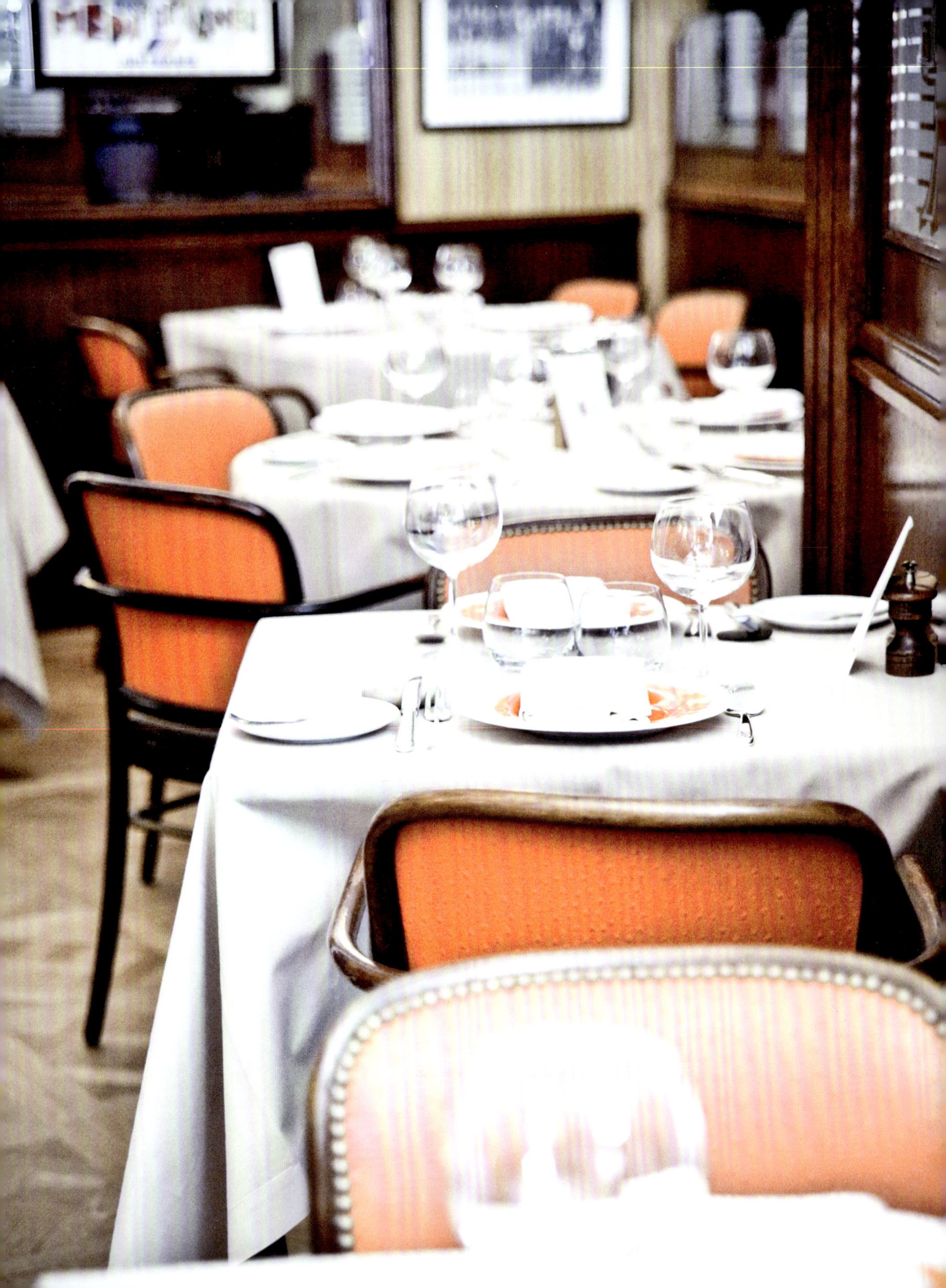

RE CH

O ruído da ressaca, o grito das gaivotas, os eflúvios das algas cercam Malek - o encarregado de abrir moluscos -, enquanto ele trabalha com as travessas de impecáveis frutos do mar. Quando se abre a porta, parece que a costa atlântica exala toda sua riqueza iodada. As luzes suaves e o madeirame claro revelam os toques refinados, as toalhas adamascadas, as manteigueiras de ágata. E quando chega o grande linguado *à la meunière* para dois, tostado por fora, acetinado e capaz de derreter na boca, até mesmo as gaivotas se calam. Sob o impulso criador de Jacques Maximin, o menu flutua segundo as marés. Julien Dumas cozinha os produtos do oceano e dos rios - tudo fresco, esplêndido.

PARIS SERÁ SEMPRE PARIS — Amo Paris

RECH 62 avenue des Ternes Paris XVIIe

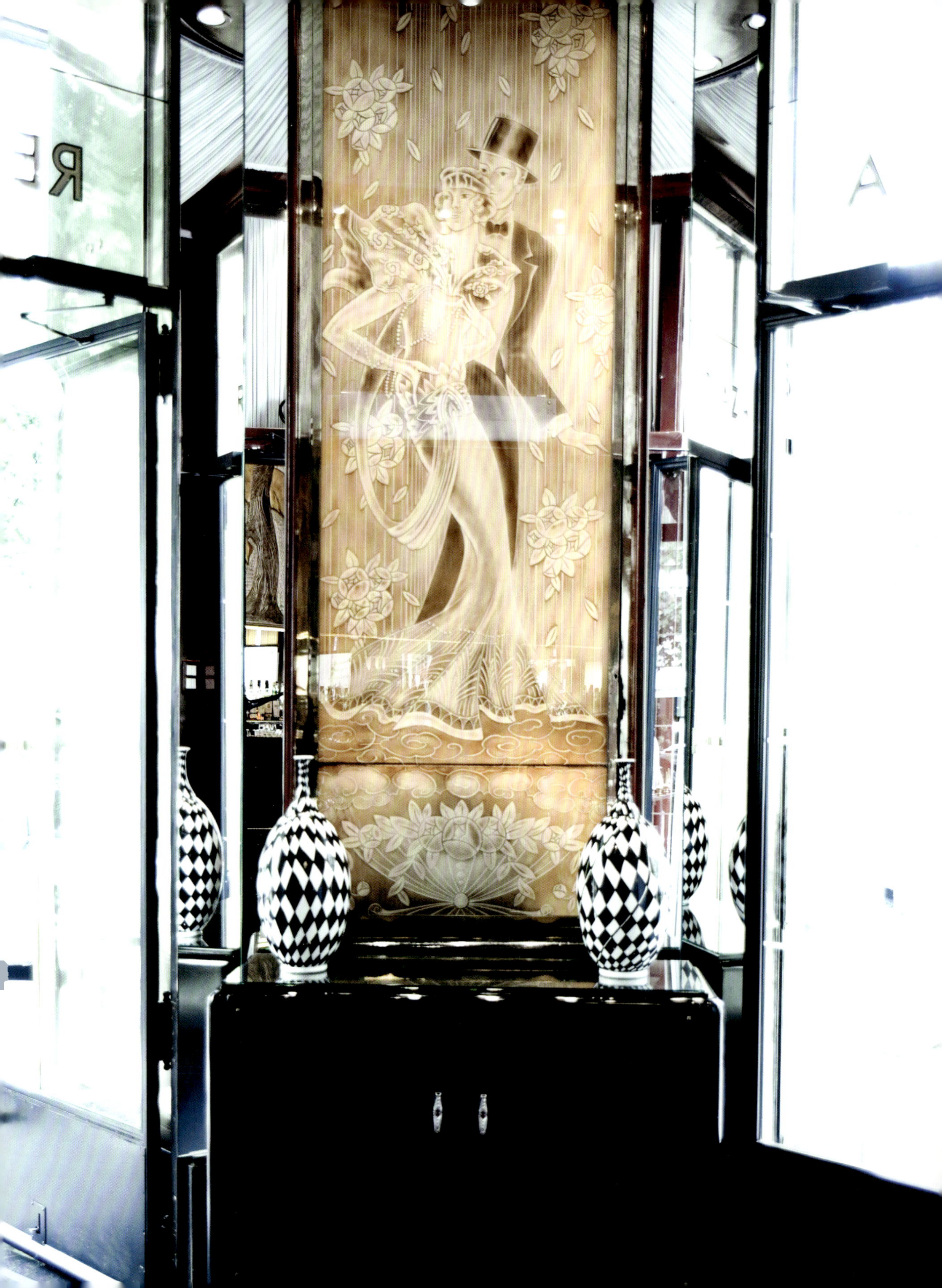

LE RELAIS PLAZA 21 avenue Montaigne Paris VIII®

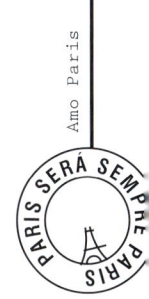

PARIS SERÁ SEMPRE PARIS · Amo Paris

RELAIS PLAZA

Imaginem a sala de jantar do navio *Normandie*, desarrumada pelo sopro jubiloso dos Anos Loucos. O Relais Plaza é isso: elegantíssimo e movimentado. Debaixo do grande lustre de Lalique, o pianista russo se diverte como um louco, enquanto o *beautiful people* do bairro honra os pratos. Como em casa, mas melhor do que em casa, a culinária de *brasserie* de Philippe Marc reúne o escalope vienense, o tartare com batatas palha e o timo de vitelo no espeto, aventurando-se às vezes entre as lasanhas verdes ao *mascarpone* e cogumelos, ou entre as lagostas de patas vermelhas ao molho *jus de rôti*. Um *baba au rhum*, embriagado e alegre como um solo de trompete, termina belamente o cruzeiro.

LE RELAIS PLAZA 21 avenue Montaigne Paris VIII[e]

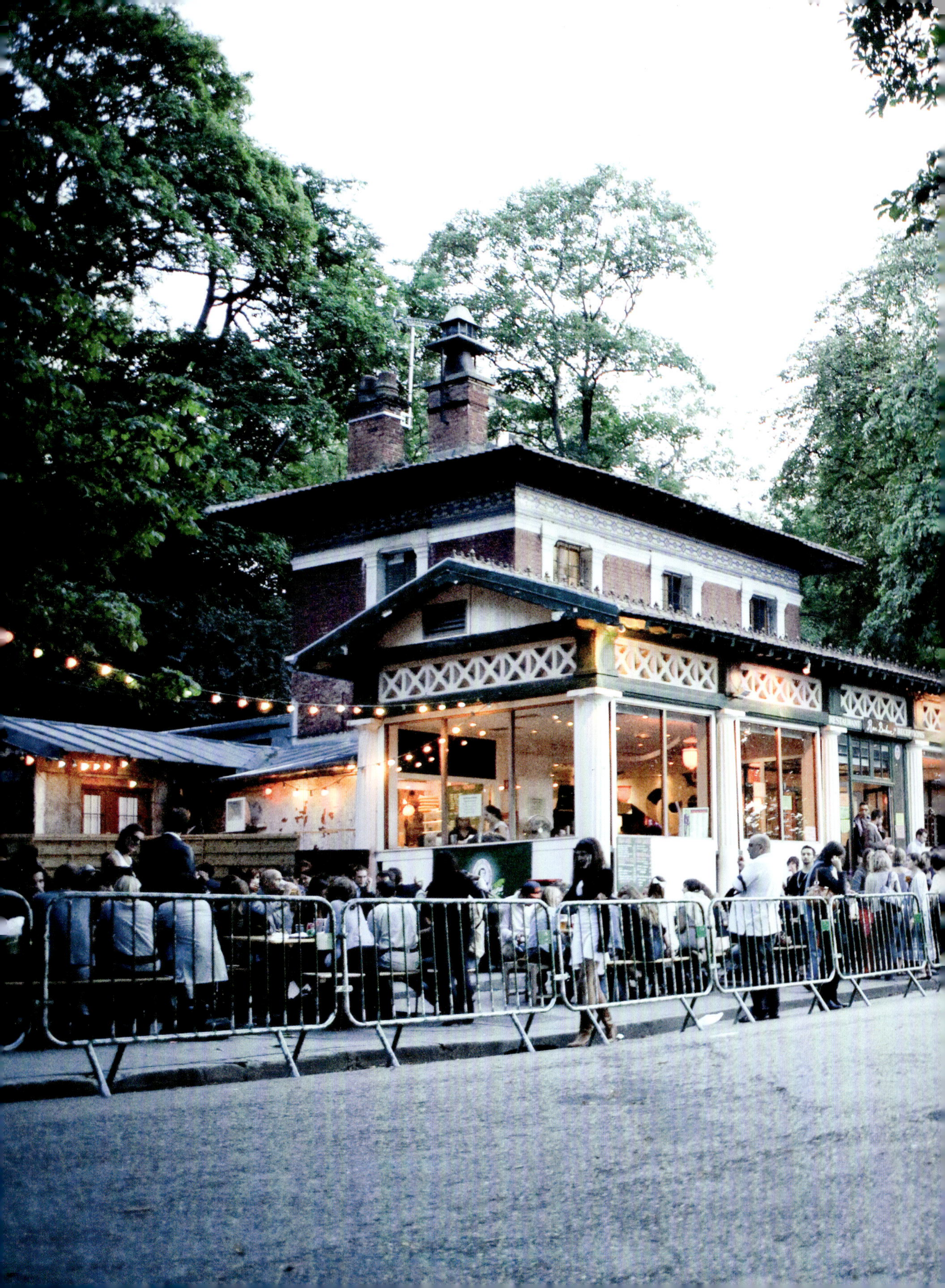

ROSA BONHEUR 2 allée de la Cascade — Parc des Buttes-Chaumont Paris XIXe

SANGRIA MAISON
CARTE BLEUE
MINIMUM 15 €
CHOCOLAT FROID
3,5 €
WEGA
PACIFIC
BIERE BLANCHE

BIERE BLANCHE

ROSA BON HEUR

Um privilegiado espaço ao ar livre, em pleno coração de Buttes-Chaumont, sombreado por árvores. As tapas de pata negra, as saladinhas e o patê basco organizam um *brunch* bucólico, que às vezes pode deslizar até o gramado - um piquenique secreto com toda Paris aos nossos pés. Quando o sol assume ares espanhóis, o espaço fica próprio para os vinhos orgânicos, perfeitos com chouriço.

ROSA BONHEUR 2 allée de la Cascade - Parc des Buttes-Chaumont Paris XIXe

Amo Paris

PARIS SERÁ SEMPRE PARIS

255

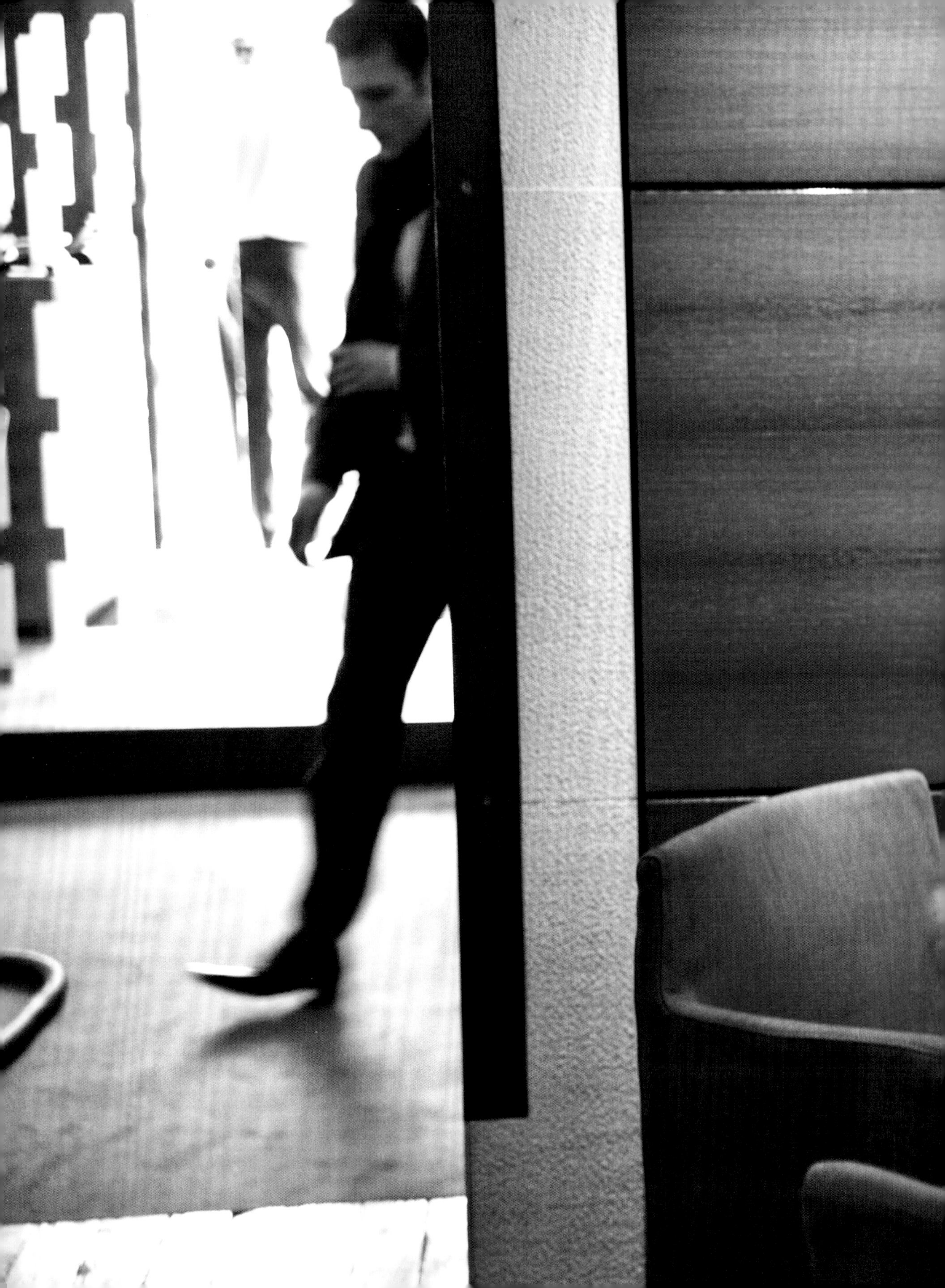

RESTAURANT GUY SAVOY 18 rue Troyon Paris XVII   PARIS SERÁ SEM, PARIS Amo Paris

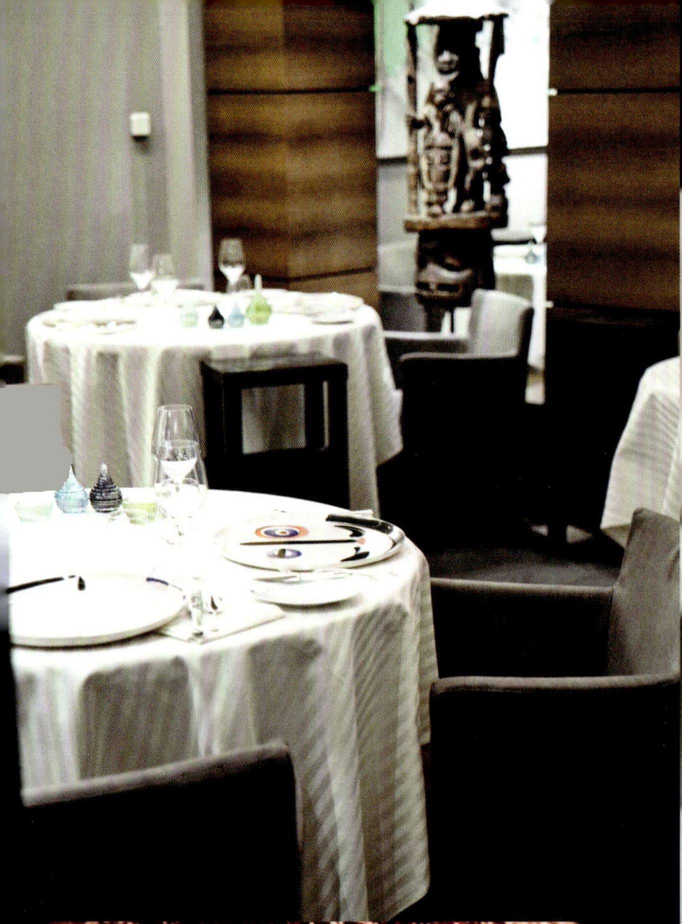
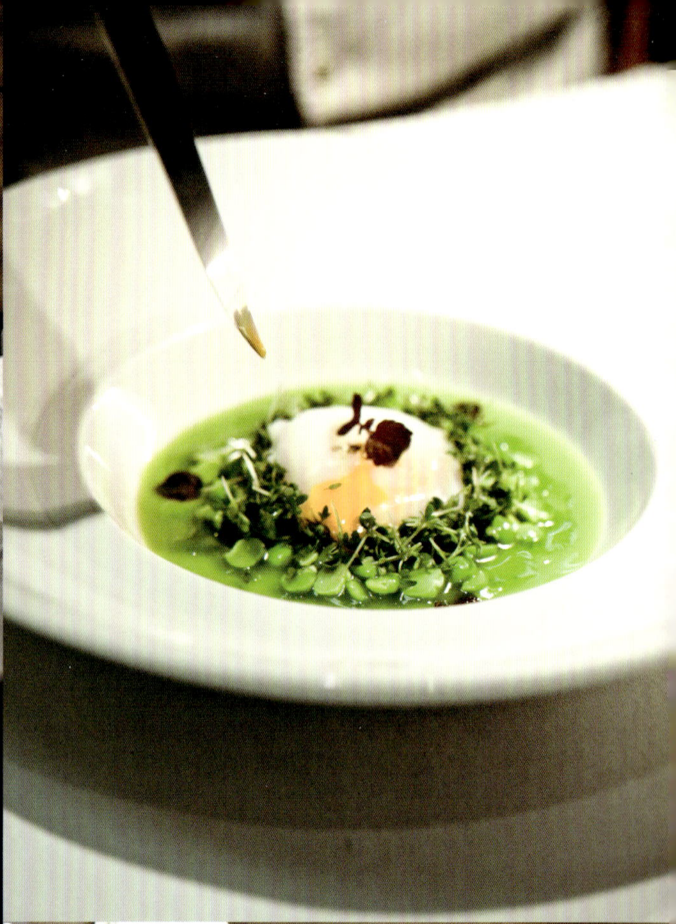
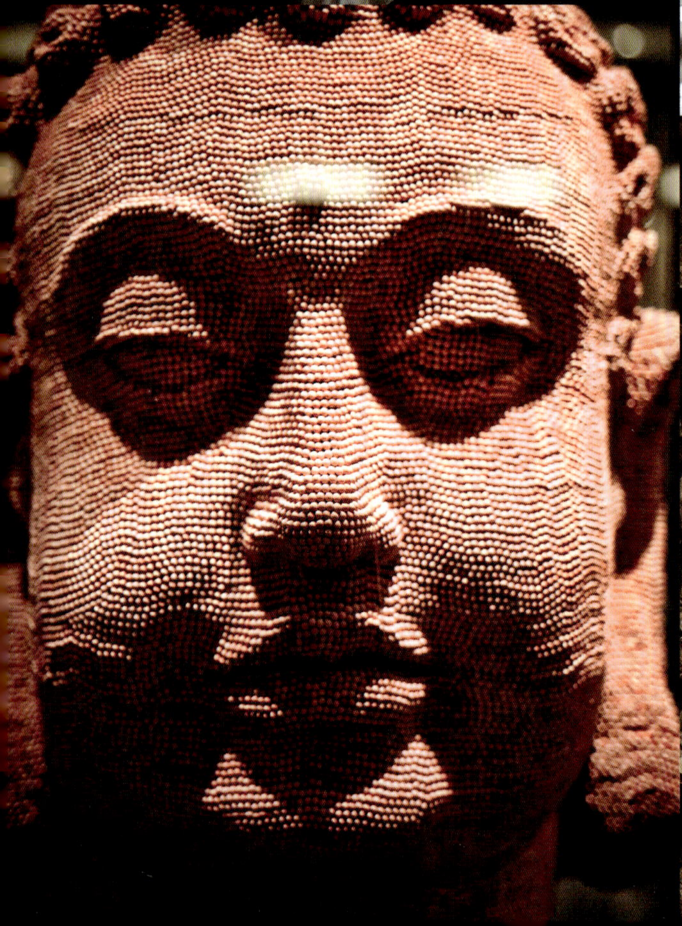
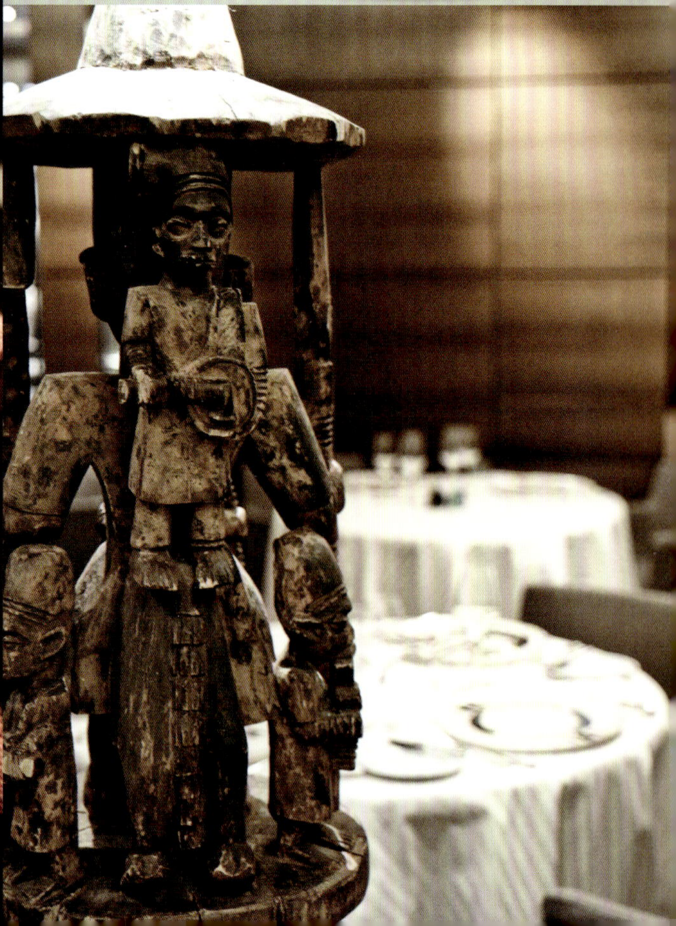

SAVOY

"Se eu não tivesse nascido na França, não teria tido a ideia de ser cozinheiro! Quanto a Paris, foi com fascinação que descobri seus monumentos, seus museus, suas paisagens. Paris é um teatro em que tenho a felicidade de representar há alguns anos: meus pratos são a minha cena, meus produtos, o meu texto. A partir do final do ano de 2011, representarei meu papel no la Monnaie, esse suntuoso edifício do cais de Conti, que desde 1775 faz um só corpo com o Sena e com o Louvre..."

Guy Savoy

RESTAURANT GUY SAVOY, 18 rue Troyon Paris XVIIe

PARIS SERÁ SEMPRE PARIS — Amo Paris

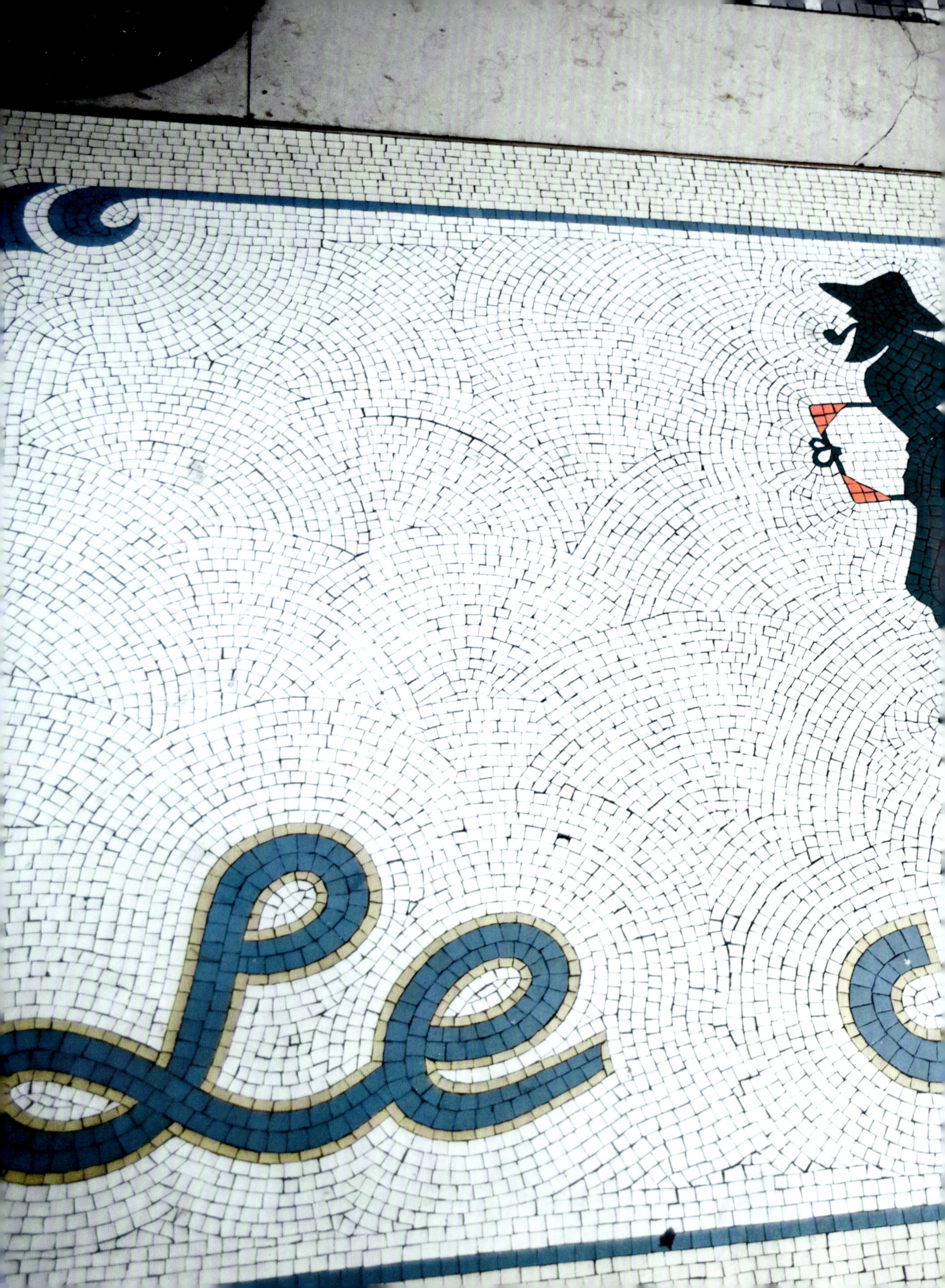
Le

LE SELECT 99 boulevard du Montparnasse Paris VIe

SELECT

Duas panelas bojudas e altivas, uma grande e outra pequena, abrem caminho até a mesa. Para começar, o líquido sombrio e selvagem do chocolate negro, derretido. Depois, a carícia do leite cremoso. É o chocolate à moda antiga do Select, espesso como um tapete de lã alta e reconfortante como o fogo de uma lareira. No fundo da panela ainda se arrasta um pouco da alma dadaísta de Montparnasse.

LE SELECT 99 boulevard du Montparnasse Paris VIe

PARIS SERÁ SEMPRE PARIS
Amo Paris

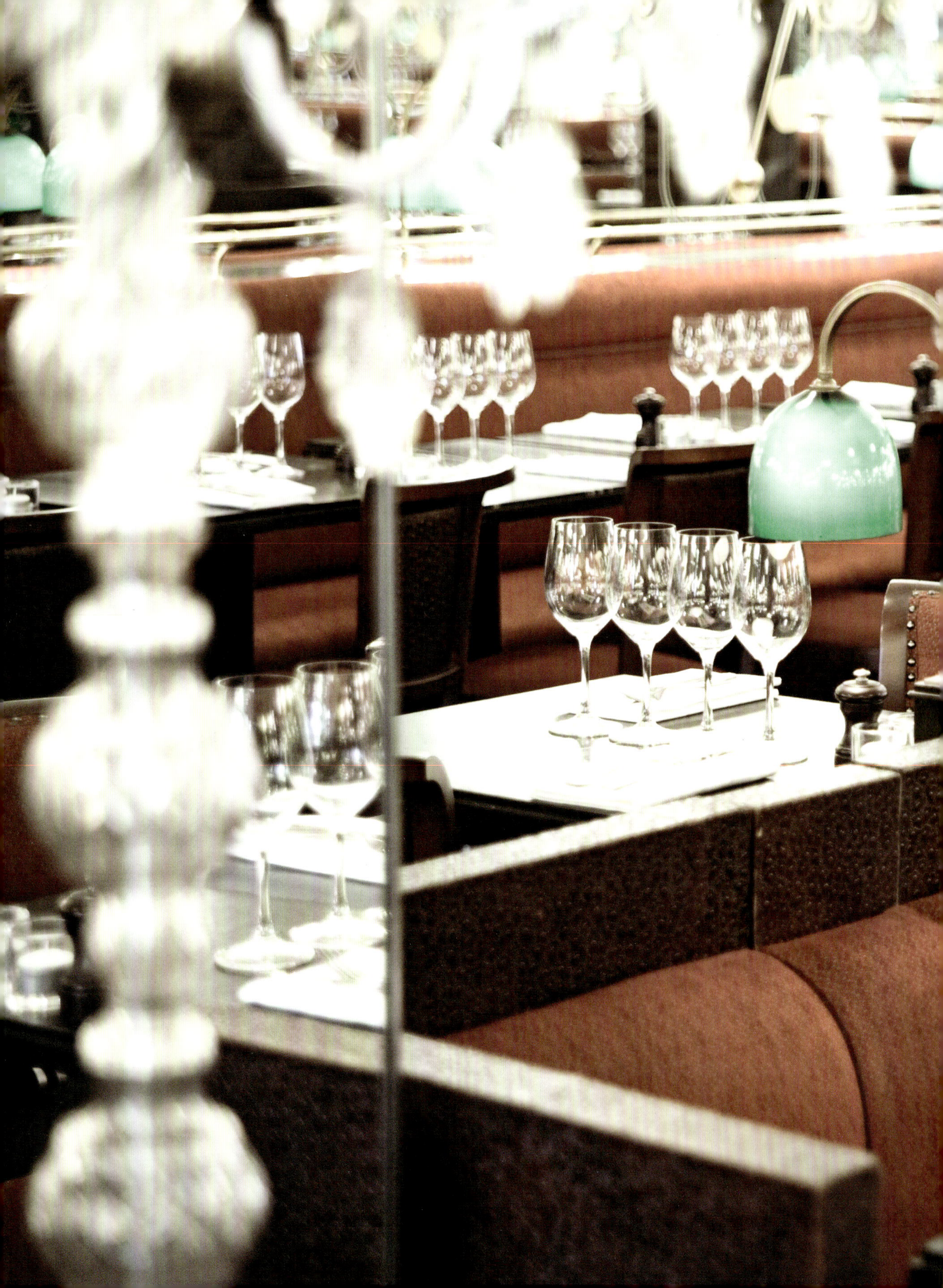

PARIS SERÁ SEMPRE PARIS Amo Paris

HÔTEL THOUMIEUX 79 rue Saint-Dominique Paris VIIe

THOU MIEUX

Após cinco anos no restaurante do Hôtel de Crillon, Les Ambassadeurs, Jean-François Piège retomou, com Thierry Costes, esse hotel do VIIe arrondissement. Mas ele conservou os fornecedores excepcionais do hotel da Place de La Concorde. O menu do novo Thoumieux é bicolor: *room service* para os pratos clássicos, calamares *à la carbonara* e lebre *à la royale*, e *Ma cuisine* para as audácias do *chef*, lagostas ao coco, ou massa de pizza *souflée* ao atum e ao queijo roquette. Sobremesas incríveis. No primeiro andar, a pequena e bonita sala de jantar oferece uma culinária exclusiva. E dez quartos para prolongar o momento.

HÔTEL **THOUMIEUX** 79 rue Saint-Dominique Paris VIIe

PARIS SERÁ SEMPRE PARIS
Amo Paris

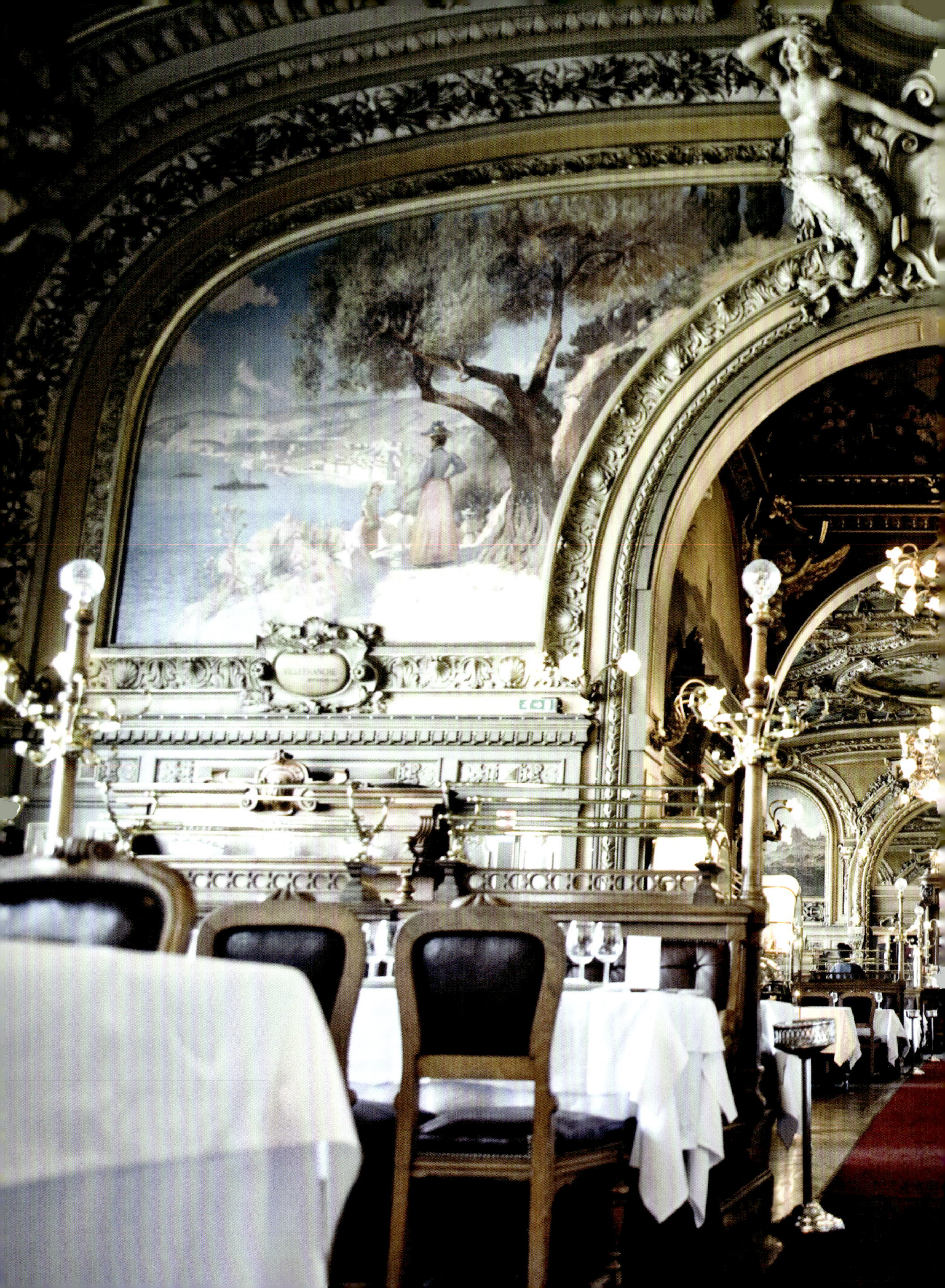

LE TRAIN BLEU Place Louis Armand Paris XVe

PARIS SERÁ SEMPRE PARIS
Amo Paris

TRAIN BLEU

Os viajantes, imóveis, embarcaram para um reino de dourados e afrescos. Olhando para o teto, a imaginação foge para a Île-de-France, atravessa o Rhône adormecido e acorda somente à beira do mar. Fora, há os trens, o barulho, a agitação, os que partem, os que chegam e os que permanecem. Sobre a mesa, na penumbra das banquetas imensas, brilha um *baba*-chantilly.

LE TRAIN BLEU Place Louis Armand Paris XVe

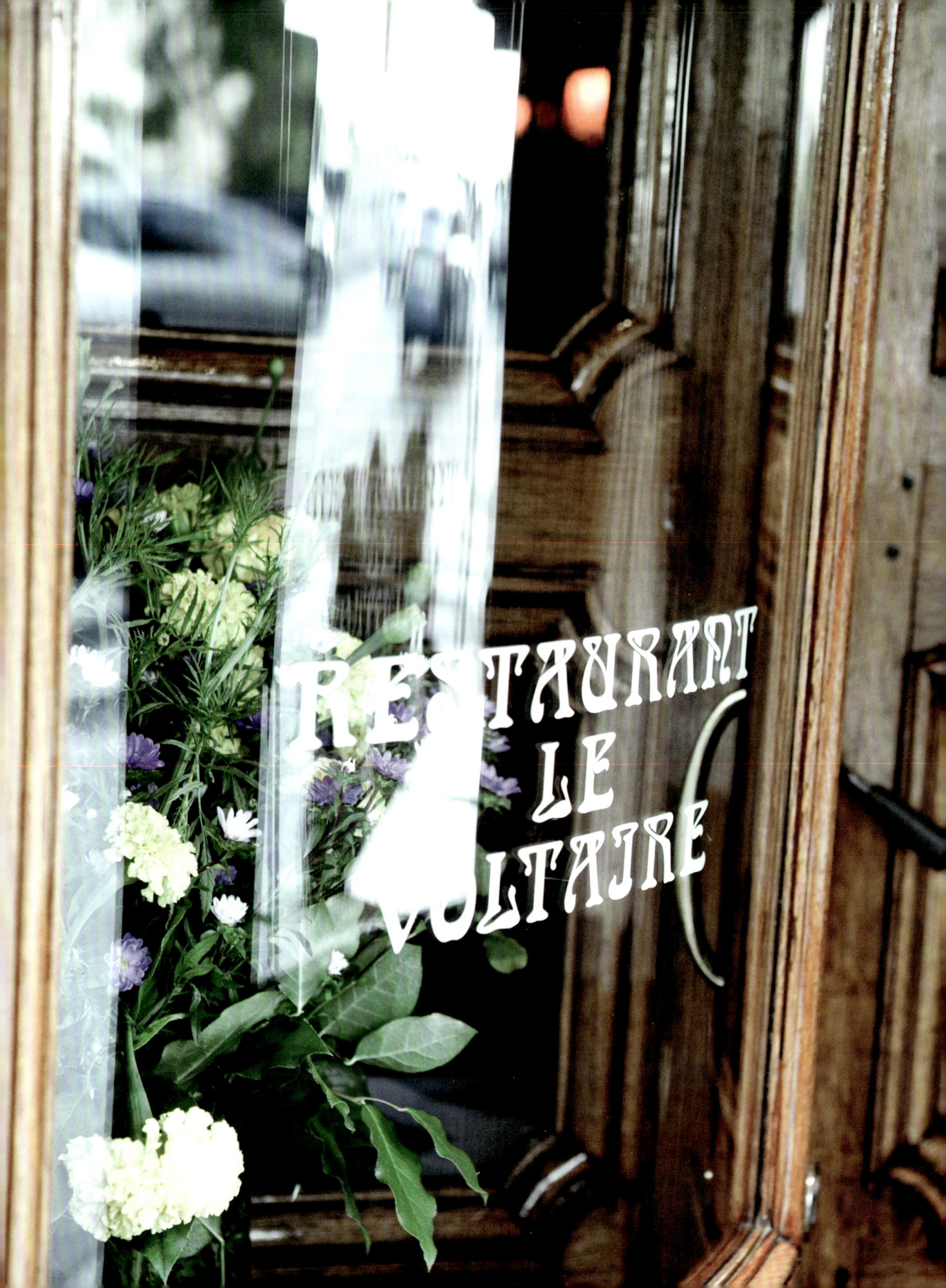
RESTAURANT
LE
VOLTAIRE

LE VOLTAIRE 27 quai Voltaire Paris VIIe

Amo Paris

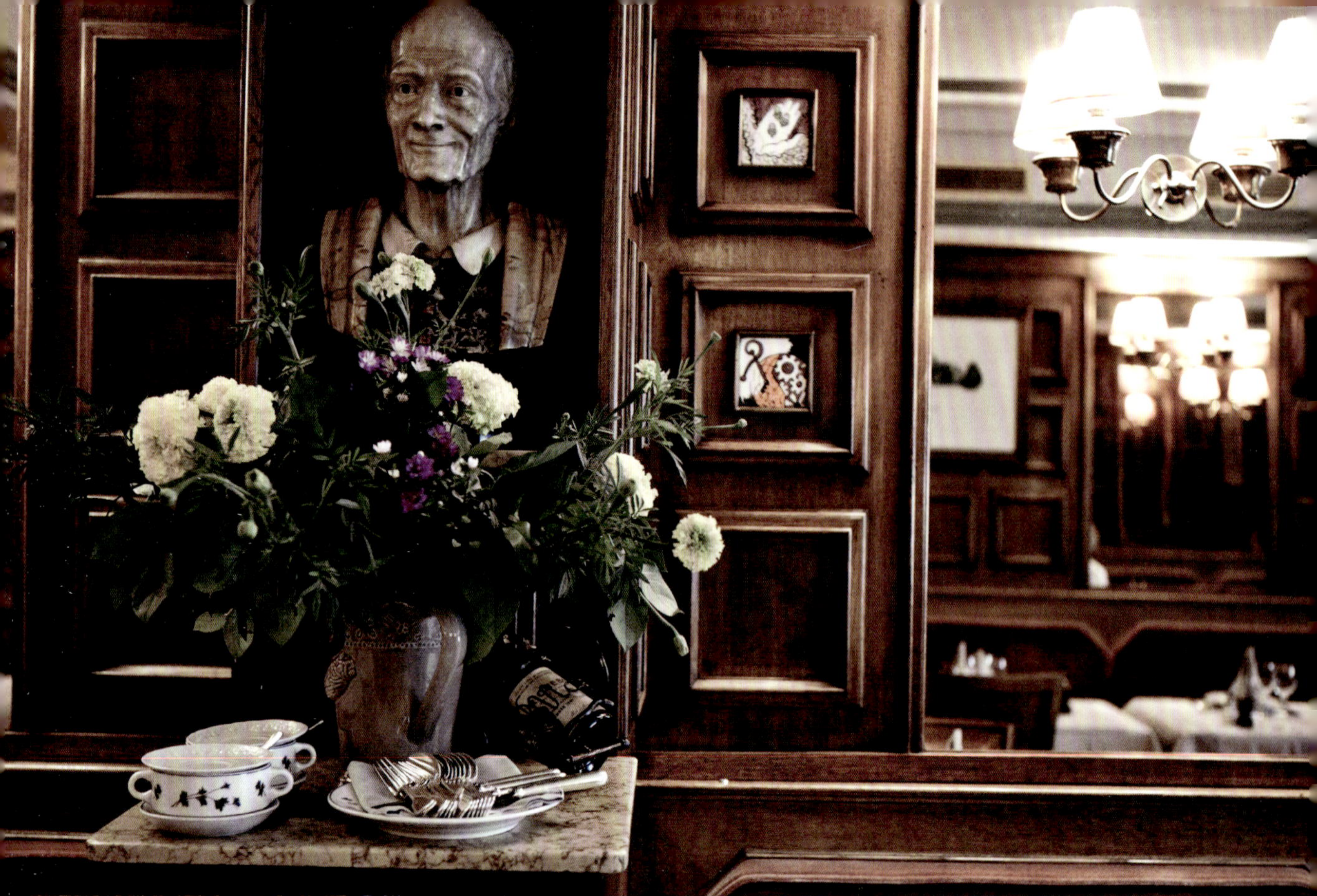

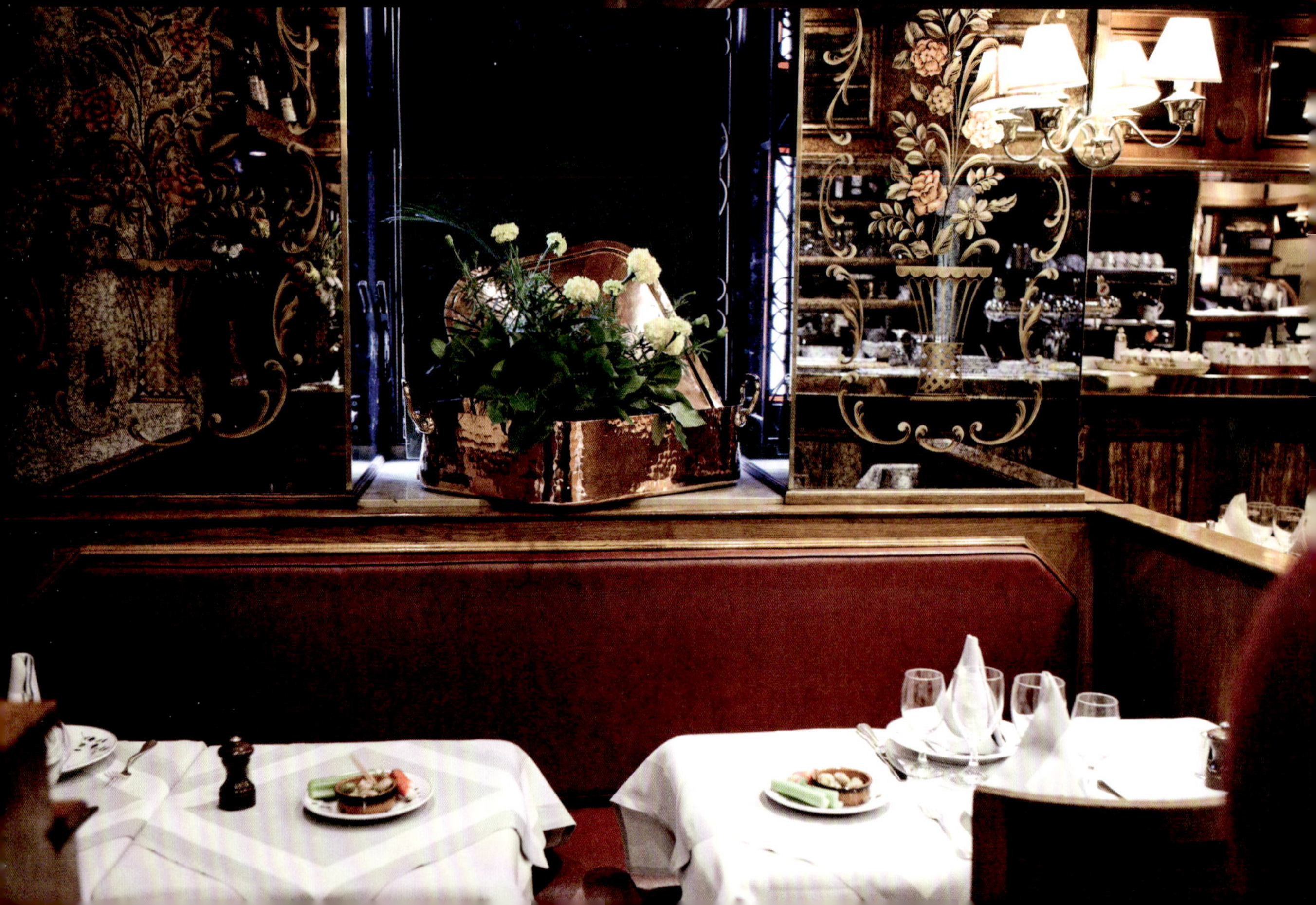

Um ovo cortado ao meio. Depois, a coisa se complica. Algumas rodelas de rabanete. Um grupinho de vagens verdes. Cogumelos-de-paris frescos, cortados em fatias finas. E a bela maionese de creme e de mostarda que envolve os ovos em uma nova concha. Um raminho de cerefólio para fazer o ponto de exclamação entre dois sorrisos de tomate. É um ovo com maionese, é isso o que se ama.

VOLT AIRE

Amo Paris

PARIS SERÁ SEMPRE PARIS

LE VOLTAIRE 27 quai Voltaire Paris VII[e]

275

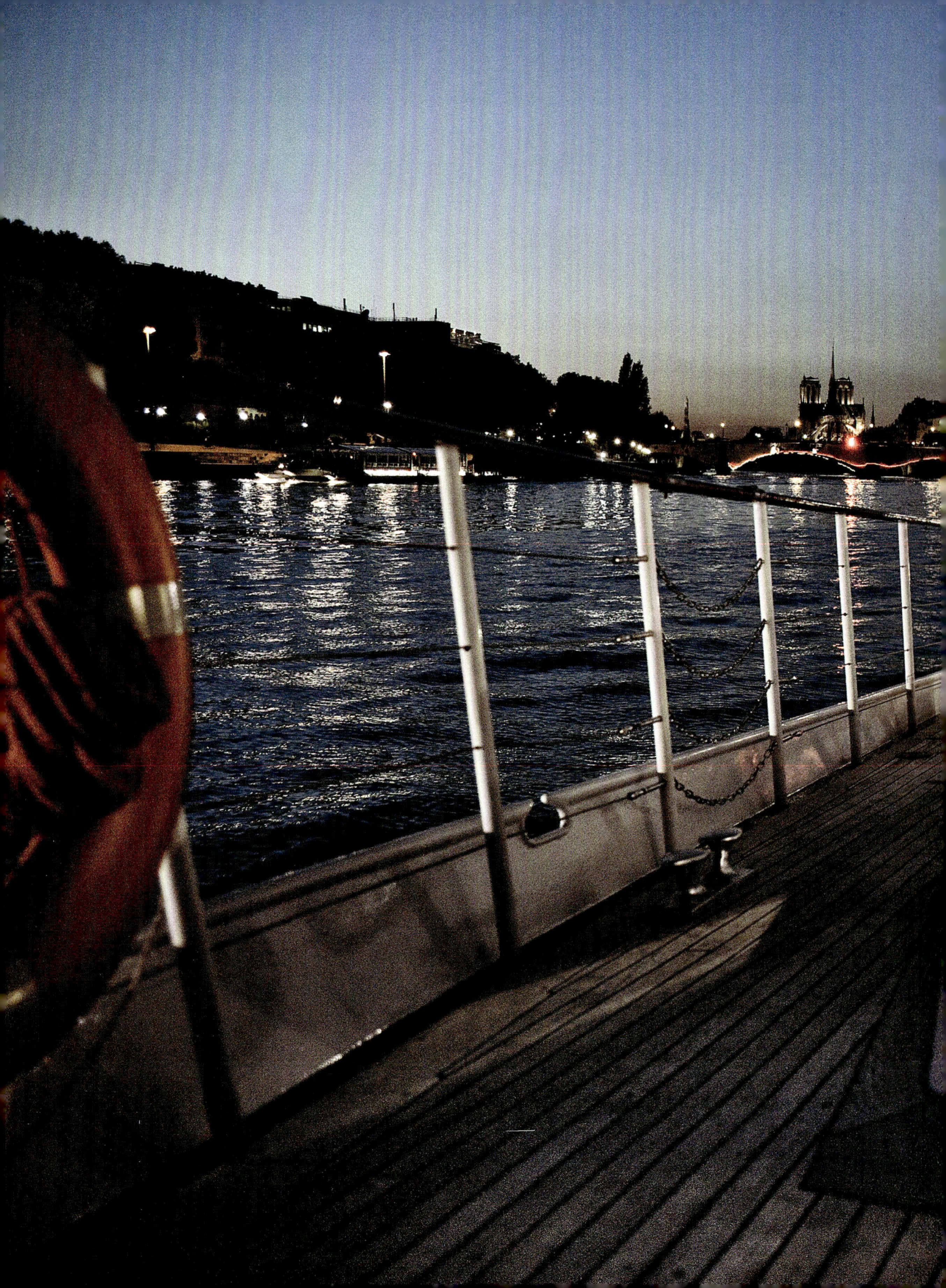

YACHTS DE PARIS Port Henri IV Paris IVᵉ

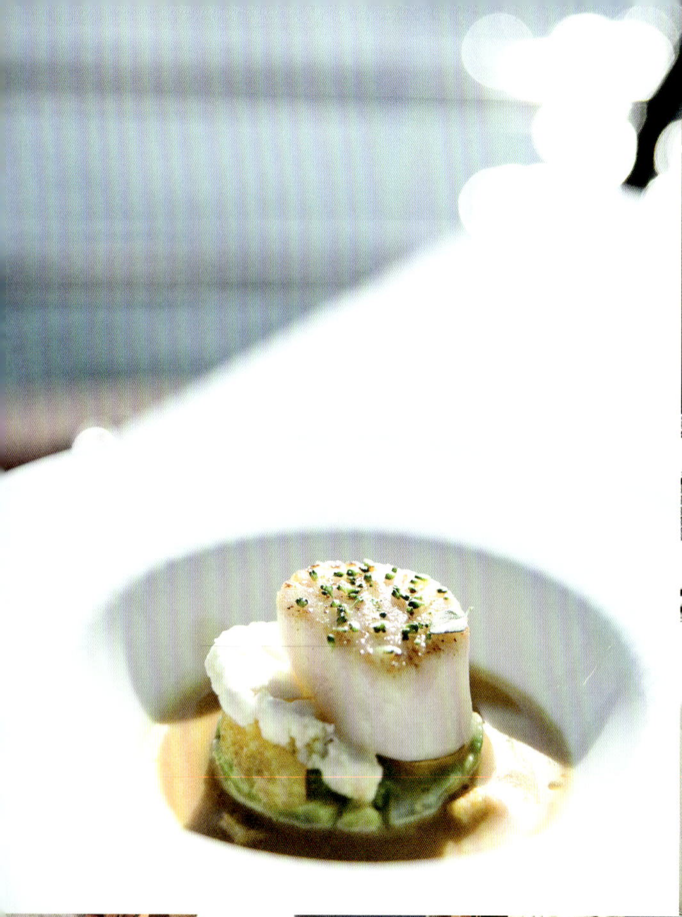
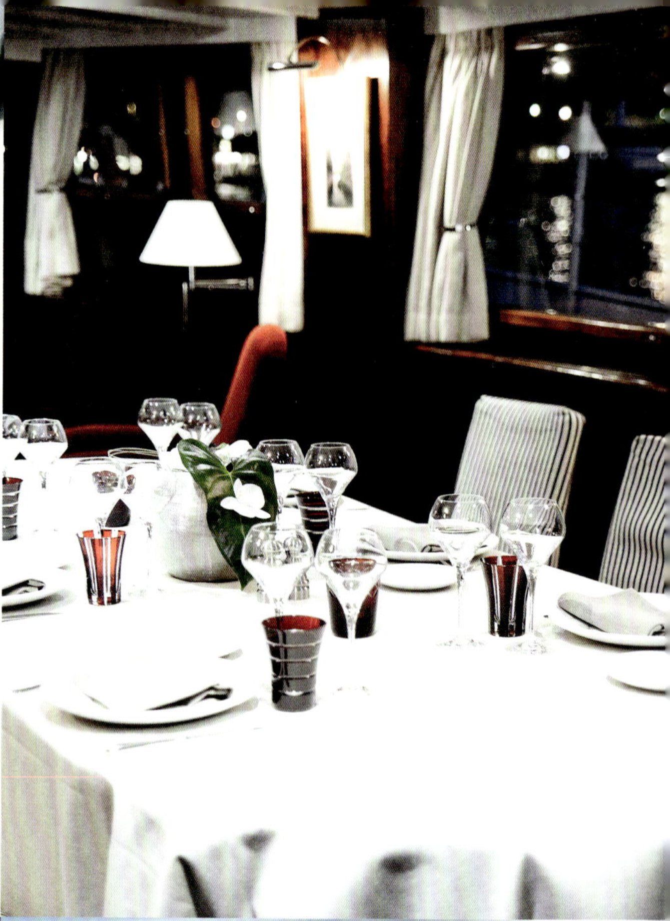
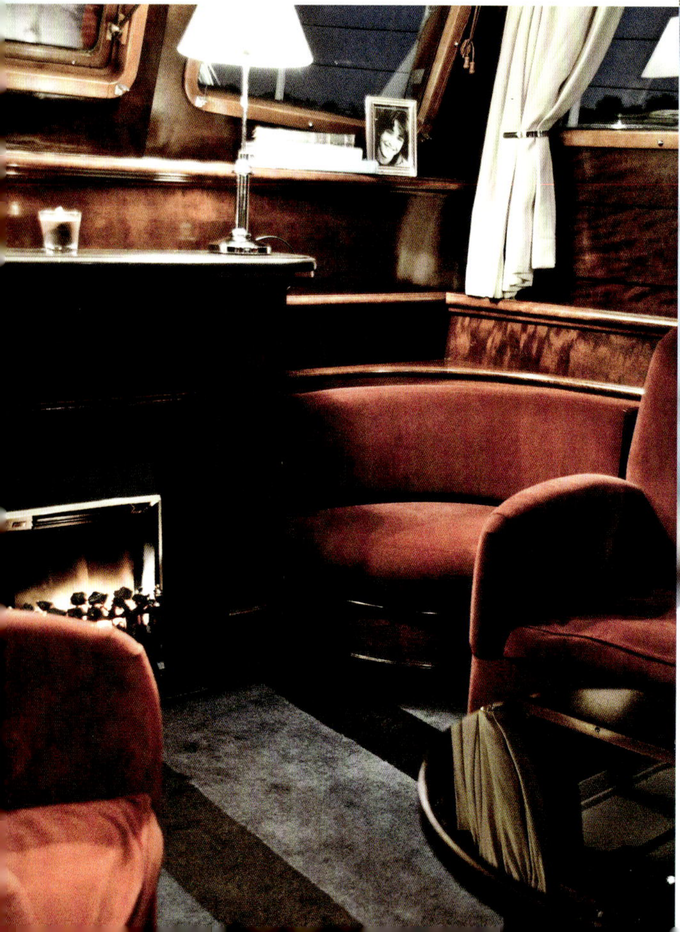
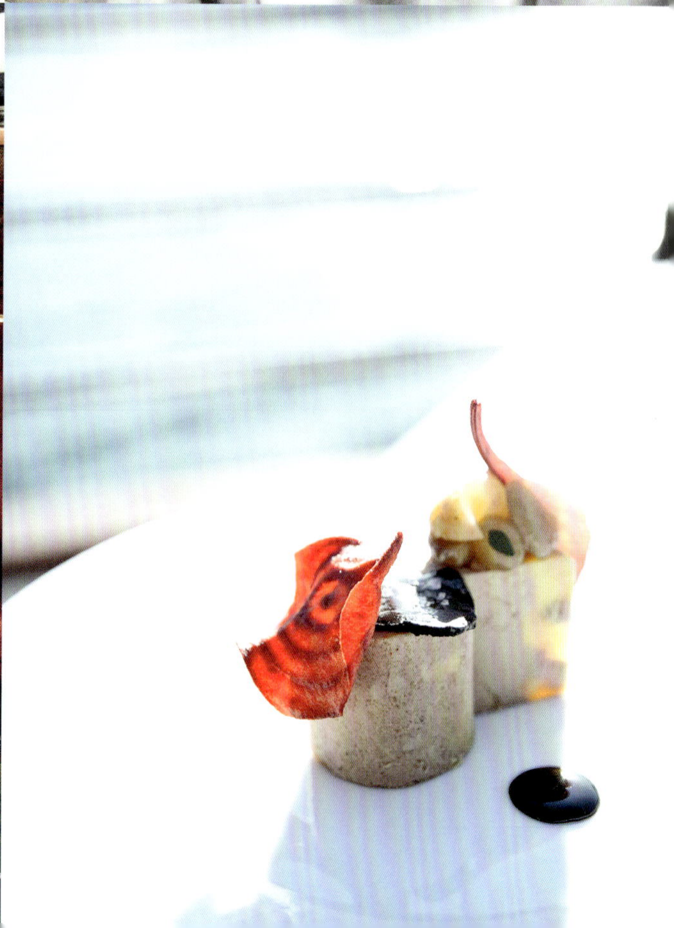

Embarque no *Cachemire*, reservado para um cruzeiro gastronômico em completa intimidade. Na cozinha, Guy Krenzer, Melhor Artesão da França, é quem aceita as comandas: *Saint-Jacques* marinadas com frutas cítricas, abacate e suco Suzette, foie gras caramelizado, uvas e nozes apimentadas, emulsão de trufa negra... Os copos são de cristal baccarat e a lareira em mármore. Paris sobre o Sena, no grupo dos refinados.

YACHTS DE PARIS

YACHTS DE PARIS Port Henri IV Paris IV

PARIS SERÁ SEMPRE PARIS — Amo Paris

PARIS SERÁ SEMPRE PARIS

AMO TAMBÉM...

L'ARÔME

3 rue Saint-Philippe du Roule / Paris VIII°

A nova decoração veste cores siena, pau-rosa e marfim. Ela se abre sobre a nova cozinha. A gente tem vontade de tudo. E, como o menu muda todos os dias, não se termina nunca. De acordo com as estações, escolheremos, por exemplo, um pedaço de vitela frita ao alho, *morilles* cozidos ao vapor no vinho de Arbois, *daïkon*, molho marmorizado. Não sem razão, uma estrela no *Guide Rouge*.

L'AUBERGE DU BONHEUR

Allée de Longchamp Bois de Boulogne / Paris XVI°

Escondido por trás da Grande Cascade, sempre a cargo da família Menut, um canto de natureza e de calma em plena cidade. Belas árvores, seixos que rangem debaixo dos saltos dos sapatos, mobiliário de jardim... Acima, o céu estrelado. E, bem próxima de nós, a fumaça dos grelhados que vem das cozinhas. O verão em Paris.

HŌTEL LE BELLECHASSE

8 rue de Bellechasse / Paris VIIª

O novo local, assinado por Christian Lacroix, abre suas asas coloridas. Na decoração não faltam classe nem humor. Colagem à inglesa de gravuras antigas ampliadas, coloridas, misturadas em total ausência de respeito pelas conveniências. Nosso olhar recai sobre Elizabeth I, desliza sobre um papel de parede falso Luís XIII, de um escarlate vibrante, interroga-se sobre as geometrias medievais e decola com o próximo voo de borboletas que passam. Para se descobrir tomando um café da manhã nessa sala, que é realmente de tirar o fôlego.

BATEAUX PARISIENS
Port de La Bourdonnais / Paris VIIe

Pode-se alugar um dos barcos-restaurante e descer o Sena, no crepúsculo, ou então saborear a dois um jantar *Prestige*, *Champagne*, *Jazz*, *Étoile* ou *Saveur*, quando os monumentos são iluminados, a brisa se levanta e os espíritos vagueiam... *Velouté* verde e branco, ao cappuccino, peito de pato com molho de vinho do Porto, e os cultuadíssimos crepes Suzette com manteiga de laranja: toda a magia de uma ceia glamourosa. Carta de vinhos de coleção. Sejamos nós de Paris ou de Tóquio, um momento excepcional.

BRASSERIE LIPP
151 boulevard Saint-Germain / Paris VIe

Atenção, monumento histórico: interior de 1900 e fachada em acaju envernizado, tem classe. Até mesmo o menu não mudou em meio século! Não precisa ficar impressionado. Para uma primeira visita, é preciso, seja qual for a estação, sucumbir ao chucrute. À sombra das cerâmicas em flor, de qualquer forma vocês poderão escolher: cozido de vitela ou boi com sal grosso. As sobremesas, mil-folhas, são como os habitués: muitas.

LA CAVE DE JOËL ROBUCHON

3 rue Paul-Louis Courier / Paris VIIe

Mesmo com cinco mil referências, a seleção é difícil. Por um motivo: Antoine Hernandez trabalha como sommelier há mais de vinte anos, ao lado de Joël Robuchon. Deixe-se guiar pelas marcas conhecidas, como esse saumur-Champigny "La marginale" de Thierry Germain. Os rieslings bio de Jean-Louis e Fabienne Mann, ou os champanhes de Bruno Paillard. Além das degustações, a casa também se propõe a criar e gerir a sua adega.

LA CAVE DE L'OS À MOELLE

181 rue de Lourmel / Paris XVe

É preciso trabalhar um pouco – como fazemos em casa. Escolhemos o vinho na própria prateleira e pagamos um preço de butique. O pão é cortado ainda bem quente para acompanhar a variedade de entradas: terrinas, cenouras, beterrabas e uma boa maionese. Vamos até o fundo da adega para nos servir do prato do dia diretamente do trepidante réchaud: pato caramelizado ou legumes recheados. Na passagem, perturbamos os vizinhos de mesa. Mas todos esses esforços são recompensados por uma *Île flottante* que chega às raias da perfeição.

LA CAVE DES PAPILLES

35 rue Daguerre / Paris VIe

É domingo e a rue Daguerre parece uma manifestação de fanáticos por queijos. Somos solidários com eles, mas encontramos um refúgio na Cave des Papilles. Um vinho natural francês para acompanhar um cuscuz? Passado o primeiro espanto, as ideias explodem. Escolhemos um vinho rosé espumante, pouco doce, alegre e ligeiramente descontraído. Na próxima vez, será *paella*. Vamos explorar a adega, que guarda alguns pequenos tesouros. Ou escolher um vinho fresco, com um montão de bolhinhas.

CHAPEAU MELON

92 rue Rébeval / Paris XIXe

Sob o chapéu está Olivier Camus. Eis um homem que sabe beber magnificamente e descobrir as etiquetas mais puras dos vinhos naturais: um cruzado de vinhos artesanais, um militante contra os vinhos de "AOC" improvisados, engajado em fazer um trabalho autêntico. Ele coloca o conhecimento que tem do vinhedo francês a serviço de suntuosas combinações de pratos e de vinhos.

CHEZ GEORGES

273 boulevard Pereire / Paris XVIIe

Todos gostam de frequentá-lo desde 1926. É uma verdadeira *brasserie*, com os clássicos do gênero, retomados pelos proprietários de La Grande Cascade e de L'Auberge du Bonheur. Um carrinho com os pratos do dia, os de sempre. Perna de carneiro cortada com arte e acompanhada de feijõezinhos, um cozido fumegante e seus formidáveis legumes. Sorrisos nos acolhem. Bela carta de vinhos. Uma casa que nos deixa boa lembrança. Bendito Menut!

LES DEUX MAGOTS

6 place Saint-Germain-des-Prés / Paris VIe

A vida e a história cultural do bairro foram escritas em parte nessas mesas. Diante da igreja Saint-Germain e da praça Picasso, Les Deux Magots é um dos mais antigos cafés parisienses. Ele sempre recebe os habitantes de Saint-Germain-des-Près, as vedetes, os turistas e um prêmio literário, desde 1933. Na sala, servem-se ainda certas consumações apresentando a garrafa ao cliente. *Must* da casa: um chocolate servido à moda antiga.

LE DŌME

108 boulevard du Montparnasse / Paris XIV⁰

Peixes aristocráticos para uma *brasserie* de luxo. Eles chegam como vizinhos da peixaria homônima e se enfeitam para combinar com a decoração assinada por Slavik. O menu evolui conforme as pessoas chegam, uma porção de *saint-pierre* ou *bouillabaisse*, *salmonete à la plancha* ou frutos do mar. Um ponto para habitués, de Trótski a Jean-Paul Sartre.

LES FINES GUEULES

43 rue Croix des Petits-Champs / Paris I⁰⁰

Pede-se um conselho para escolher um bom vinho artesanal para acompanhar um salsichão servido no balcão. E descobre-se o menu: carnes da casa Desnoyer, o peixe e sua variedade de legumes, dourados de *petite pêche* ou aspargos do Blayais. Todos os produtos de porco cortados em uma Berkel milimetrada 1950, vermelha como deve ser. Escolha impecável dos vinhos por Arnaud Bradol, o jovem proprietário. E a sopa de peixe que rivaliza com o *clafoutis* de peras. Aqui se amam os belos produtos, pode-se ver isso.

LE FLAUBERT

10 rue Gustave Flaubert / Paris XVII°

Elegantes estantes cor de caramelo sustentam sem esforço uma bela coleção de cerâmicas. No primeiro de seus bistrôs, Michel Rostang faz o máximo com uma culinária simples. Galinha de Bresse "Miéral" desossada e assada, em dois serviços, ou penne ao forno com lagosta pescada pela manhã. Queijos da casa Dubois, escargots em brioches de Christine Ferber, a fada dos doces.

FOUQUET'S

99 avenue des Champs-Elysées / Paris VIII°

Há celebridades na sala. E nos nomes dos pratos também: merluza Colbert do jeito que Robert Hossein gosta, raviólis de lagosta Jean Todt, *palet* de chocolate dos Césares. Para os que devem ter cuidado com o peso, mas sem reprimir suas papilas gustativas, a nutricionista Paule Neyrat contribuiu para criar um *ceviche* de atum ao suco de carambola, uma *lotte* em blanquette de coco e tamarindo.

G. DETOU

58 rue Tiquetonne / Paris IIe

Vontade de comer tudo? Este é exatamente o endereço. Mas uma das especialidades da casa é sua lista de produtos para pâtisseries. Aqui estão reunidas as pastilhas de chocolate para profissionais, o creme de tártaro que se compraria na farmácia, as amoras secas para fazer biscoitos Cranberry, gelificantes, emulsionantes e um monte de coisas do tipo. Sem contar as massas com pistache ou rosa para os doces, e curiosidades que cintilam... Além disso, podemos receber excelentes conselhos para fazer bolos, vindos de duas damas encantadoras.

LE GARDE MANGER

17 rue d'Aligre / Paris XIIe

A dois passos do mercado d'Aligre, Anne-Françoise Toussaint nos acolhe calorosamente na sua mercearia alsaciana, Le Garde Manger. Um copo de suco de maçã? Perfeito para acompanhar a *flammekueche* cozida no fogão a lenha. O *baeckeoffe* é uma tradição obrigatória, o foie gras, o pato com nabos ou os *spätzle*, massas com bons ovos de granja - tudo feito à mão. Essa épicerie-lanchonete está repleta de especialidades artesanais vindas diretamente da Alsácia: doces da estação feitos pela fada Ferber, conservas de chucrute, embutidos...

RESTAURANT JADIS

208 rue de la Croix-Nivert / Paris XV°

Um bistrô em vestido de gala. O prato de arenque com batatas é acompanhado por um *velouté* de espinafre e *arroche* vermelho. O bolo de fígado veio com lagostim na chapa e seu habitual caldo preferido de crustáceos. Uma *panna cotta à la rhubarbe* é aromatizada com espinheiro. Audacioso, fresco - um sucesso.

LE PRÉ VERRE

8 rue Thénard / Paris V°

Canela no leitãozinho. E outros temperos também. Após o espanto, o júbilo. Uma fragrância que vem do belo prato e fumegante, de aparência gaulesa. E que parece subir novamente pelo garfo, enterrado na carne gordurosa. Provoca as papilas e evoca lembranças de embutidos italianos ao açafrão ou o porco asiático, caramelizado. O prazer que sentimos, uma vez bem instalados, manda que se pegue mais um bocado.

LES PAPILLES

30 rue Gay-Lussac / Paris V⁰

O menu já dá a cor local: "Menu Retorno do Mercado". E mais abaixo: "Marmita do mercado". Tudo fresco para este bistrô elegante. As caçarolas saem do fogo, cada qual vai tirar sua garrafa do alto de um armário, o ambiente é descontraído - a sala do subsolo tem um telão, especialmente destinado aos aficionados de *rugby* -, mas a cozinha está sempre vigilante.

LE PAVILLON DE LA REINE

28 place des Vosges / Paris III⁰

É *five o'clock*, ou cerca de. É a hora de nos deixarmos tombar nas macias poltronas cor de caramelo do bar. Chá com leite ou *scotch on the rocks* - nos reconfortamos com a cor laranja "queimada" das paredes, com os livros nas estantes e com a videira virgem que brinca com a luz e envolve o edifício. Se tivéssemos tempo, de bom grado daríamos uma passada no Spa assinado por Carita e nos deixaríamos embalar pelas luzes suaves que roçam os pedregulhos que conduzem à sauna.

LE PETIT VENDÔME

8 rue des Capucines / Paris II⁰

Se formos até o bar, poderemos saborear um dos melhores sanduíches da capital. Queijo Cantal, terrinas, tripas de carneiro recheadas, presunto do interior, e salsichas multicoloridas empilham-se em abundância. Combinam melhor com um copo de *saint-pourçain* com cebolinhas. Com um pouco mais de tempo e de apetite, ziguezagueamos por entre os habitués para encontrar uma mesa em que se possa devorar um pato caramelizado, uma salsicha-*aligot*, um belo *entrecôte* e batatas fritas merecidamente lendárias.

PETROSSIAN

18 boulevard Latour-Maubourg / Paris VII⁰

Armen Petrossian cuida de grãos. Ele conseguiu reviver o gosto pelo seu famoso caviar prensado, que desaparecera do mercado e que é uma união sábia de beluga, *osciètre* e sevruga. Mas, esperem, não há só caviar na casa de Petrossian. Uma pata de caranguejo-real de Kamchatka estende os braços aos visitantes. Mas sempre é cozida demais, não é? Nada disso. A carne fina se destaca como a de uma lagosta. Os aromas delicados são quase açucarados. Até a última fibra, o dente procura reter a textura evanescente. O caranguejo em estado puro.

LA POULE AU POT

9 rue Vauvilliers / Paris Ier

Cenouras, nabos, cebolas, cravos-da-índia. E uma galinha também - melhor assim. O homem que chamam de "o irremovível de Halles" propõe há mais de trinta anos a receita de Henrique IV. Para variar, ele também a faz em forma de salada ou com *sauce suprême*. Os Ravaillac se vingarão com o salmão ao creme de açafrão ou com o cozido de perna de boi. O ambiente é tão caloroso como os pratos.

LA RÉGALADE

49 avenue Jean Moulin / Paris XIVe

O princípio é infantil: comer muito bem, mas não gastar muito. Motivo pelo qual está sempre cheio o estabelecimento de Bruno Doucet, que retoma com brilho a fórmula de Yves Camdeborde. Devora-se o peito de porco caramelizado ou a frigideira de lulas à moda de enguias, com arroz com tinta de lula. Podemos nos esbaldar diante de uma carta de vinhos decidida e amigável e relaxar graças ao serviço generoso e atento. Então nos deixamos levar pela sobremesa de creme de baunilha com framboesas frescas. Um endereço de ouro.

LE RELAIS LOUIS XIII

8 rue des Grands Augustins / Paris VI°

Pato de Challans assado inteiro com temperos e legumes da estação, coxa caramelizada em *parmentier*. Evidentemente é para duas pessoas, mas o tom é esse. O lugar tem uma forte herança histórica - foi aqui que Maria de Médicis, ao saber do assassinato de Henrique IV, fez proclamar Luís XIII rei da França - e aqui, Manuel Martinez, Melhor Artesão da França, apresenta produtos refinados e receitas elegantes. Desdenhando o olhar do soberano vestindo sua armadura, cedemos ao apelo do mil-folhas morno, com baunilha.

LE REPAIRE DE CARTOUCHE

8 boulevard des Filles du Calvaire / Paris XI°

Rodolphe Paquin é normando e gosta de carne de caça. Resultado: por exemplo, a sua sopa cremosa de caça, com "plumas" de cogumelos girolles. Sua costela de porco, que chega da granja familiar sem grande esforço. Sua lebre *à la royale* como não se faz mais. Ou a sua coxa de vitela cozido em cidra. E terrinas que também deixam felizes os habitués do Verre Volé.

RESTAURANT JOSÉPHINE « Chez Dumonet » / 117 rue du Cherche-Midi / Paris VIᵉ

Vamos! Um lugarzinho para o generoso mil-folhas ou para o divino *soufflé au Grand Marnier*... Garantia das tradições, essa é mais uma história de família que perdura com o filho - couro e prataria envelhecida, espelhos manchados e culinária burguesa. "Chez Dumonet", para os habitués, é um autêntico bistrô parisiense dos anos 1920. As terrinas e os foies gras são feitos em casa. O tartare de boi, preparado na sala, é harmonioso. No Chez Dumonet a generosidade está no menu - uma questão de princípios.

WEPLER 14 place Clichy / Paris XVIIIᵉ

O que se deve ver? O ambiente, o quadro, a verdadeira *brasserie* parisiense. De Bonnard a Picasso, de Henry Miller a Blier e Truffaut - que rodou ali uma cena do filme *Os incompreendidos* - todos se entusiasmaram pela autenticidade do lugar. O que se deve comer? As ostras - há mais de um século a casa foi a primeira a fazer delas sua especialidade. E o chucrute ou o pé de porco grelhado *à la béarnaise*. Autêntico, é o que dizemos a vocês.

PARIS DOS TERROIRS

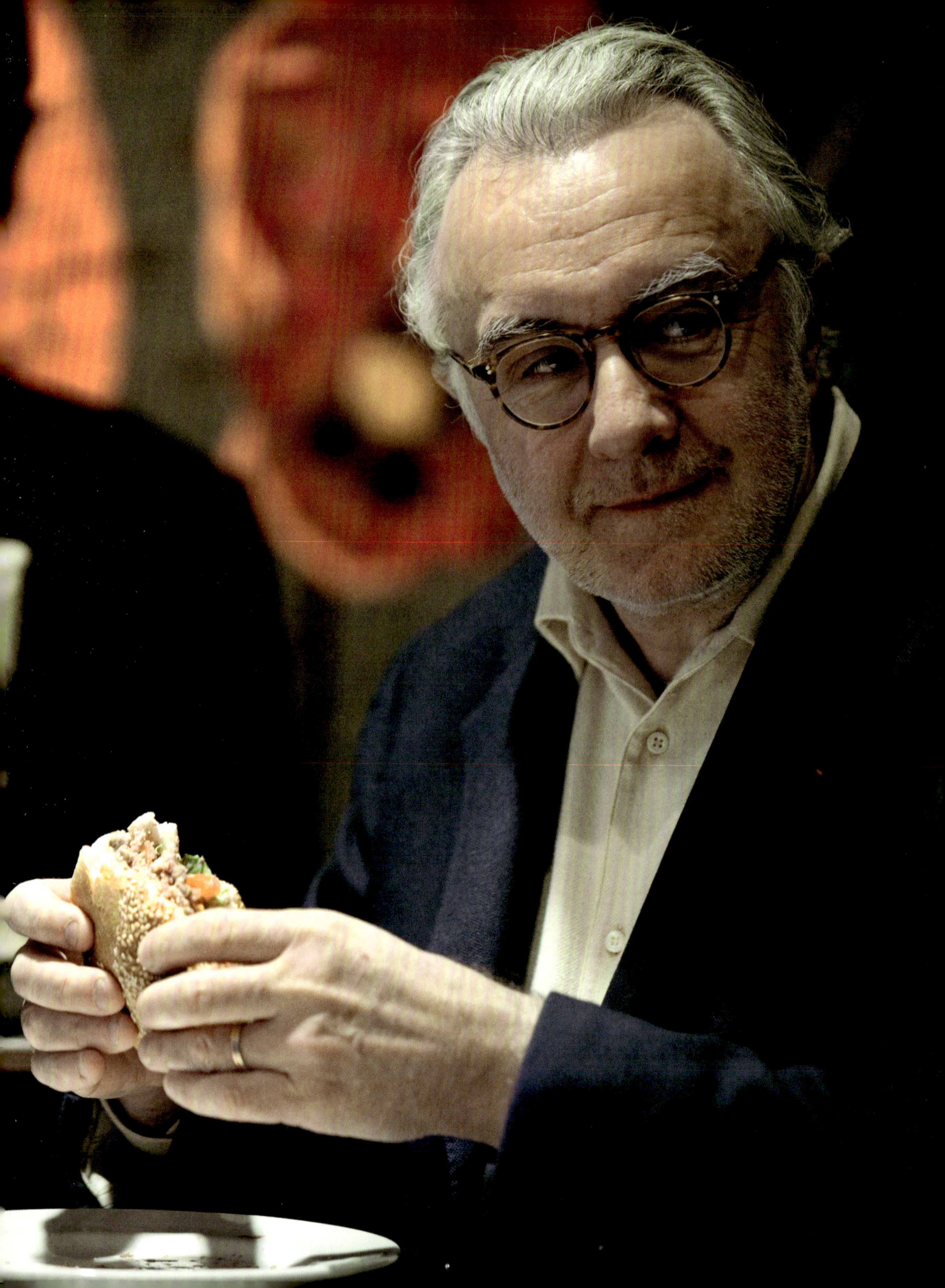

AU BRAC COR NER

"Do forcado ao garfo" - esse é o caminho das 320 vacas de Christian Vallette. No seu balcão, ele faz hambúrgueres. Espere, não vá embora tão depressa! É a carne de Aubrac, suculenta e renomada, que se mistura com a maionese à moda antiga. O pãozinho de trigo com linho é macio como um pão doce, mas menos açucarado, e serve para absorver rapidamente os sucos da carne no seu miolo, enquanto se morde uma delicadeza qualquer. Nem há necessidade de batatas fritas!

AUBRAC CORNER 37 rue Marbeuf Paris VIII°

PARIS DOS TERROIRS — Amo Paris

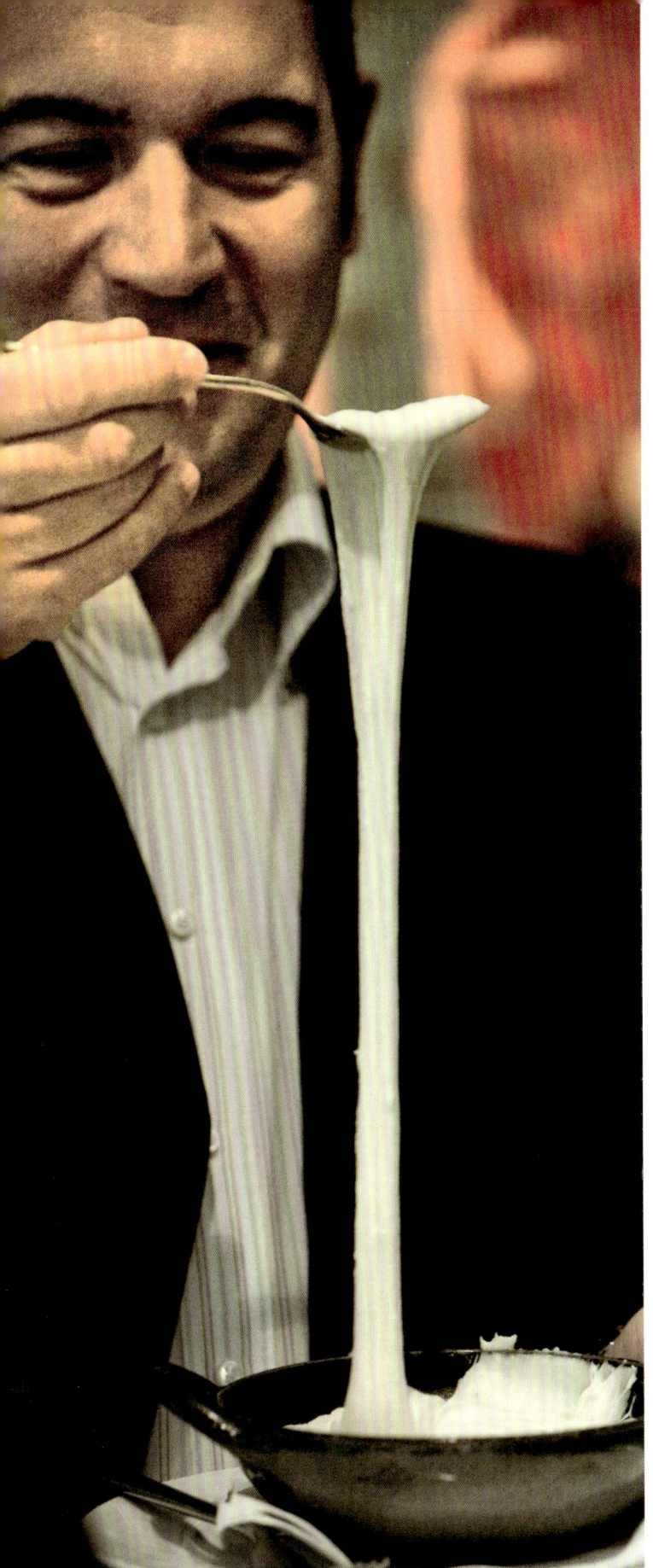

RESTAURANT

32

E. QUINTON
KINÉSITHÉRAPEUTE

Laurence SIMONNET
PÉDICURE - PODOLOGUE

Séverine CIRBA
MASSEUR KINÉSITHÉRAPEUTE

"AUX LYONNAIS"

PARIS DOS TERROIRS
Amo Paris

AUX LYONNAIS 32 rue Saint-Marc Paris IIe

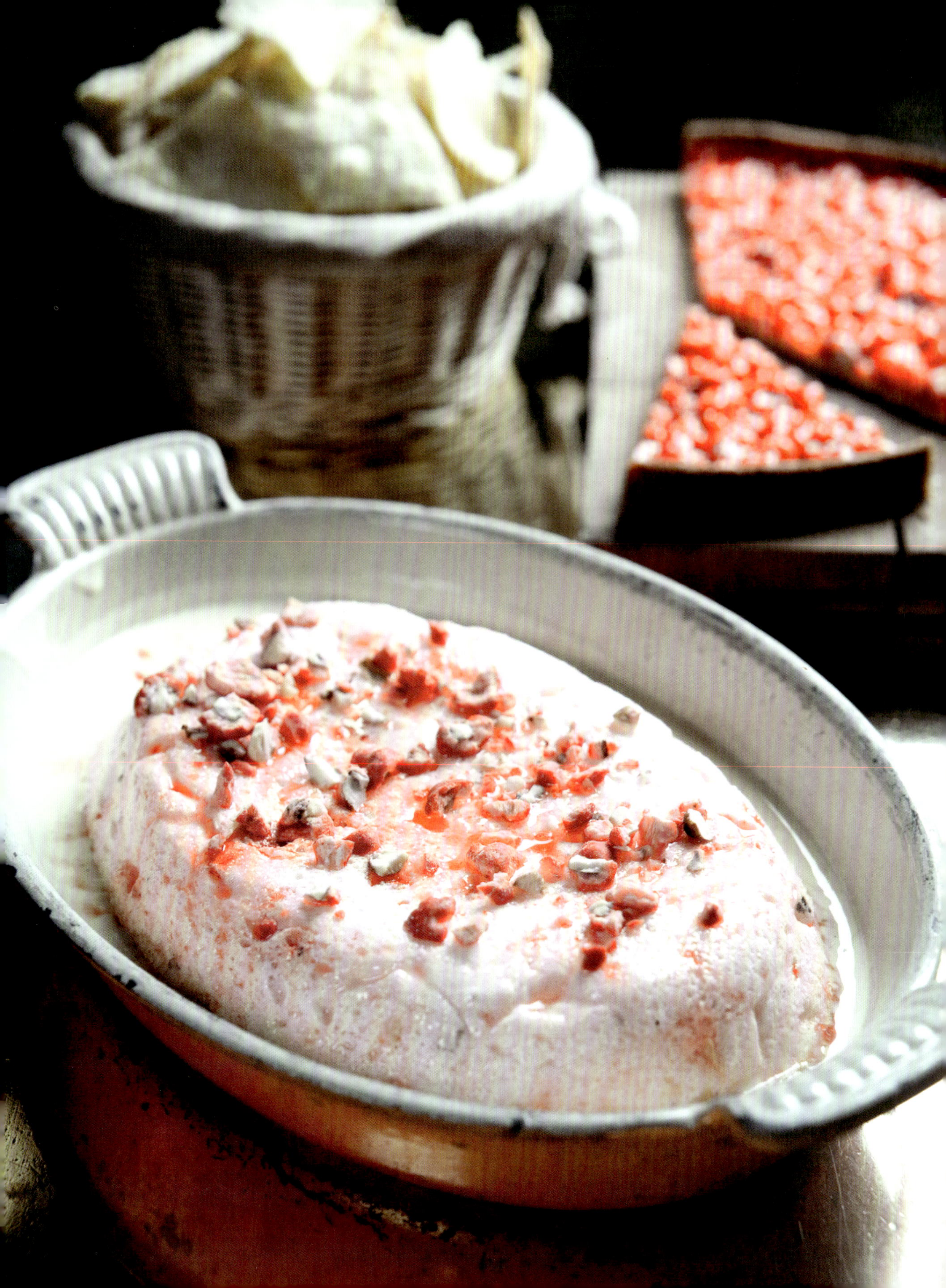

PARIS DOS TERROIRS Amo Paris

AUX LYONNAIS 32 rue Saint-Marc Paris IIe

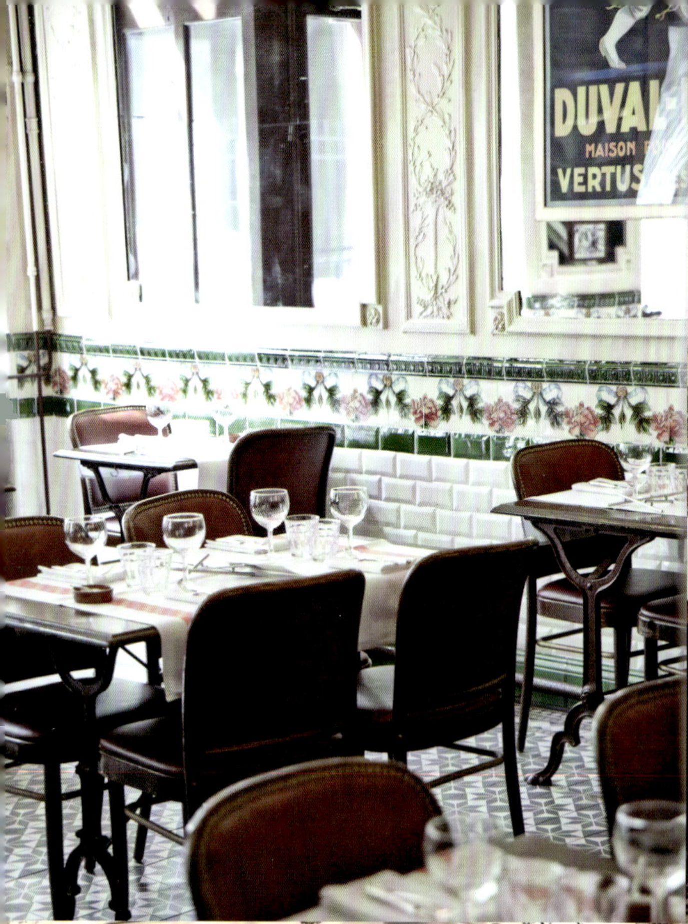
DUVAL
MAISON
VERTUS
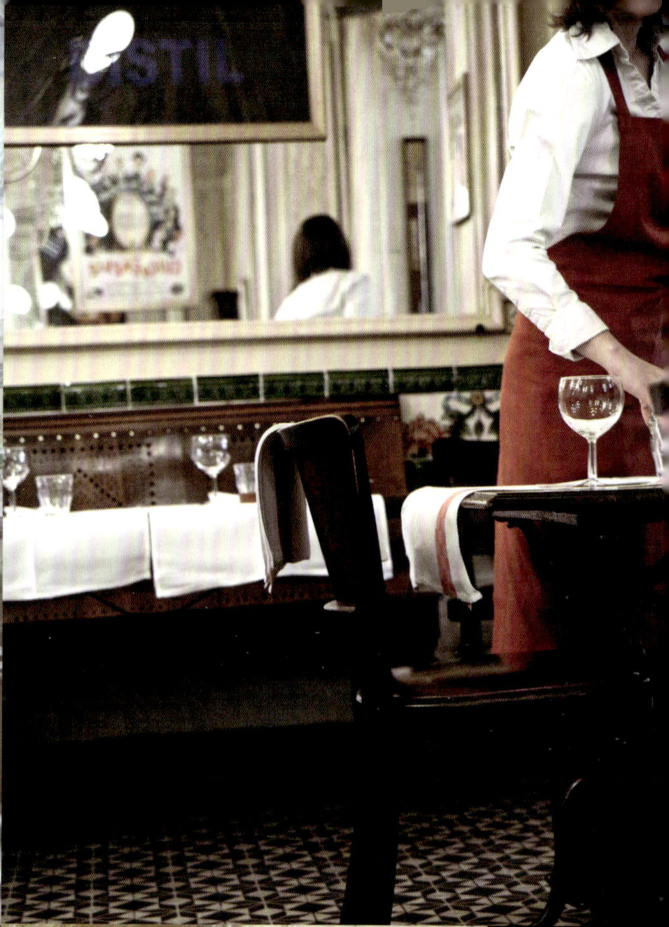
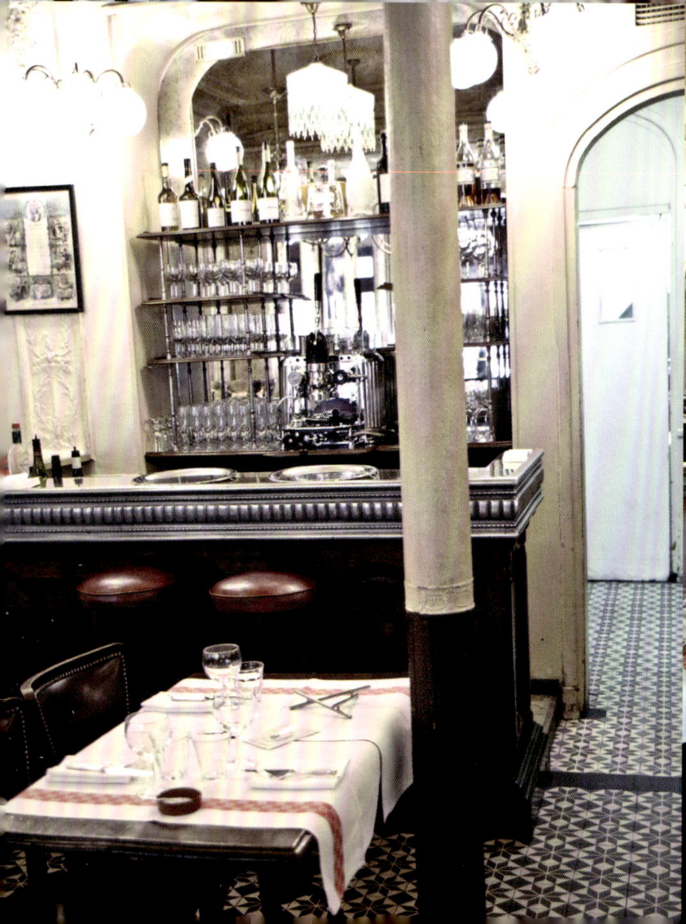
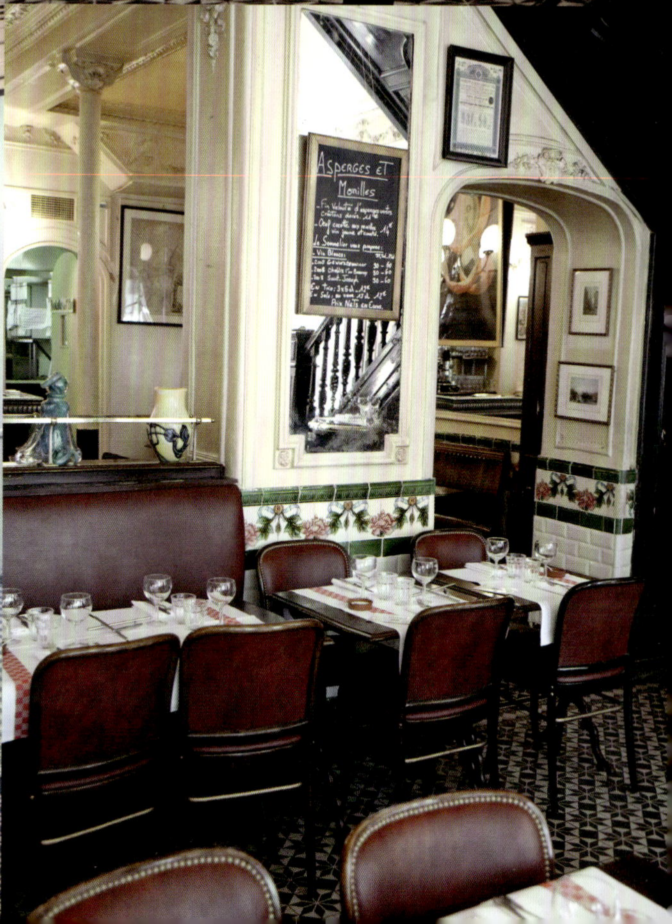
Asperges eT Morilles

AUX LYONNAIS

PARIS DOS TERROIRS — Amo Paris

AUX LYONNAIS 32 rue Saint-Marc Paris IIe

Histórias de heranças. Era uma vez um núcleo de lioneses em pleno coração de Paris. Havia uma urgência: não mudar nada. Perpetuar a herança, salvaguardar o patrimônio culinário, fazer brilhar com todas suas luzes um cantinho de Paris. Então, da caçarola da cozinheira lionesa e seu picadinho de leitão ao foie gras, à *île flottante* e à torta de pralines cor-de-rosa, as especialidades criadas por Frédéric Thévenet cintilam tão vivamente como os espelhos e as faianças. Na sombra, a insinuação de uma segunda herança. Era uma vez um jovem *chef*. Alain Ducasse, que descobre a riqueza da cozinha lionesa ao lado de Alain Chapel, em Mionnay. Ele se afeiçoa à generosa região e a seus emblemáticos *chefs*, Paul Bocuse, Michel Troisgros. Aux Lyonnais: uma homenagem aos que vieram da cidade de Lyon.

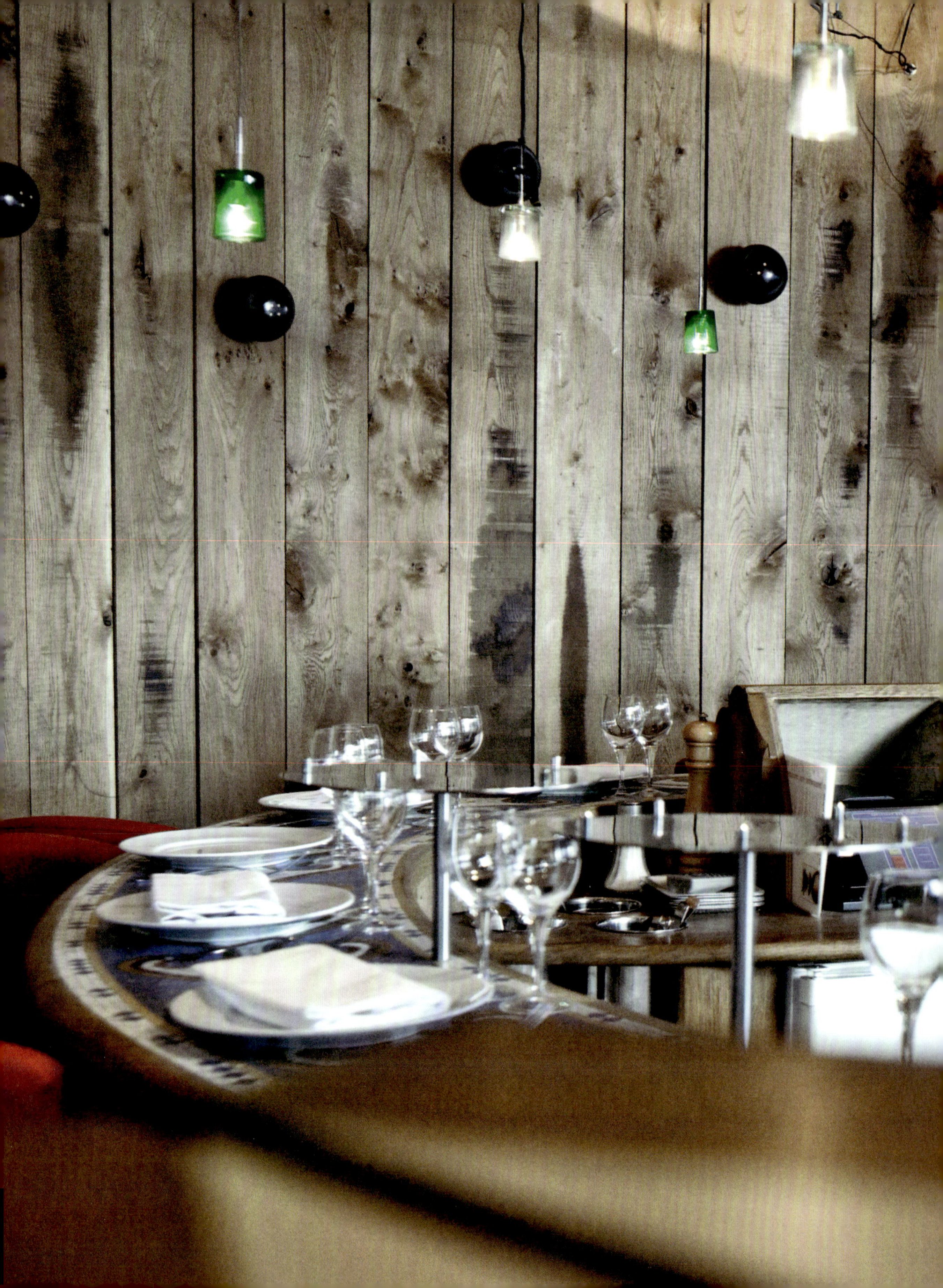

PARIS DOS TERROIRS
Amo Paris

BALLON ET COQUILLAGES 71 boulevard Gouvion Saint-Cyr Paris XVIIe

BALLON ET COQUILLAGES

Com ar de cabana de pescadores, a decoração nos convida a estar de férias - o tempo de saborear frutos do mar. Nesse local, que pertence à casa Menut e funciona perto da Grande Cascade do Bois de Boulogne, há um princípio claro: um bar de mariscos. Empoleirados no grande balcão redondo de madeira, nós mesmos fazemos um prato de ostras, que felizmente foram propostas para três pessoas. Nas travessas, navegamos entre uma ou duas fileiras de *amandes de mer*, camarões e as belas tenazes de caranguejo.

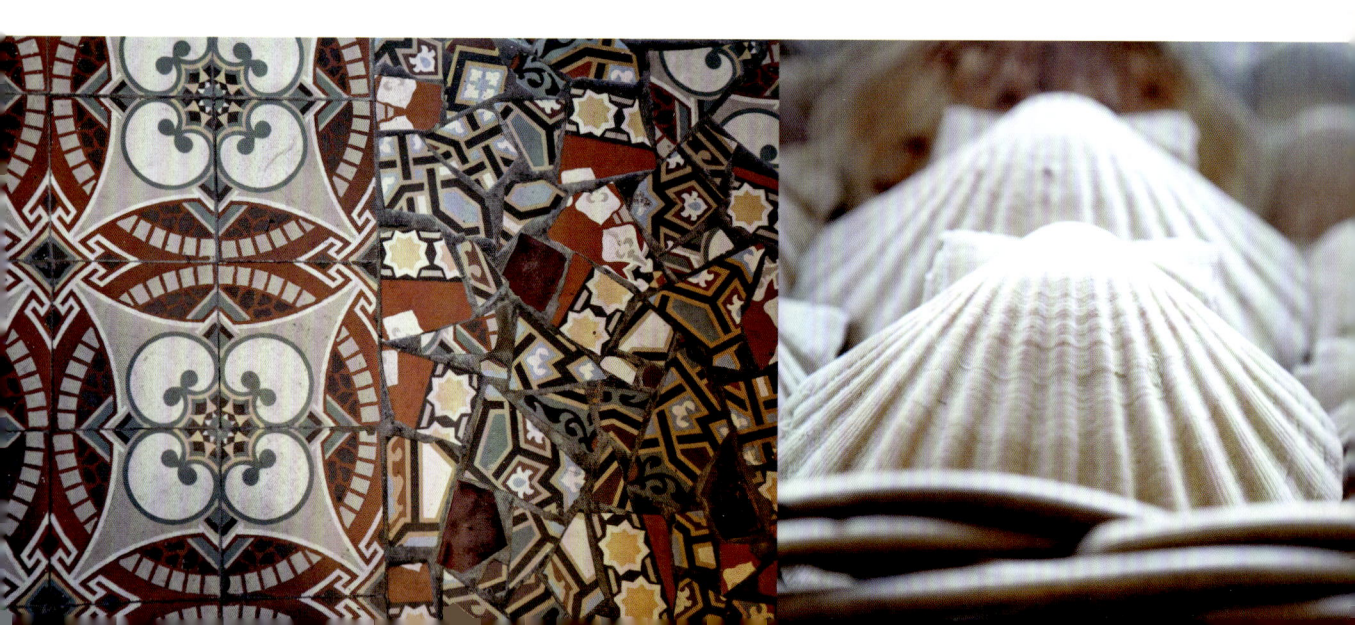

BALLON ET COQUILLAGES 71 boulevard Gouvion Saint-Cyr Paris XVIIe

- GRUYÈRE LE POYA
  LE KILO 30€80
- LAGUIOLE DE TUNNEL
  FROMAGE AU LAIT DE VACHE
  LE KILO 29,95€
- SAINT-NECTAIRE
  FROMAGE AU LAIT DE VACHE
  AFFINAGE 8 SEMAINES
  DANS NOS CAVES
  LE KILO 29€00
- TOMME DE SAVOIE
  FERMIÈRE DE THÔNES
  LE KILO 29€80
- SAINT-PAU...
  AU LAIT MICRO...
- TOMME ABONDANCE
  FROMAGE AU LAIT DE VACHE
  APPELLATION D'ORIGINE CONTROLÉE
  FERMIER THÔNES 7423
  LE KILO 32,80 €
  Barthélemy M.G 45%
- ARDI GASNA
  BREBIS FERMIER DU PAYS BASQUE
  ELIZAGARAIA - St-JEAN-PIED-DE-PORT
  LE KILO 44,80 €
  Barthélemy

PARIS DOS TERROIRS
Amo Paris

BARTHÉLEMY, 51 rue de Grenelle Paris VIIe

BARTHÉLEMY

Madame Nicole é recomendada pelos seus Mont d'Or. Por seus queijos moles da Borgonha e também pelos duros, provenientes de Salers. Desperta paixões súbitas o *fontainebleau* levíssimo, envolto em molho *mousseline* - que mais parece um veuzinho sobre um chapéu de abas caídas -, servido com as primeiras framboesas, os primeiros morangos silvestres. No creme batido, um pouco do açúcar range nos dentes, como deve ser.

PARIS DOS TERROIRS
Amo Paris

BARTHELEMY 51 rue de Grenelle Paris VIIe

Pascal Beillevaire
Maître Fromager

PARIS DOS TERROIRS Amo Paris

FROMAGERIE BEILLEVAIRE 140 rue de Belleville Paris XXe

BRIE DE MEAUX
2,80 €/pièce

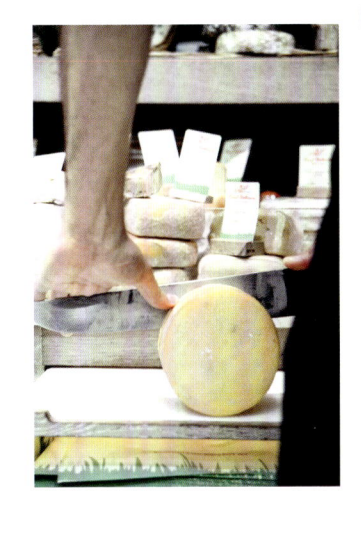

BEILLE VAIRE

Queijos curados, manteiga crua à moda da casa ou creme de Nantes – as papilas enlouquecem na queijaria Beillevaire. Abundância de bons conselhos, que nos impelem ao crime, e produtos de excelente qualidade com os quais sonhamos em nosso prato.

Amo Paris

PARIS DOS TERROIRS

FROMAGERIE BEILLEVAIRE 140 rue de Belleville Paris XXe

317

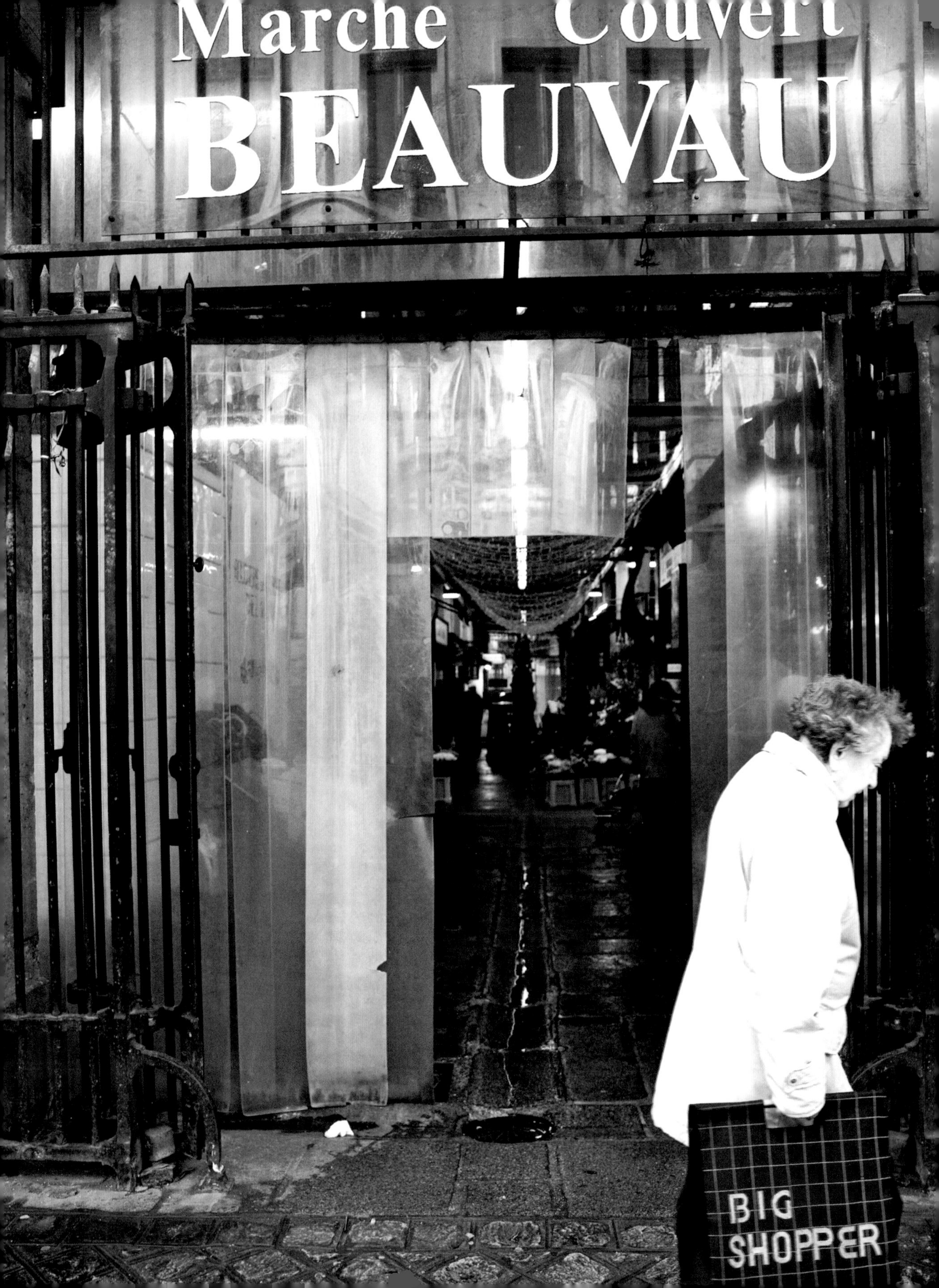
Marche Couvert
BEAUVAU
BIG
SHOPPER

PARIS DOS TERROIRS Amo Paris

BOUCHERIE MICHEL BRUNON Marché couvert Beauvau 12 place d'Aligre / Paris XIIᵉ

JAMBON
D'ARIÈGE
€ 31.50 kg

JAMBON
D'AUVERGNE
€ 32.40/

BRUNON

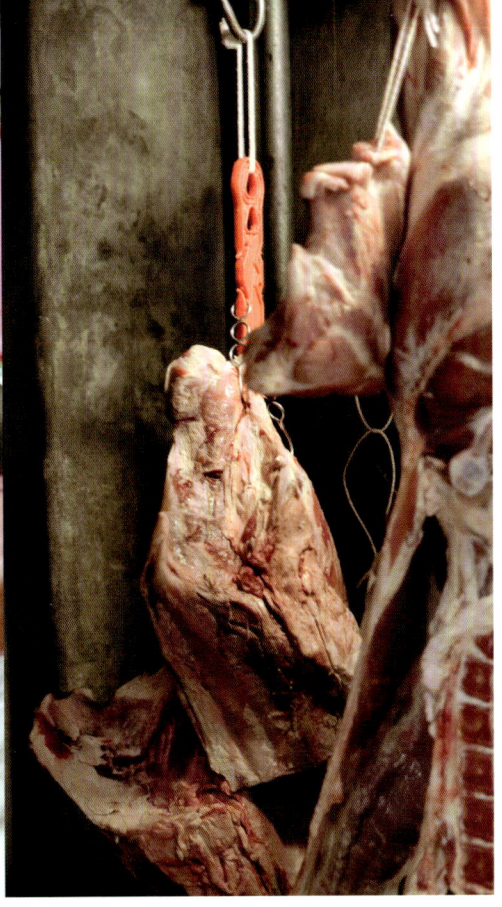

A carcaça do boi balança ao longo do trilho, fazendo um barulho de ferrovia, a dois centímetros da bela morena que prepara as salsichas matutinas. Os cortes de primeira, as costeletas de cordeiro, as pernas de carneiro – "É um produto para iniciados", se diverte Michel Brunon, segurando uma entrecôte devidamente marinada. Ela vai se cortar sozinha, mais tarde, sob o garfo. "Eu mesmo preparo todas as carnes para a maturação. Caso contrário, não as como. E se eu não comê-las, não poderei verdadeiramente servi-las a meus clientes. Sou açougueiro, e não um comerciante de carnes."

PARIS DOS TERROIRS — Amo Paris

BOUCHERIE MICHEL BRUNON Marché couvert Beauvau / 12 place d'Aligre Paris XIIe

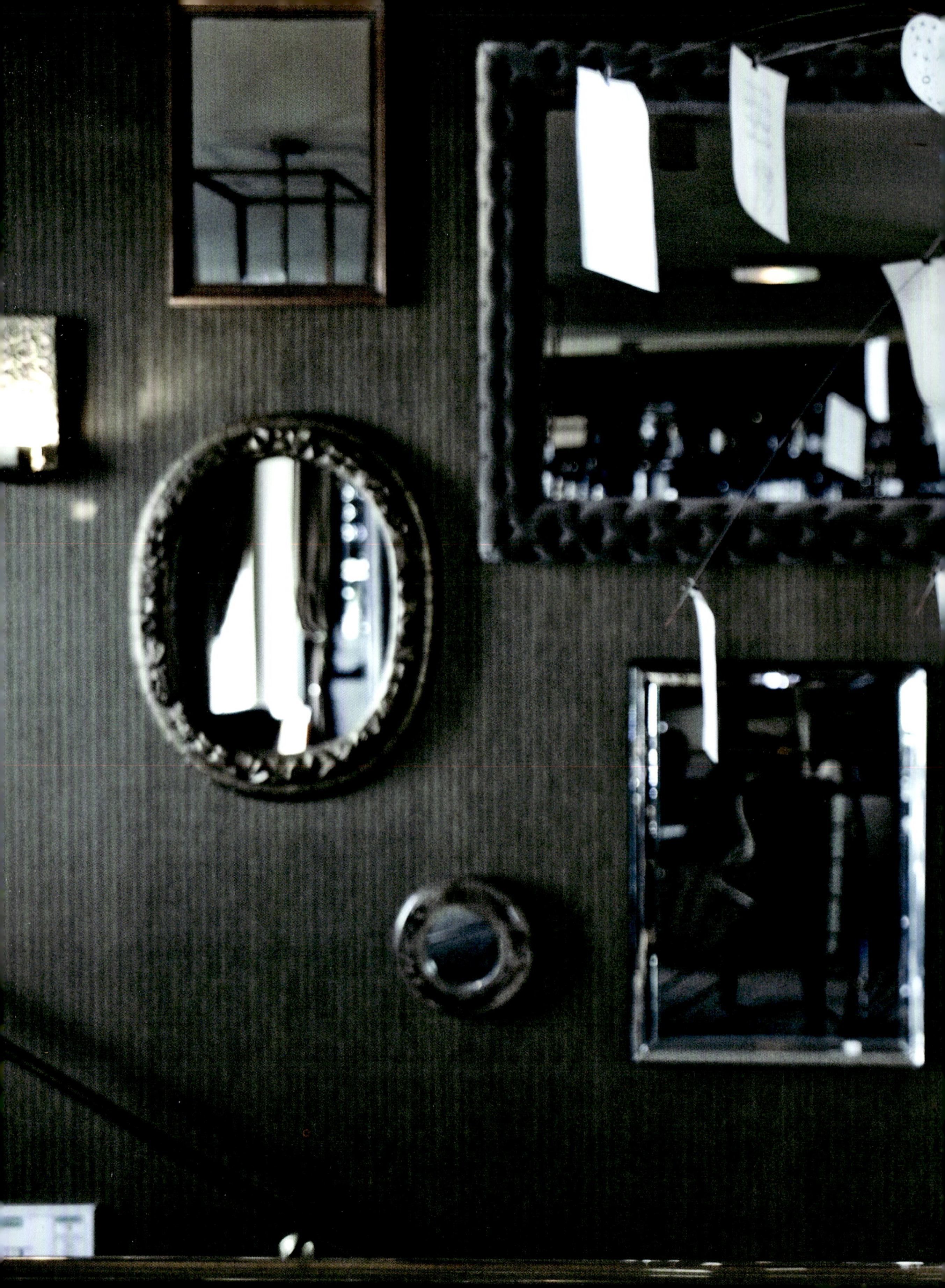

CHEZ FLOTTES 2 rue Cambon Paris Ier

CHEZ FLOTTES

Com o grande pão redondo apertado contra o corpo, *monsieur* Gérard brande seu facão. Corta à mão cascas de pão Poilâne fresco. "Esse é o segredo: a fatia deve ser mais fina do que habitualmente para realçar o gosto dos produtos. Senão, na boca, só haverá o pão." Gilbert Flottes, no tempo em que alimentava as noites parisienses, inventou com Lionel Poilâne uma pequena joia de simplicidade saborosa: o *croque-monsieur Poilâne*. Hoje, é seu filho Olivier que dirige a brasserie da família.

PARIS DOS TERRO.
Amo Paris

CHEZ FLOTTES 2 rue Cambon Paris Ier

325

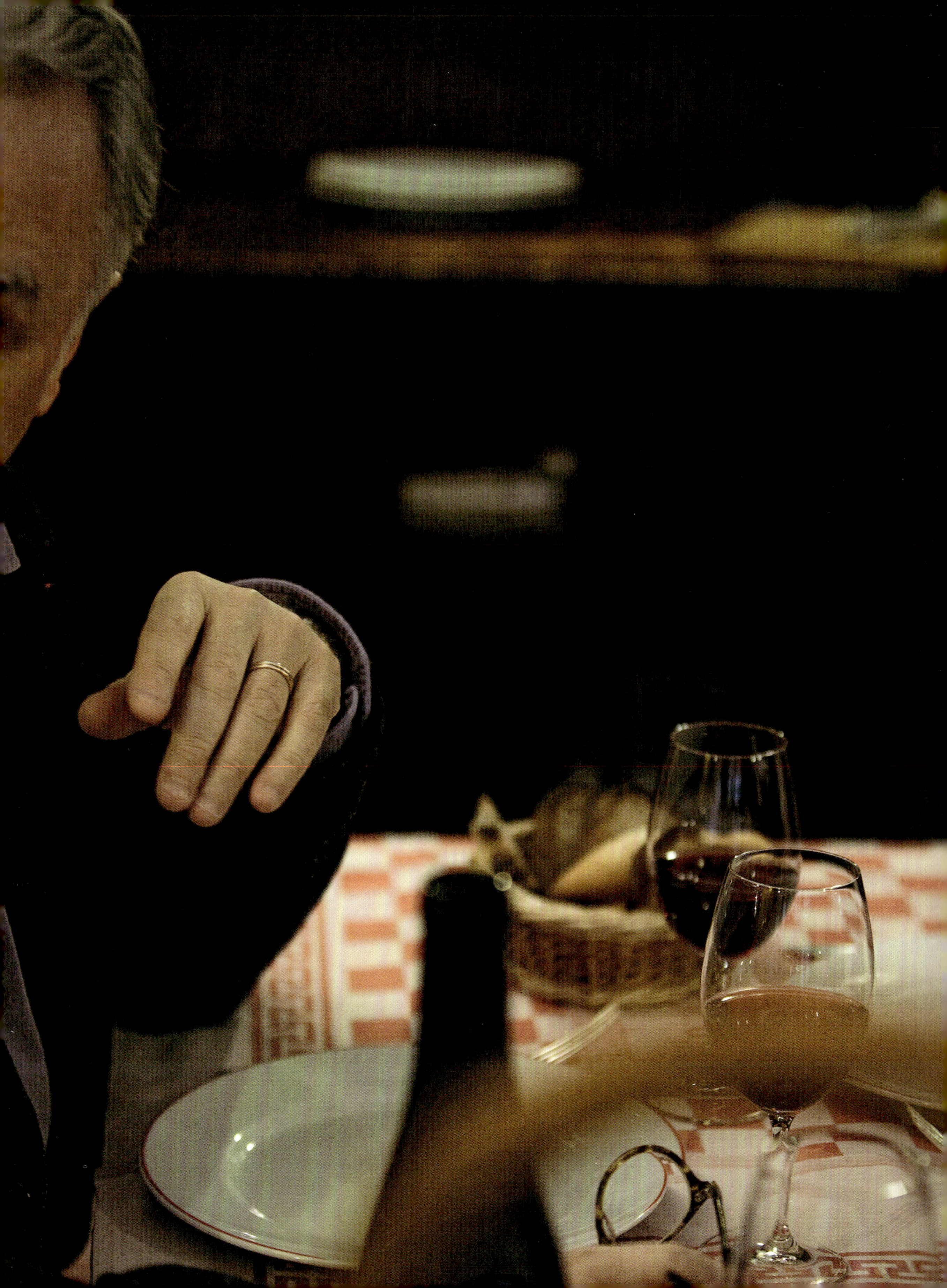

PARIS DOS TERROIRS — Amo Paris

AUBERGE D'CHEZ EUX 2 avenue de Lowendal Paris VIIe

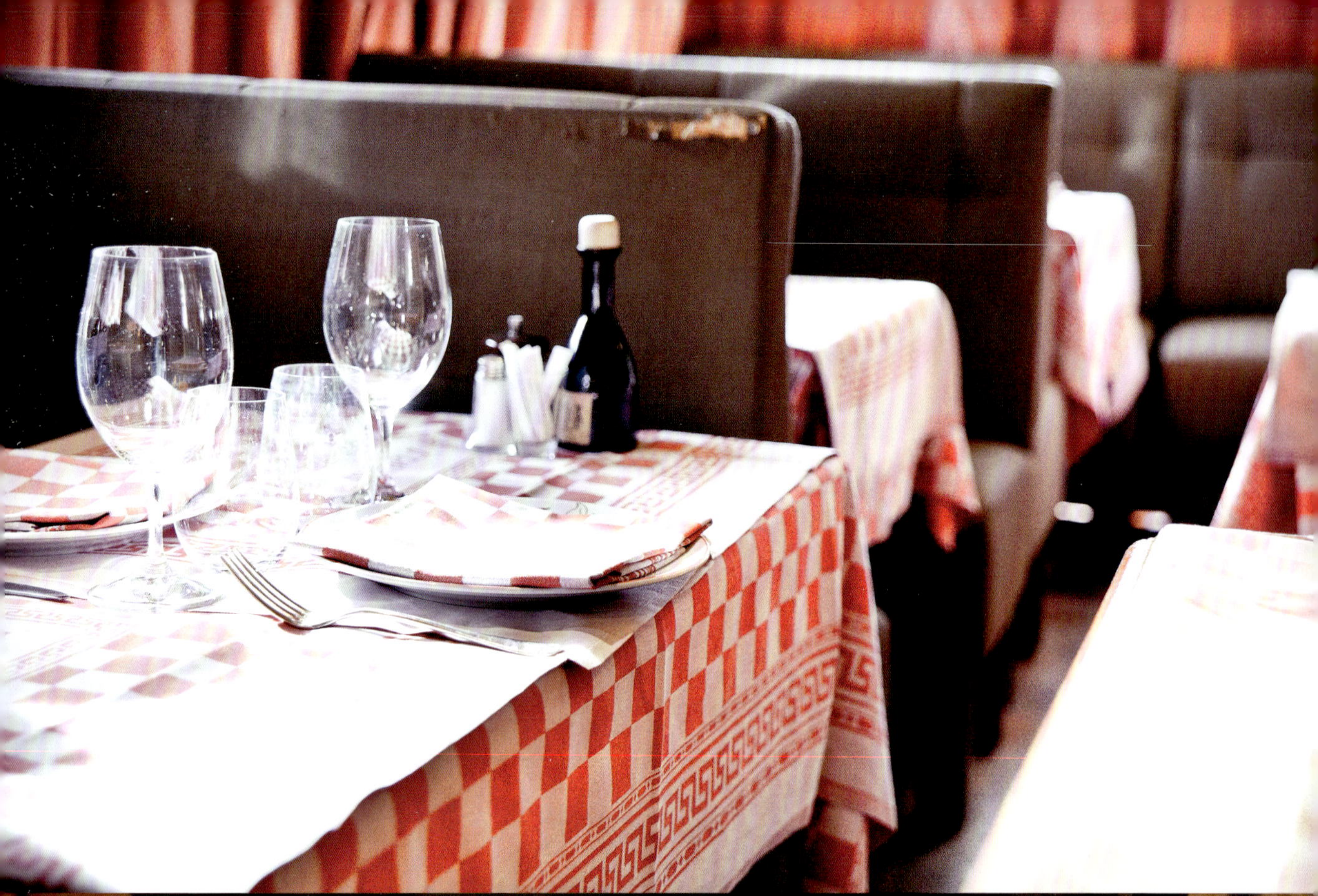
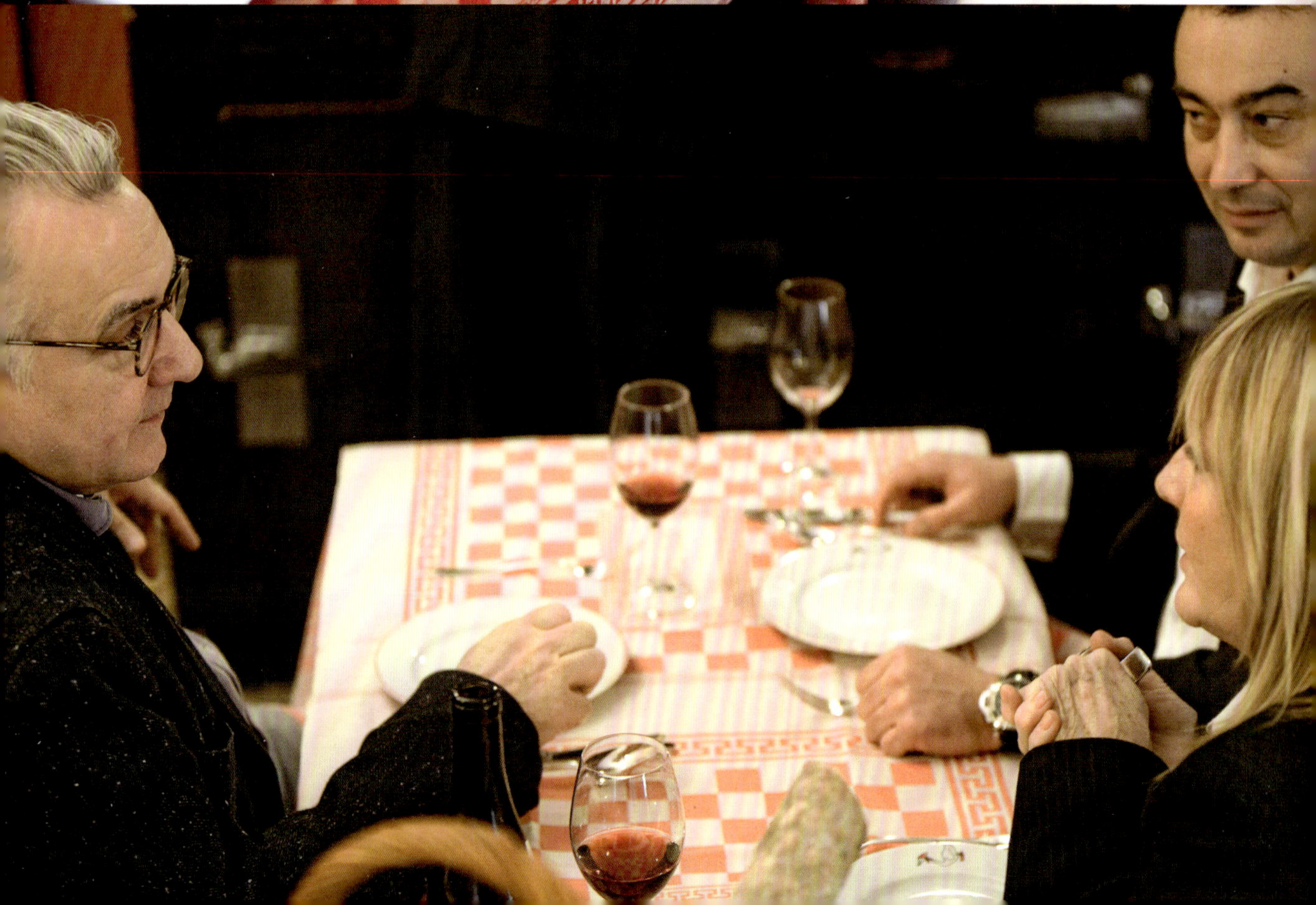

D' CHEZ EUX

PARIS DOS TERROIRS — Amo Paris

AUBERGE D'CHEZ EUX 2 avenue de Lowendal Paris VIIe

Corta-se a carne na mesinha de servir? Coisa rara hoje! Nesse lugar, é o pato com figos ou peras, conforme a estação, que passa por ali. Laurent e Catherine Brenta, do L'Évasion, dirigem a pousada que exala o perfume da França de outrora. Sob a salgadeira de frios datada de 1950, atacamos os salsichões, o carrinho repleto de entradas, o lendário cassoulet, a cabeça de vitelo digna de um presidente e baixamos as armas diante do *paris-brest*.

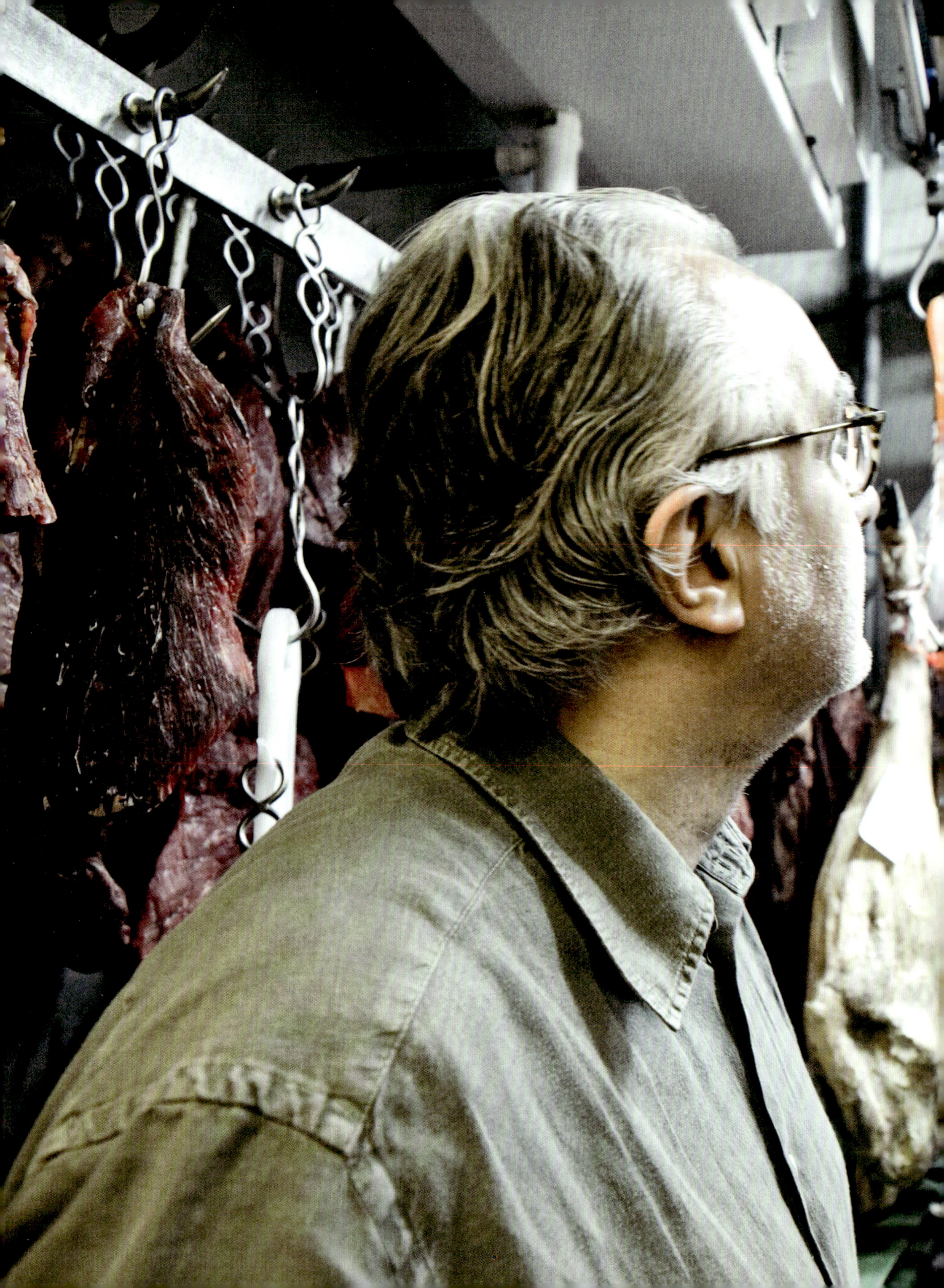

PARIS DOS TERROIRS Amo Paris

BOUCHERIE HUGO DESNOYER 45 rue Boulard Paris XIV⁰

DES
NOY
ER

"Abandonei os estudos no segundo ano do ensino médio e não sabia o que fazer. Tentei ser mecânico... Depois, meu pai me colocou como estagiário em um açougue, na minha própria casa, em Mayenne. E isso foi uma revelação. Era o que eu queria fazer. Passo a passo e eis-me em Paris, rue Boulard. Sessenta mil quilômetros percorridos por ano para rodar por toda a França e encontrar belos animais, bem criados: o carneiro de Lozère, as galinhas do Pâtis, o porco de fazenda da Dordogne, os vitelos premiados de Corrèze. Hoje, os criadores sabem o que meus clientes, cozinheiros e o público em geral esperam deles: o melhor."

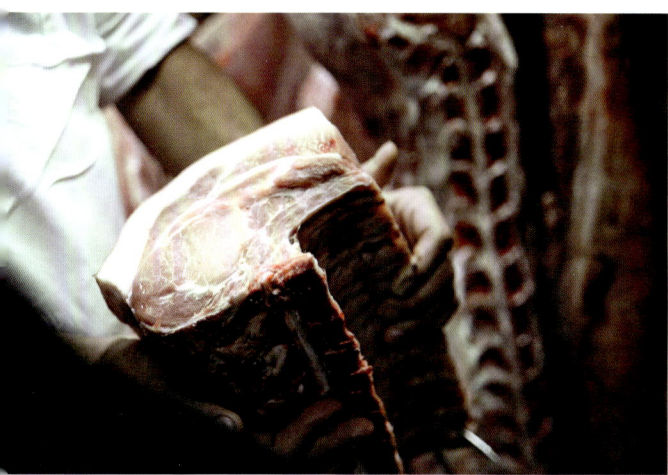

Hugo Desnoyer

BOUCHERIE HUGO DESNOYER 45 rue Boulard Paris XIV\u1d49

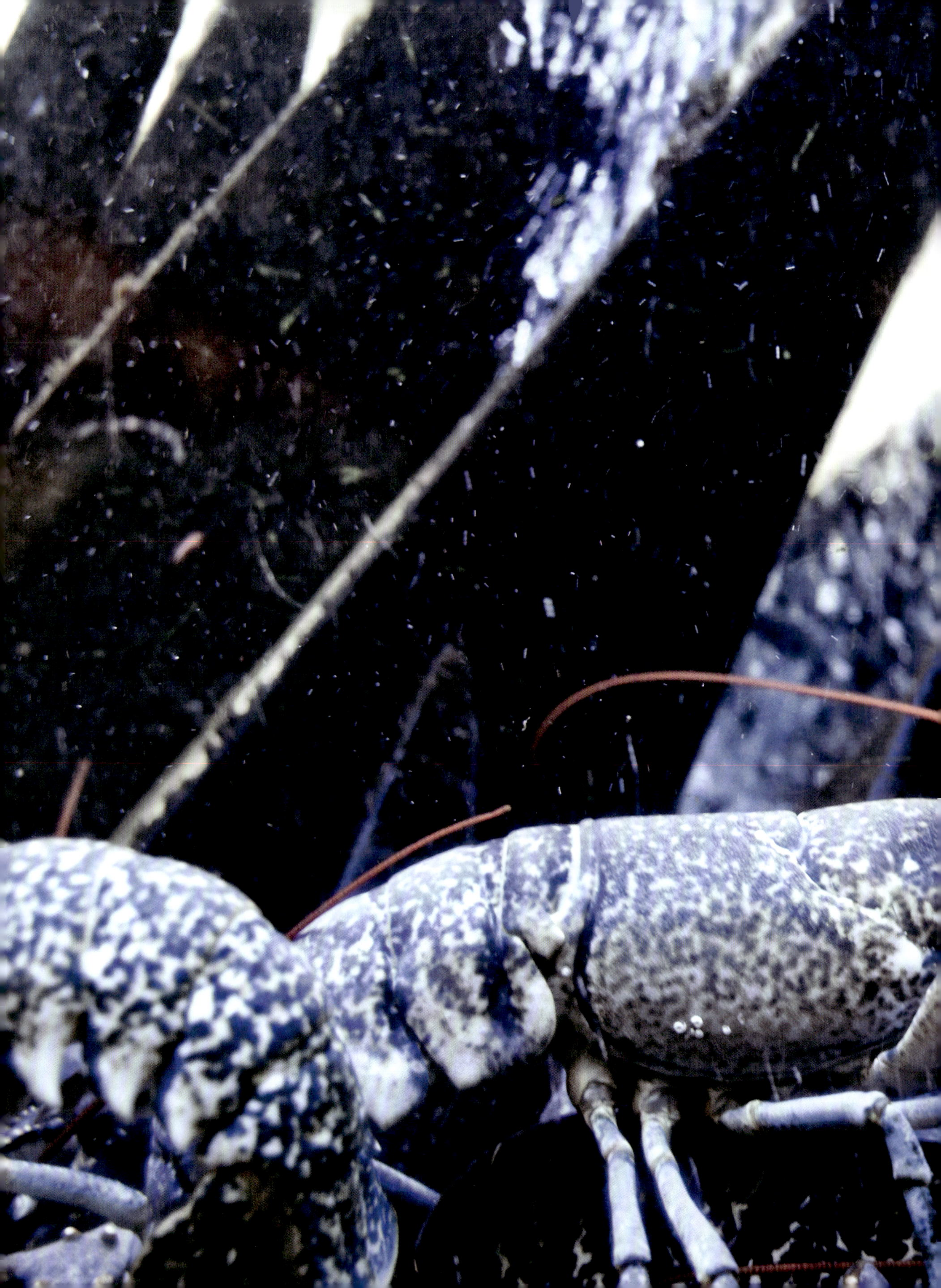

PARIS DOS TERROIRS — Amo Paris

LA POISSONNERIE DU DÔME 4 rue Delambre Paris XIV⁰

DÔME

É o equivalente, em peixaria, a um instituto de beleza cinco estrelas. O peixe de pesca artesanal é cuidadosamente disposto em seu leito de papel especial, para evitar que seja queimado pelo gelo. Escolhido à noite em pequenas quantidades nos melhores estandes, o peixe tem apenas o tempo de pular no caminhão antes de aterrissar nos nossos pratos. A casa descobre os produtos mais finos para os maiores estabelecimentos parisienses: enguias, caranguejos-aranhas, peixes raros...

PARIS DOS TERROIRS
Amo Paris

LA POISSONNERIE DU DÔME 4 rue Delambre Paris XIVe

337

L'ÉC

L'ÉCUME SAINT-HONORÉ 6 rue du Marché Saint-Honoré Paris Ier

ÉCUME SAINT-HONORÉ

Ao longe, o canto das gaivotas. Na lousa, um grito: "Como sobremesa, *coquille Saint-Jacques* crua com molho de soja! Tenra, saborosa!". Aberta e cortada, diante de vocês, a bela se revela açucarada e florida, a sobremesa ideal para concluir uma degustação sem par. Pois aqui a melhor escolha de ostras, moluscos, mexilhões e camarões é acompanhada de um frescor e um gosto ótimos.

PARIS DOS TERROIRS — Amo Paris

L'ÉCUME SAINT-HONORÉ 6 rue du Marché Saint-Honoré Paris Ier

PERE CLAUDE

01·47·34·04·04

PARIS DOS TERROIRS

Amo Paris

ÉPICERIE DU PÈRE CLAUDE 4 rue du Général de Castelnau Paris XVe

ÉPICERIE DU PÈRE CLAUDE

Na esquina do restaurante do pai está a épicerie do filho, Ludovic Perraudin. Naquela manhã, o pai havia dado uma passada em Rungis. Esperando-o no comando da épicerie, Ludovic nos prepara um sanduíche.

Alain Ducasse: E então, esse presunto de Paris?

Ludovic Perraudin: O "príncipe de Paris" é um presunto da Bretanha, preparado à moda antiga. Não é tratado nem batido, mas aspirado e esfregado com sal grosso. O artesão só faz 250 presuntos por semana, sem colorantes, sem conservantes, sem gelatina.

AD: A textura é fina, sedosa. Excelente. Além disso, tem um verdadeiro cheiro de presunto. O que é raro.

LP: Quer um pepininho em conserva?

AD: Nada disso! Seria um pecado.

PARIS DOS TERROIRS

Amo Paris

ÉPICERIE DU PÈRE CLAUDE 4 rue du Général de Castelnau Paris XVe

345

MANZANAS
APPLES

geste
la
ÊTE
courses
n
IER

Sardines

Moules
extras
4.50/10

Cèpes
extra
1.60/10

6.10 11.30 6.05 5.90 5.70

Coque
0,50.-

PARIS DOS TERROIRS — Amo Paris

GRAINETERIE DU MARCHÉ 8 place d'Aligre Paris XIIe

LES GRAINES SO[N]
VENDUES AU LIT

lapro
1€50

Maïs
1€00

Tournesol
1€50

GRAINETERIE DU MARCHÉ

José cuida de grãos em seu estabelecimento situado fora do tempo... É de 1895 e continua elegante! Seus conselhos no que se refere ao preparo e ao cozimento são os mais preciosos. Somos acometidos por um desejo de comprar tudo. A seleção dos legumes é notável: feijões de Tarbes e minúsculas vagens de um verde suave. Aqui, os feijões de Soissons são bem durinhos, massas e arroz são apresentados a granel, em embalagens de madeira - é difícil resistir a eles. Para o cuscuz, sêmolas de trigo duro que podem ser cozidas de muitas maneiras: as finas são para os mais delicados, as médias, para os mais rústicos. São vendidas à moda antiga, empacotados com papel *kraft*. Não deixem de ver nos fundos da loja a estante reservada à jardinagem, tudo para alimentar os passarinhos – como nos bons tempos de outrora.

PARIS DOS TERRO... Amo Paris

GRAINETERIE DU MARCHÉ 8 place d'Aligre Paris XIIe

MARCHÉ GROS LA FONTAINE

Um pequeno mercado de bairro, nada mais. Mas, para um bairro elegante, um mercado seleto. Belos estandes nos quais a École de Cuisine Alain Ducasse se abastece. Encontramos aí Joël Thiébault, seus feixes de rabanetes policrômicos e suas ervas não tão daninhas assim.

MARCHÉ GROS–LA FONTAINE Rue Gros, rue Jean de La Fontaine Paris XVIe

PARIS DOS TERROIRS
Amo Paris

351

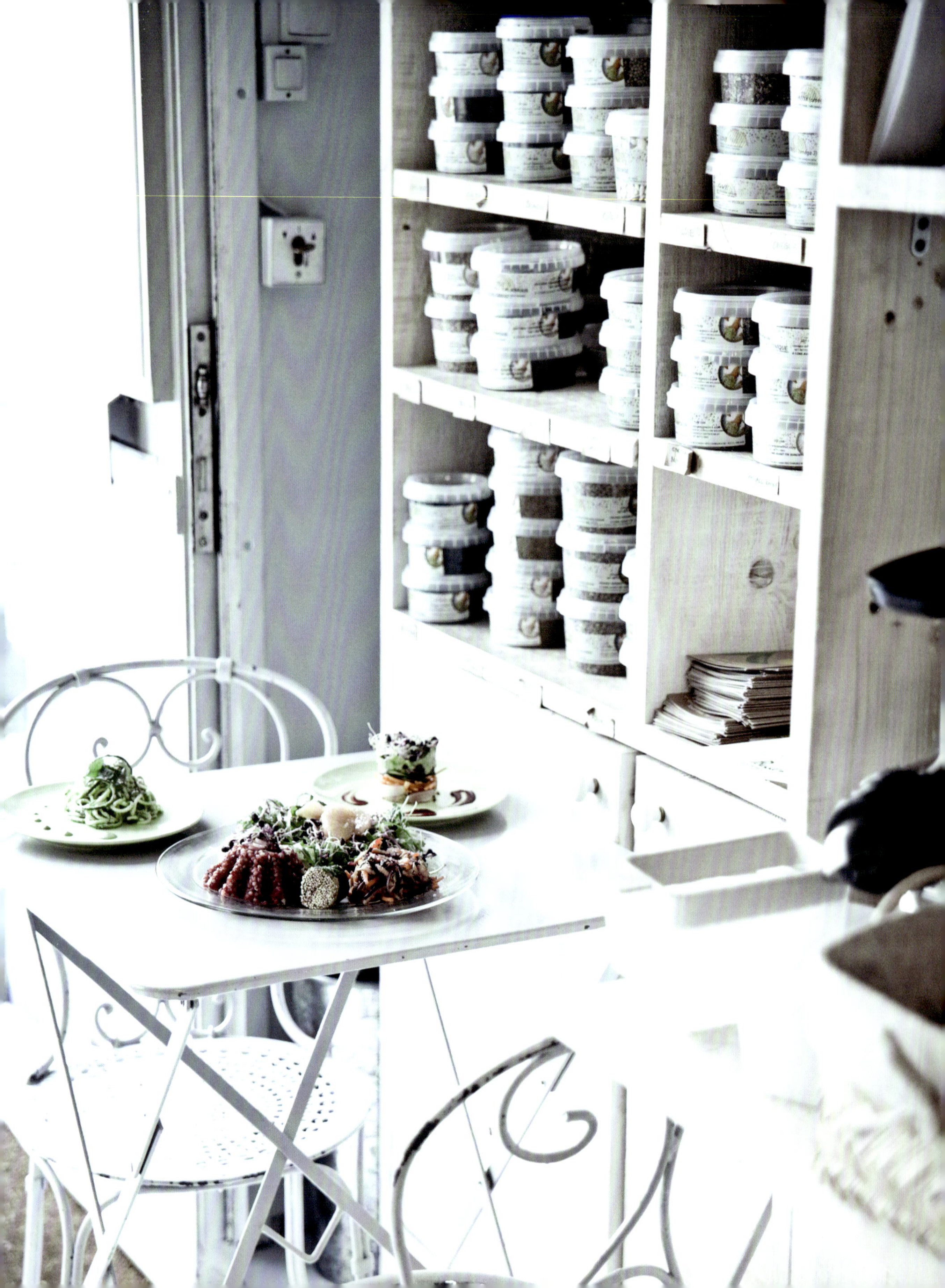

PARIS DOS TERROIRS — Amo Paris

POUSSE POUSSE 7 rue Notre-Dame de Lorette Paris IXe

POUSSE POUSSE

A especialista da cozinha atual é Lawrence Aboucaya, que tem uma pequena épicerie-restaurante. Grãos germinados, mudas pequenas e sucos de ervas preparados em uma centrífuga para não "explodir as moléculas". Também quiches, saladas, suco de legumes ou de frutas frescas, em uma decoração vistosa, intimista e calorosa.

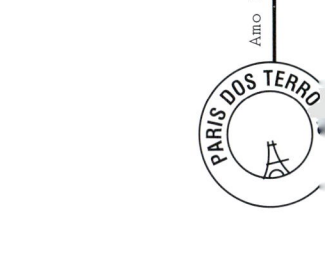

PARIS DOS TERRO

Amo Paris

POUSSE POUSSE 7 rue Notre-Dame de Lorette Paris IXe

Le QUINCY

PARIS DOS TERROIRS — Amo Paris

LE QUINCY 28 avenue Ledru-Rollin Paris XIIe

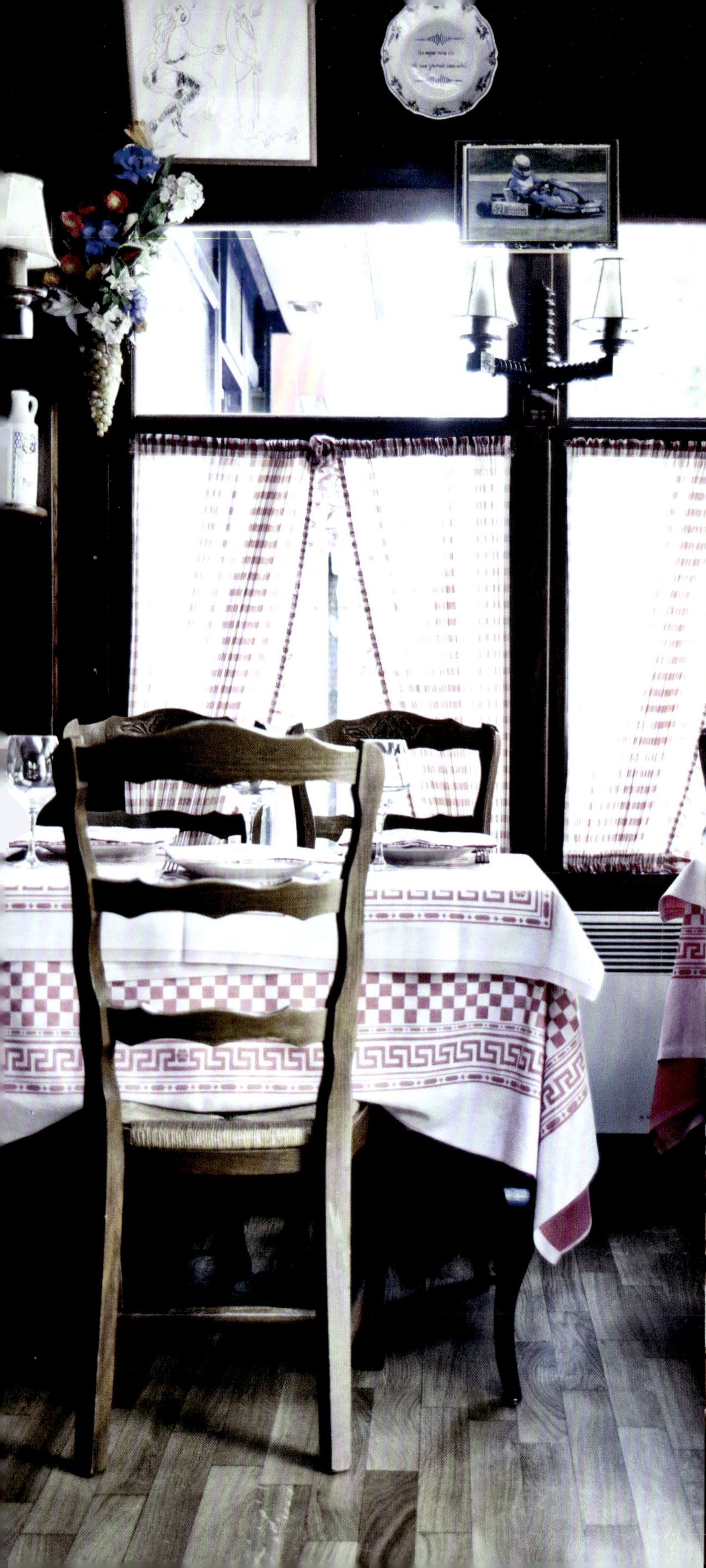
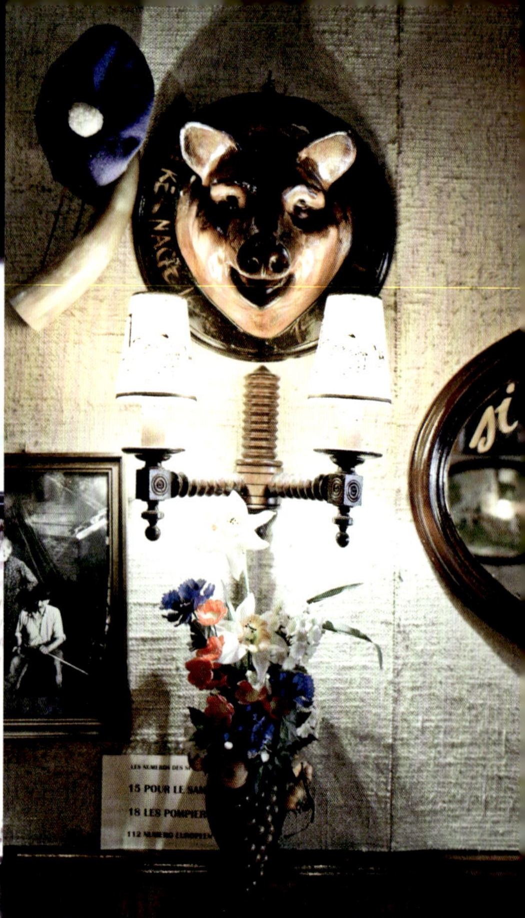
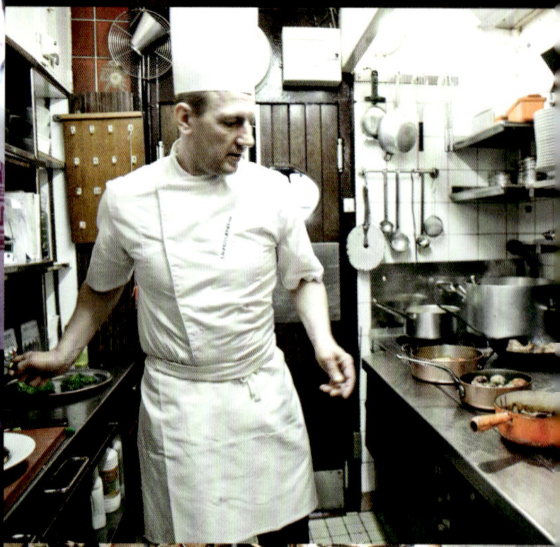
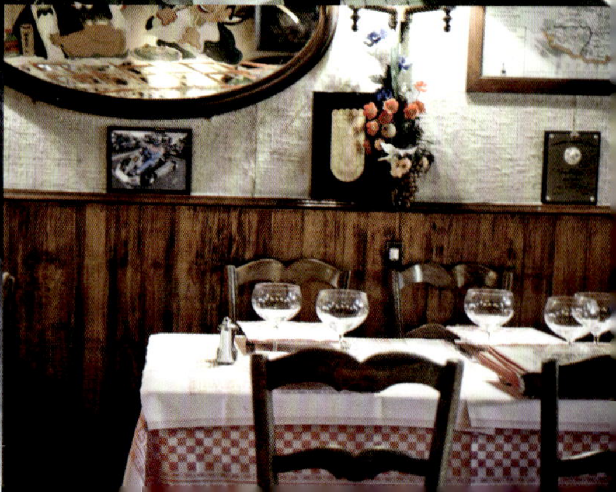

QUINCY

PARIS DOS TERROIRS
Amo Paris

LE QUINCY, 28 avenue Ledru-Rollin Paris XIIe

Chuva, neve ou vento: no menu, o *noeud papillon* e, logo acima dele, Bobosse, o truculento patrão. Ele mantém um hotel de campo em pleno coração de Paris. Pratos dignos de Gargântua, produtos frescos, receitas tricolores. É tempo de lagostins, dos verdadeiros "patas vermelhas". Como diria o hoteleiro, "não se deve tirá-las!".

359

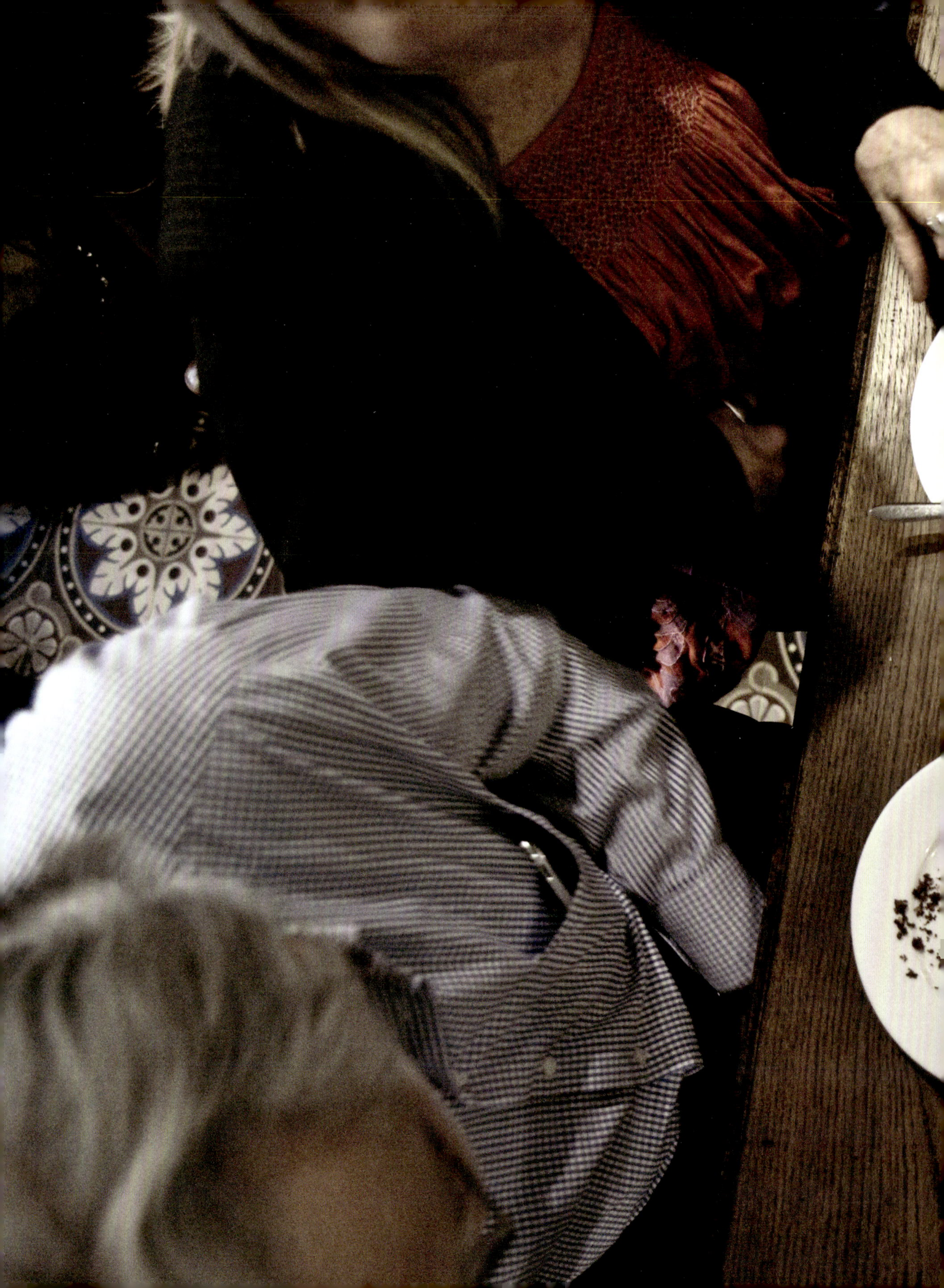

RACINES 8 passage des Panoramas Paris IIe

PARIS, HOME TO THE REGIONS · Amo Paris

RA CI NES

Um malicioso porão estilizado à moda de Jean Prouvé, onde se come e também se podem comprar vinhos - situado onde? Na mais antiga passagem coberta dos Grands Boulevards: na passagem dos Panoramas, onde as primeiras imagens foram animadas - era o prenúncio do cinema. Nicolas Gauduin, que já foi *chef* do L'Arpège, do restaurante Laurent e do Le Divellec, cozinha os produtos com talento e simplicidade, sob a vigilância de David Lanher, um comerciante exigente. Galinhas e patos gordos totalmente desossados, cozidos inteiros, com pele, acompanhados de maravilhosos pequenos legumes da estação, crocantes, vindos da horta de Alain Passard. Boa seleção de vinhos orgânicos, mas não exclusivamente.

PARIS DOS TERROIRS Amo Paris

RACINES 8 passage des Panoramas Paris IIe

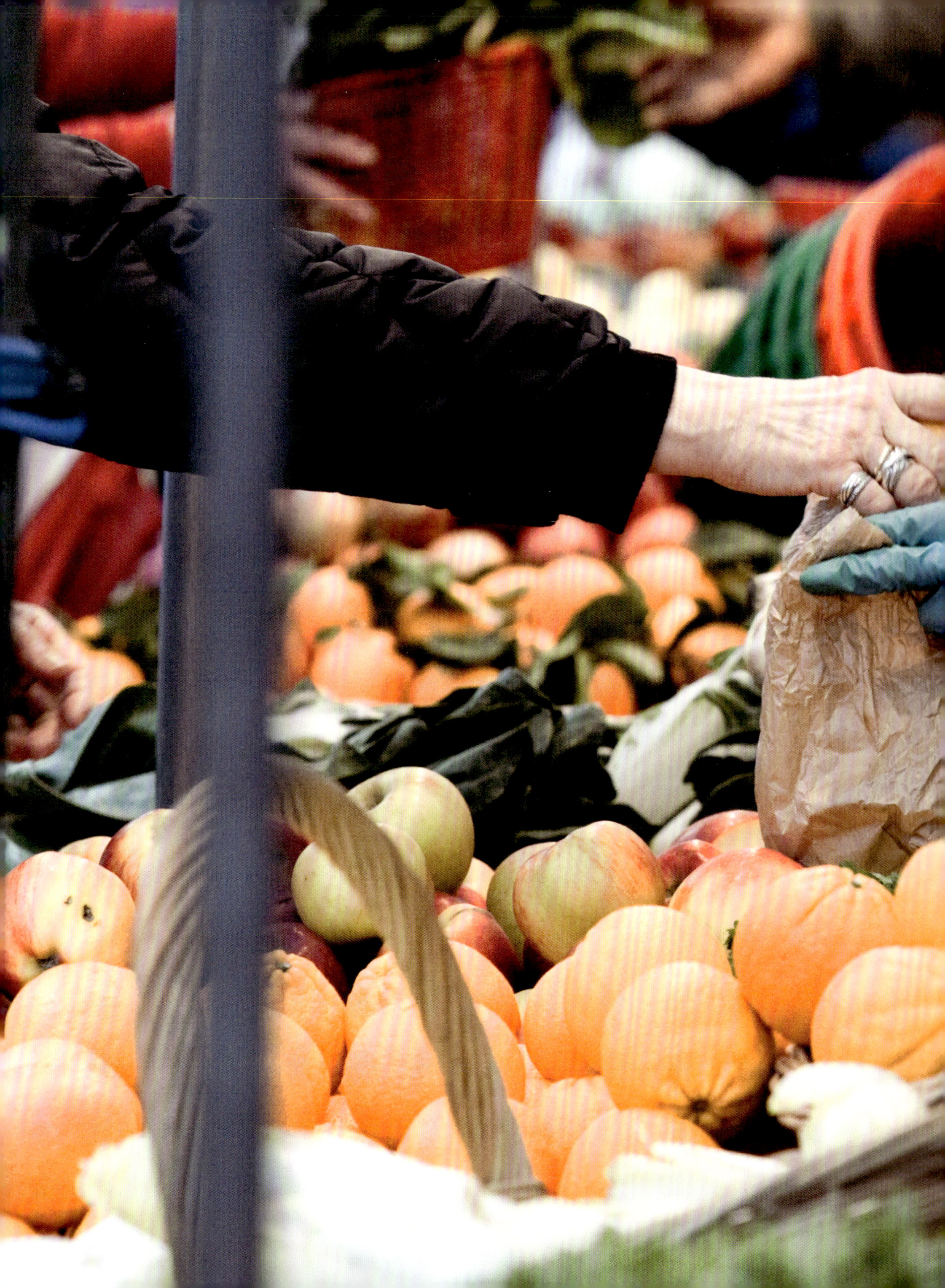

MARCHÉ RASPAIL. Boulevard Raspail Paris VI ᵉ

PARIS DOS TERROIRS — Amo Paris

365

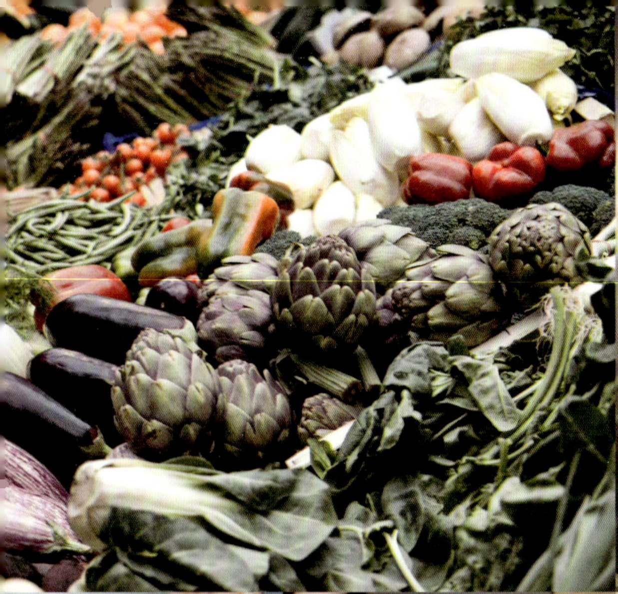
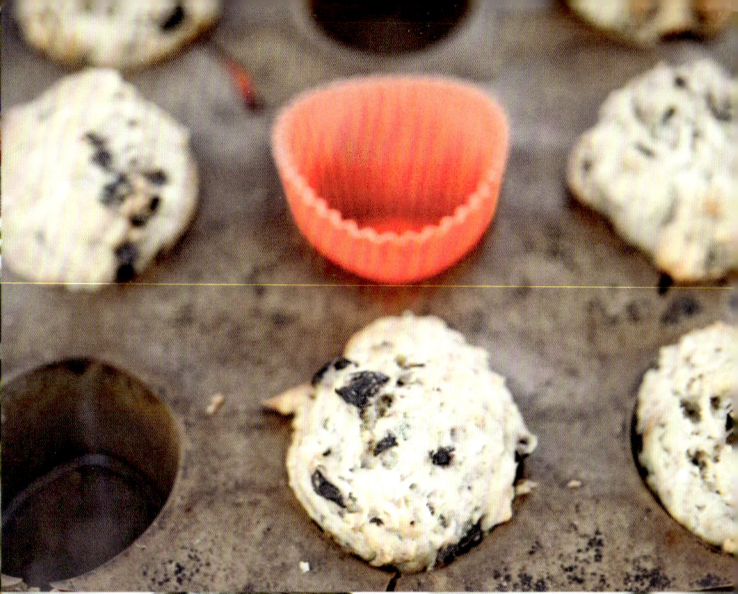
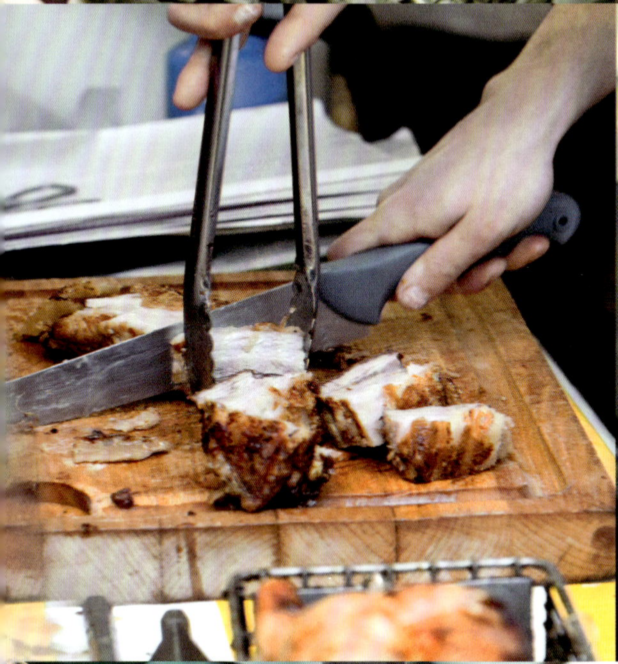
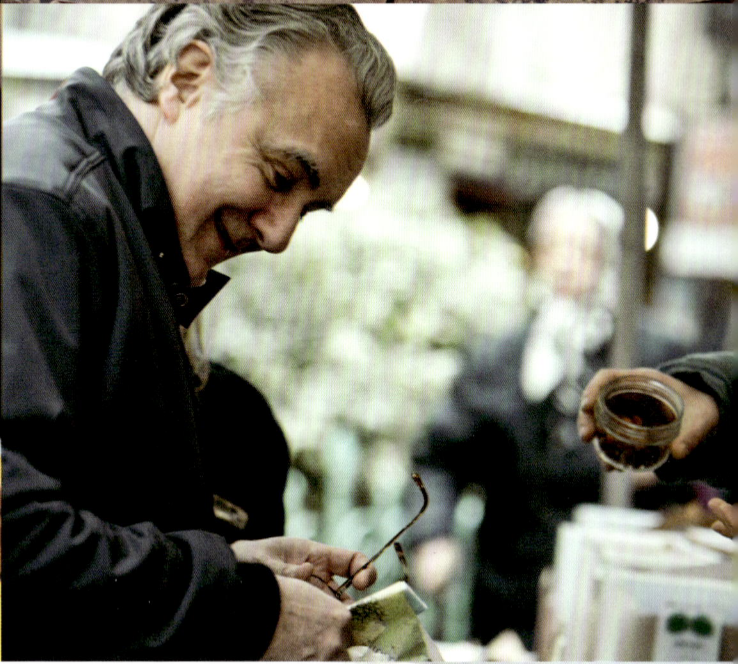
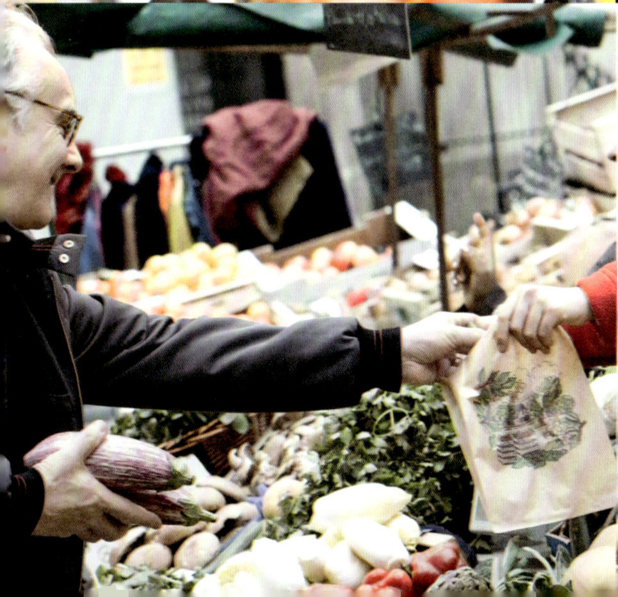
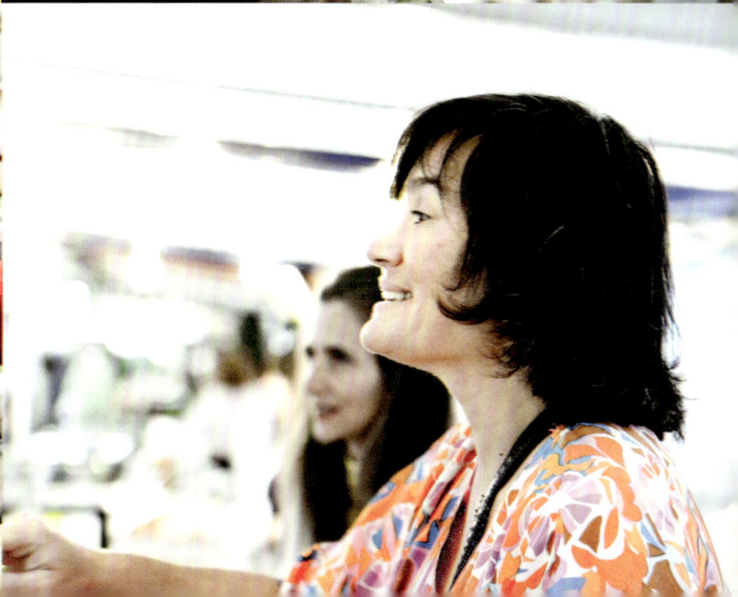

MARCHÉ RASPAIL

Um mercado: três refeições completas. Ao longo do boulevard Raspail pode-se compor o menu de um dia inteiro. Para o café da manhã, os *muffins* ingleses feitos à mão, com um sorriso, e ovos *pochés*. Ao meio-dia, é muito tentador mandar para a panela toda essa infinidade de belos legumes orgânicos. E, para o jantar, leitão assado, ótimos queijos tipo fazenda, salada de cítricos. Se pudéssemos, cozinharíamos assim durante todo o ano.

MARCHÉ RASPAIL Boulevard Raspail Paris VIe

PARIS DOS TERROIRS — Amo Paris

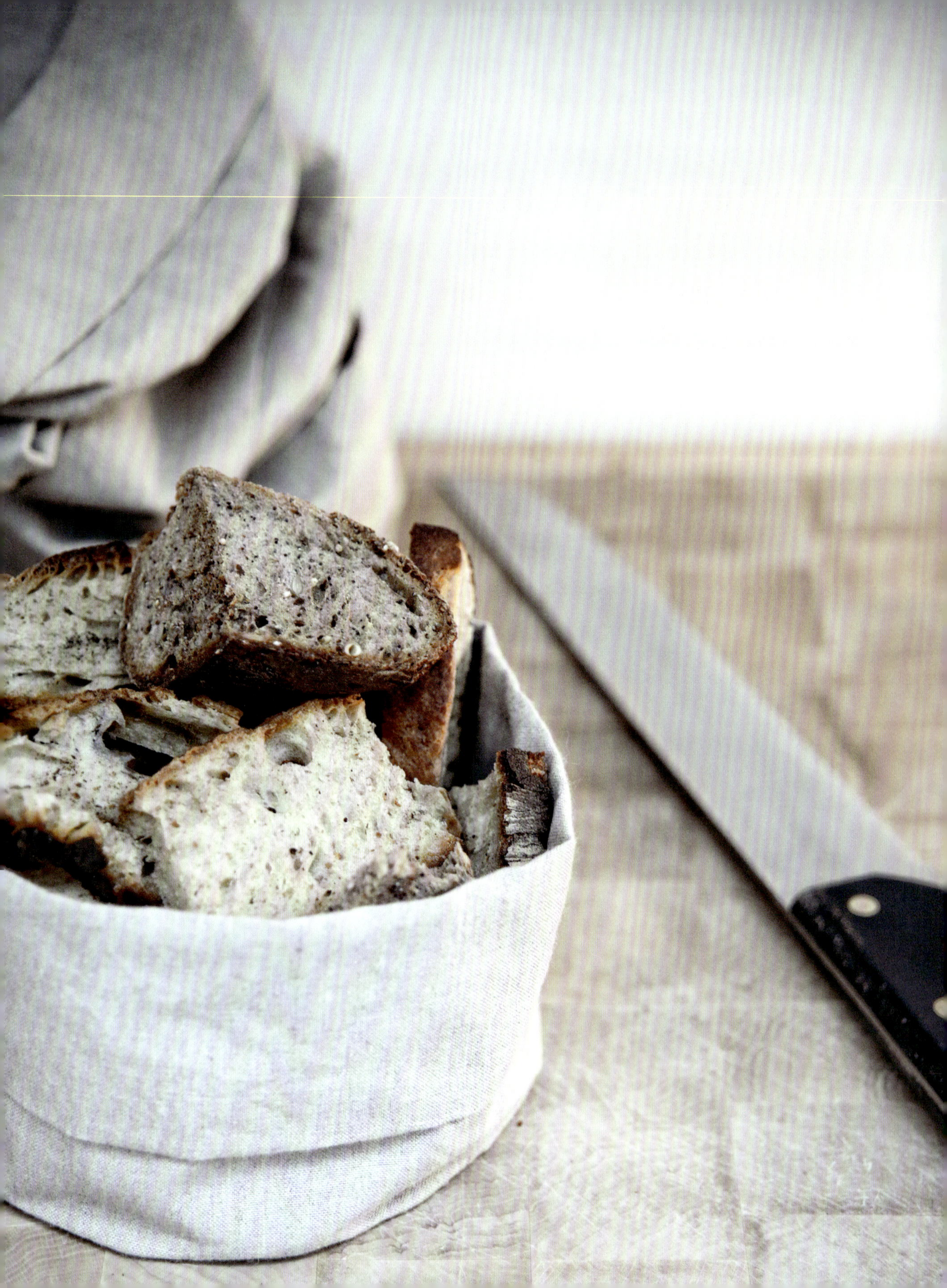

SATURNE 17 rue Notre-Dame des Victoires Paris IIe

PARIS DOS TERROIRS — Amo Paris

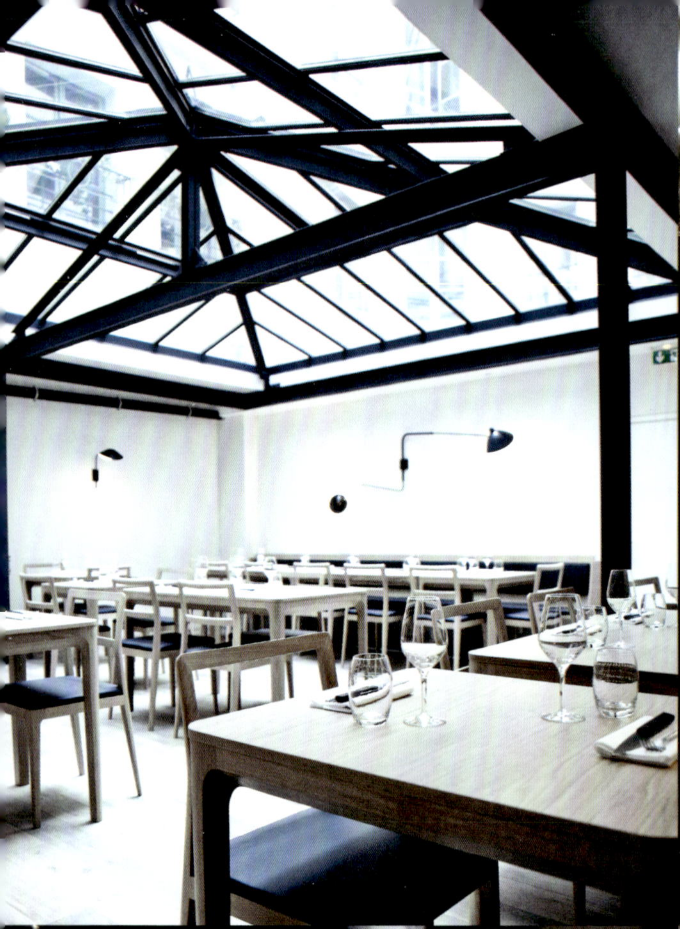
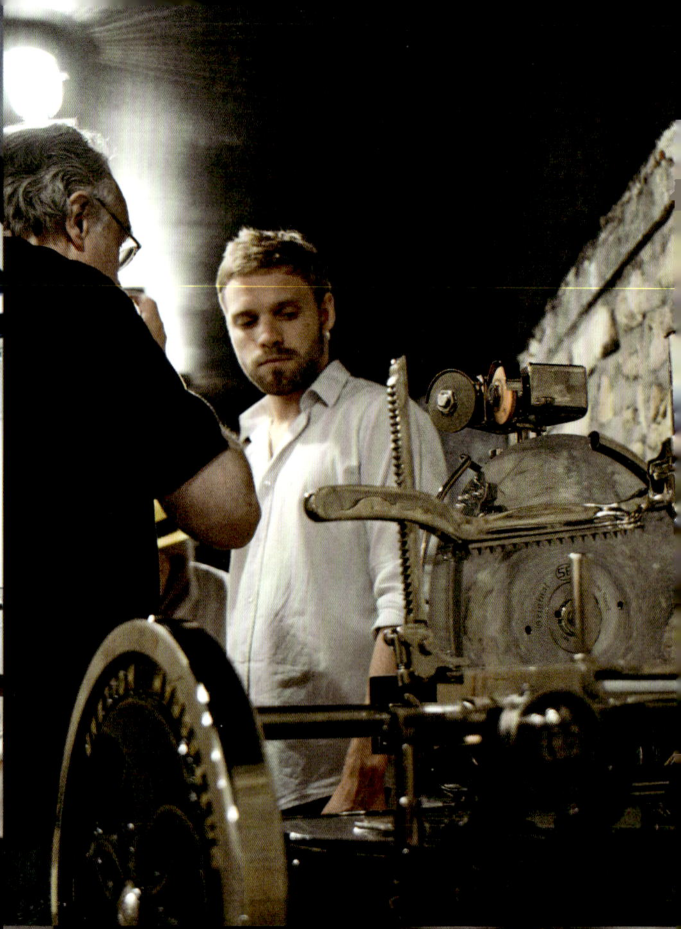
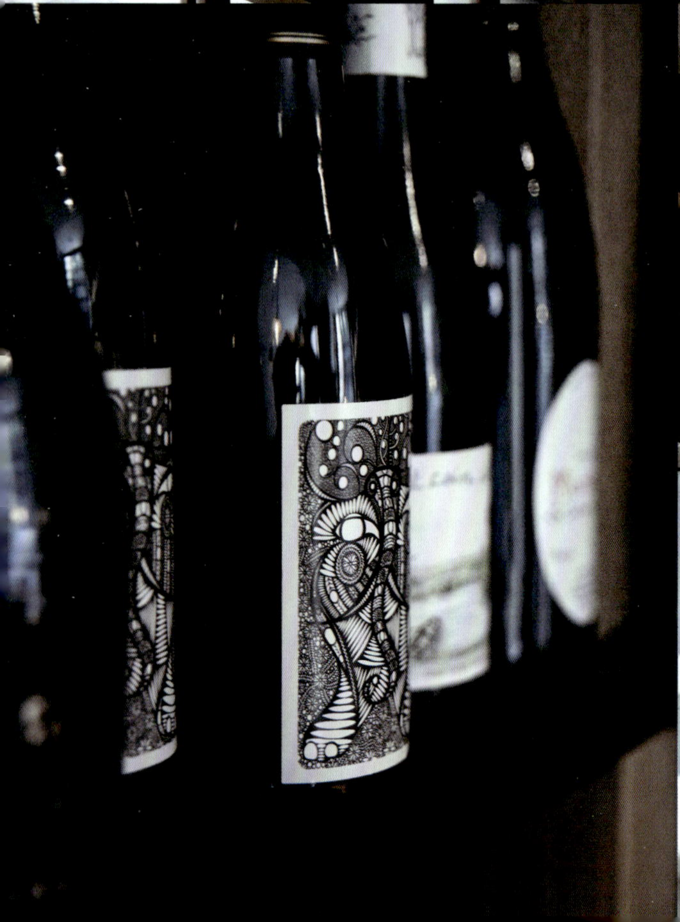
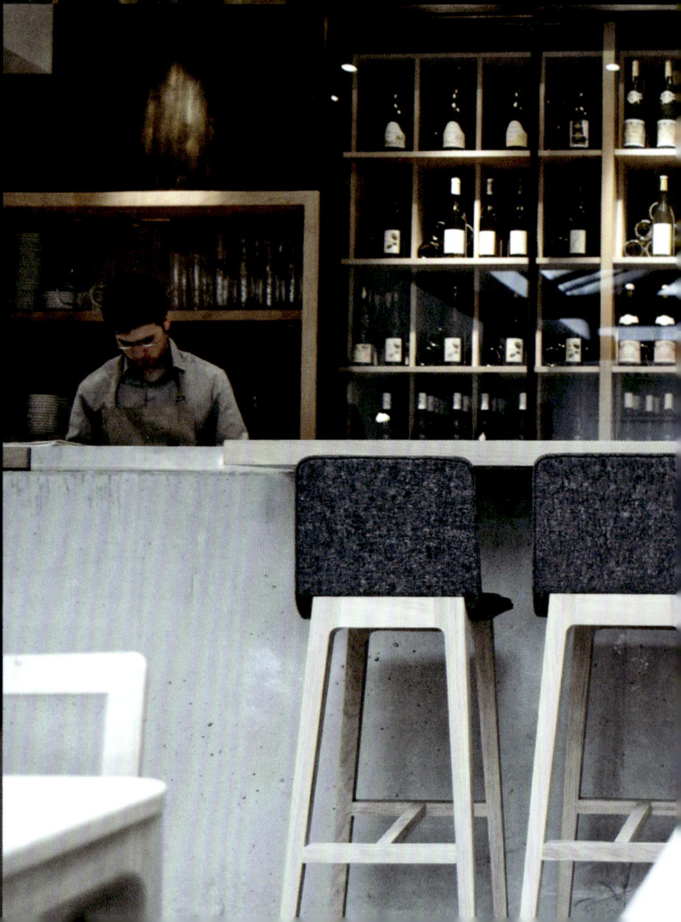

SAT UR NE

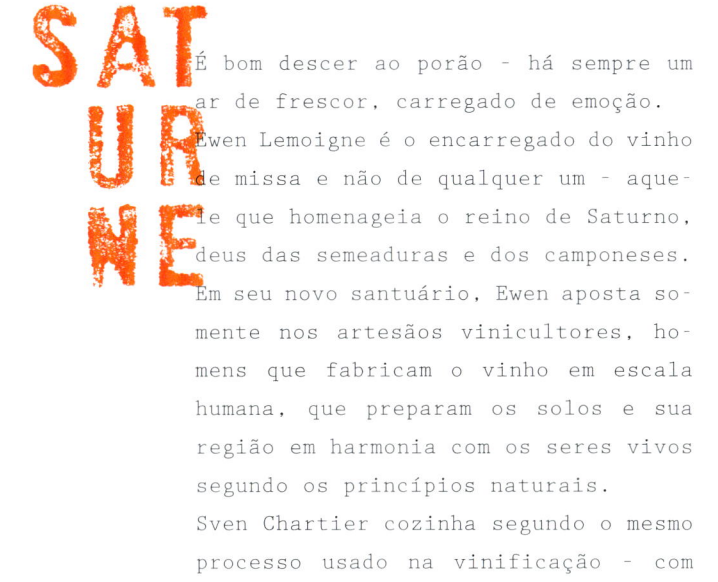

É bom descer ao porão - há sempre um ar de frescor, carregado de emoção. Ewen Lemoigne é o encarregado do vinho de missa e não de qualquer um - aquele que homenageia o reino de Saturno, deus das semeaduras e dos camponeses. Em seu novo santuário, Ewen aposta somente nos artesãos vinicultores, homens que fabricam o vinho em escala humana, que preparam os solos e sua região em harmonia com os seres vivos segundo os princípios naturais.

Sven Chartier cozinha segundo o mesmo processo usado na vinificação - com boas matérias-primas tratadas unicamente por atacado e servidas apenas com temperos, nada mais!

SATURNE 17 rue Notre-Dame des Victoires Paris IIe

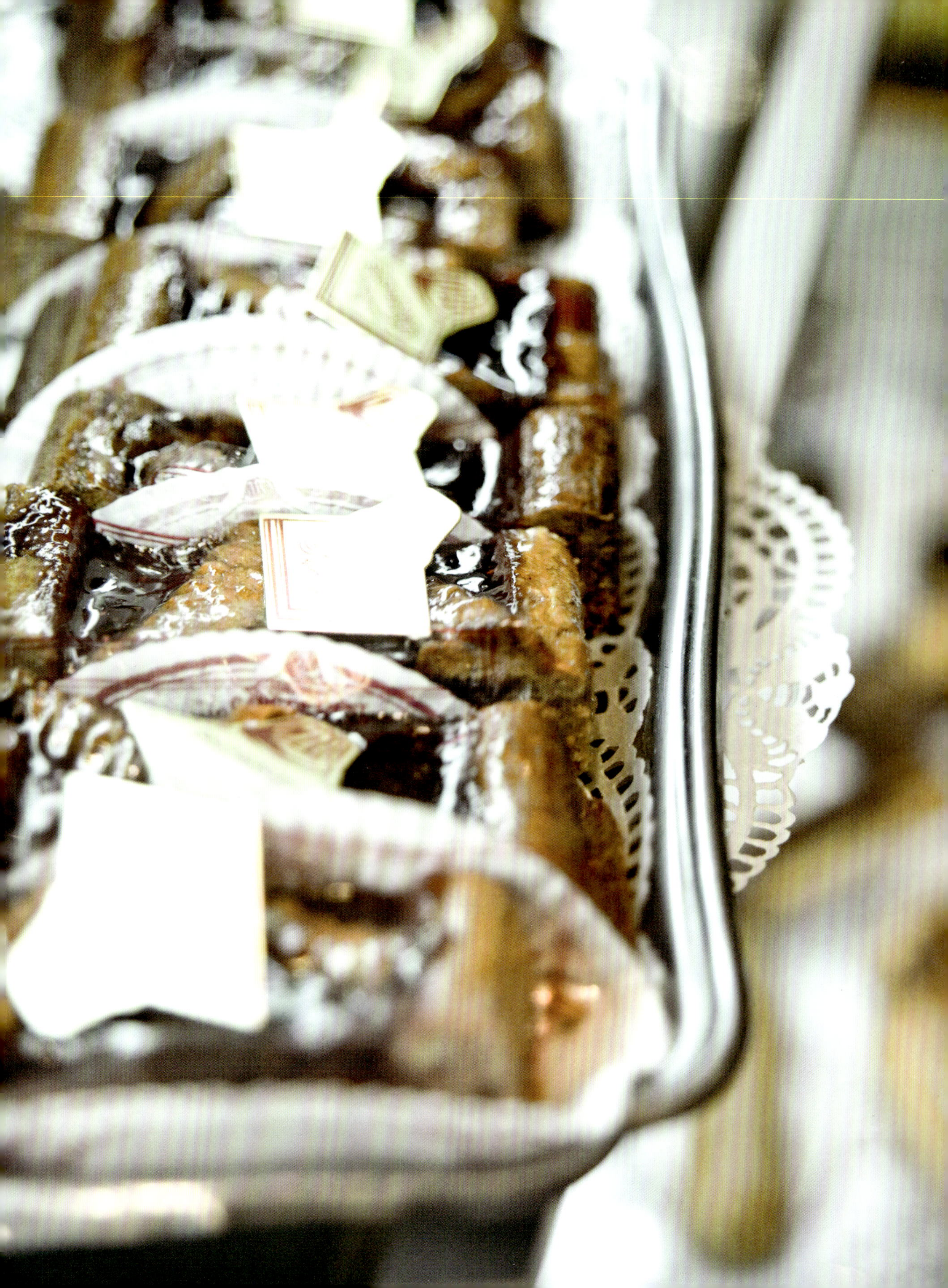

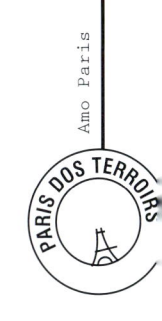

SCHMID

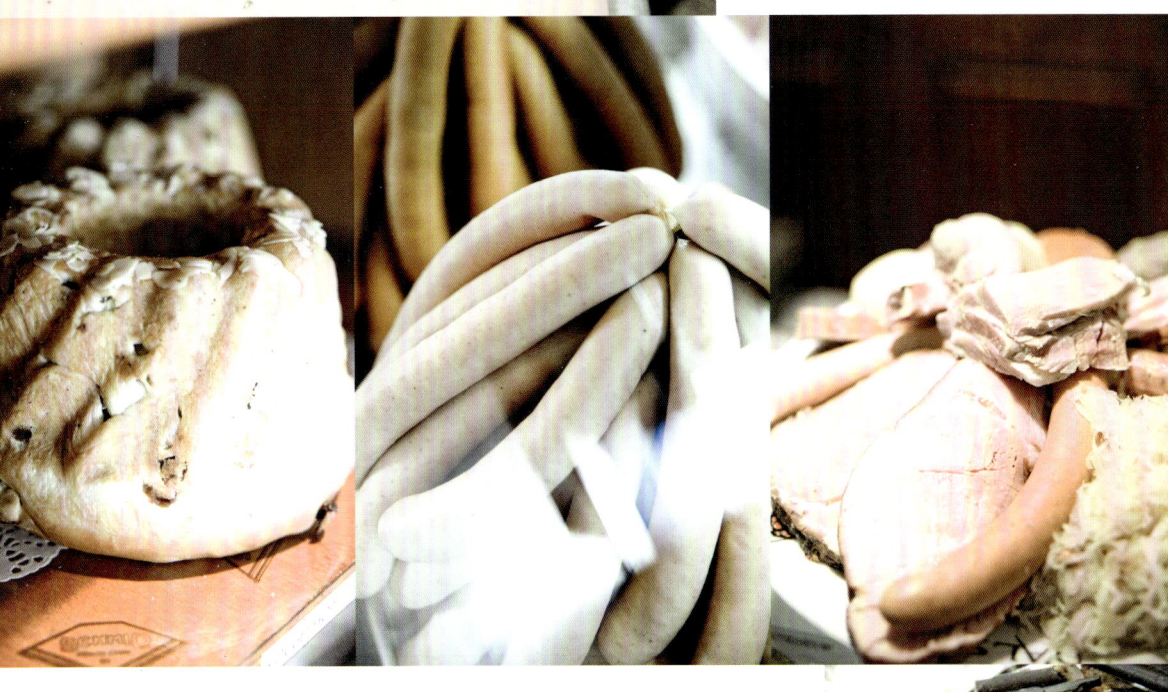

Paris dos Terroirs — Amo Paris

SCHMID TRAITEUR 76 boulevard de Strasbourg Paris X^e

Quando eles dizem toda a Alsácia, é mesmo toda a Alsácia. Da raiz-forte à floresta negra, atravessando um oceano de frios, de nabos na salmoura - que devem ser cozidos como um novo chucrute -, de salsichas de fígado, simples ou com trufas. Mastiga-se um *bretzel* esperando a vez. É Natal sob uma neve feita de açúcar glacê - isso dura há um século.

373

BANANA BREAD
2€ pièce avec Noix
8€ demi
15€ entier

OND
MAGE
ET
HARCUTERIE

PARIS DOS TERROIRS — Amo Paris

SPRING 6 rue Bailleul Paris Ier

SPRING

Daniel Rose, natural de Chicago, é um *chef* atípico, um autodidata convertido à gastronomia. Depois de sua formação com *monsieur* Paul - o Bocuse -, ele termina o curso para prolongar seu sonho em um novo espaço, mais pessoal e confortável: metade luz, metade sombra. No nível do pátio, uma cozinha profissional aberta para uma vintena de lugares. No subsolo, uma sala com arcadas, puro século XVIII, com um bar para *snacks*. E uma adega com garrafas de ar antigo e uma seleção marcante de vinhos mais do que naturais. Uma parada obrigatória bem ao lado, na Spring Boutique. Para se levar vinhos artesanais, 100% orgânicos. Uma épicerie e alguns produtos salgados: salsichões fabricados por Laborie, San Daniele etiquetado Levi Gregoris, queijos da estação...

PARIS DOS TERROIRS Amo Paris

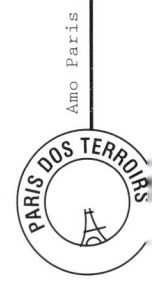

SPRING 6 rue Bailleul Paris Ier

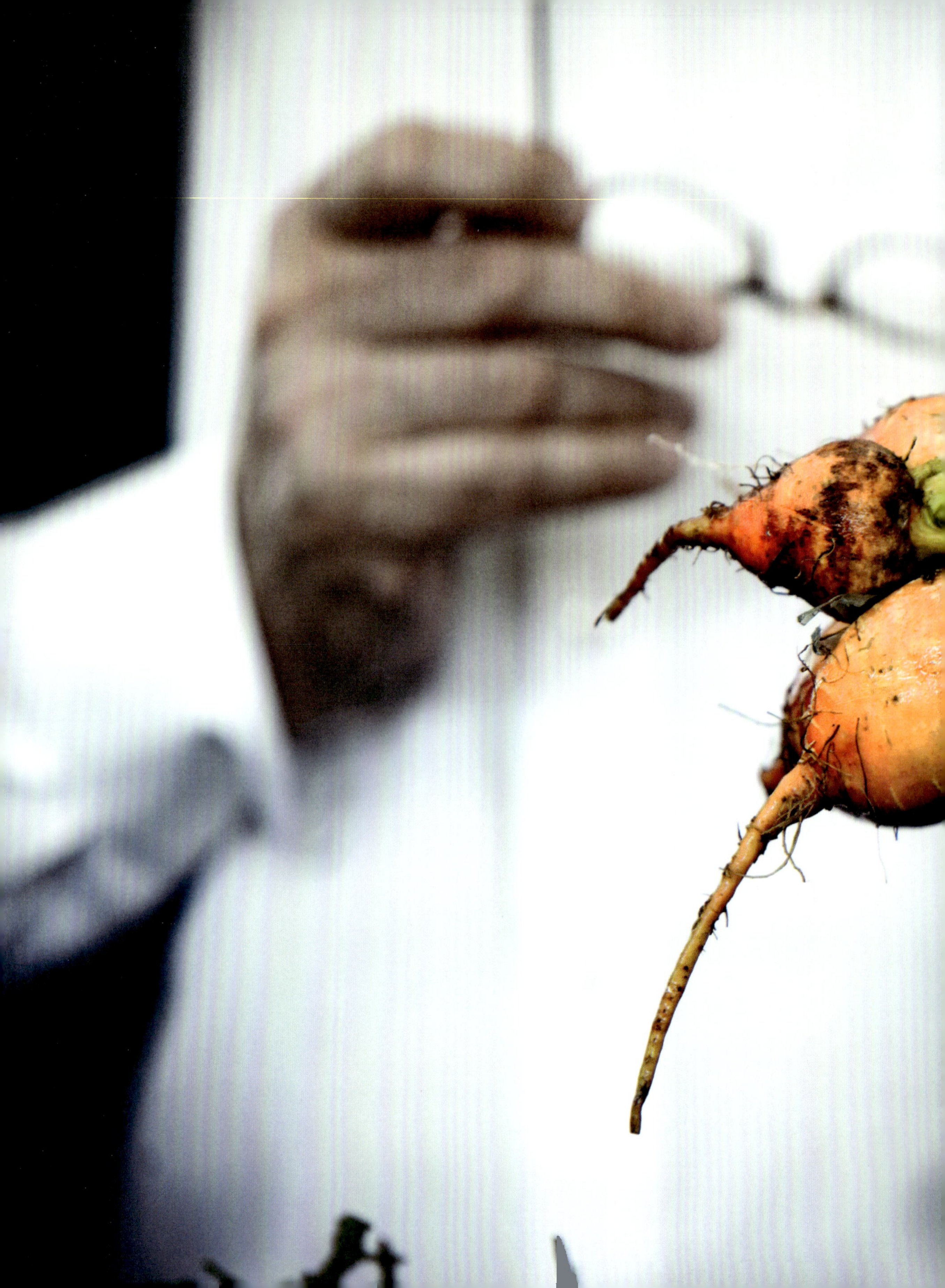

PARIS DOS TERROIRS — Amo Paris

JOËL THIÉBAULT MARAÎCHER Marché de l'Alma, Avenue du Président Wilson Paris XVIe

THIÉBAULT

Imbatível no campo das raízes, o homem exibe uma grande variedade de vegetais. Cenouras selecionadas, raízes verdes, amarelas ou violetas, acelgas policrômicas que dão um ar de festa à torta toscana. Espantosa seleção aromática, uma bela combinação de sálvia-estragão que causa muita adstringência e perdura no cozimento. Joël Thiébault foi um dos primeiros a propor a batata *vitelotte*. Ele fornece legumes pouco comuns a *chefs* estrelados e bem inspirados.

PARIS DOS TERROIRS
Amo Paris

JOËL THIÉBAULT MARAÎCHER Marché de l'Alma, Avenue du Président Wilson Paris XVIe

381

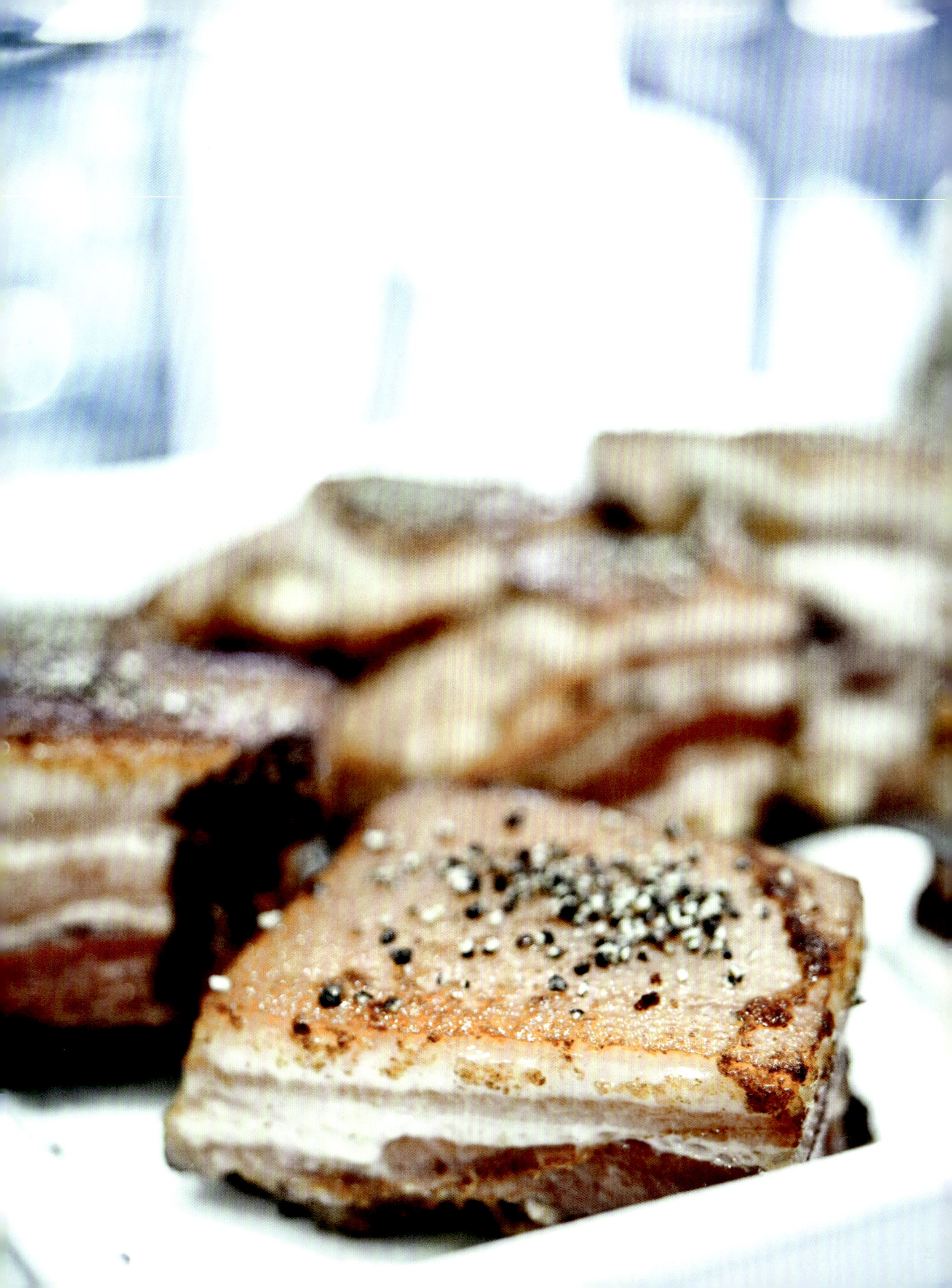

PARIS DOS TERROIRS — Amo Paris

GILLES VÉROT – CHARCUTIER 3 rue Notre-Dame des Champs Paris VIe

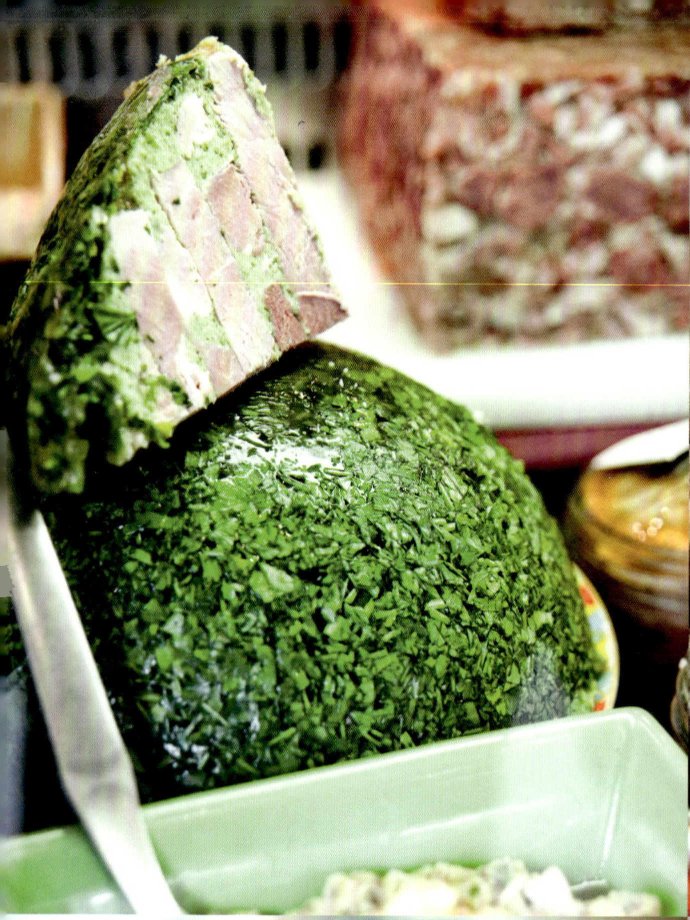
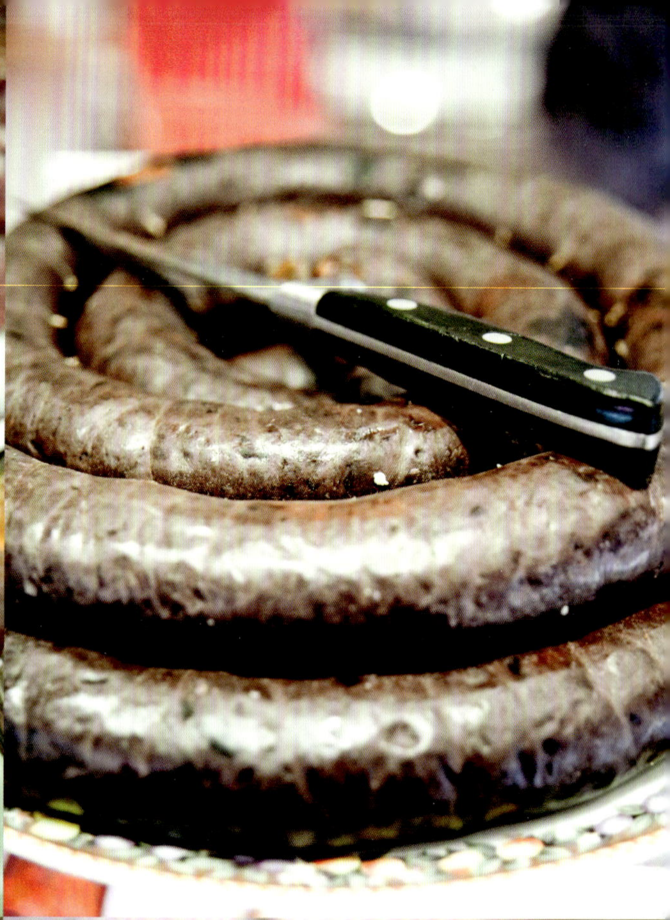
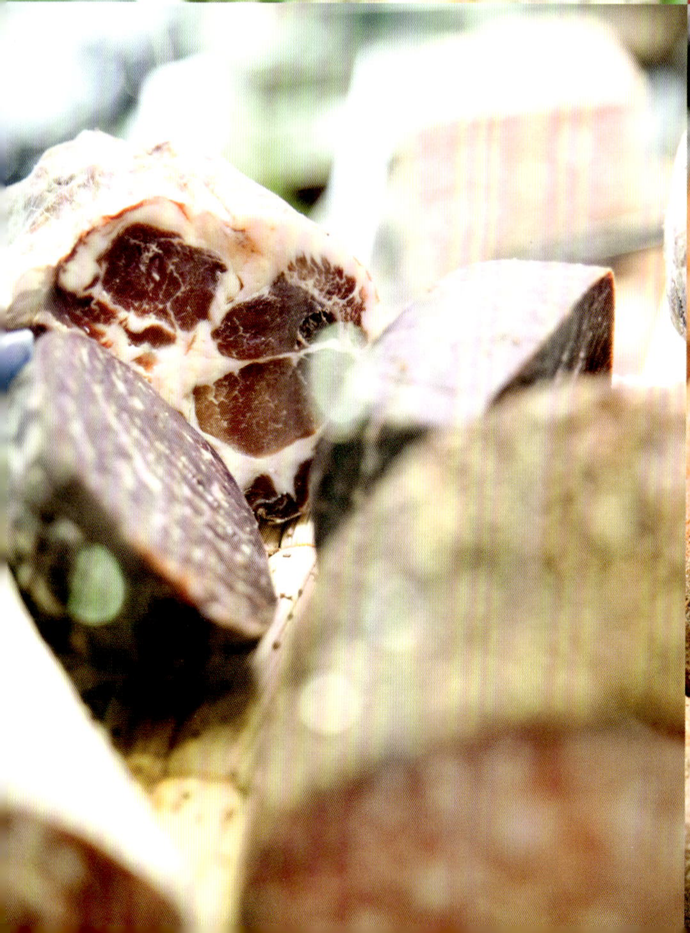
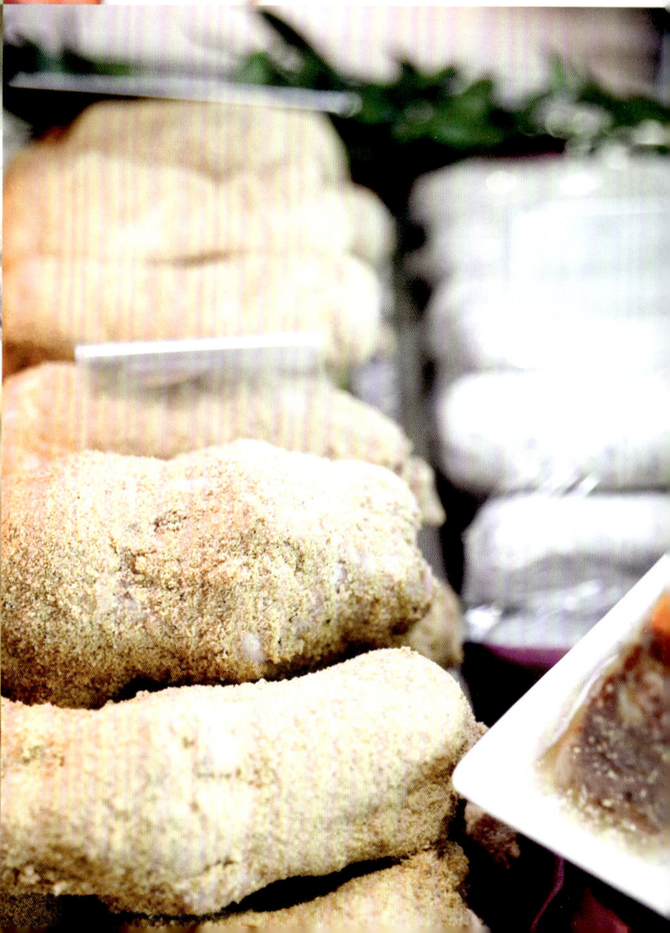

VÉROT

PARIS DOS TERROIRS — Amo Paris

GILLES VÉROT – CHARCUTIER 3 rue Notre-Dame des Champs Paris VIe

Campeão da França por sua fromage de tête, premiado pelo melhor foie gras, e assim por diante: Gilles Vérot honra seus suínos. Seu folheado de presunto e seu patê em crosta de pistaches "para os puristas" são muito apreciados. Bela qualidade de seus presuntos com salsa e de suas salsichas. Um açougueiro muito bom, do jeito que a gente gosta e que agora está conquistando os nova-iorquinos, ao lado de Daniel Boulud.

385

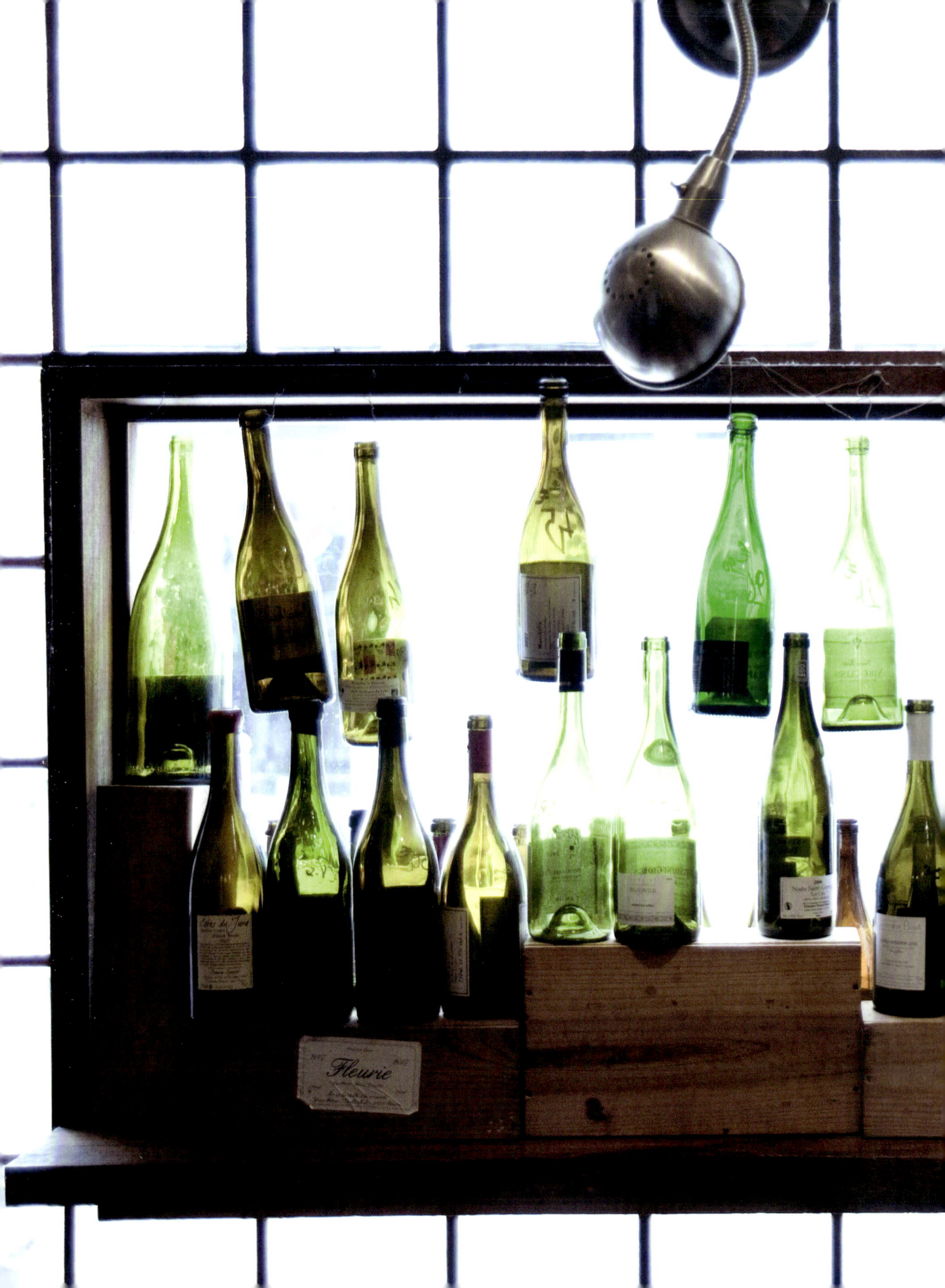
Fleurie

LES AUTRES

Les Entrées et amuse bouches

- Le P'tit Creux (Fromages ou Charcuteries)
- La Terrine de Campagne
- La Terrine de Volaille aux Abricots Secs
- La Galantine de Lapin au Foie Gras
- Le Pâté en Croûte Traditionnel de Volaille aux Pistaches
- Cuisses de Cailles Fumées, Choucroute Crue au Curry
- Salade de Museau et Oreilles de Goret aux Cèpes Secs
- Fines Tranches de Bresaola, Salade d'Endives "Pleine Terre"
- Anguille Fumée Laquée, Mini-Poireaux Nouveaux
- Rémoulade de Chair de Tourteaux au Céleri Rave
- Poêlée de Gambas Crystal Bay au Houmous
- Salade de Pissenlit des Familles, Oeuf Pollet, Guanciale di Co...
- Carpaccio de Loup de Mer, Râpé de Choux-Fleurs, Huile d'Olive
- Harengs Fumés de Hollande "Au Soleil"

Les Plats du Verre Volé

- L'Assiette de Fromages, de Charcuteries, La Mixte
- La Saucisse de Toulouse Coupée au Couteau
- L'Andouillette Tirée à la Ficelle
- Le Boudin Noir, Confiture d'Oignons
- Le Véritable Jambon Blanc de Paris

PARIS DOS TERROIRS
Amo Paris

LE VERRE VOLÉ — 67 rue Lancry Paris X^e

387

VER RE VOLÉ

Alain Ducasse: Agora vocês têm uma verdadeira cozinha!

Cyril Bordarier: É verdade; e, ao piano, Delphine. Alternando com Ryo e Kelly durante a semana.

AD: Então, o que se come?

CB: Uma costela de boi da casa Desnoyer, ou uma perca-do-mar que chega diretamente de uma criação da Mancha. Couve-flor é com Annie Bertin. As alcaparras vêm da Tête dans les Olives e as sobremesas, de Desmoulins, do boulevard Voltaire. Quer experimentar?

AD: Certamente.

CB: Aproveite, estão no menu de hoje. Amanhã, mudamos.

LE VERRE VOLÉ 67 rue Lancry Paris X^e

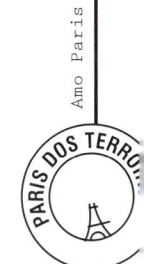

PARIS DOS TERROIRS — Amo Paris

PARIS DOS TERROIRS

EU TAMBÉM GOSTO...

MARCHÉ D'ALIGRE

Rue d'Aligre / Paris XIIe

Um dos mais antigos mercados de Paris - seu enorme salão data de 1779 -, também um dos mais populares. Aberto todos os dias, menos às segundas-feiras, ele acolhe Michel Brunon, o açougueiro das carnes marinadas e condimentadas, logo ao lado. Nos cais, uma épicerie do mundo, uma caverna de finos tesouros. Do outro lado da praça, um outro planeta. O mais antigo cerealista de Paris, com sua bela escolha de legumes secos e de chás, sua baixela de campo e seu gato, que tiramos devagar do caminho para alcançar a verbena.

FROMAGERIE ALLEOSSE

13 rue Poncelet / Paris XVIIe

No subsolo, o porão. Ou melhor, os porões, que são quatro: queijos com casca, queijos com casca sem bolor, queijos de leite de cabra e queijos de Savoia. Único em Paris, assim como o *savoir-faire* desse mestre artesão. Um fluxo de especialidades vindas de todos os lugares, com preferência pelos queijos de cabra. E, no final da semana, uma *burrata* extrafresca.

AUBERGE PYRÉNÉES-CÉVENNES

106 rue de la Folie-Méricourt / Paris XIᵉ

Repastos pantagruélicos sob um fundo de frios. Sobre a toalha de quadrados marrons, o cassoulet tem o número XXL, o pé de porco é empanado e o fígado de vitelo, lendário. Deve-se terminar com um *baba* ou um *profiterole*, se houver ousadia para tanto. Entre Lyon e Sudoeste, logo se está entre amigos, o acolhimento é caloroso, pleno de humor e ironia.

BAR À PATATES

Marché de l'Alma, Avenue du Président Wilson / Paris XVIᵉ

Alain Ducasse: O que nos aconselha para um bom prato de fritas à parisiense?
Carine Bars: Eu recomendo uma batata siciliana: la Spunta. Para batatas *sautées*, é melhor usar a da Ilha de Ré, muito fina, muito saborosa. Senão, hoje de manhã temos também a Rubis, delicada e mais doce. Normalmente, não é descascada.

MARCHÉ BASTILLE

Boulevard Richard Lenoir / Paris XIe

É um dos maiores mercados de Paris e reúne uma boa centena de comerciantes. O constrangimento da escolha, a preços razoáveis. Frequentemente há produtos de boa qualidade, como na peixaria de Jacky Lorenzo, uma figura típica do local. Os turistas vêm admirar os produtos regionais e, quanto a nós, apreciamos o ambiente animado deste verdadeiro mercado de bairro.

FROMAGERIE MARIE-ANNE CANTIN

12 rue du Champs de Mars / Paris VIIe

Filha de Christian Cantin, fundador da Associação dos Queijeiros, Marie-Anne dirige o navio com sua filha e o marido, Antoine, que obteve o certificado de Melhor Artesão da França. Ela dá tratos à bola para evitar uma padronização de gostos. Os queijos são escolhidos cuidadosamente, produzidos em quantidades limitadas e em pequenos lotes. Maria-Anne cura os queijos em seu próprio porão, durante muitos meses, para o *beaufort* ou para o *comté*. Se essa for a paixão de vocês, procurem marcar uma sessão de degustação sob medida da especialidade que escolherem.

CHEZ GEORGES

1 rue du Mail / Paris IIe

Nenhuma dúvida: uma vez transposta a soleira, tornamo-nos um banqueiro balzaquiano. Ou então redator-chefe do *Le Figaro*. Ou presidente da República. As duas fileiras de guardanapos brancos formam uma guarda de honra, por pouco não saudamos a multidão ao nos sentar. Aqui, cultiva-se a arte da cozinha burguesa sem nunca falhar. Terrina de fígados de galinha, salada de lentilhas, timo de vitelo com cogumelos perfeitos, uma agradável costela de vitelo e as sobremesas da vovó. Quanto à adega, ela esconde alguns bourdeaux à escolha...

CRÊPES & GALETTES

37 rue Linné / Paris V^e

Mesmo debaixo de chuva, há uma fila. Na frente, um par de estudantes - querem sabor caramelo com manteiga salgada e biscoitos doces belgas. Atrás, um vovô vem gastar seus trocados para que os netinhos degustem o seu crepe com compota e canela. De passagem, ele devora um biscoito de queijo ementhal com nozes. A mãe que alimenta o bairro chama-se Christiane Hérouard. Há 25 anos ela mima os clientes da praça Jussieu com produtos frescos e suas receitas gourmandes. Ela própria aumentou um pouco a consistência da massa caseira para satisfazer a seus estudantes.

MARCHÉ DES ENFANTS ROUGES

39 rue de Bretagne / Paris IIIe

O orfanato da rainha Margot e seus uniformes vermelhos cederam lugar a um mercado de bairro. Na inauguração, em 1777, havia um poço e um estábulo. Hoje, é em uma vasta sala envidraçada que se aninha o pequenino mercado. Uma verdadeira praça de aldeia. Com o mesmo charme, agradável durante a semana, petulante no domingo. Come-se nas mesas dos estandes dos feirantes ou em uma bela área ao redor.

ITINÉRAIRES

5 rue de Pontoise / Paris V^e

O nome foi bem escolhido: como um bistrô que tivesse feito a volta ao mundo. Na panelada de alcachofras com cogumelos, há flores de soja e avelãs tostadas. Saboreiam-se criações surpreendentes do *chef* Sylvain Sendra, como aspargos verdes com vinagrete de foie gras e atum seco. O lugar transborda de clientes, pode-se bem notar o porquê!

MARCHÉ PASSY
Rues Duban et Bois-le-Vent / Paris XVIe

O edifício alto, de estilo retrô, abriga por trás de sua fachada branca e de seus tijolos de vidro um bom mercado de bairro. Qualidade clássica, produtos sazonais frescos, açougueiros, peixeiros. A vantagem, para os que moram perto, é que ele fica aberto até a noite. Pode-se passar por ali ao sair do escritório e comprar ingredientes frescos para o jantar.

LE PÈRE CLAUDE
51 avenue de la Motte Piquet / Paris XVe

Eis uma verdadeira rôtisserie. O que escolher? Um frango de fazenda, assado, crocante e carnudo, que gira sob nossos olhos, ou um divino purê da casa? Carnes vermelhas e brancas de nobre extração, escargots da Borgonha e cogumelos na chapa para as *top models* famintas são escolhidos e preparados com precisão de relojoeiro suíço. Amigos canibais, não deixem de experimentar o prato especial da *rôtisserie*: carneiro, boi, salsicha, tripas e chouriço negro. O foie gras é inesquecível.

FROMAGERIE QUATREHOMME
62 rue de Sèvres / Paris VIIe

Marie Quatrehomme, Melhor Artesã da França, 25 anos de profissão, gerencia em família três lojas parisienses. Fornece também para o Hotel Meurice, Pierre Gagnaire e Guy Savoy. Seus conselhos são bons: há vinte anos, a equipe não hesitava em nos fazer descobrir o *roquefort* Carles, menos popular, mais barato e menos salgado que o dos seus célebres concorrentes. A lista dos seus queijos bem curados satisfaz a quase todas as loucuras.

RIBOULDINGUE

10 rue Saint-Julien le Pauvre / Paris V^e

O menu é para comilões. Rins inteiros com um gratinado *dauphinois*, timo de vitela, miolos, rabada de boi ou *sabodet* como em Lyon. Pior ainda: focinho, tetas de vaca... O endereço é acolhedor, a equipe é jovem e totalmente envolvida em uma culinária respeitosa e moderna. Nadège, a patroa, formou-se no La Régalade, na época de Yves Camdeborde. Ela escolhe os vinhos com precisão.

WINE BY ONE

9 rue des Capucines / Paris Ier

Basta. Ninguém se perde mais em um oceano de etiquetas. Insere-se o cartão na máquina e escolhe-se o tamanho do copo - 3, 6 ou 12 cl -, e então é só deixar que o computador conte quais são as variedades de vinho, mostre as fichas de degustação e proponha combinações de comidas e vinhos. Podemos escolher entre mais de cem referências, que podem ser saboreadas em uma decoração de nave espacial, assinada pelos produtores do espaço Nespresso. Na adega, vendem-se garrafas dos mesmos vinhos, que podemos degustar antes de comprar.

PARIS, ENCRUZILHADA DOS MUNDOS

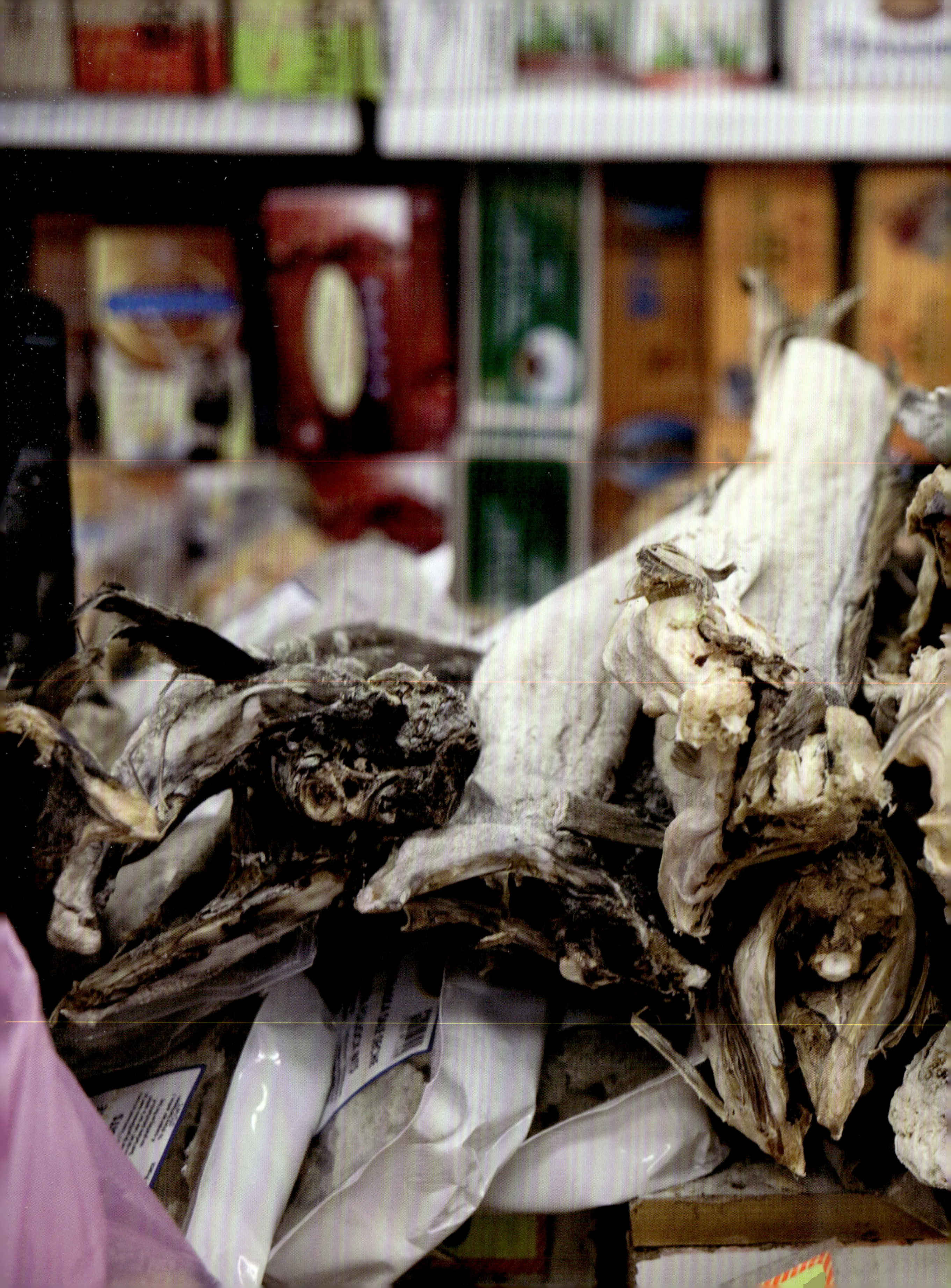

ASIE ANTILLES AFRIQUE 88bis – 90 rue du Faubourg du Temple Paris XIe

œufs FRAISE
3 €50

A. A. A.

ASIE ANTILLES AFRIQUE 88bis – 90 rue du Faubourg du Temple Paris XIe

Amo Paris — Paris, encruzilhada dos mundos

O mundo inteiro em um saco de juta. Ziguezagueia-se por entre montanhas de arroz vindo de todos os continentes, leguminosas, inhames, batatas-doces de todas as cores. Está lotado de mamães africanas e de papais chineses. Um senhor das Antilhas acaba de escolher seu porco ao vinagre e suas pimentas *bonda Man Jacques* (traseiro da Mãe Jacques) - conforme o dialeto crioulo. Amantes de exotismo e aventureiros do gosto se dividem para escolher entre duas espécies de banana.

SAN FERMIN
PAMPLONA

Jambon
IBAÏONA
millesime
juin 2008
Affinage naturel
PAYS BASQUE
A FARIA
PARIS 15

PARIS, ENCRUZILHADA DOS MUNDOS
Amo Paris

AFARIA 15 rue Desnouettes Paris XVe

TAPAS
servis au bar et table d'hôtes

Tortilla de P. de Terre	8 €
Pot de Boudin au Piment d'Espelette	6 €
Sabot de Jambon Ibaiona	7 €
Brochettes de Porc Façon Lomo	8 €
Sucrines, Pan con Tomate	8 €
Chipirons Frits au Piment doux	11 €
Pieds de Cochon en Escabèche	8 €
Fraîcheur de Saumon	2 €/pièce
Gambas en crémeux d'épices	11 €
Panis au chorizo	9 €
Humus de Tarbais et croutons	8 €
Accras de Morue au Piment	7 €
Coeurs de Canard en Persillade	9 €
Bocal de Foie Gras	19 €

AFARIA

A culinária dos Pireneus - o *chef* Julien Duboué é de origem basca - surfa na onda da fusão com produtos da estação, menus temáticos e uma oferta refinada. *Rascasse* assado ao chouriço, frigideira de foie gras com uvas, chouriço com batatas em crosta de mostarda ou *paella de coquillettes*. Façam reserva para um grupo de amigos e aproveitem bastante o ambiente apimentado.

AFARIA 15 rue Desnouettes Paris XVe

PARIS, ENCRUZILHADA DOS MUNDOS · Amo Paris

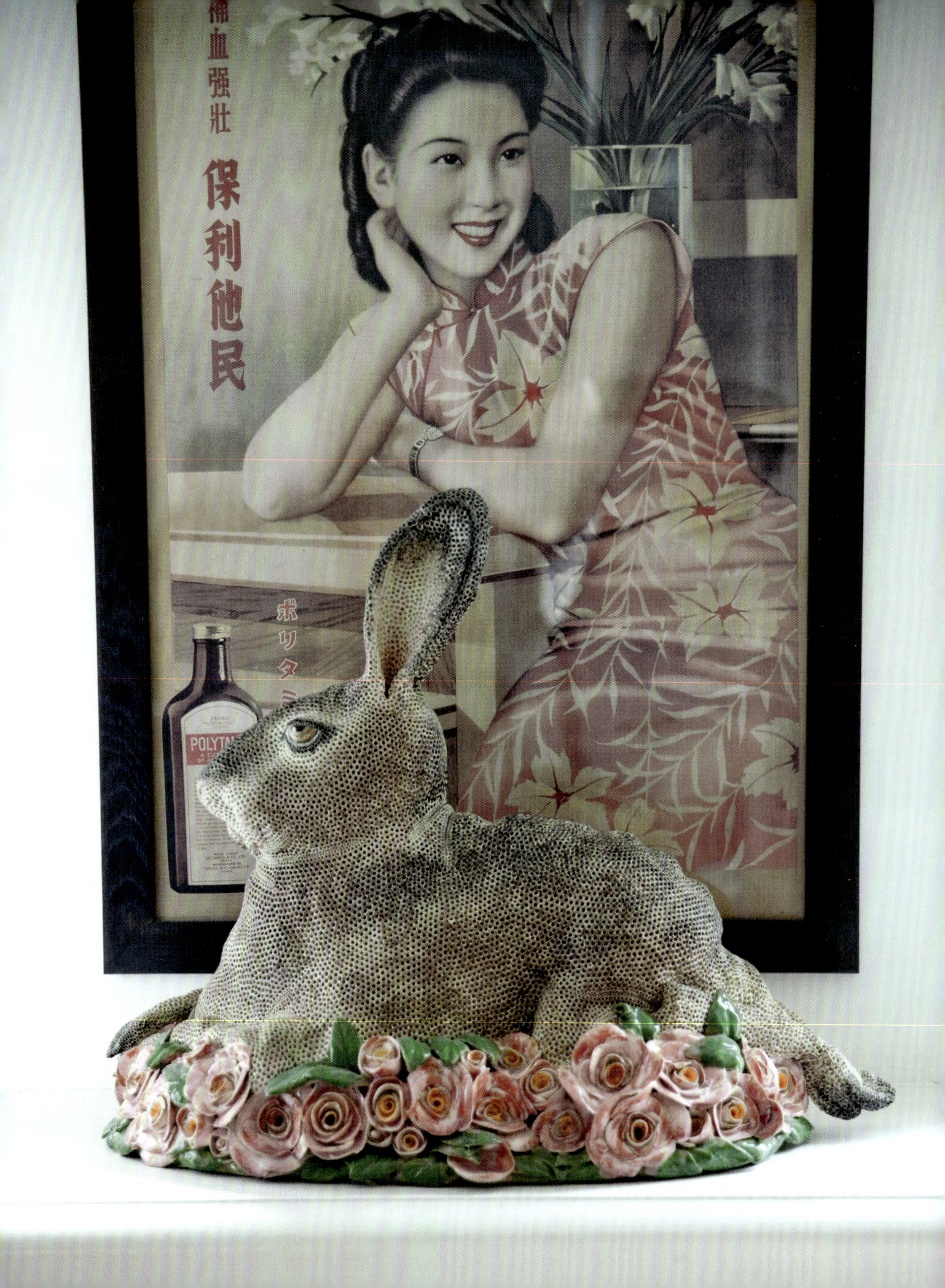
補血強壯
保利他民
ポリタ
POLYTA

BETSY BERNARDAUD Paris VIIe

PARIS, ENCRUZILHADA DOS MUNDOS

Amo Paris

BETSY BERNARDAUD

Betsy Bernardaud fez compras lá no bairro judeu. Em sua acolhedora cozinha, compartilhamos um momento privilegiado entre amigos, empoleirados no balcão. Um sanduíche, simplesmente. Mas não qualquer sanduíche. Ele se chama "Reuben", originário do Leste Europeu, com um desvio por Nova York: *yiddish broït*, um pão branco com cominho, dourado com manteiga na frigideira, e um excelente *pastrami* em fatias finas, com um chucrute assinado por Panzer. É crocante, suculento, suave e derrete na boca. Os sabores se impõem, sem cerimônia: salgado, ácido e doce. Simples e bom. Os momentos de amizade não precisam de mais nada.

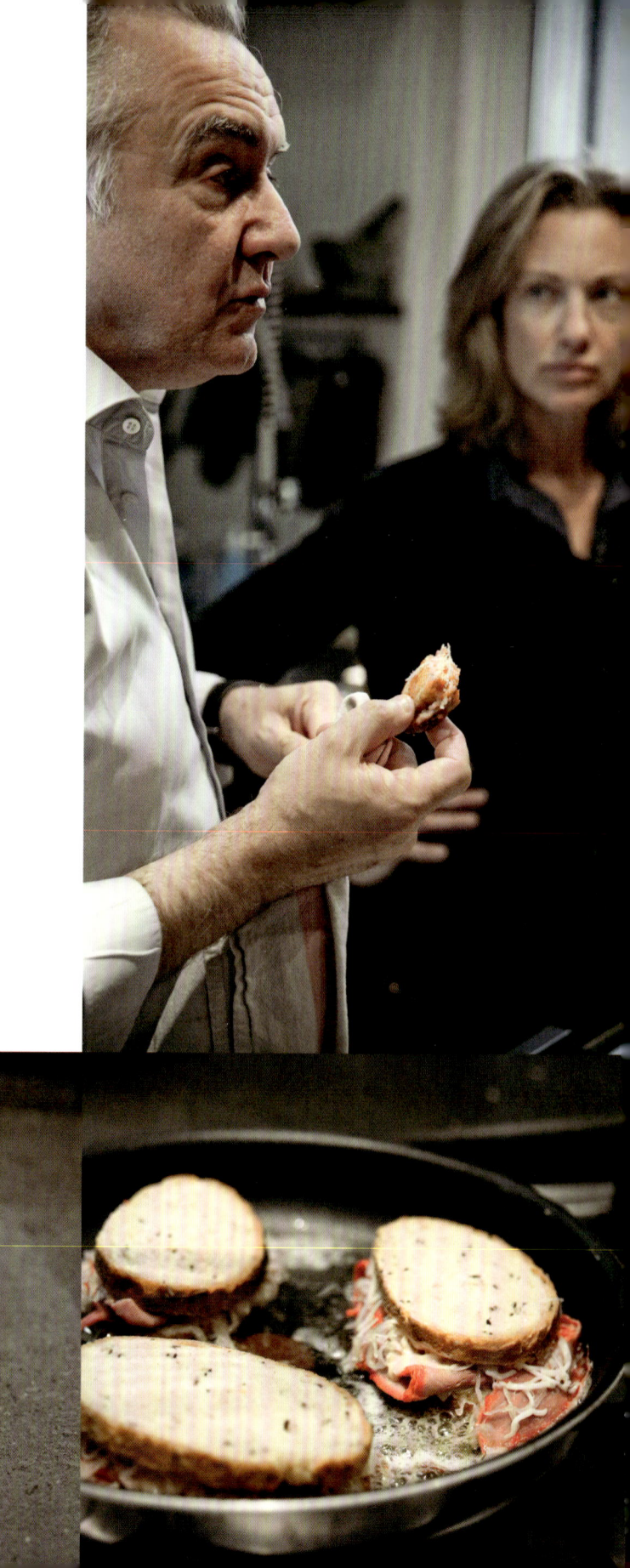

BETSY BERNARDAUD Paris VIIe

PARIS, ENCRUZILHADA DOS MUNDOS — Amo Paris

411

BYZANCE CHAMPS-ÉLYSÉES BELLOTA / BELLOTA RIVE DROITE 11 rue Clément Marot Paris VIIIe

PARIS, ENCRUZILHADA DOS MUNDOS

Amo Paris

BYZANCE
CHAMPS-ÉLYSÉES

Philippe Poulachon: Alain, você foi um dos meus primeiros clientes no Pata Negra, em maio de 1995. Quando eu propus a você meus primeiros presuntos Bellota, era preciso quase que eu conhecesse o primeiro nome do porco! Tudo isso era muito estimulante, então viajei muito pela Espanha e tentei compreender de maneira científica por que esses presuntos eram os melhores, como se devia fazer para selecioná-los, quando, com quem...

Alain Ducasse: Mas na sua loja não há somente presuntos... fale do restante!

PP: Você sabe, comecei com salmão e caviar. Depois, indo à Espanha de dez a quinze vezes por ano, encontrei apaixonados como eu, o que me permitiu elaborar a minha seleção de produtos. Há as anchovas da Cantábria, os azeites de oliva, os vinhos espanhóis, ou então, veja só, essa *torta de Salamanca*, um queijo fabuloso no qual o leite de ovelha é coagulado por meio de pistilos de cardo! É único!

BYZANCE CHAMPS-ÉLYSÉES BELLOTA / BELLOTA RIVE DROITE 11 rue Clément Marot Paris VIIIe

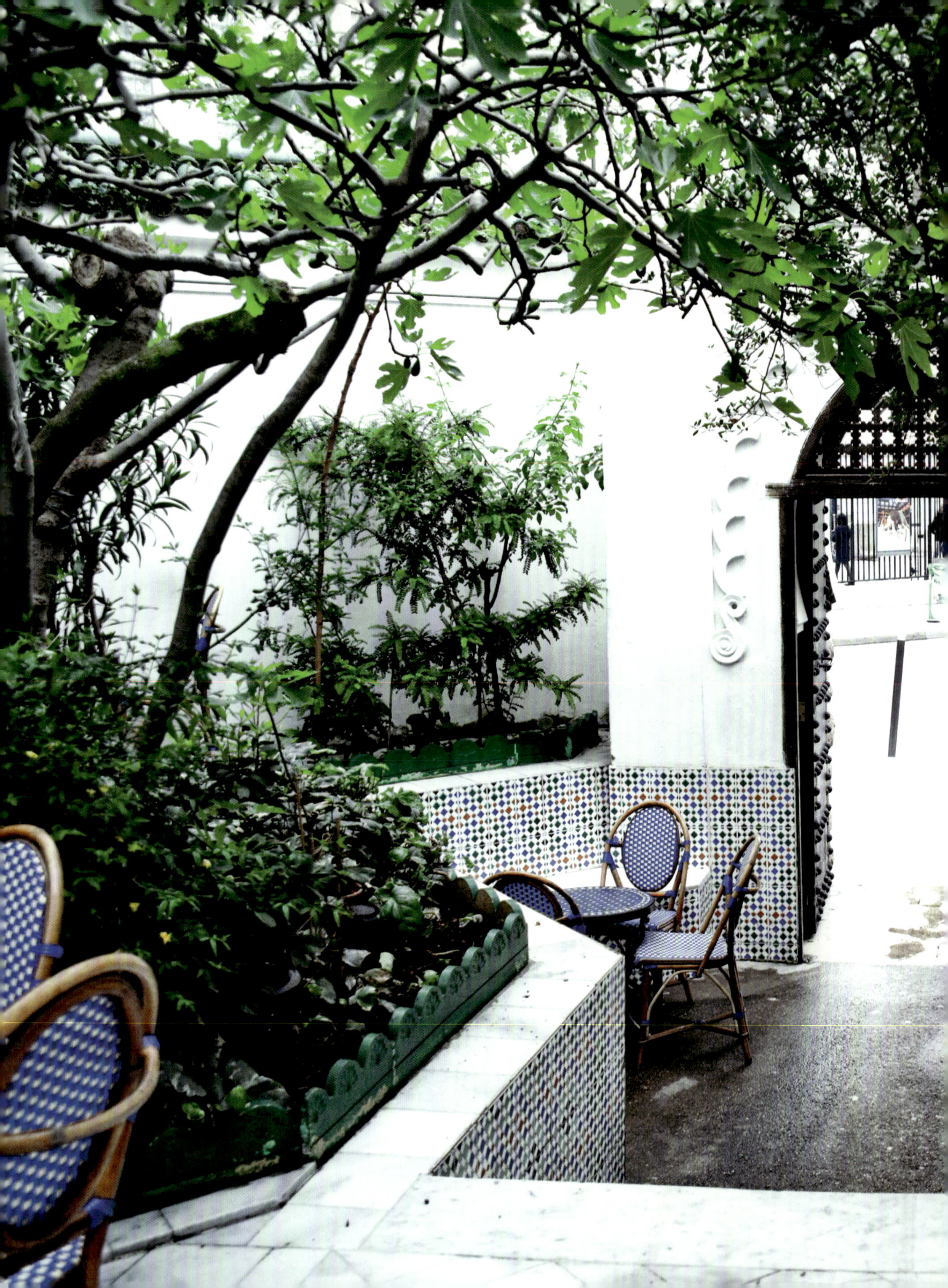

CAFÉ MAURE DE LA MOSQUÉE DE PARIS 9 rue Geoffroy Saint Hilaire Paris V^e

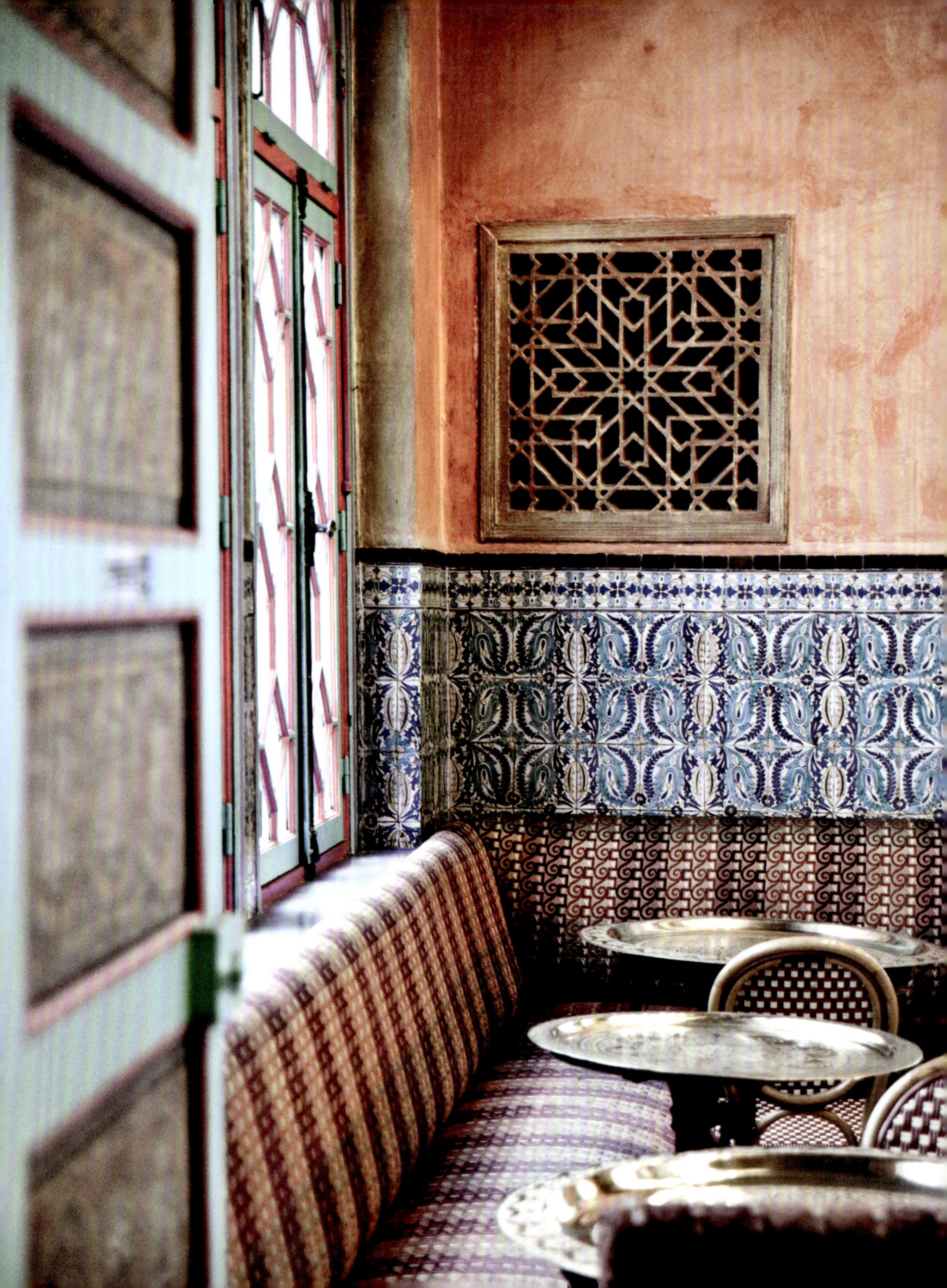

CAFÉ MAURE

O sol esquenta as figueiras e o aroma adocicado se propaga pelo pátio. É preciso ter coragem para ultrapassar o balcão da pâtisserie. Atrás da porta, estamos no Oriente. Deslizamos sob o caramanchão para tomar chá de menta e café turco, servidos em prato de cobre cinzelado. É um oásis, uma bolha do Mediterrâneo, um verão permanente, perfumado de mel e de amêndoas.

CAFÉ MAURE DE LA MOSQUÉE DE PARIS 9 rue Geoffroy Saint Hilaire Paris V^e

PARIS · ENCRUZILHADA DOS MUNDOS

Amo Paris

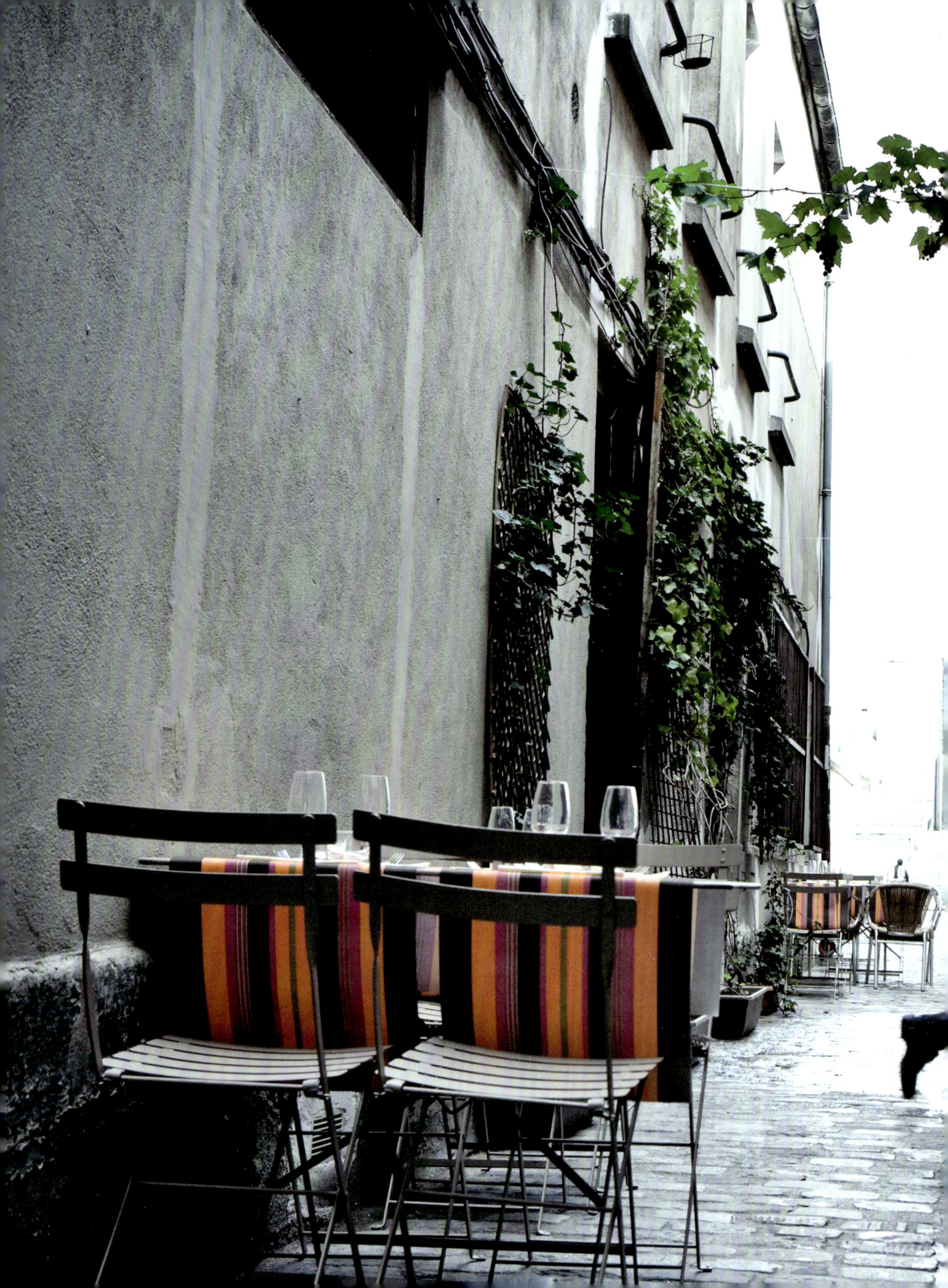

CAFFÈ DEI CIOPPI 159 rue du Faubourg Saint-Antoine Paris XIe

PARIS · ENCRUZILHADA DE SONHOS Amo Paris

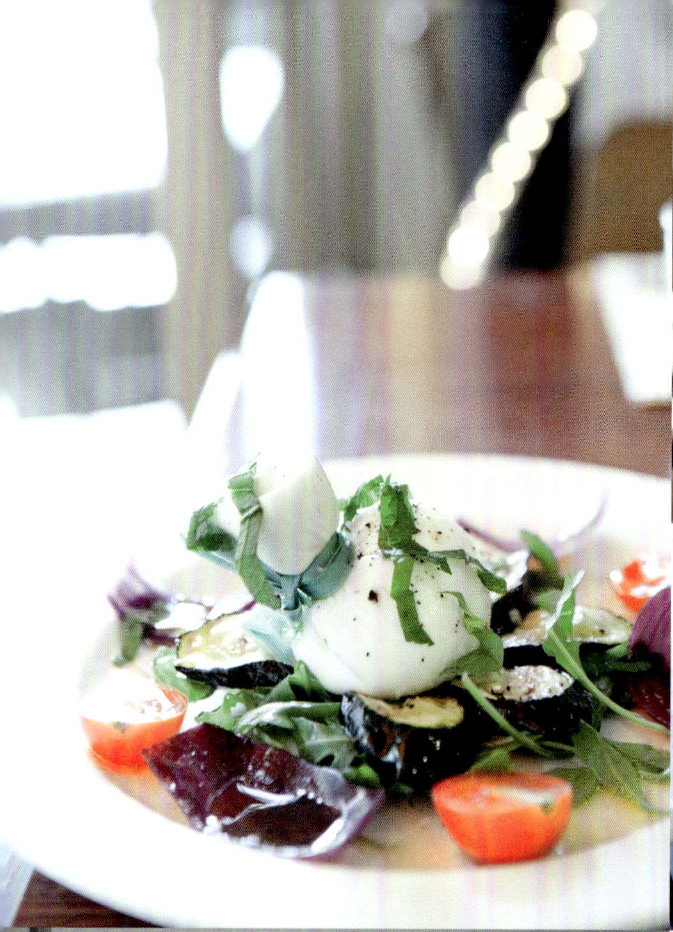
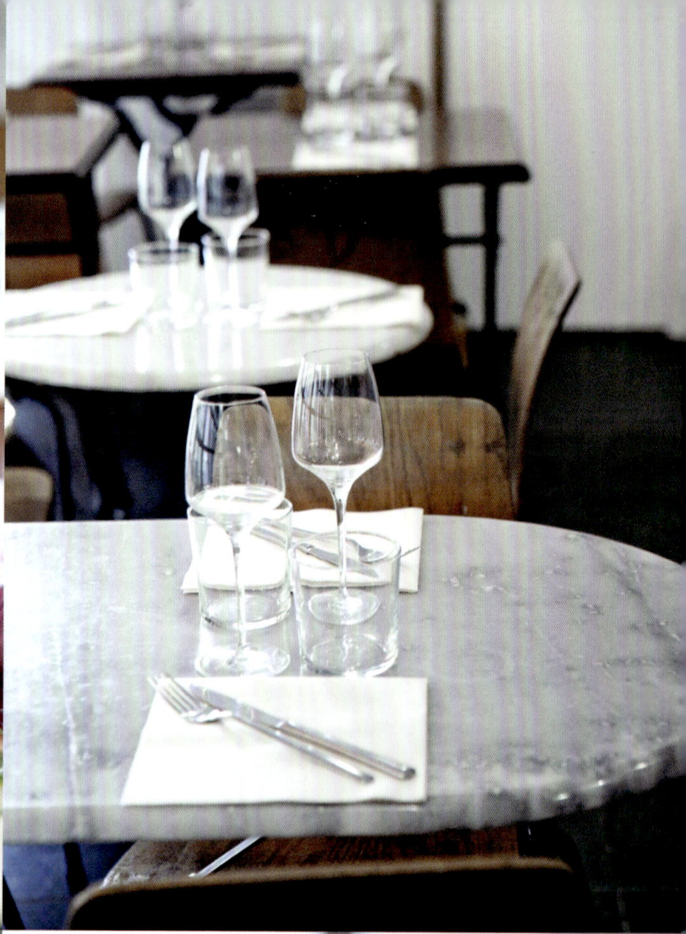
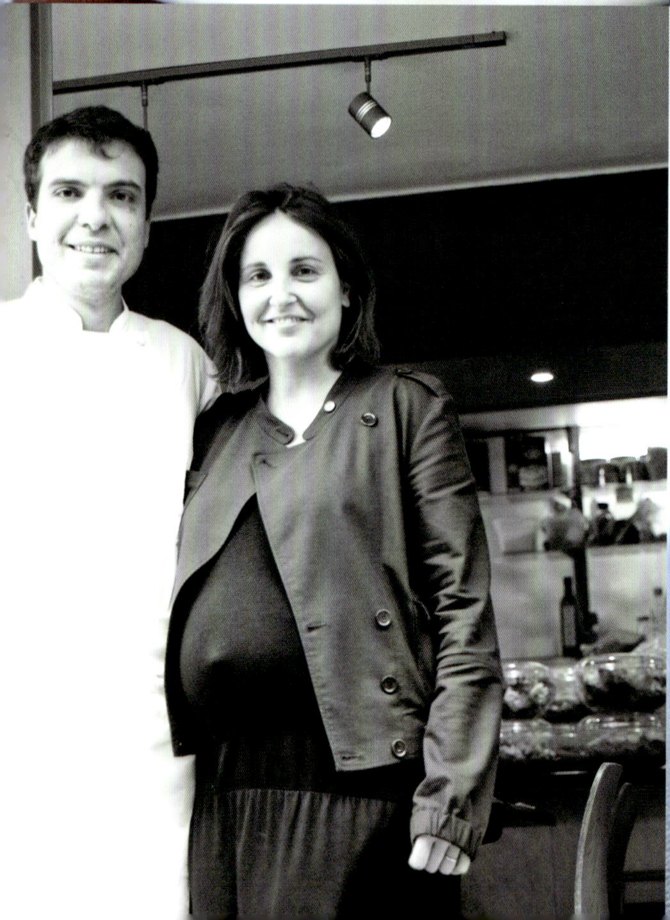
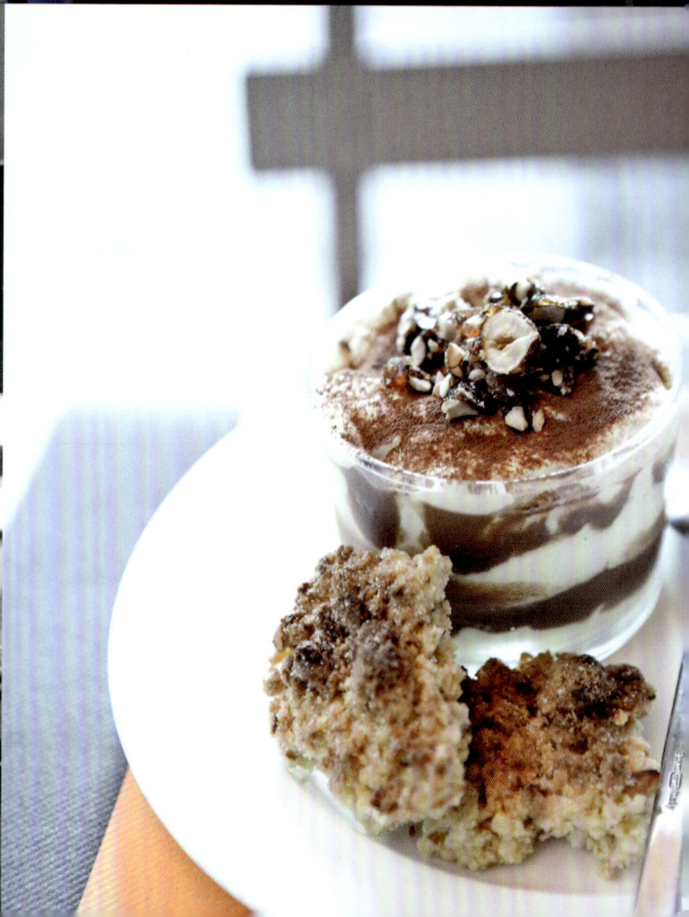

CAFFÈ DEI CIOPPI

CAFFÈ DEI CIOPPI 159 rue du Faubourg Saint-Antoine Paris XIe

Amo Paris

Delicadeza, teu nome é *sbrisolona*. Uma tortinha a que não se daria nada, isso mesmo, uma mera tortinha seca. Pó de amêndoas, farinha de milho. Ao dente, é Verdi no Scala de Milão, ou um banho na Fonte di Trevi - no caso, em um potinho de creme ao *mascarpone*. Fabrizio e Federica não ficam somente nos doces, é claro. Eles elaboram com maestria uma culinária de *trattoria*, simples e precisa.

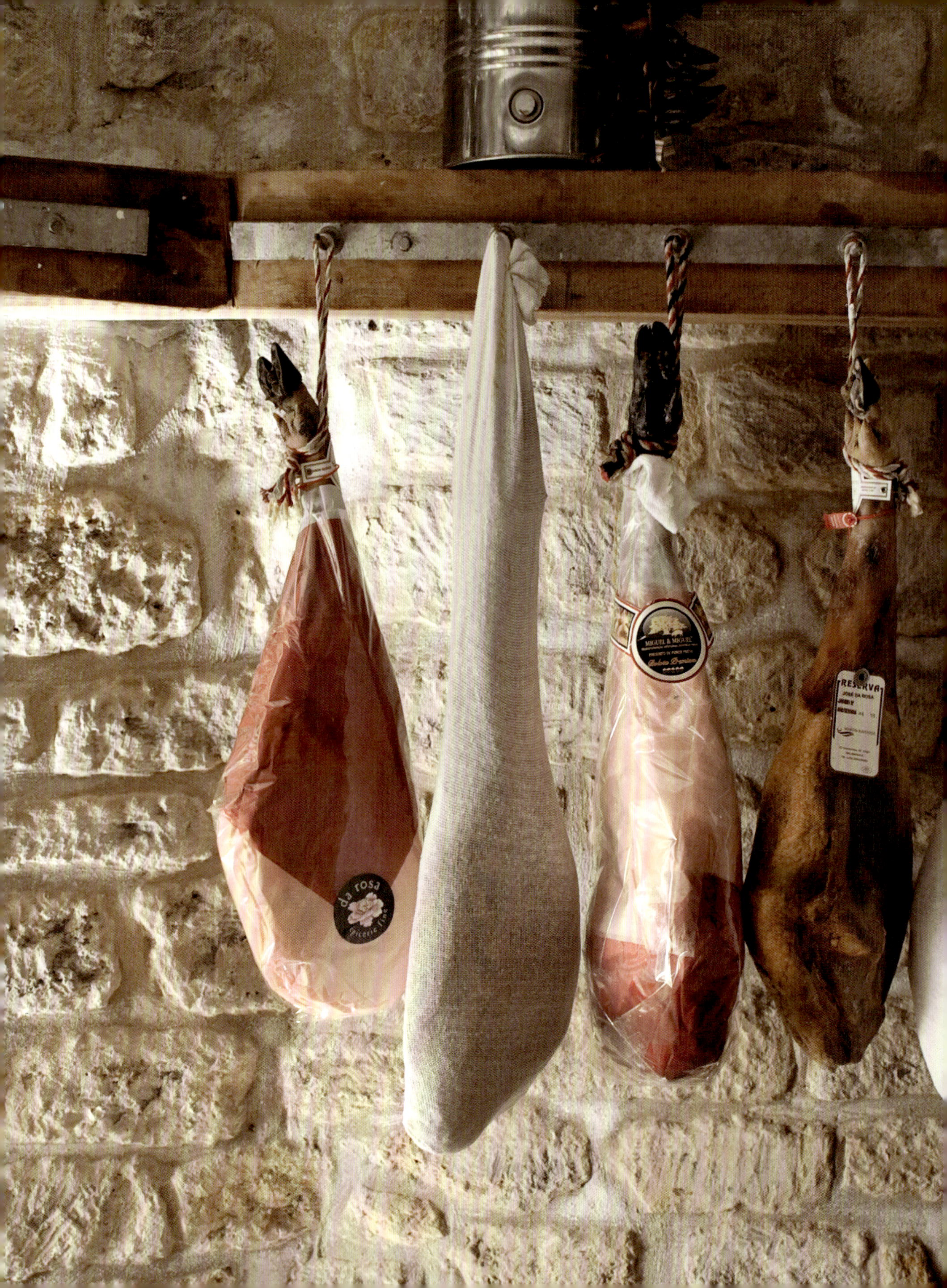
da rosa
épicerie fine
MIGUEL & MIGUEL
RESERVA
JOSÉ DA ROSA

PARIS, ENCRUZILHADA DOS MUNDOS Amo Paris

DA ROSA ÉPICERIE FINE 62 rue de Seine Paris VIe

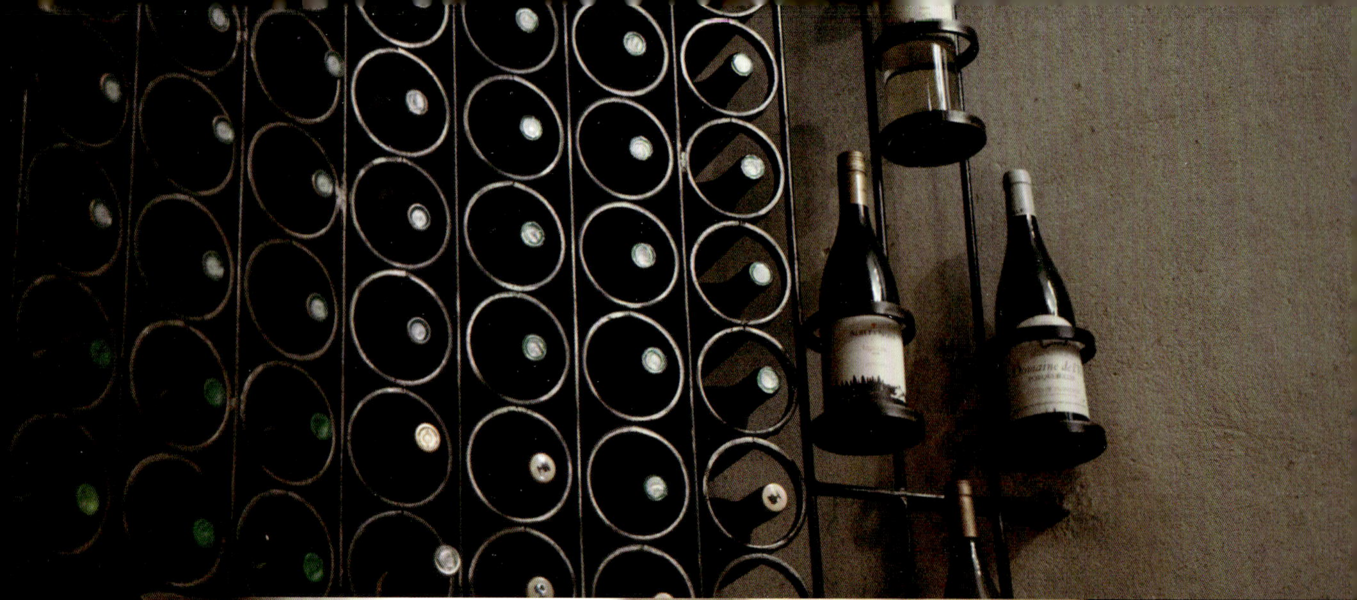

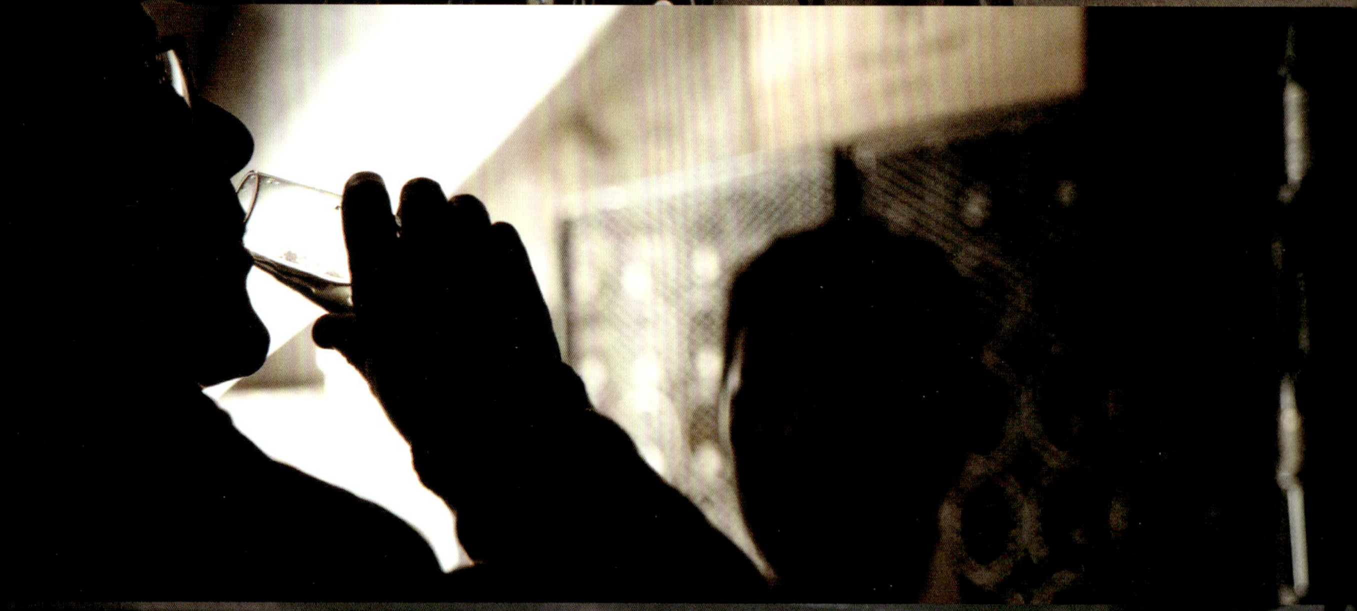

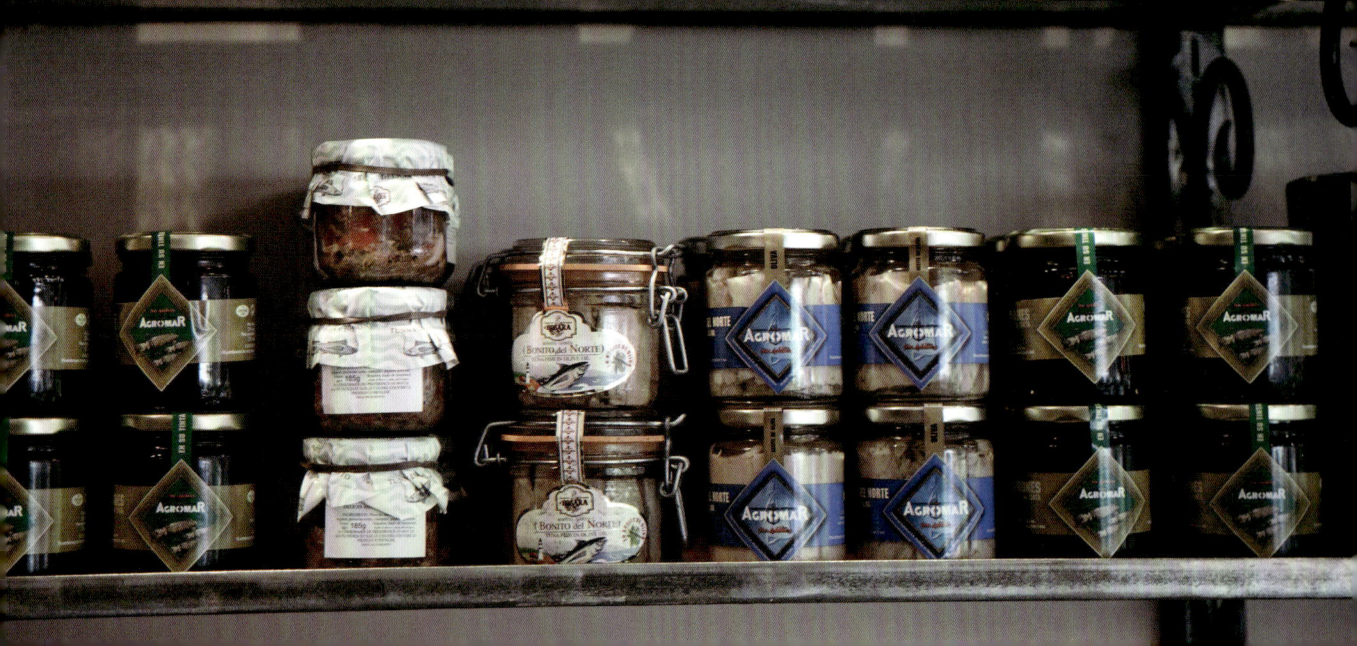
AGROMAR
Bonito del Norte

DA ROSA

A aspereza das paredes de pedra nua. A rudeza de um toque português, que queima no verão e gela no inverno. Os aromas acres e inebriantes dos presuntos ibéricos que secam, pendentes do teto. Mas, abaixo, complexo frutado do *bellota* - a duração, na boca, do gosto de um suculento tomate sobre o pão quente, o sabor apimentado de um queijo. Nessa épicerie-cantina que não se parece com nenhuma outra, nos instalamos, em pleno Mediterrâneo...

Amo Paris

PARIS, ENCRUZILHADA DOS MUNDOS

DA ROSA ÉPICERIE FINE 62 rue de Seine Paris VIe

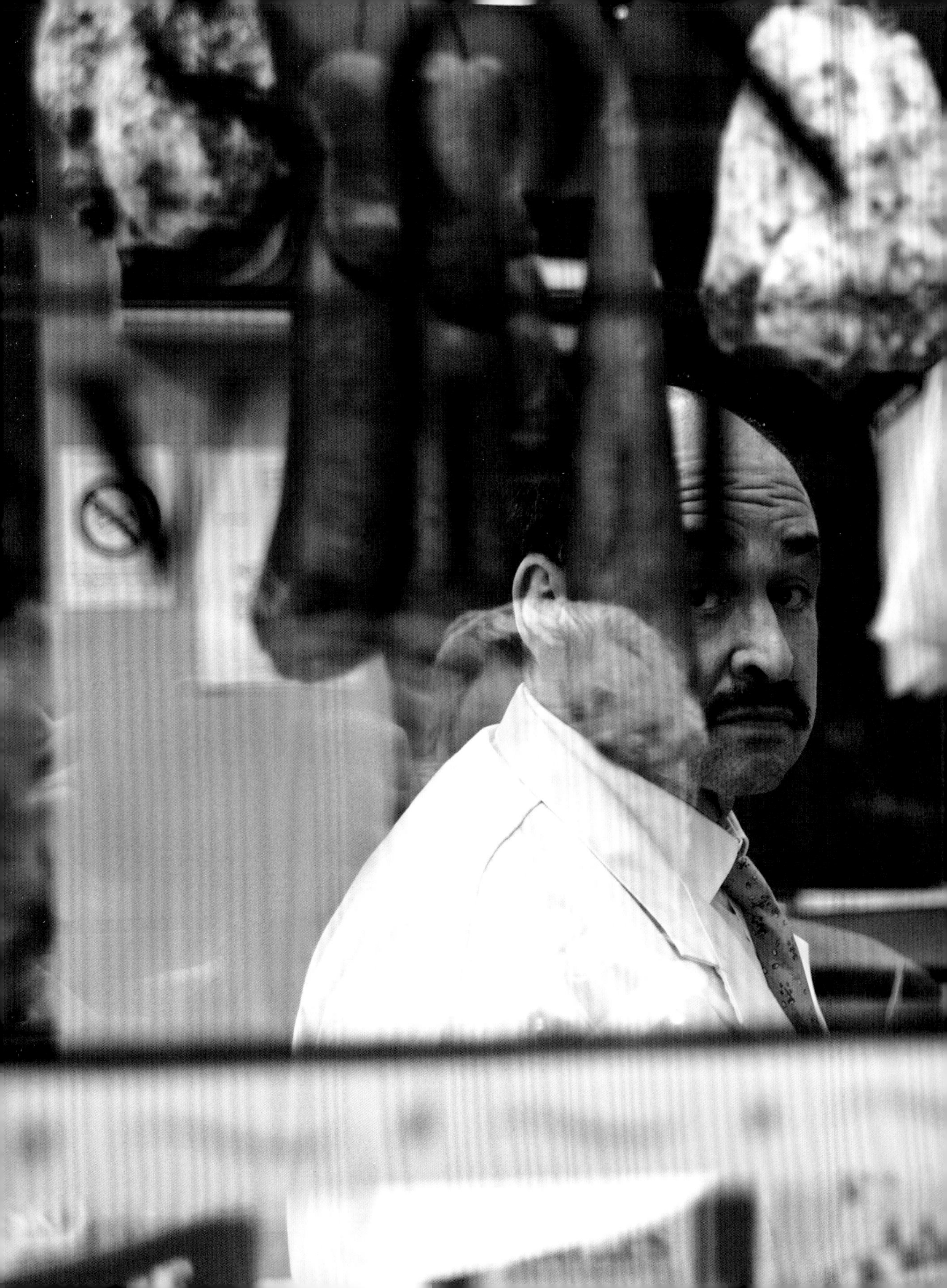

BOUCHERIE DAVID 6 rue des Ecouffes Paris IVe

PARIS, ENCRUZILHADA DOS MUNDOS
Amo Paris

DAVID

As *delicatessen* do Brooklyn podem se apresentar renovadas. Em variedade, em qualidade, a casa David não tem concorrentes. É aqui que se vem procurar o *pastrami* para o fabuloso *Reuben Sandwich*. Mas Michel Khalifa não nos deixa ir embora com pouca coisa. Ele nos faz provar suas variações de fígado de galinha com cebolas, acetinado como foie gras. E corta bem fina a língua de vitelo de Podze, complexa e refinada, de alto nível. Ao lado das preparações tradicionais, como a terrina romena de pés de vitelo e outras receitas da casa: *pastrami* de pato, salsichão com nozes... Empolgados com o entusiasmo e a generosidade do patrão, bem que provaríamos tudo o que há na sua loja.

PARIS, ENCRUZILHADA DOS MUNDOS Amo Paris

BOUCHERIE DAVID 6 rue des Ecouffes Paris IVe

431

RECETTES DE CHEFS POUR UN REVEILLON GOURMAND
APS-ITEM-NR.:93116
DESCRIPTION JIGGER
QUANTITY PER CARTON 60

E. DEHILLERIN 18-20 rue Coquillière Paris Ier

Amo Paris

PARIS, ENCRUZILHADA DOS MUNDOS

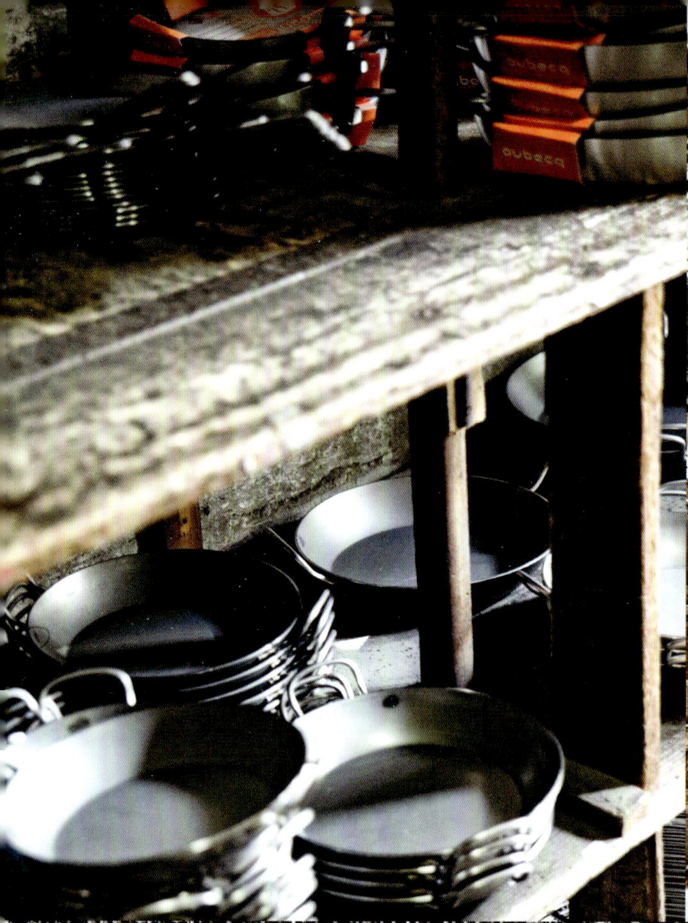
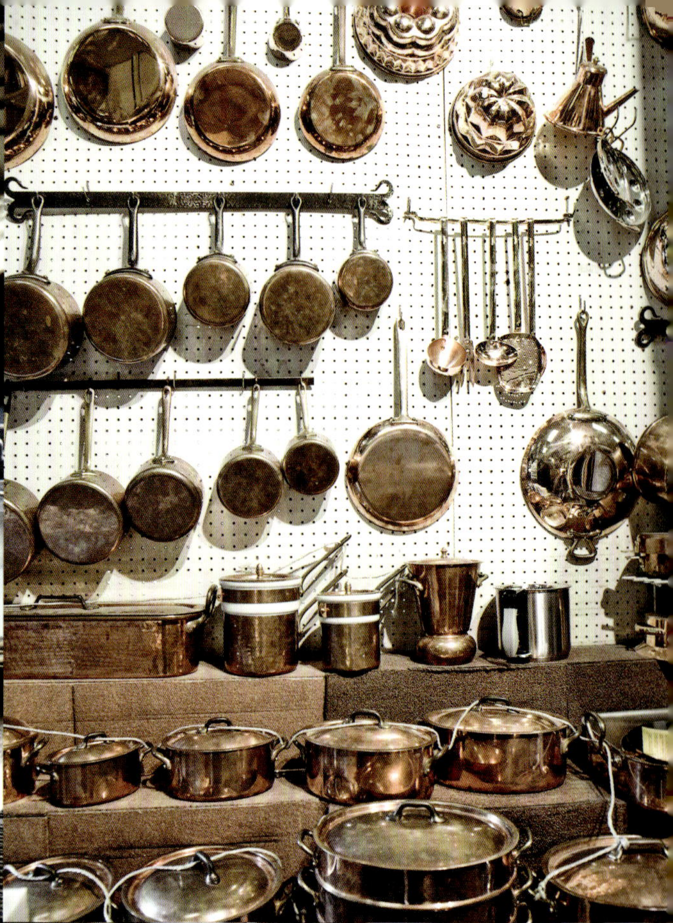
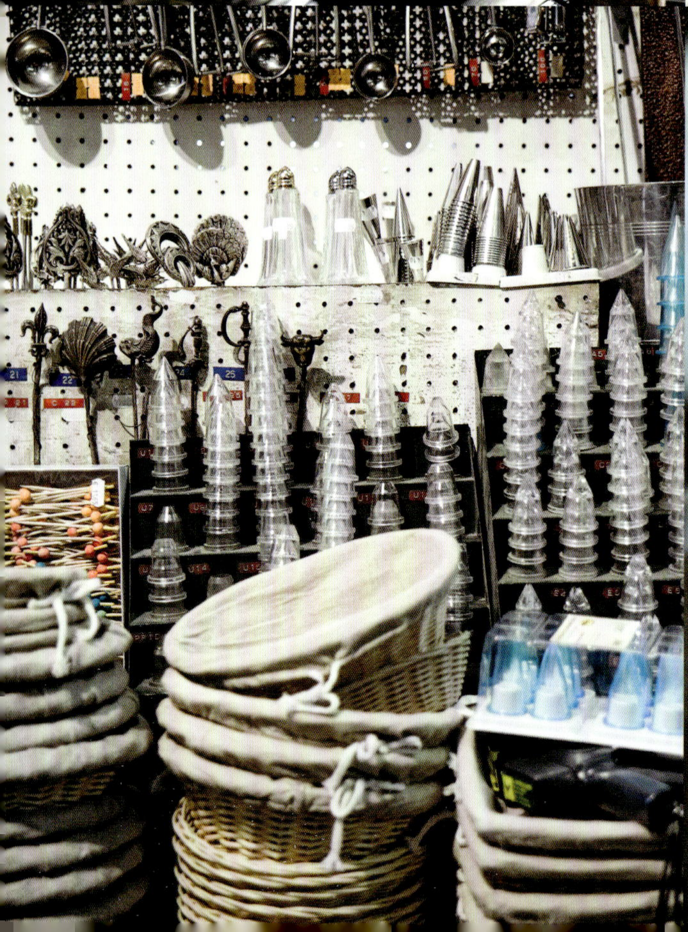
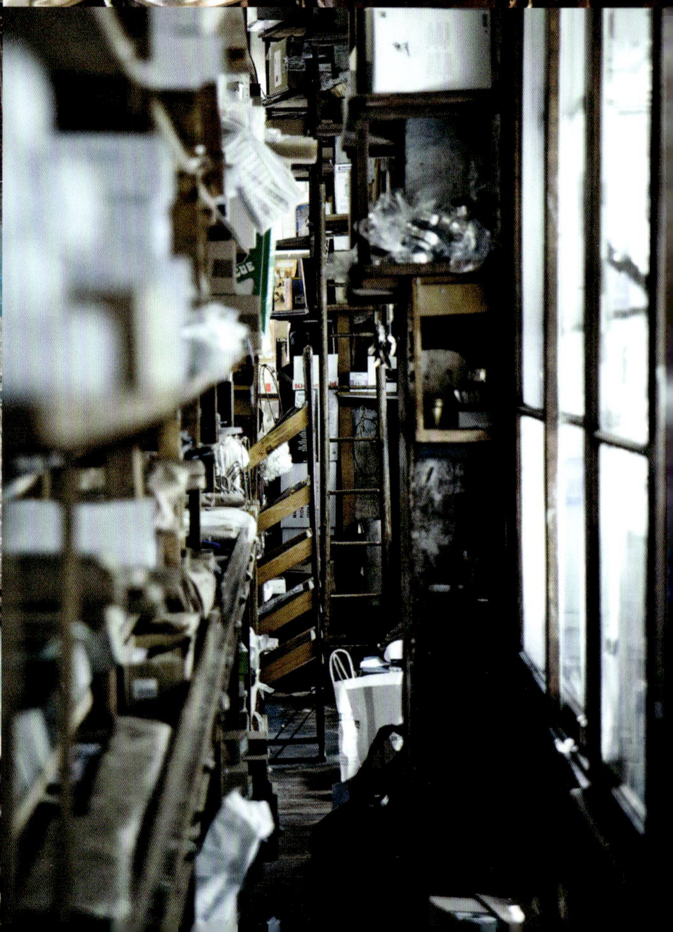

O assoalho antigo range sob nossos pés. Entrando depois de nós, um raio de sol salta sobre as caçarolas de cobre, de inox ou esmaltadas. Prateleiras de cima a baixo, utensílios em todos os lugares, cozinha e pâtisserie, peneiras de cuscuz colocadas bem alto - é preciso ter um brevê de alpinista para alcançá-las. A casa logo completará seus duzentos anos - o que pode ser percebido pelo cuidado dispensado à sua prensa para pato ou pelos espetos de assar e pelos aventais escolares cinzentos usados à moda antiga pelos empregados. Para encontrar uma boa bacia de cobre para colocar doces, é aqui mesmo.

DEHIL LERIN

E. DEHILLERIN 18-20 rue Coquillière Paris Ier

Amo Paris

PARIS, ENCRUZILHADA DOS MUNDOS

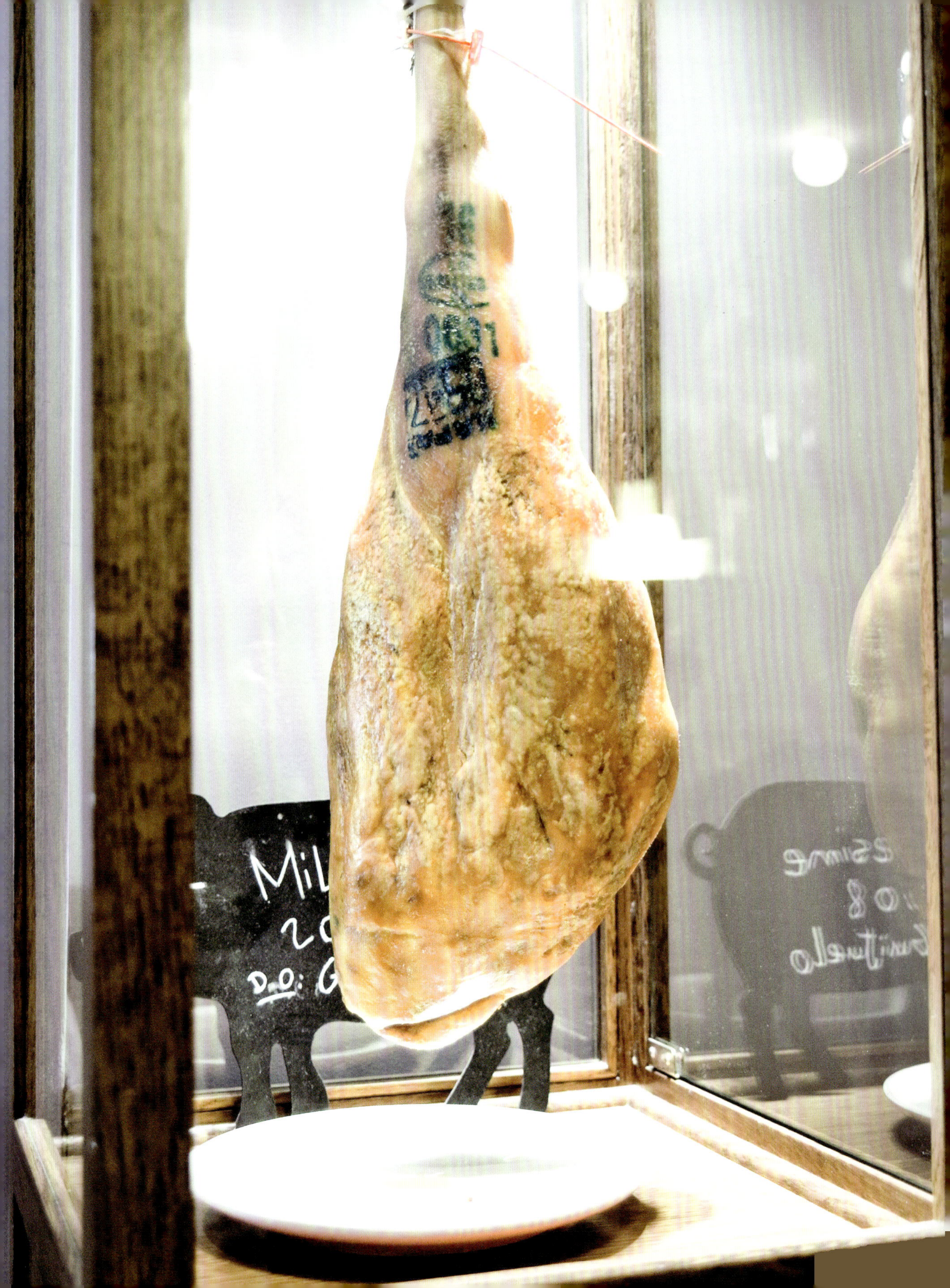

PARIS. ENCRUZILHADA DOS MUNDOS

Amo Paris

EL FOGÓN 45 quai des Grands Augustins Paris VIe

dictionnaire
Fogón-Français

Alberto Herráiz
avec la collaboration de Brigitte Rigó

Les Éditions de l'Épure

EL FOGÓN

"El Temperador". É o nome do armário-vitrine de presuntos, visível de todos os cantos da sala. A gente fica com água na boca antes mesmo da chegada do gaspacho de alho e amêndoas, seguido de um arroz *a banda sin banda*, uma apoteose dos gourmets. Alberto Herráiz conseguiu obter uma estrela no *Guide Rouge*. Sua culinária, assim como suas mesas, tem uma gaveta secreta.

EL FOGÓN 45 quai des Grands Augustins Paris VIe

PARIS. ENCRUZILHADA DOS MUNDOS

Amo Paris

439

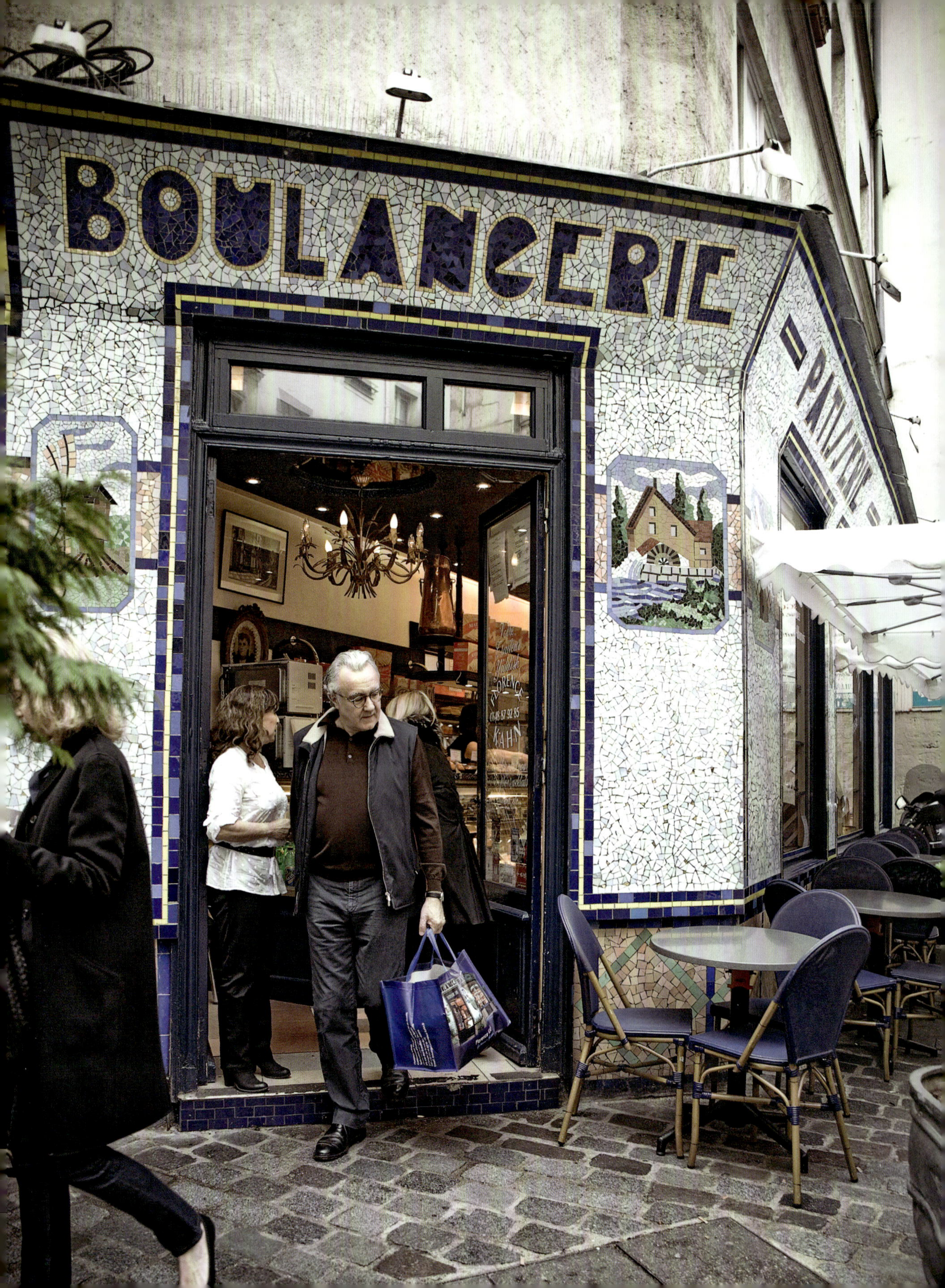
BOULANGERIE

FLORENCE KAHN 24 rue des Ecouffes Paris IVᵉ

FLORENCE KAHN

Uma das mais belas fachadas comerciais do bairro do Marais, ou talvez mesmo de Paris, toda de mosaico azul e branco. No interior, a *delicatessen* de Florence Kahn cumpre as promessas da fachada, e com vantagem. Variações criativas de mousse de fígado de galinha e de peixes defumados, além de oferecer frios finos, suculento *cheesecake*, pãezinhos de cebola, quentinhos e prontos para ser recheados. Generosos sanduíches para alternar com os *falafels*. Evidentemente tudo isso feito na casa, preparado no dia, com gosto. Nas prateleiras, pega-se um saquinho de *ferfels*, que são massas artesanais grelhadas no forno duas vezes, o que lhes dá um sabor muito particular, para provar na mesma noite.

PARIS, ENCRUZILHADA DE SONS Amo Paris

FLORENCE KAHN 24 rue des Ecouffes Paris IVᵉ

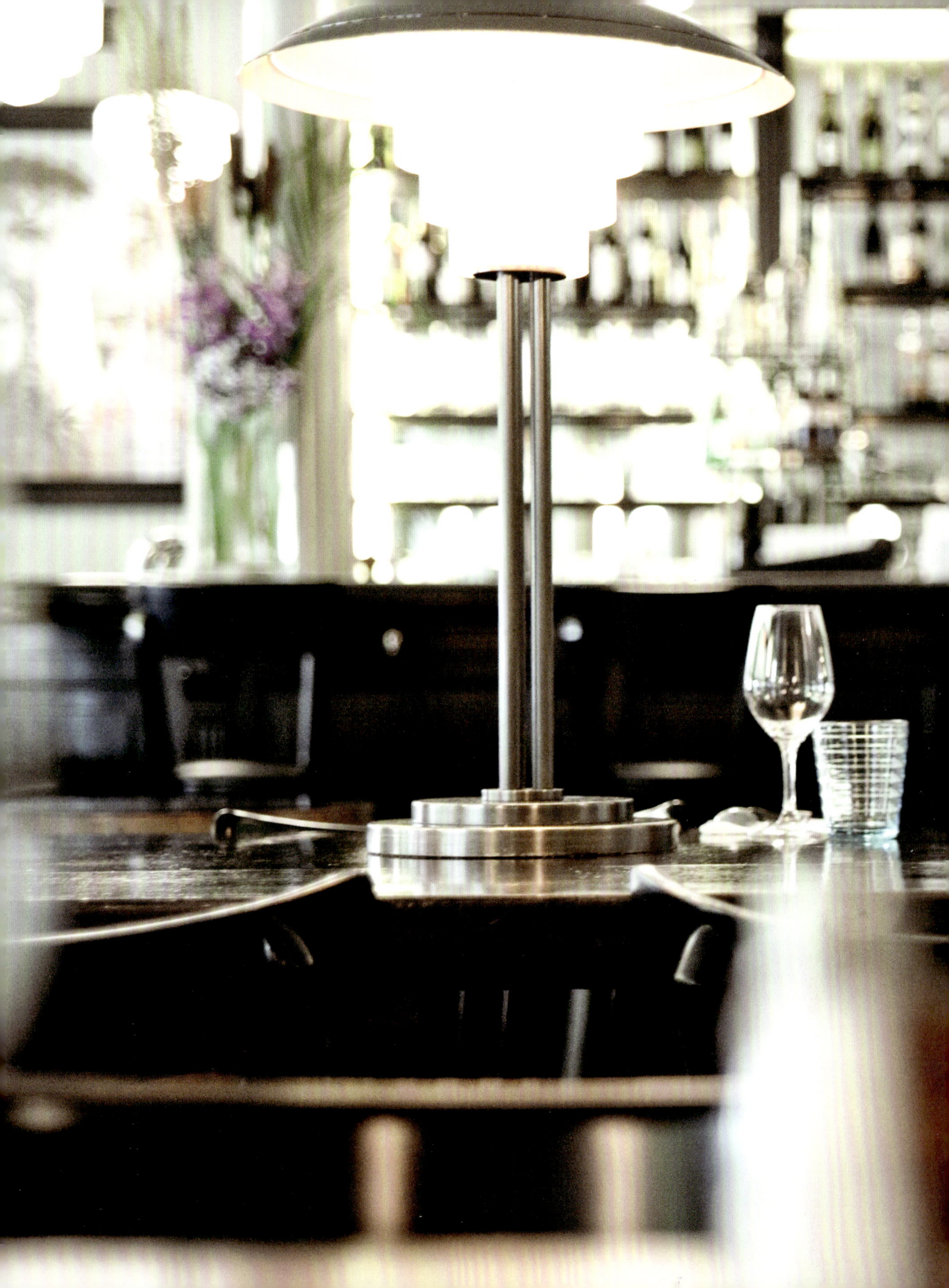

LA GAZZETTA 29 rue de Cotte Paris XIIe

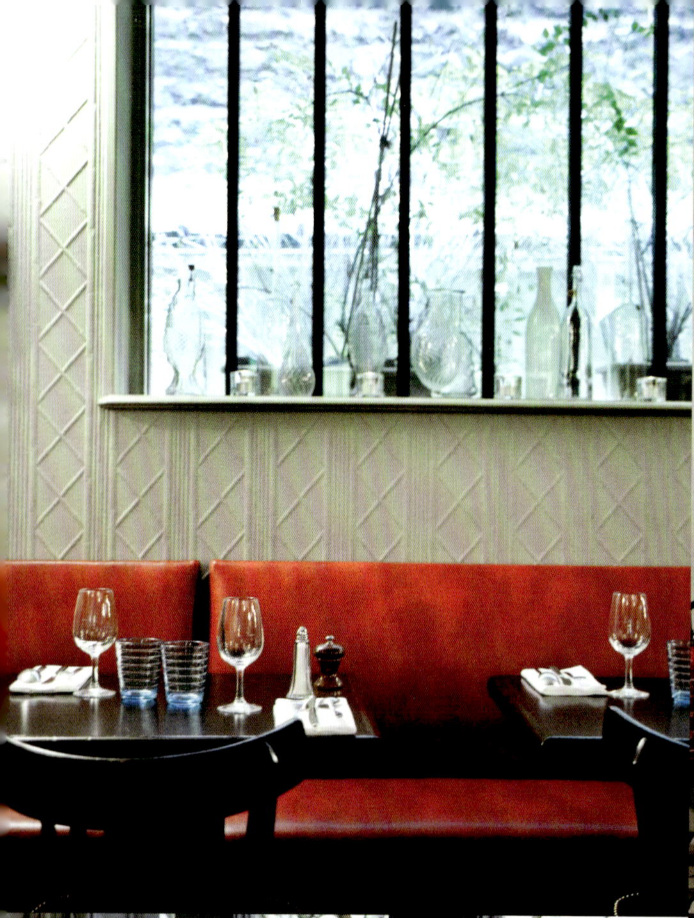
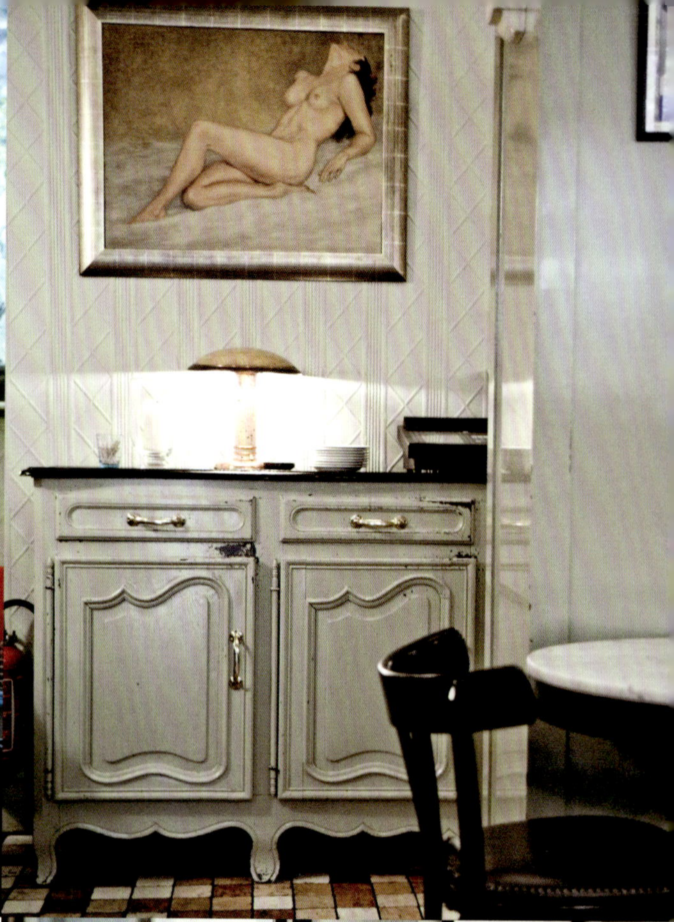
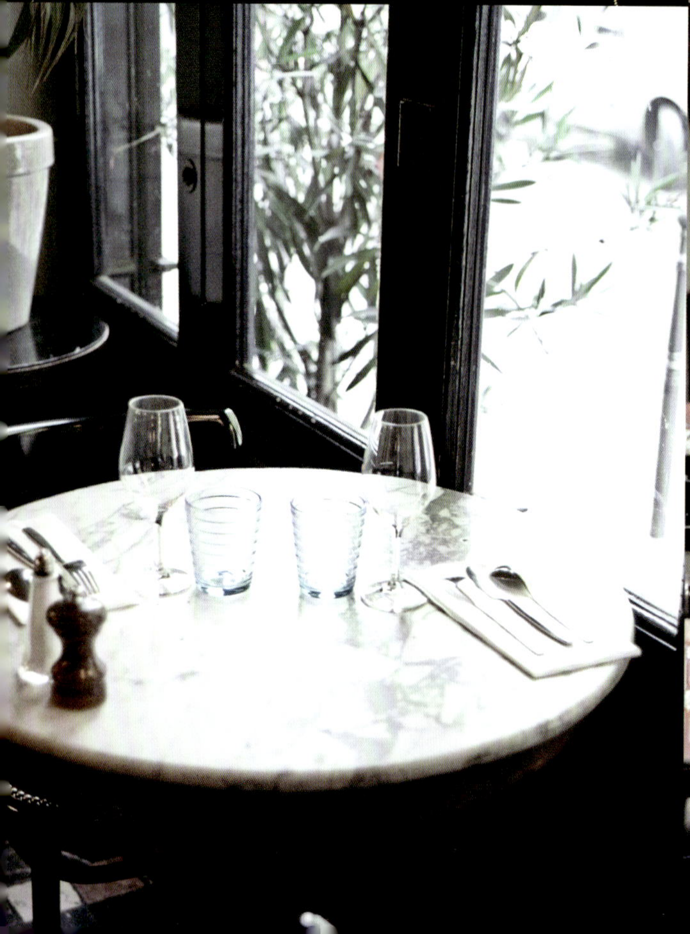
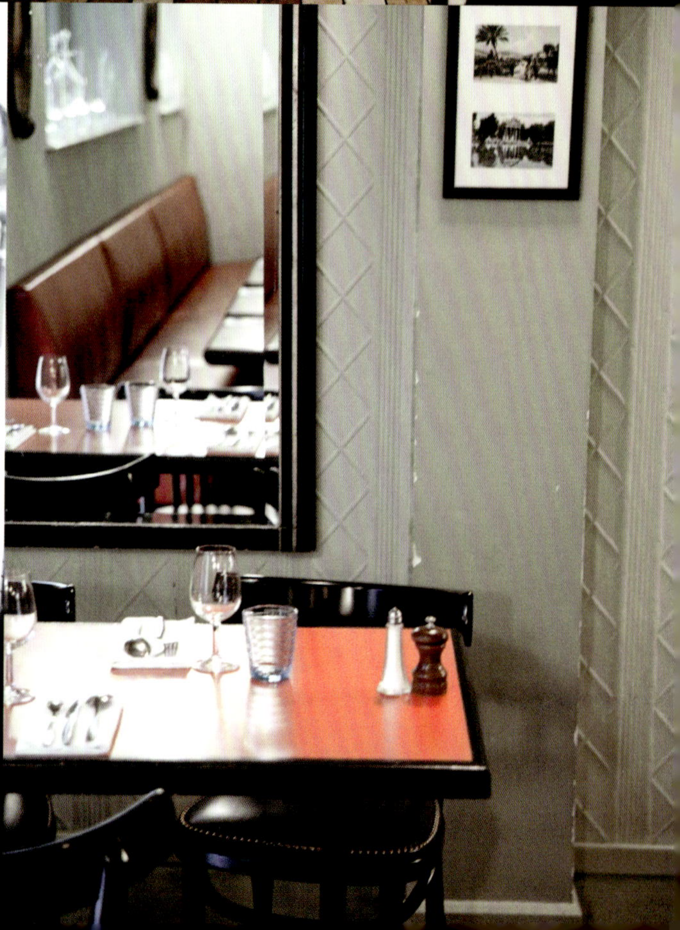

GAZZ ETTA

O local é aconchegante e cosmopolita, ideal para almoçar na volta do mercado. Criado e dirigido pela equipe do Fumoir, o conselho deu carta branca ao *chef* Petter Nilsson, um *viking* muito entendido em legumes "esquecidos". Petter é um autor, e seu universo é impiedoso: tartare de bonito e *charbon* de alho-porró, rabanete e raiz-forte, aipo na brasa com louro, tomate verde caramelizado, agrião e cogumelos...

LA GAZZETTA 29 rue de Cotte Paris XIIe

Amo Paris

PARIS, ENCRUZILHADA DOS MUNDOS

PINOT NERO
PLOZNER
PINOT NERO
PLOZNER
SAUVIGNON
PLOZNER
CHARDONNAY
PLOZNER
uno quattroperuno
VISTORTA
Conte Brandolini D'ADDA
TREANNI
Conte Brandolini D'ADDA
Conte Brandolini D'ADDA
PINOT GRIGIO
Speri

IDEA VINO 88 avenue Parmentier Paris XIe

PARIS · ENCRUZILHADA DOS MUNDOS
Amo Paris

IDEA VINO

"Minha mãe não gosta de massas. Para uma italiana, isso é raro." Então, Rita Pinna tem de compensar. "Os italianos têm sempre no fogo uma caçarola de massas ao tomate e ao manjericão. A partir disso, é possível inventar, enriquecer." Com produtos excepcionais: alcaparras de Pantelleria, na Sicília, vinagre balsâmico como um elixir do amor, alhos com cítricos. "É preciso encontrar sempre receitas divertidas para nossos clientes. Nesse verão, utilizo *tagliatelles* aromatizados com açafrão, guarnecidos de lagostins e de raspas de laranja, com um toque de pimenta de Espelette." Esse prato será acompanhado por um copo de vinho branco das encostas do Etna, escolhido na adega, que, sozinha, consegue unir toda a Itália.

IDEA VINO 88 avenue Parmentier Paris XIe

IL CAMPIO NISSIMO

Suggestions
- Pizza Alla Saerlé 22€ : fond Pissaladière, lit de Roquette, sardines en filets marinées à la vénitienne.
- Pizza Stromboli 26€ : fond compoté & saumuré de fenouil, sardines en filets marinées à la vénitienne et écorces d'oranges confites, baie Rose.
- Pizza Torino 24€ : fond mascarpone et gorgonzola, lit pomme fruit, Roquette, jambon de Parme.
- Pizza Trieste 14€ : sauce tomate, mozzarella, Roquette, jambon de Parme, copeaux de parmesan.
- Pizza Capri 15€ : huile d'olive, parmesan, mozzarella, Ricotta et Épinard.
- Dessert 4,90€ : coupe de fraise, chantilly aux Agrumes (Maison)

"Podem-se passar dois meses procurando o equilíbrio para uma pizza, entre a cor, a qualidade crocante ou cremosa - a perfeição! Nosso truque extra é o equilíbrio entre o cru e o cozido. Com muita frequência juntamos elementos crus à pizza quando sai do forno, para lhe dar um toque de frescor, mas sem desnaturá-la. Atualmente, por exemplo, não se cozinha mais o presunto. Mas a base de uma pizza é a qualidade de sua massa. Portanto: ingredientes e tempo. Quando entro no meu laboratório para fazer uma massa, só saio seis horas mais tarde.

E não há uma receita, mas cem. Estou sempre procurando a receita perfeita. Até minha mulher me diz que devo parar, pois os clientes estão bem contentes, mas essa é a minha busca..."

Gino Jaskula Toniolo

II. CAMPIONISSIMO 98 rue de Montmartre Paris II[e]

PARIS, ENCRUZILHADA DOS MUNDOS

Amo Paris

453

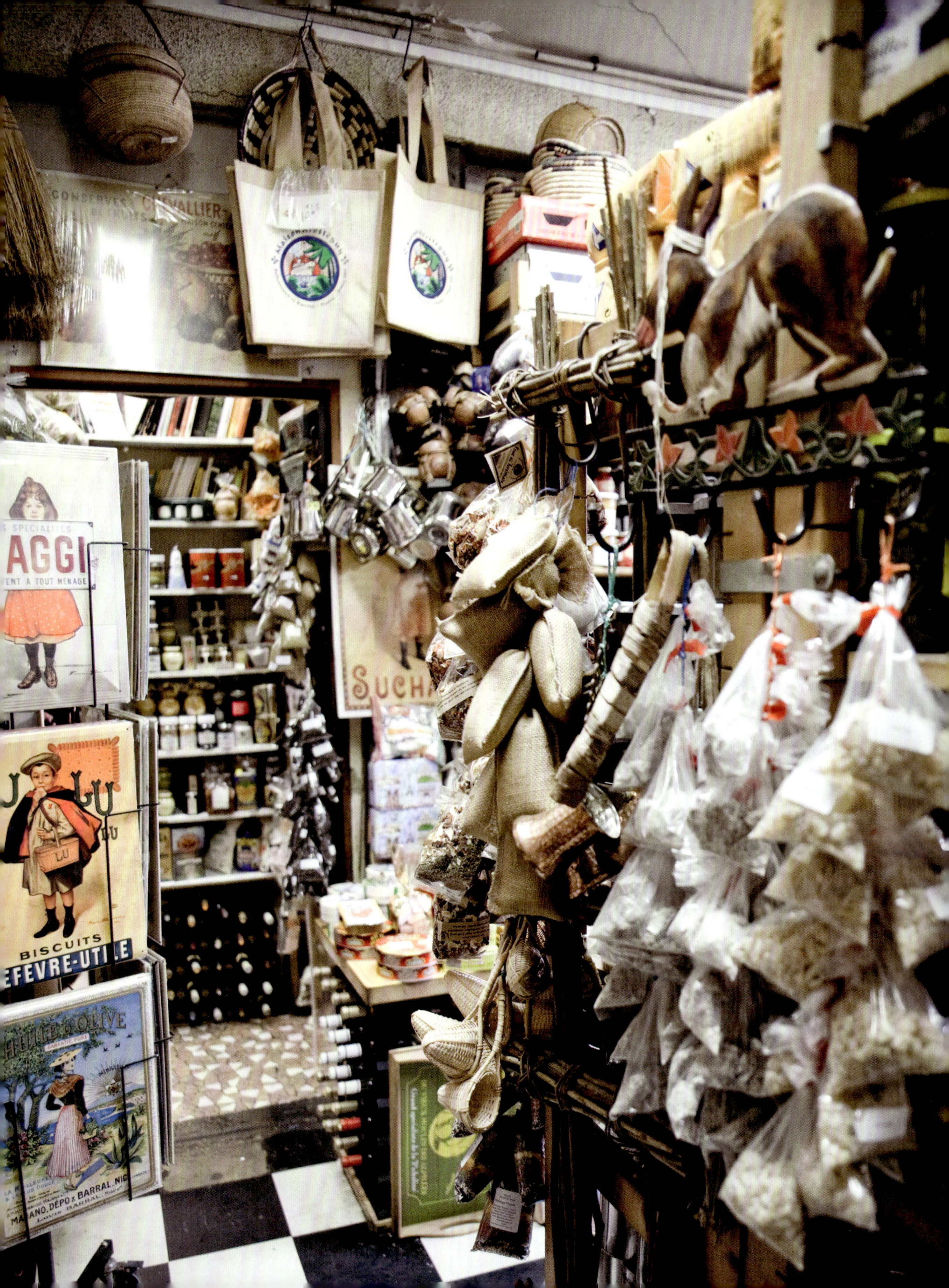

AGGI
LU
BISCUITS
EFEVRE-UTILE
SUCHA

PARIS · ENCRUZILHADA DOS MUNDOS
Amo Paris

IZRAËL. 30 rue François Miron Paris IVᵉ

IZRAËL

Alain Ducasse: Qual o produto que não se encontra senão em sua casa?

Françoise Izraël: Bem... por exemplo: o cominho... Há cominhos e cominhos. Se pegar o meu... Veja, me dê a sua mão, para sentir e ver. Tem-se tudo, e nada; se quiser, é preciso vir, sentir, ver! O curry, o senhor conhece, é nossa receita, e os clientes estão contentes com ele. Sinta a pimenta, é a selvagem! Temos baunilha, também, nós a importamos com exclusividade do Taiti.

AD: Vejo que vocês têm produtos frescos e embutidos também.

FI: Sim, é claro. Se for bom, vai ter um lugar na nossa casa. Esse é nosso critério.

PARIS, ENCRUZILHADA DOS MUNDOS

Amo Paris

IZRAËL. 30 rue François Miron Paris IVe

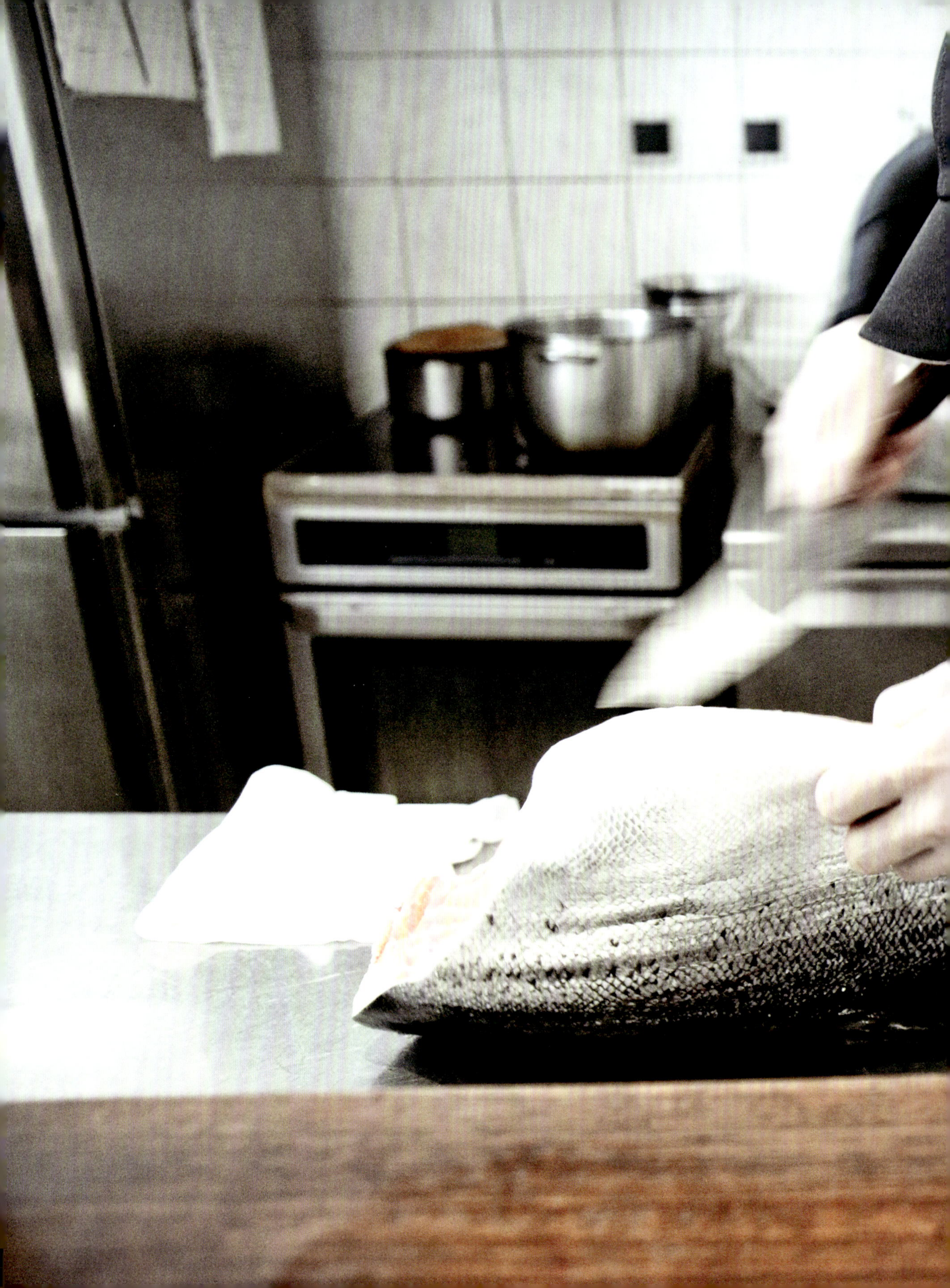

KAISEKI 7ᵇⁱˢ rue André Lefebvre Paris XVᵉ

PARIS, ENCRUZILHADA DOS MUNDOS — Amo Paris

KAI SE KI

O "Takeuchi sensei" prende a respiração. Toma impulso. Lança-se sobre o salmão. Cortado em filé em alguns ataques precisos. A faca voa, vai se plantar com um golpe seco no bloco de polietileno. Um morango fresco, reduzido a compota pelo lado plano da lâmina. Uma manga, um abacate, um ananás... Pintura feita à faca, um traço vermelho, um amarelo, um verde, sobre o arroz cor de malva.

Ele se imobiliza. Nós respiramos e admiramos a obra singular de Hissa Takeuchi, parecida com a de Jackson Pollock, o mestre do dripping: corre o suco de beterraba, a tinta seca se achata, há traços de chá *matcha*, gotas de suco de cereja, *saint-jacques* crua em sua concha, um jato de azeite de oliva e de polpa de maracujás. Tudo começa.

Amo Paris

PARIS · ENCRUZILHADA DOS MUNDOS

KAISEKI 7bis rue André Lefebvre Paris XVe

004265
ERE SILICONE 320MM
7,65 € HT

004152
SPATULE RACLETTE HETRE
300MM
2,30 € HT

PARIS, ENCRUZILHADA DOS MUNDOS
Amo Paris

MORA 13 rue Montmartre Paris Ier

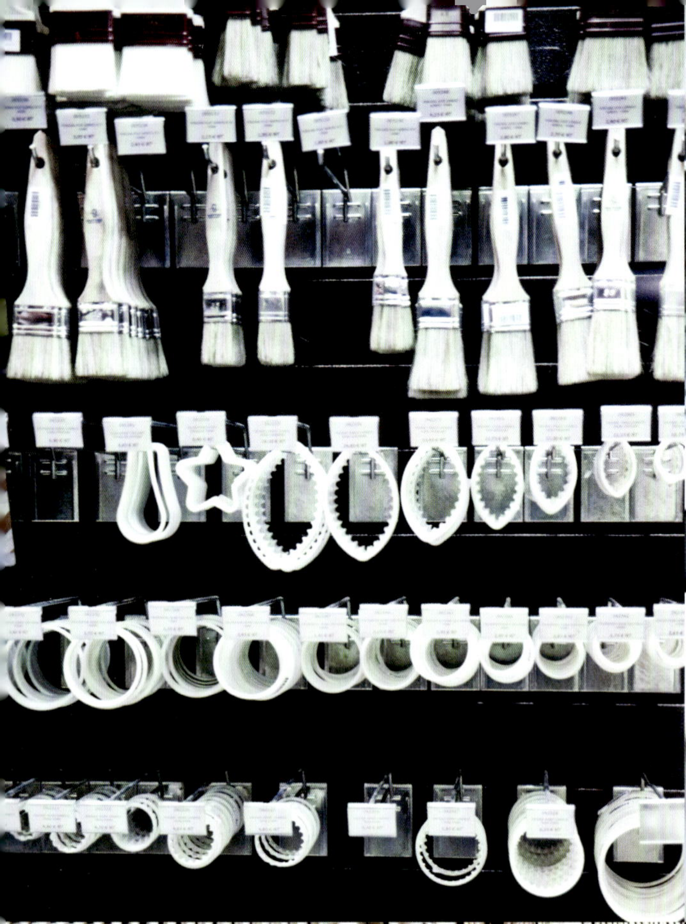

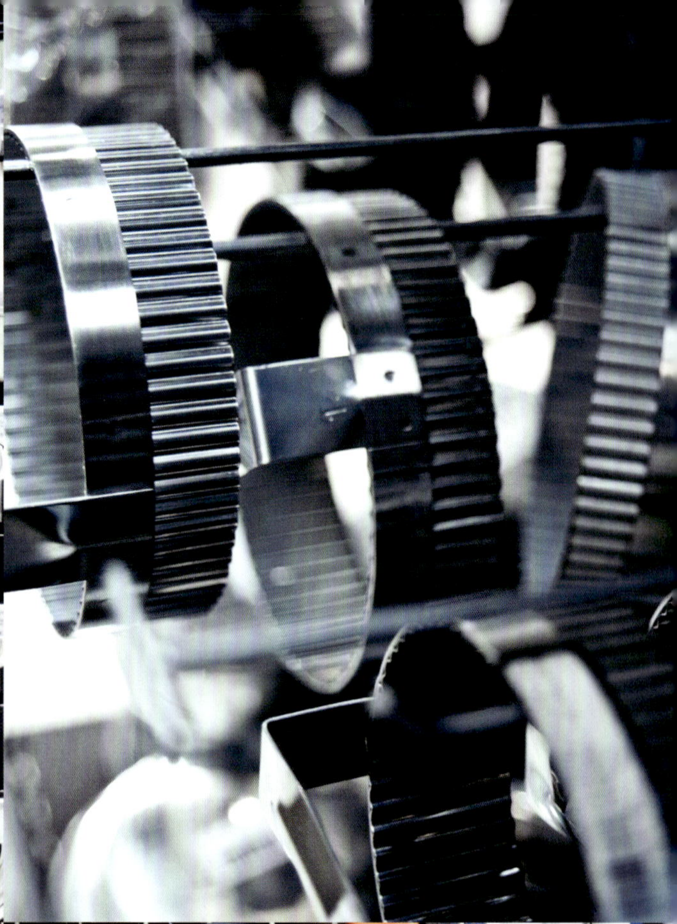

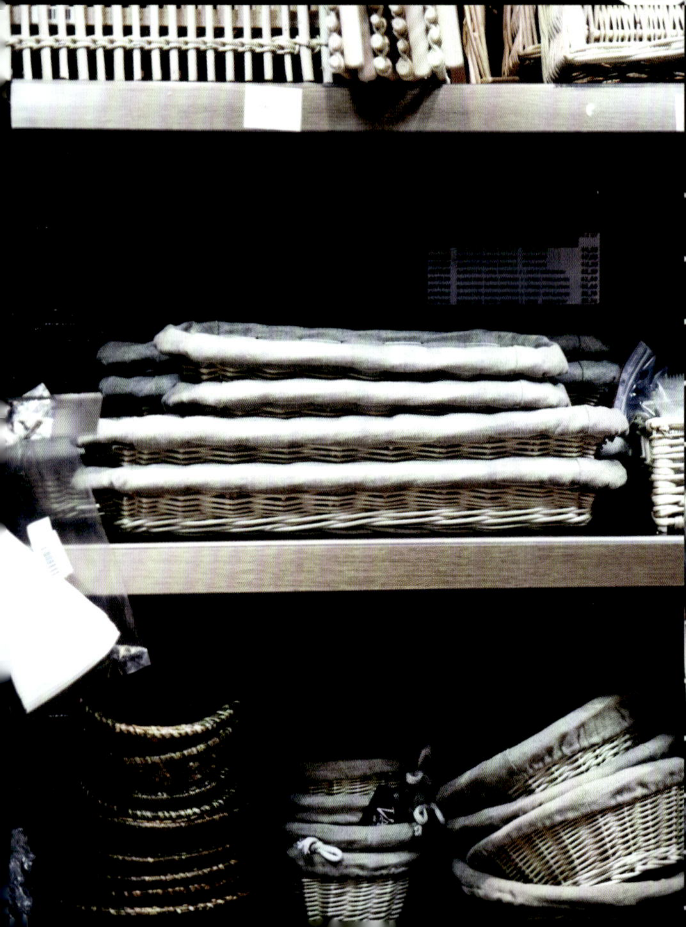

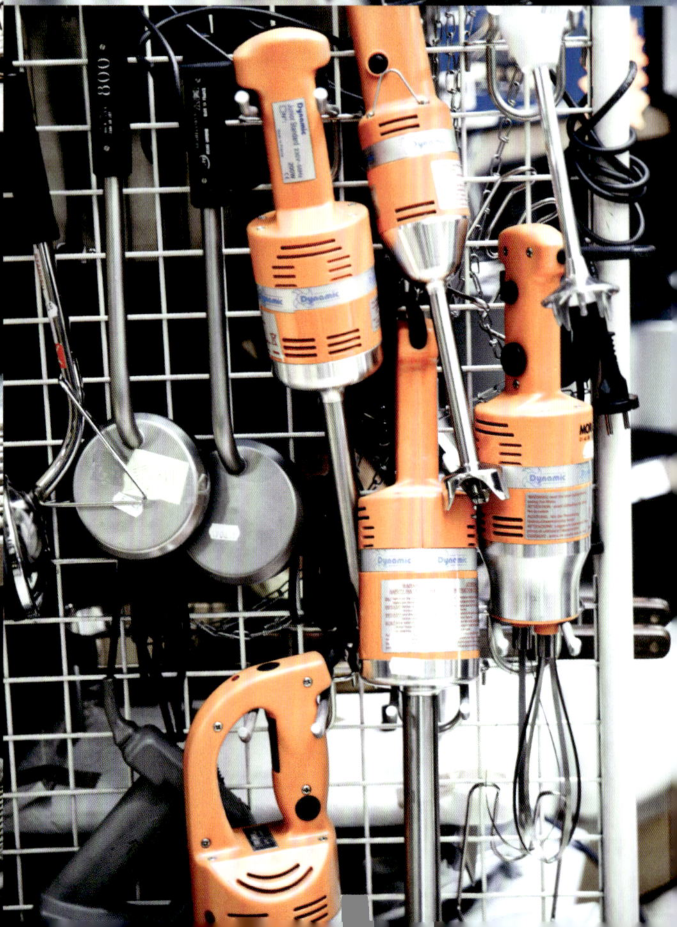
Dynamic

De Constantinopla a São Petersburgo - há dois séculos a casa Mora fornece os grandes cozinheiros e confeiteiros deste mundo. Não é complicado, eles têm de tudo. Do porta-ovo cor-de-rosa à batedeira planetária K5 Super, passando pelo funil a pistão, o refratômetro e o bico de confeiteiro Sultane. Em relação ao que é impossível, não há dúvida, eles pedem um prazo de alguns dias.

MO
RA

MORA 13 rue Montmartre Paris Ier

Amo Paris

PARIS . ENCRUZILHADA DOS MUNDOS

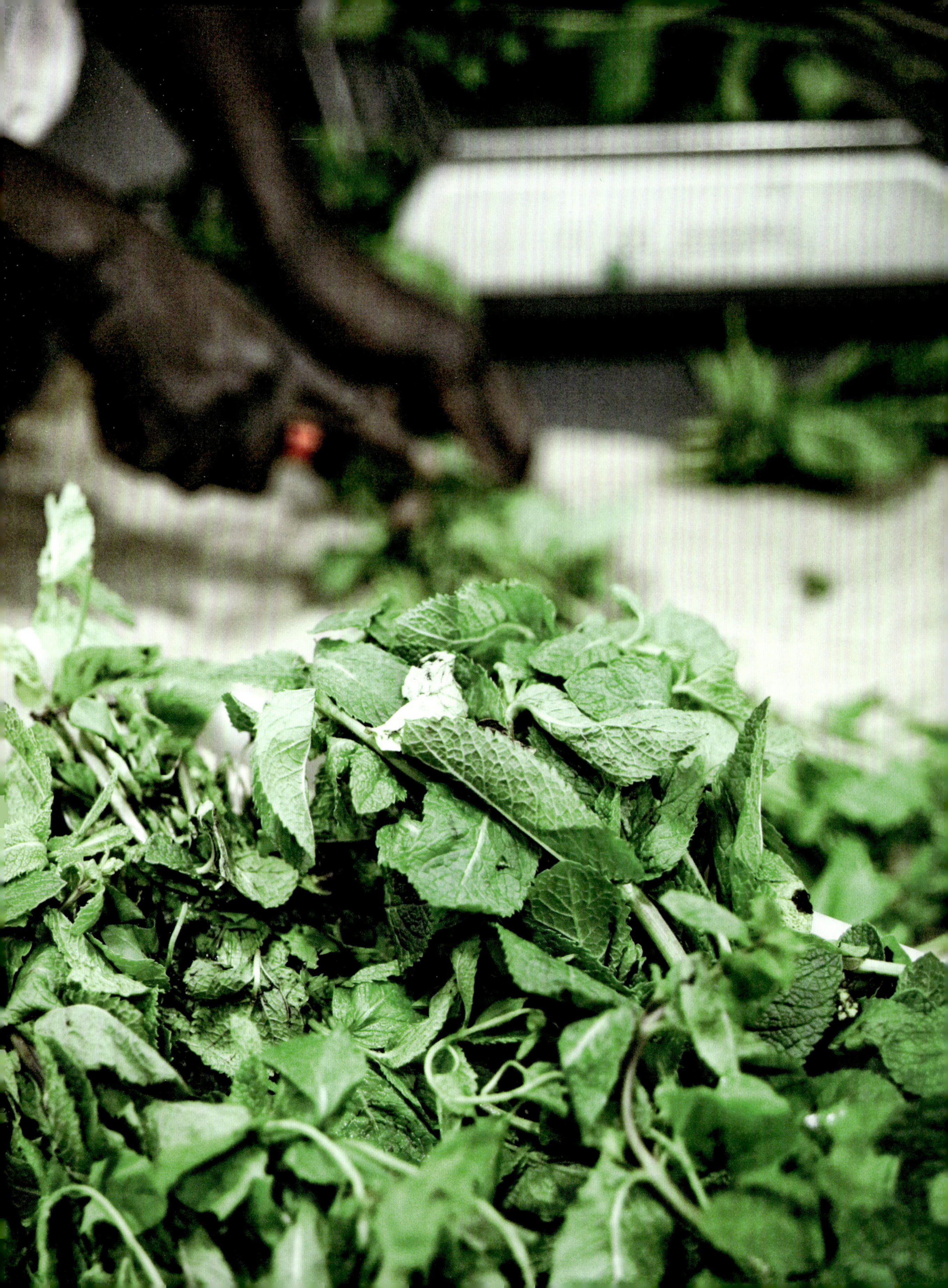

SOU QUAN 35 place Maubert Paris V^e

ENCRUZILHADA DOS PARIS Amo Paris

Mademoiselle
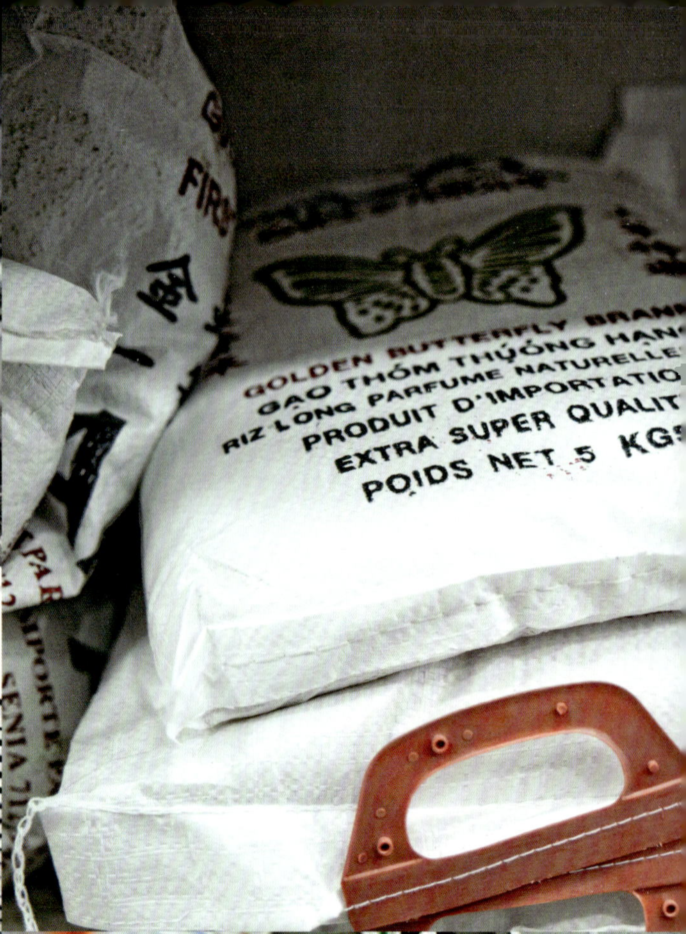
GOLDEN BUTTERFLY BRAN
GẠO THƠM THƯỢNG HẠNG
RIZ LONG PARFUME NATURELLE
PRODUIT D'IMPORTATIO
EXTRA SUPER QUALIT
POIDS NET 5 KGS

SOU QUAN

SOU QUAN 35 place Maubert Paris V^e

Praça Maubert, descemos alguns degraus. Lam nos toma sob suas asas. Ele sabe escolher as mangas-avião, os legumes mais frescos, as lichias que vão perfumar o *Ispahan* de Pierre Hermé. Belo sortimento de produtos. Às vezes temos de aproveitar: há em estoque ovas apimentadas de peixe (*maitenko*).

SUR LES QUAIS

Prateleiras de madeira para realçar essas coisinhas que nos fazem adorar ir "nas docas": um balcão de guloseimas arrumado diante de nós, e depois outro que propõe mais tesouros, um pouco mais longe… como resistir? Deixem-se convencer, tudo aqui é sem limites. Vocês poderão começar saboreando pedacinhos de casca de tangerina seca, salpicados de açúcar. Nada escapa ao olhar de Paul Vautrain, um esteta que sabe despertar os sentidos das pessoas. Aqui uma marmelada para ninguém botar defeito acompanhará um queijo Manchego de caráter. Ali, várias marcas de azeites de oliva vendidos a litro, em recipientes de onde podemos nos servir, oferecem os temperos mais sutis.

SUR LES QUAIS 7 place d'Aligre Paris XIIe

PARIS, ENCRUZILHADA DOS MUNDOS
Amo Paris

la tête da

LA TÊTE DANS LES OLIVES 2 rue Sainte Marthe Paris Xe

LA DANS TÊTE LES OLIVES

Cedric Casanova: Então, *chef*, o que o senhor faria com as minhas azeitonas?

Alain Ducasse: *Mamma mia*, elas são salgadas demais! Eu começaria colocando-as de molho. Quarenta e oito horas na água fresca. Depois, despejaria azeite de oliva nelas, mas que azeite?

CC: De preferência o de Bianca. É um azeite leve e refinado, aromatizado com limão. Na grande vasilha de estanho.

AD: Boa ideia. Me passe os grãos de funcho que estão naquele cesto lá, e também a pimenta-rosa.

CC: Enquanto o senhor trabalha, vou preparar a mesa para o aperitivo. Anchovas, alcaparras, queijo *pecorino*, *bresaola* de atum... Está pronta!

AD: A gente pode até pensar que está verdadeiramente na Sicília. Só faltam os grilos.

CC: *Buon appetito!*

LA TÊTE DANS LES OLIVES 2 rue Sainte Marthe Paris Xe

PARIS · ENCRUZILHADA DOS MUNDOS
Amo Paris

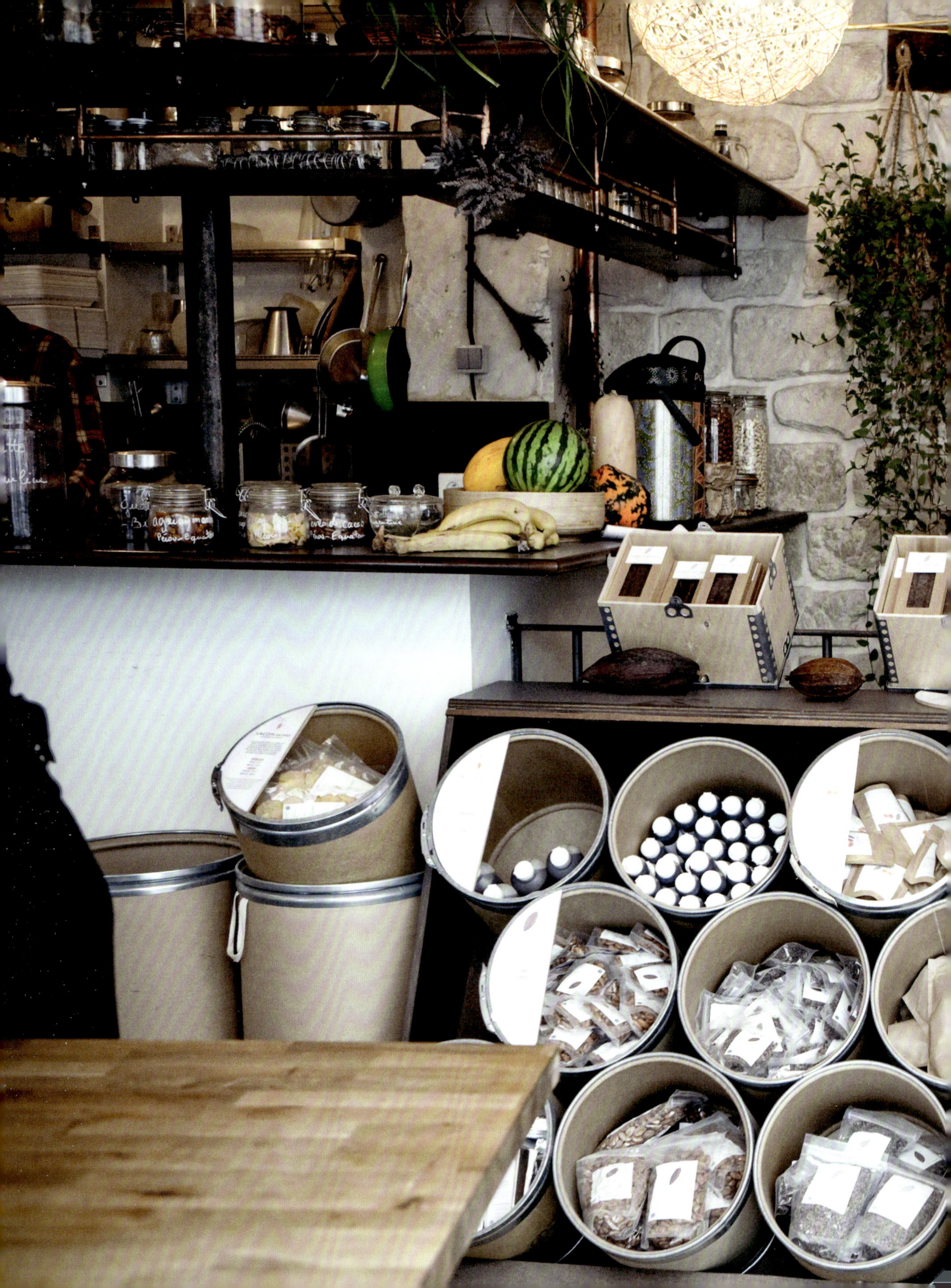

VOY ALIMENTO AU BAR DES ARTISANS 23 rue des Vinaigriers Paris Xᵉ

PARIS · ENCRUZILHADA DOS MUNDOS

Amo Paris

VOY ALIMENTO

No *brunch* vegan do domingo: *blinis* com purê de amêndoas e grãos de alfafa germinados, sopa meio cozida, meio crua, milkshake de banana leite de arroz, lúcuma e maca e o *xocolatl* tradicional dos astecas, com canela. Pascal, nutricionista e um pouco druida nas horas vagas, nos inicia voluntariamente nos "superalimentos": a alga *clamath* que estimula o cérebro, o urucum antioxidante, o aloe vera extraído da própria folha, a *stevia* e o xarope de *yacon* que substituem o açúcar... Enquanto isso, Jean-François vai encontrar os parisienses nos mercados orgânicos, aos sábados em Batignolles e aos domingos no boulevard Raspail. Eles fazem suas comprinhas, organizam suas listas ou vão embora com o menu do dia.

PARIS, ENCRUZILHADA DOS MUNDOS Amo Paris

VOY ALIMENTO AU BAR DES ARTISANS 23 rue des Vinaigriers Paris X^e

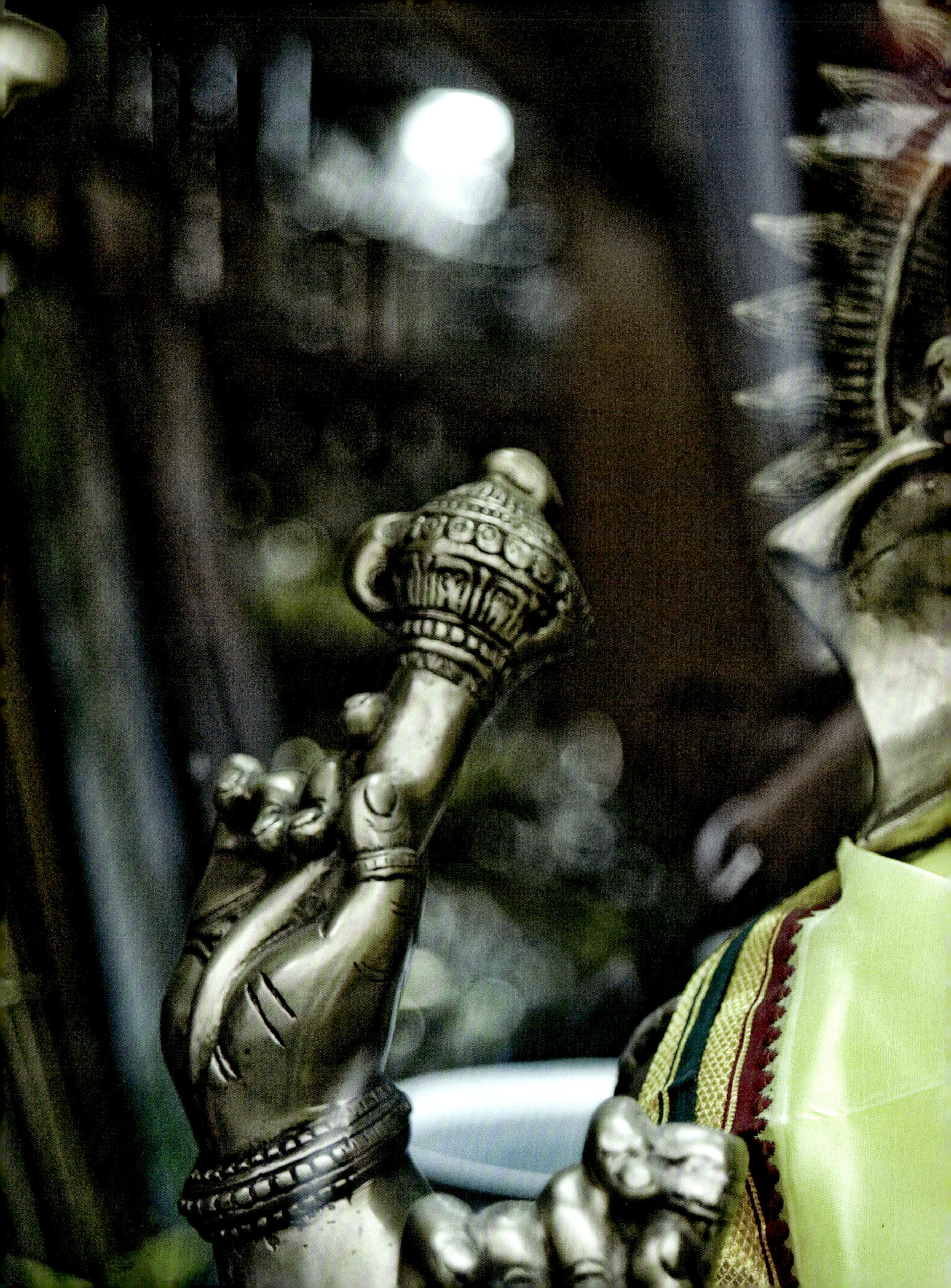

VT CASH & CARRY 11-15 rue Cail Paris Xe

PARIS. ENCRUZILHADA DOS MUNDOS

Amo Paris

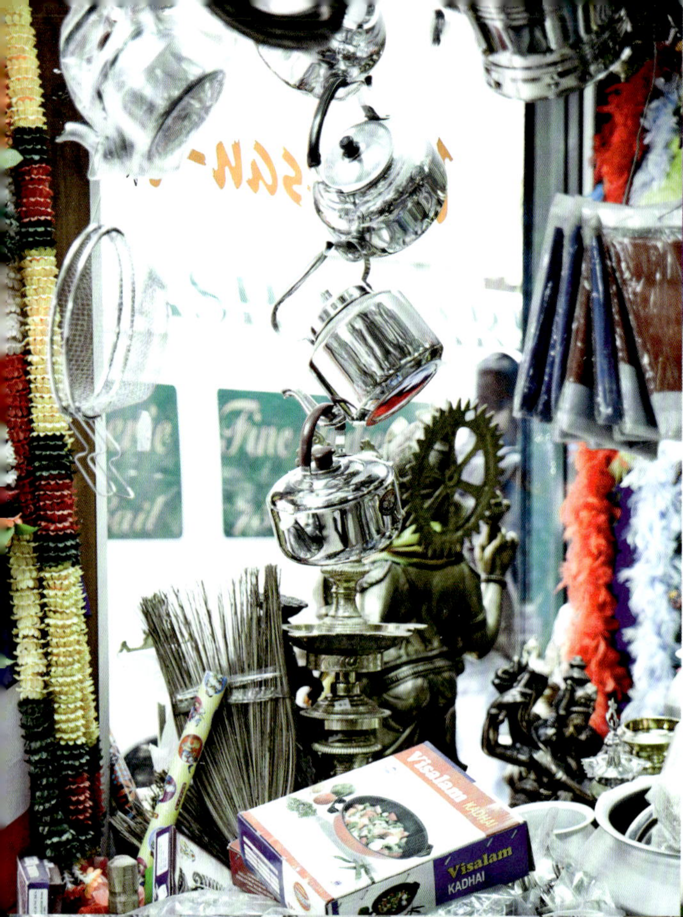
Visalam
Visalam
KADHAI

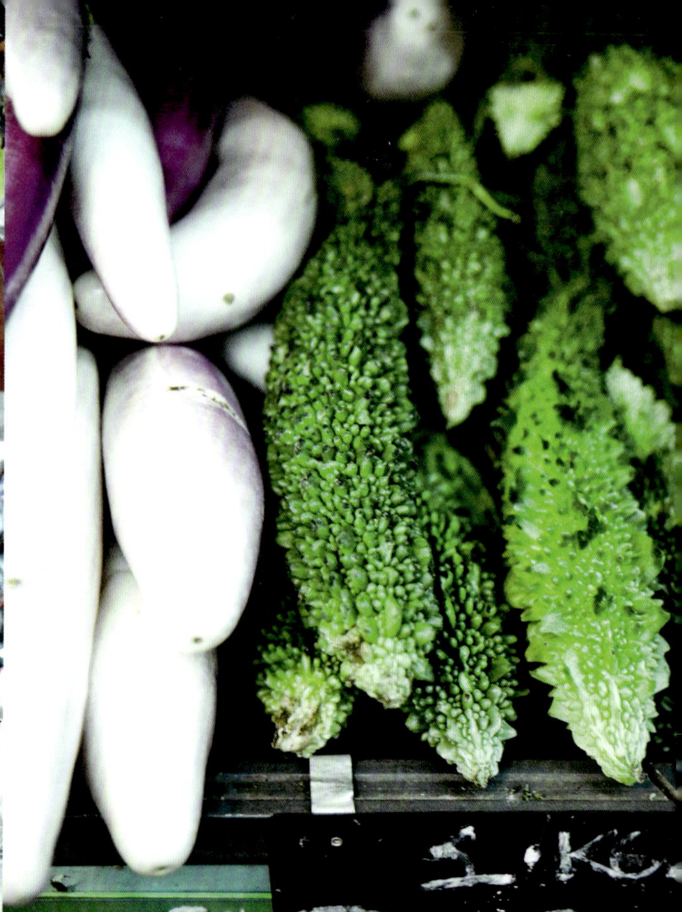

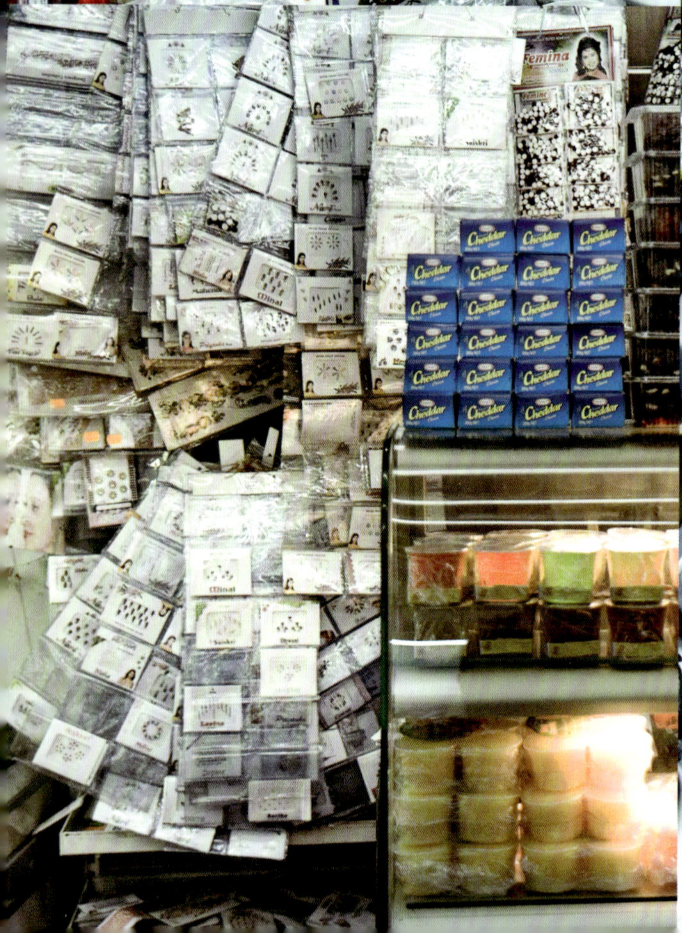
Femina
Cheddar

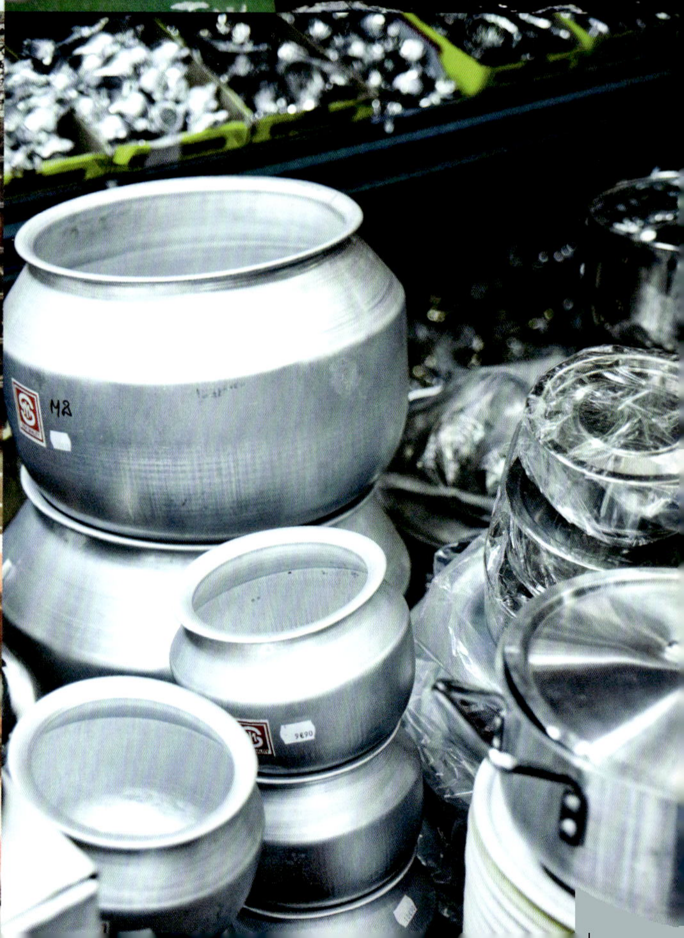

VT CASH & CARRY

Para arranjar cardamomo, grãos de mostarda ou farinha de lentilhas verdes, indispensáveis para os *pappadoms*, é preciso ter sorte para descobrir o endereço da Little India. Os conhecedores encherão os bolsos com *custard powder*, sachês de ágar-ágar e proteínas de soja texturizadas. E há uma escolha de temperos que é realmente *bollyfoodiana*.

Amo Paris

PARIS, ENCRUZILHADA DOS MUNDOS

VT CASH & CARRY, 11 – 15 rue Cail Paris X^e

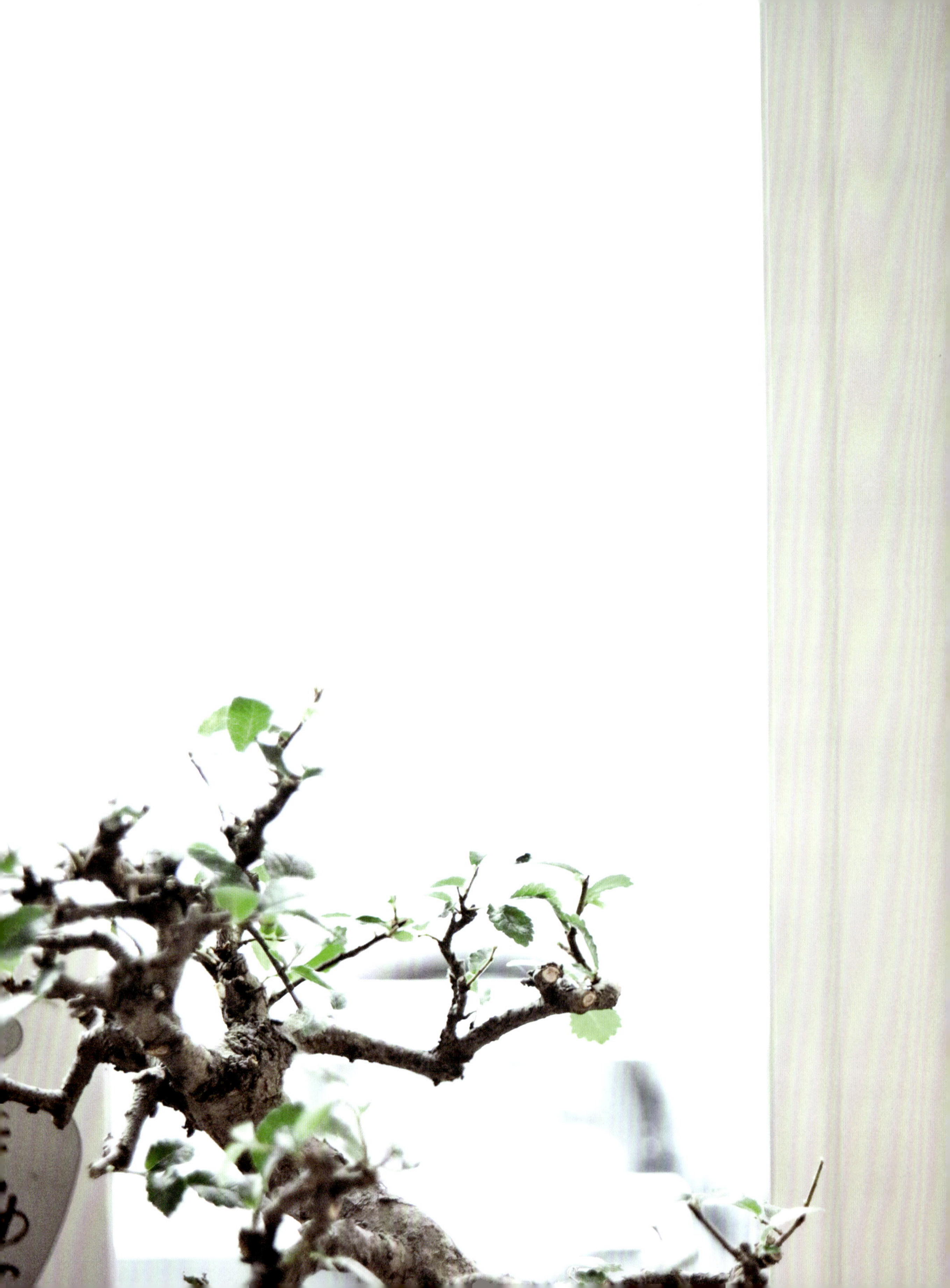

WORKSHOP ISSÉ 11 rue Saint-Augustin Paris IIe

Amo Paris

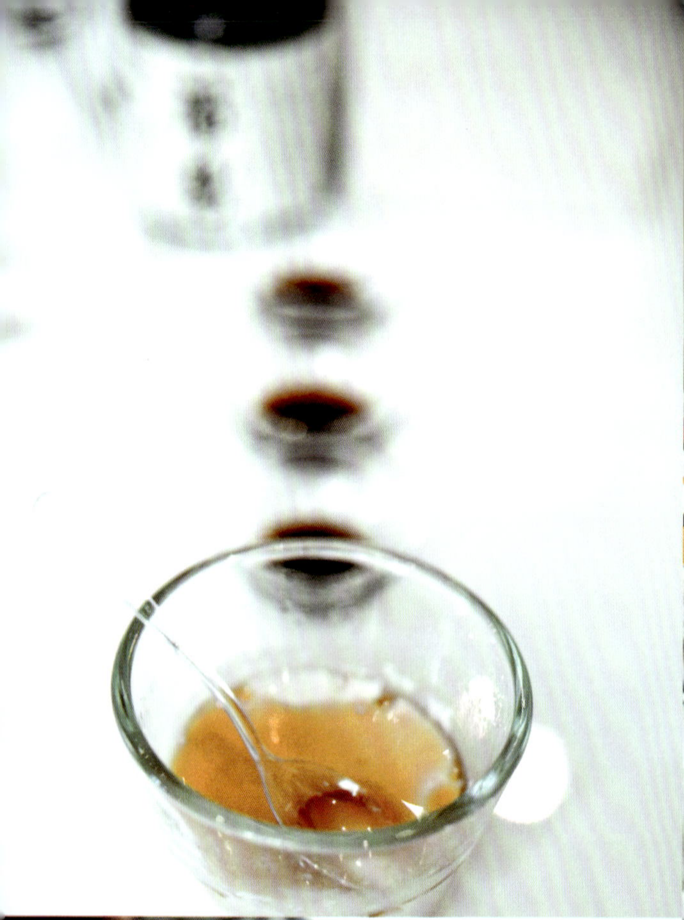

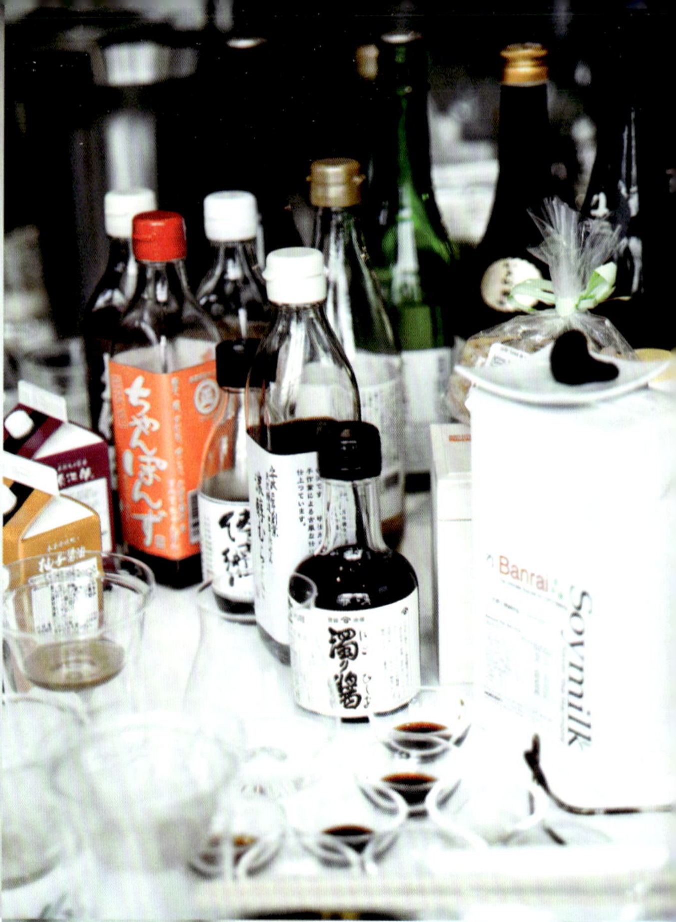
ちゃんぽんず
濁り醤
Banrai
Soymilk

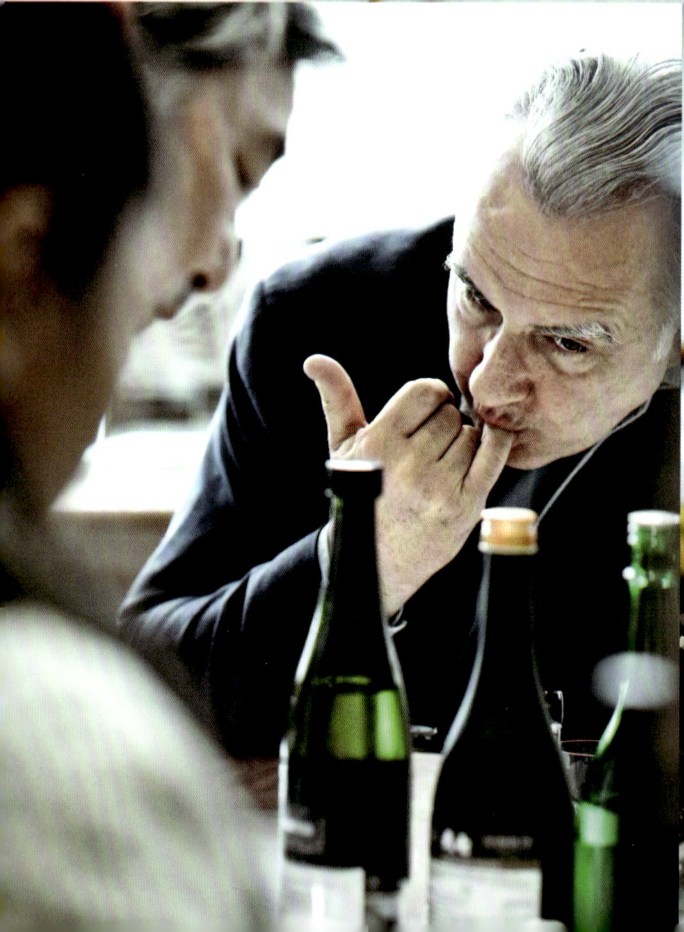

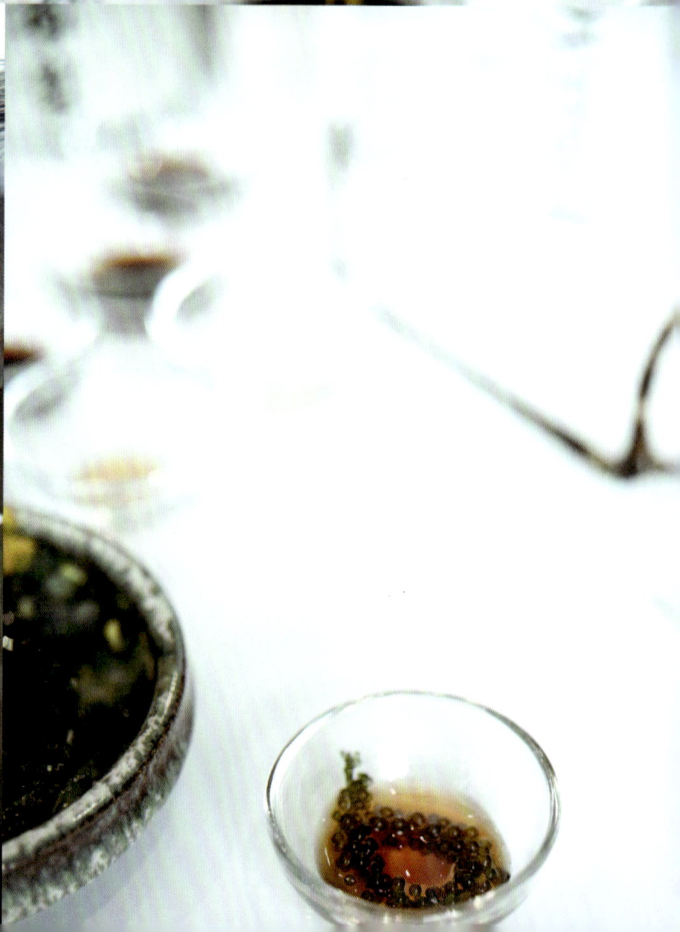

WORKSHOP ISSÉ

Sensações japonesas. De opalescentes *spaghettis* de *konnyaku*, realçados com uma ponta de *wasabi* bem fresco e molho de soja claro. O *umami*, que tem gosto da terra, o sabor que revela os outros sabores, enfim vindo à luz. A delicadeza do *tofu* sedoso, a intensidade explosiva de um *mirin* que se poderia beber como um licor. *Missôs* mágicos, suco de *yuzu*, incomparáveis leites de soja... O *maître* Toshiro Kuroda nos ensina os caldos primários, tudo sobre os *kombus*, a complexidade da soja. E o cachorro, guardião do templo, tem seu lugar entre as porcelanas e os bonsais de pimenteira Senchô.

ENCRUZILHADA DOS MUNDOS · PARIS · Amo Paris

WORKSHOP ISSÉ 11 rue Saint-Augustin Paris IIe

487

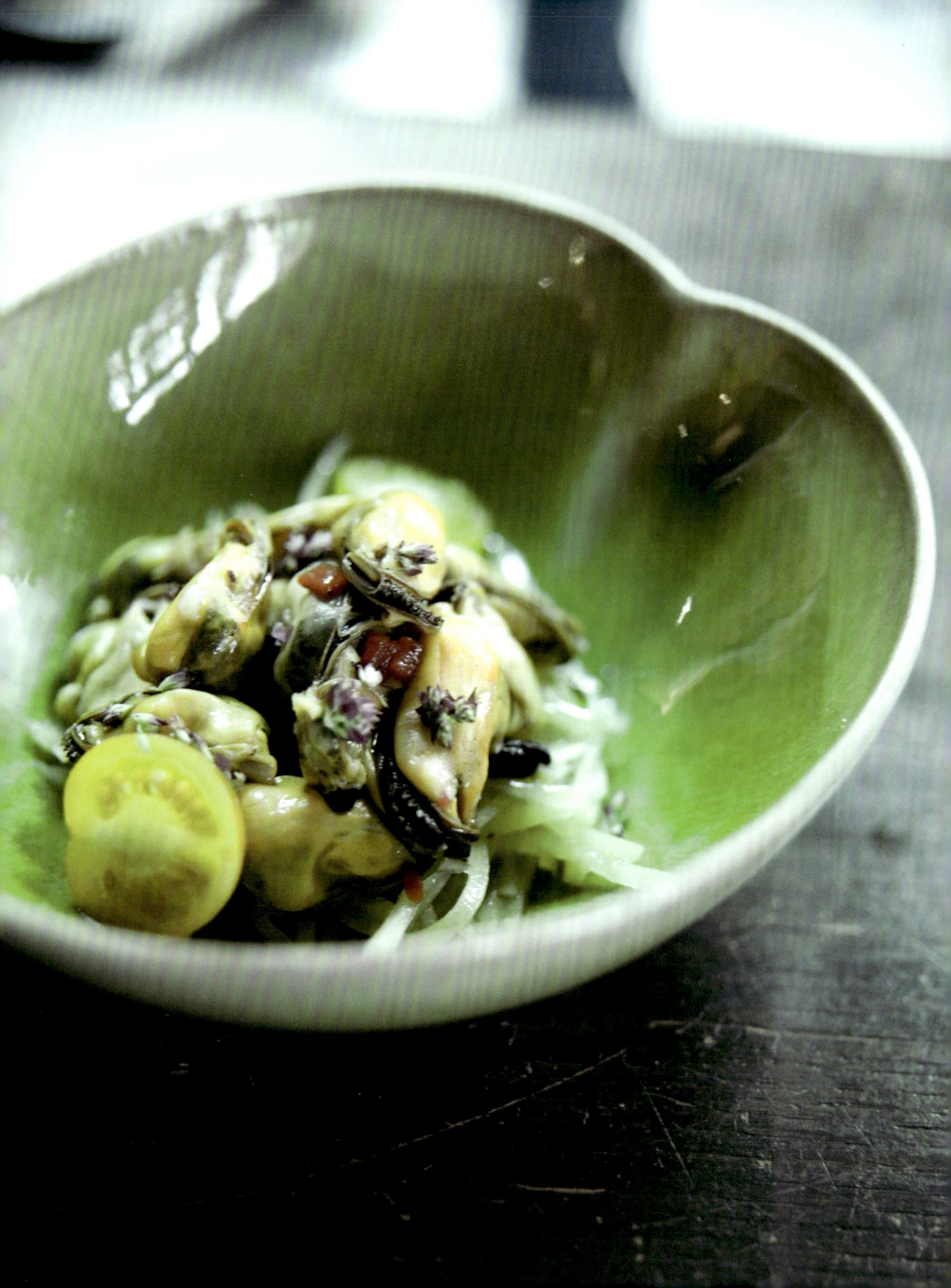

YAM'TCHA 4 rue Sauval Paris Ier

PARIS, ENCRUZILHADA DE MUNDOS — Amo Paris

YAM' TCHA

Batatas? Assim, passadas no *wok por 45* segundos, estão quase cruas? A grande sacerdotisa do fogo oficia, e a batata trabalhada como manga verde se enobrece. Transfiguradas também as berinjelas ao vapor, realçadas com feijão-preto fermentado, moluscos no *wok* e pato em todas as suas formas. Sentar-se no bar para ter uma visão profunda do inteligente e sutil trabalho de Adeline Grattard.

YAM'TCHA 4 rue Sauval Paris Ier

ze kitchen
galerie
restaurant

ZE KITCHEN GALERIE 4 rue des Grands Augustins Paris VIe

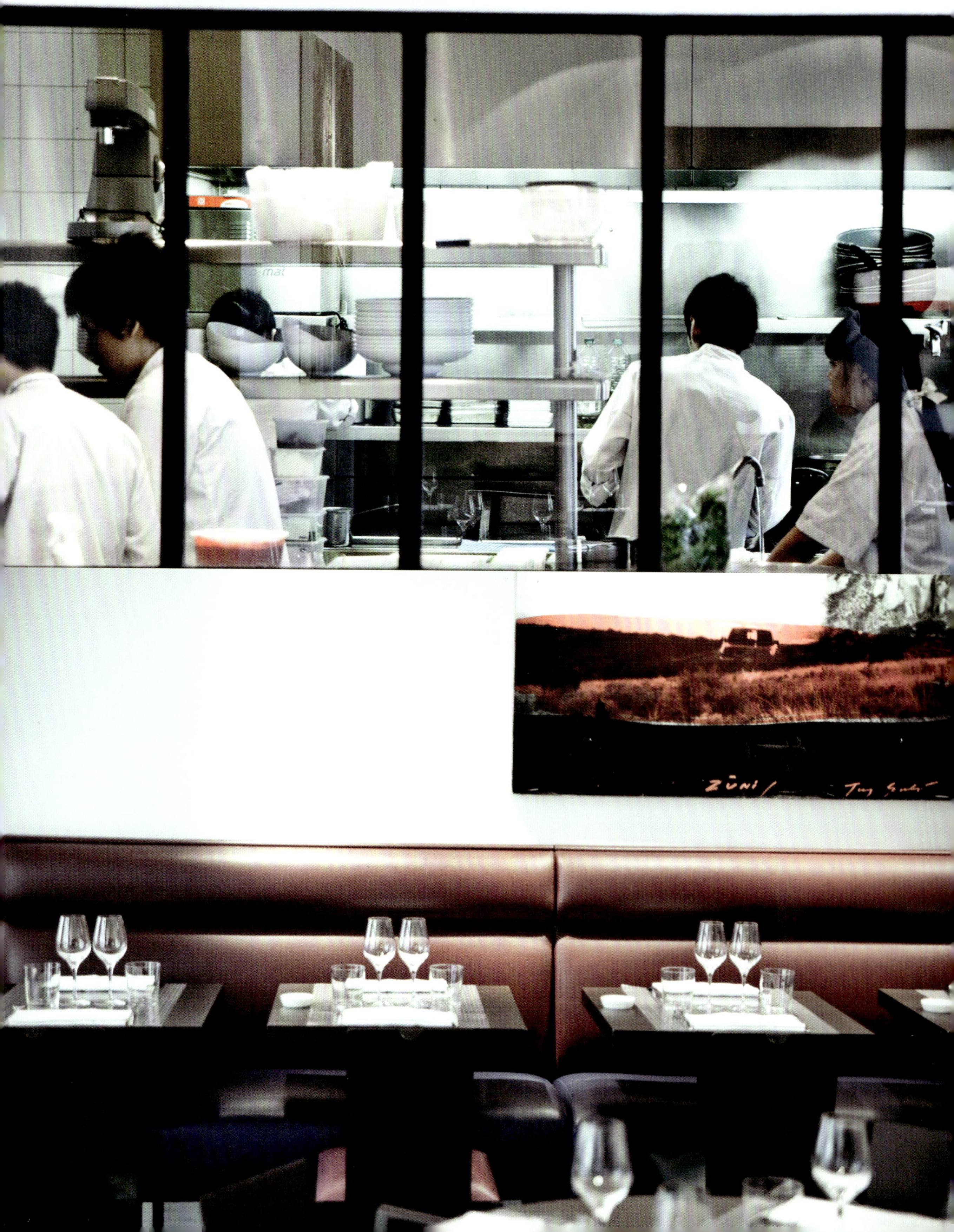
ZŪNI /

ZE KITCHEN GALERIE

Amo Paris

PARIS, ENCRUZILHADA DOS MUNDOS

"Minha definição de culinária: liberdade de expressão. Troco aspirações, humores, paixões, descobertas, viagens com produtores e artistas. Sou muito curioso. Daí a culinária que faço hoje ser, afinal, uma reinterpretação dos clássicos franceses, mas aberta às influências estrangeiras. Tive também a oportunidade de trabalhar com produtores maravilhosos. Joël Thiébault e Asafumi Yamashita, os meus produtores intensivos de legumes, verdadeiros ourives, cada um deles com sua sensibilidade, me trazem uma qualidade incrível de frescor e de sabor. Os dois estão na região parisiense, o que recebem de manhã me entregam ao meio-dia! Eu me entendo bem com eles: na realidade, eles são como eu, sentem intensamente e procuram..."

William Ledeuil

ZE KITCHEN GALERIE 4 rue des Grands Augustins Paris VIe

Traiteur
Tél: 01 42 00 25 15

ZERDA CAFÉ 15 rue René Boulanger Paris X€

ZERDA CAFÉ

Jaffar Achour: Eis o cuscuz doce, uma receita de Tlemcen, do oeste argelino. Com as famosas tâmaras sem pele e sem semente. No interior, para dar um toque crocante, há biscoitos doces, belgas. E temperos, canela...

Alain Ducasse: Eu gosto de adivinhar o sabor da canela, mas não senti-lo. Nesse caso, o cuscuz foi preparado muito delicadamente.

JA: E agora, o cuscuz bérbere de legumes. É preciso molhar a sêmola com óleo assim que ela sai do vapor, queimando as mãos, senão fica muito gordurosa. É um cuscuz da primavera. Com ele, mordem-se cebolinhas cruas.

AD: De fato, há uma gama de cuscuzes...

JA: Que se saiba, há perto de 450 tipos... Preparamos também o *berkoukes*, de grãos maiores. Ele é cozido com ou sem carne. Sugerimos aos clientes também os feitos com crustáceos.

AD: Que boa ideia!

PARIS, ENCRUZILHADA DOS MUNDOS
Amo Paris

ZERDA CAFÉ 15 rue René Boulanger Paris X°

PARIS, ENCRUZILHADA DO MUNDO

EU GOSTO TAMBÉM...

AMICI MIEI

44 rue Saint Sabin / Paris XIe

Ninguém vem aqui por causa do dono, um autêntico sardo, mas por causa das pizzas. A de rúcula faz a felicidade dos habitués, tanto que alguns críticos gastronômicos instalaram seus escritórios bem ao lado do local. Muito apreciada também é a pizza branca (massa fina e crocante, borrifada com azeite de oliva apimentado e uma pitada de sal) e a de *radicchio*, para ser partilhada tranquilamente com os vizinhos. Mas, se você não estiver com vontade de comer pizza, vire-se para o lado do mar: os peixinhos fritos são divinos e as lulas... mortais.

L'AS DU FALAFEL

34 rue des Rosiers / Paris IVe

Será que os *falafels* são de graça? Somos quase levados a acreditar que sim, pela fila que se forma quando está quase na hora de ficarem prontos. Pelos clientes educados, mesmo diante de um serviço comum em relação às coisas deste mundo. Pela aparência não muito exótica da travessa vermelha, própria de cantinas. Mas por nada do mundo se iria para outro lugar. O crocante desses bolinhos de verduras cria um instante de ilusão que nos faz crer que todos nós temos uma avó israelita. Com um copo de limonada, terrivelmente açucarada, terrivelmente ácida, nos sentimos em férias.

AUX COMPTOIRS DES INDES

50 rue de la Fontaine au Roi / Paris XIe

Até mesmo os molhinhos, o verde mentolado, o vermelho forte e doce são feitos na casa. O que mostra o cuidado que o *chef* dispensa aos preparativos de sua culinária do sul da Índia. A untuosidade de um carneiro aos cremes de amêndoa e de castanha-de-caju, em seus 45 sabores. A doçura láctea de um *kulfi*, um sorvete de pistache quase salgado.

LE CHERCHE-MIDI

22 rue du Cherche Midi / Paris VIe

Os antepastos da casa, os peixes do dia e o carpaccio são de um frescor indiscutível. Eles combinam com um excelente azeite de oliva, uma ótima mussarela. Nada de pizzas, nem combinações de produtos estranhos, apenas os ingredientes trabalhados à moda antiga, com simplicidade. O ambiente é caloroso na salinha bem servida, bem como na varanda, que fica lotada nos dias bonitos.

MARCHÉ DEJEAN

Rue Dejean / Paris XVIIIᵉ

Tilápia, garoupa-branca ou *capitaine* - a não ser que se queira experimentar uma barracuda? Um frango vivo ou uma cotia? Roendo uma espiga dourada - quente, milho quente! - a gente se deixa levar pelos aromas surpreendentes, pelas cores vibrantes dos estandes de pimentas e pela visão impossível de uma chaleira zebrada. Saltamos de uma fachada a outra: *Le marché de Dabou*, *Ivoire Exotique*, *Abidjan est Grand*... Sob os pilares do metrô aéreo, a gente bem que poderia abrir uma cerveja de gengibre.

FOYER VIETNAM

80 rue Monge / Paris Vᵉ

Amigos da calma, da sofisticação e da elegância, dirijam-se de preferência a outros lugares. Na cantina da Associação dos Estudantes Vietnamitas comem-se raízes e há barulho constante. A cozinha é tipicamente vietnamita: salada de trepadeiras aquáticas com carne de boi ou de flor de bananeira com frango, uma ótima sopa *phô* e os famosos ovos galados (com o pintinho no seu interior), que asseguram a lotação plena do lugar entre as gerações de estudantes, pelo menos enquanto durar a amenidade dos preços.

GOUMANYAT

3 rue Charles François Dupuis / Paris IIIe

Em 1809, a família Thiercelin criou a primeira empresa do mundo de transformação do açafrão, em Pithiviers-en-Gâtinais, em uma torre de muralha da Idade Média. Goumanyat é o seu balcão parisiense, e Jean Thiercelin, *maître* e artesão, encarna a sétima geração familiar. Cofres e frascos antigos guardam uma bela gama de temperos, entre os quais estão os das casas do sultão e do faraó. Há também azeites e xaropes, chás ayurvédicos e texturizantes moleculares.

I GOLOSI

6 rue de la Grange Batelière / Paris IXe

O *chef* é veneziano, mas não sectário. Seus peixes de laguna e seus risotos equivalem às carnes de caça toscanas e à rabada à romana. Vinhos em copos, escolhidos em uma carta muito refinada, geraram a reputação da casa e acompanham os pratos que mudam a cada semana. É possível encontrar todos esses produtos na épicerie bem próxima dali. Um endereço do qual não se esquece.

IL VINO

13 boulevard de la Tour Maubourg / Paris VIIe

No menu, vinhos, somente vinhos! É só escolher a bebida que Enrico Bernardo, o Melhor Sommelier do Mundo, servirá as comidas que mais combinam com ela. O *maestro* é um purista que desenhou a sua própria linha de copos Schott Zwiesel, e seu saca-rolhas *Laguiole*. Você vai ser guiado por entre os 1.500 rótulos vindos do mundo inteiro.

MICHELANGELO

3 rue André Barsacq / Paris XVIIIe

Todas as manhãs, à sombra do plano inclinado de Montmartre, Michelangelo Riina, siciliano, faz compras no mercado e compõe o menu. Todas as noites, sozinho, ele dá umas passadas para transpor os centímetros que separam a cozinha aberta dos seus quinze convivas. Nas suas mãos, a culinária siciliana explode em sabores e cores, como os seus *arancini* ao gorgonzola. Em ideias também, como o seu *tagliatelle* com camarões grandes e pistaches. Uma experiência mediterrânea competente e moderna.

MOUSSA L'AFRICAIN

25—27 avenue Corentin Cariou/ Paris XIX®

Para alguns, o Paris-Dakar são os jipes que roncam nas dunas. Para os gourmands, será um frango *yassa*. Ou um *tiep*, ou um *ndolé* - o coração balança entre eles. Alexandre Bella Ola, *chef* cozinheiro da República de Camarões, convida-nos para uma viagem por toda a África negra. Embarcamos nas suas especialidades do Mali, da Costa do Marfim, do Senegal ou dos Camarões, acompanhadas de saborosas bananas fritas escaldantes.

BOULANGERIE MURCIANO

14 rue des Rosiers / Paris IV®

A padaria e pâtisserie Murciano está instalada na rue des Rosiers, no coração do tradicional bairro judeu de Paris. Ali são feitas as provisões de *hallah*, os famosos pães judaicos trançados, com grãos de papoula ou com passas. É um pão "natural", ideal para mergulhar em um molho, como na *molokheya*, uma espécie de guisado feito à base de pó de *corète*, uma erva com gosto de espinafre. O strudel de maçãs é sutilmente perfumado com canela: dá vontade de devorá-lo. Aqui tudo é kosher.

NON SOLO CUCINA
135 rue du Ranelagh / Paris XVI⁰

Aqui, estamos na Sicilia e é o *chef* que nos guia. Hoje, escolherá o *sauté* de mexilhões e de mariscos, seguido de *spaghettis* com sardinhas e funcho selvagem, tudo regado com um generoso vinho siciliano. Como sobremesa, somos tentados pela surpreendente torta açucarada de abobrinhas, ou pelos deliciosos *cannolicchi* com ricota açucarada. Tudo dá vontade. E então, repetimos sem nos fazer de rogados. É copioso, é alegre, é bom.

NON SOLO PASTA
50 rue du Ruisseau / Paris XVIII⁰

Ambiente familiar o dessa bela cantina-restaurante-*delivery* de bairro. Balcão de madeira clara, acolhida sorridente. Durante a semana, fica aberto para almoço e, no fim de semana, para jantar. Francesco propõe uma autêntica culinária italiana: *pene all'arrabbiata* ou *fusilli alla matriciana*. Os *galletti* ao atum e ao tomate derretem na boca, sutilmente perfumados com azeite de oliva virgem ligeiramente apimentado. Experimentem a *panna cotta* servida com um caramelo. A mousse ao Nutella chega em tempo para acompanhar o café *ristretto*.

LA NOUVELLE MER DE CHINE

159 rue du Château des Rentiers / Paris XIII

Enfrentem a rua pouco atraente e o vento que penetra por ali. Às margens do Mar da China, prepara-se uma culinária sutil e leve. Bolinhos de caranguejo, primeiro crocantes, depois suculentos, com um molhinho de limão, alho, sal e pimenta, em osmose total. Salada de maçãs verdes usadas como legumes, como uma papaia, línguas de pato com sal e pimenta, frango a baixa temperatura ou pato ao limão. Em grandes travessas, com vento agradável.

PAKKAI

71 avenue d'Ivry / Paris XIII

Perfeitamente, congelados! A mais exigente das mães asiáticas não tem receio de servir-se deles. Pois nem sempre é possível ir até Cingapura para pescar o caranguejo de casca mole durante as três semanas de sua muda. No Pakkai, uma bela gama de peixes e crustáceos, os melhores bocados feitos a vapor entre os concorrentes do bairro e uma variedade de pratos thai cozidos, que fazem a felicidade dos celibatários apressados. Degustação gratuita todos os domingos.

CHARCUTERIE PANZER

26 rue des Rosiers / Paris IVe

Na vitrine, os famosos salsichões da Cracóvia nos acolhem. Eles têm o mesmo sorriso que *monsieur* Panzer Filho. Evidentemente tudo é kosher, do salame tunisiano, do foie gras de pato ao mais famoso dos salsichões de Lyon, o *rosette*. É preciso se controlar para não mergulhar a mão no tonel de grandes pepinos em conserva de aneto. Nos deixamos inspirar pela "carne-seca" em carpaccio, pela espádua de vitelo com temperos aromáticos, pela língua à escarlate ou pela perua à páprica, por um prato inglês com sotaque asquenaze.

PARIS STORE

44 avenue d'Ivry / Paris XIIIe

Um dos grandes supermercados asiáticos da capital. Aqui, encontra-se o que faz a delícia dos conhecedores e a surpresa dos neófitos: ovos de mil anos, salsichas ao molho de limão, folhas de bananeira, ameixas secas com alcaçuz... Uma grande prateleira de produtos frescos, pitaias e anonas, manjericão thai e abóboras amargas. Leguminosas e cereais divertidos, como esse arroz marrom que se torna lilás com o cozimento. Preços modestos, mas uma escolha às vezes desconcertante: é prudente saber o que se vem buscar.

PHO DÔNG HUÔNG

14 rue Louis Bonnet / Paris XI®

O ideal seria pôr uma grande toalha para uma degustação confortável. A gente senta e o garçom já coloca na mesa um misterioso molho, marrom e espesso, com um prato de substâncias aromáticas, muito frescas. Para os neófitos: façam como seus vizinhos, molhem os brotos de feijão crocantes no molho. Só isso! Pho Dông Huông é um templo legendário vietnamita de gestão familiar. Uma menção especial para o crepe frito e o *bo bun cha gio*.

PHO TAI

13 rue Philibert Lucot / Paris XIII®

A deusa da gourmandise descida à Terra para seduzir os homens sabe onde se aprovisionar de munições. Divinos rolinhos-primavera de carne, morninhos, e frango grelhado que derrete na boca. Como em Hanói, porções imensas e temperos finos são servidos com um sorriso malicioso. No seu estabelecimento anterior, situado na rue de Longchamp, o *chef* Te Ve Pin, o homem que cozinhou a primeira sopa *pho* de Paris, ganhara o apelido de Robuchon chinês. Hoje, ele oferece o menu com os mesmos preços das tabernas vizinhas. É o negócio do século.

PICCOLA TOSCANA

10 rue Rochambeau / Paris IXe

Quando se abre a porta da épicerie, pode-se pedir, como em Florença, um *tramezzino à la porchetta* - um sanduíche de leitãozinho assado. Enquanto ele é preparado, podemos nos apossar de um dos queijos *pecorinos* apurados, do *panforte* Margherita ou do *nougat* de frutas cítricas cristalizadas à moda de Siena. Deixamos nos tentar pelo menu de preços fixos e, no pequeno terraço, por um prato de massas com trufas.

LA RÉGINETTE

Galerie 66 / 49 rue de Ponthieu / Paris VIIIe

Uma cantina pegada ao Regine's, que fecha quando Paris se levanta e é mantida por Nathalie Bénézeth e seu irmão caçula, Alexis. No interior, é como se estivéssemos em um iate *Streamline*. Uma massa de casca fina! O *pizzaiolo* é um ganhador de concursos, assegura o espetáculo, joga a massa ao teto e a pega no voo, a três centímetros de nossa cabeça! Há mesmo uma pequena pizza de Nutella - não é preciso se privar da sobremesa.

RINO

46 rue Trousseau / Paris XIe

Giovanni Passerini foi assistente de Petter Nilson no *La Gazzetta*. Antes disso, esteve no *L'Arpège* e no *Le Chateaubriand*. Agora ele experimenta suas próprias receitas em um microbistrô onde somente se vê a cozinha - de um vermelho tomate - e os pratos. Influências italianas no risoto de cevada com laranja cristalizada, ou um *baba* de pera com ricota. Instinto e frescor do mercado para um abadejo com repolho verde e avelãs, ou uma merluza com acelga e azeite de oliva. Isso é o que se chama uma cozinha de autor.

SARDEGNA A TAVOLA

1 rue de Cotte / Paris XII⁰

Por um momento, procuramos os bandidos e a praia idílica. É tudo o que nos falta para estar na Sardenha. Massas dionisíacas, frutos do mar tratados com cuidado, renovação de pratos clássicos, como tripas com favas, e um *chef* tirano e benévolo. Patas de caranguejo *king size* sobre uma prancha, com queijo *roquette* - comeríamos isso sobre a cabeça de um mafioso calvo. Tudo à sombra de presuntos melancólicos -, estamos convencidos disso.

LE STRESA

7 rue Chambiges / Paris VIII⁰

A culinária vem de todos os cantos da Itália. Alcachofras à romana, trufas de Alba, vitelo com cebolas veneziano, aspargos à parmegiana. As suas minipizzas agradam muito à minimáfia entre os iniciantes. É possível também ficar na bela varanda do Stresa, onde estão as três esculturas de César, esperar o jantar ao lado de uma celebridade e apreciar a decoração de veludo vermelho que conservou seu charme dos anos 1950.

PARIS EM DOÇURAS

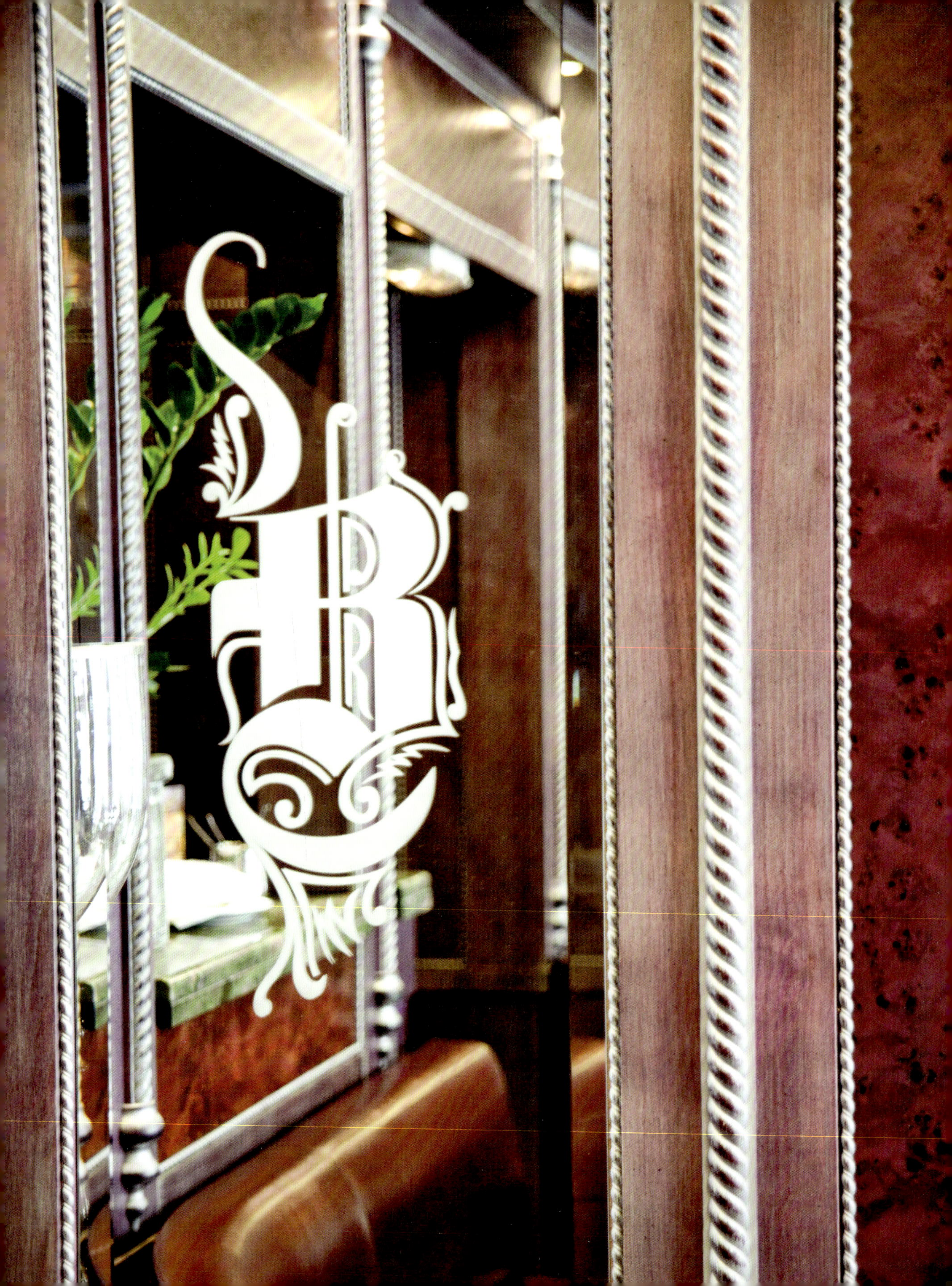

PARIS EM DOÇURAS — Amo Paris

GLACIER BERTHILLON 29-31 rue Saint-Louis en l'île Paris IVe

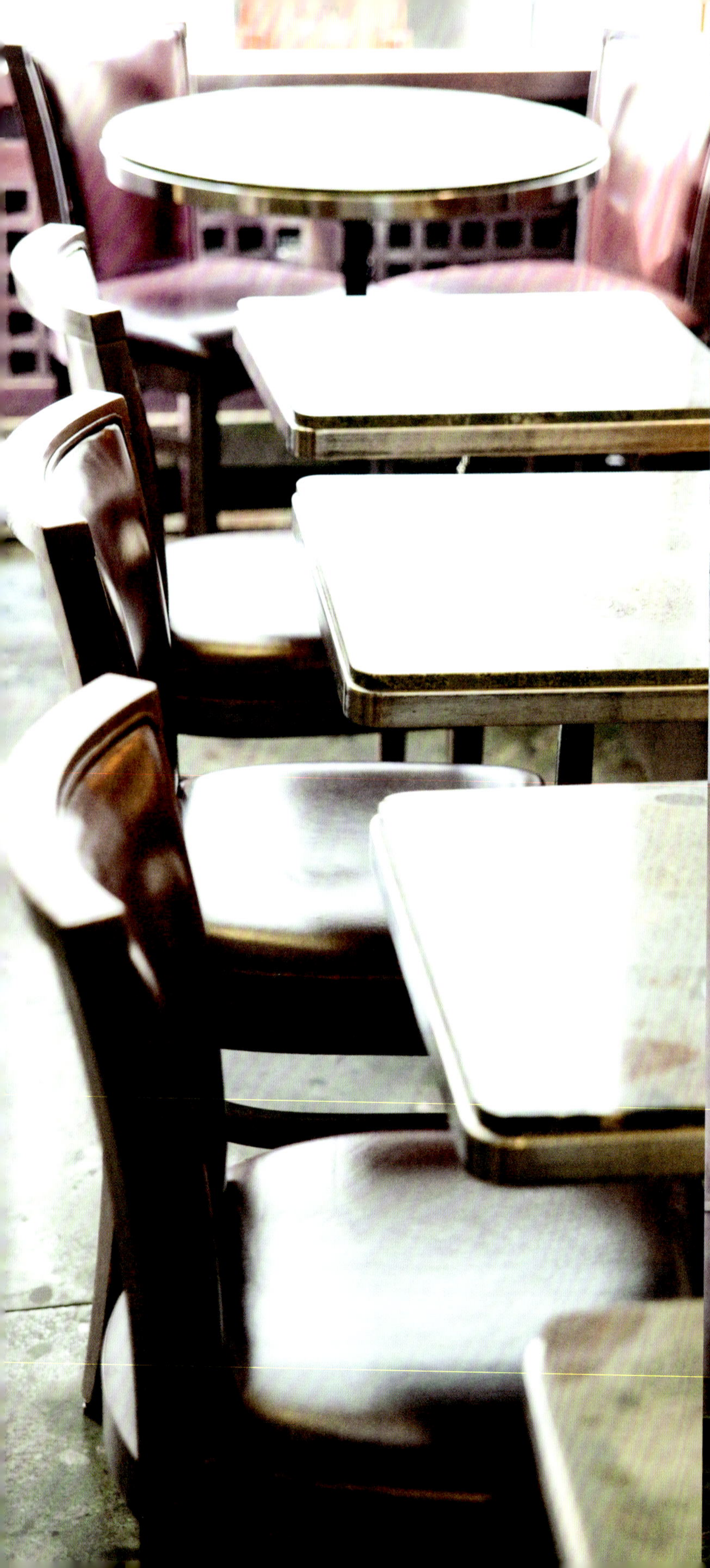

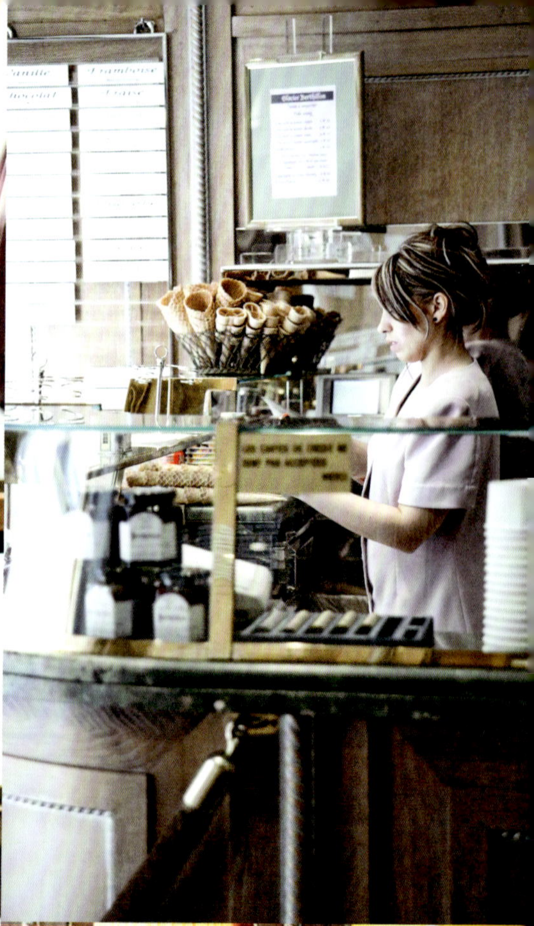

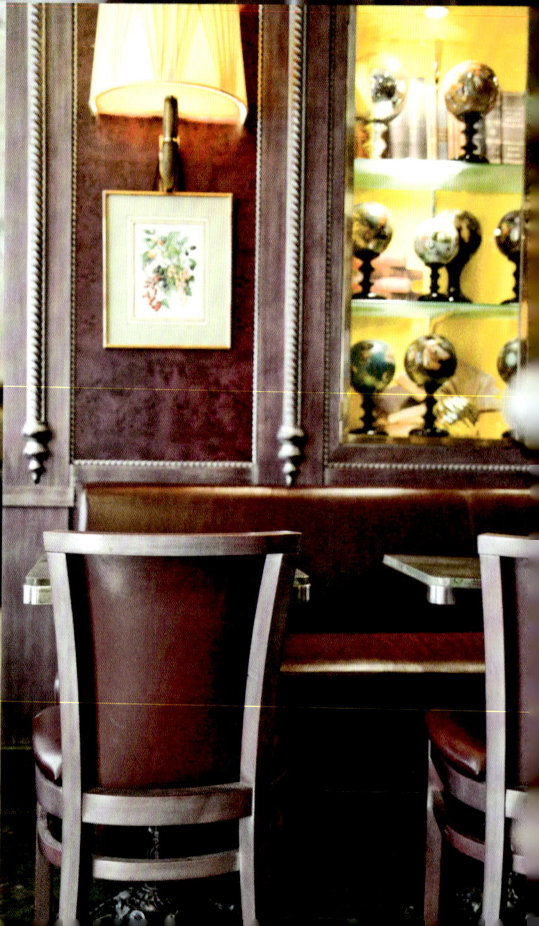

BER
THIL
LON

PARIS EM DOÇURAS — Amo Paris

GLACIER BERTHILLON 29-31 rue Saint-Louis en l'île Paris IVe

Um inverno rigoroso abate-se sobre Paris. Reunida, como diante de uma lareira, em um canto vazio do salão de chá, toda a equipe da Berthillon esmigalha cuidadosamente uma luzente montanha de marrons-glacês. Quem toma sorvete com um tempo desses? Os parisienses, parece. Eles esperam pacientemente seu turno, conquistados pelo marrom-glacê perfumado de réveillon. No verão, a castanha cede lugar aos morangos silvestres, enquanto os parisienses se reúnem com todos os gourmandes do planeta. Dá para entender!

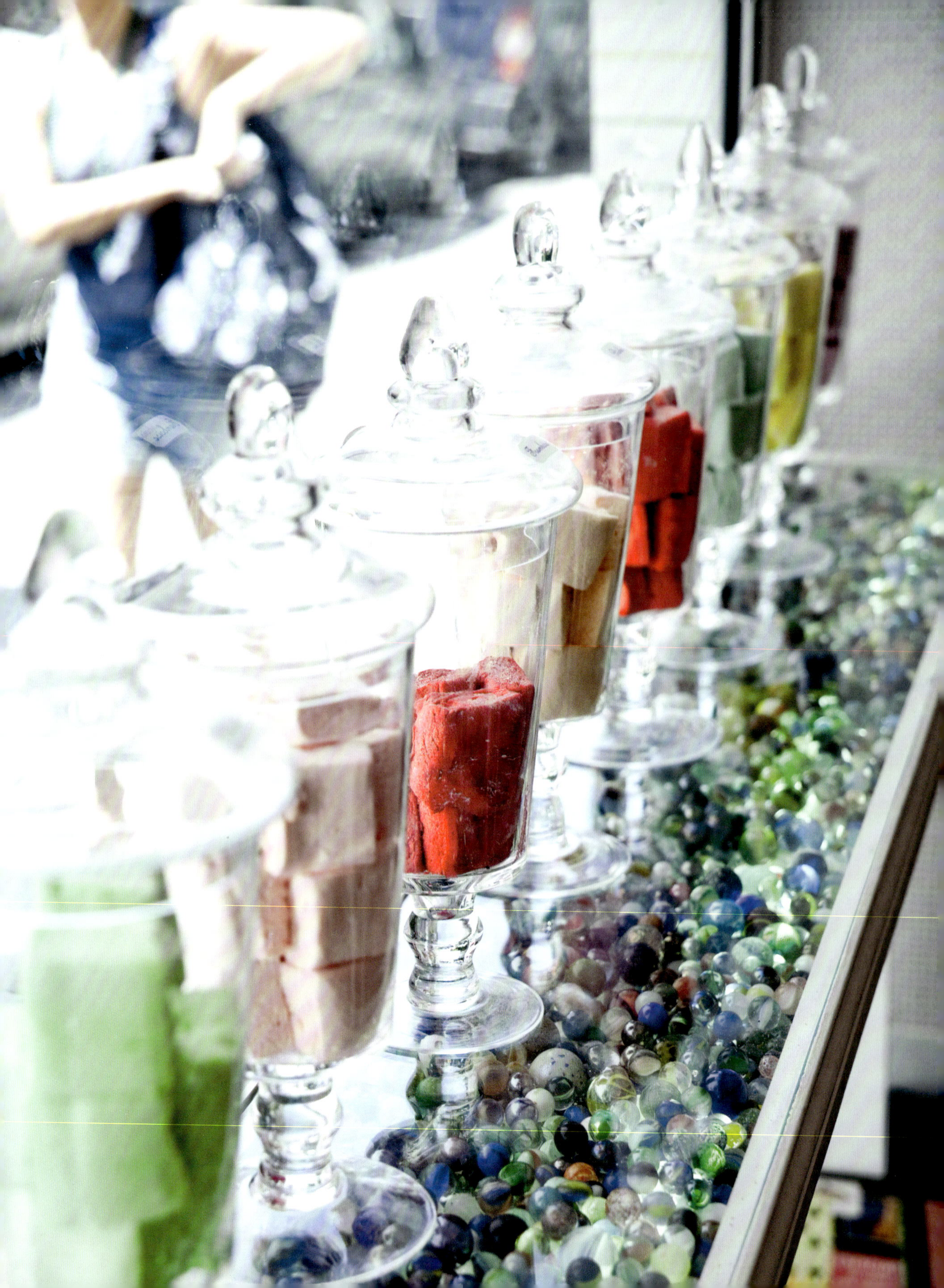

LE BONBON AU PALAIS 19 rue Monge Paris V{e}

PARIS EM DOCUMENTS — Amo Paris

Guimauve Fantaisie
1,30€ pièce

bien plus belle
es Bonbons...
i réuni les meilleurs
eurs artisanaux de France
GEORGES

BON BON AU PALAIS

O sabor da memória se abriga nos vidros resplendentes. O bombom desliza da língua ao palato, um *sucre de pomme*, um *froufrou* multicolorido, um *négus*, uma noz caramelizada... e a infância desembarca no tapete voador. Cada maravilha de joalheiro vem do artesão que a criou, às vezes há alguns séculos, outras vezes seguindo uma receita secreta que freiras ciumentas ainda se recusam a revelar. Enquanto se escuta, sem cansar nunca, a história de um doce de alcaçuz ou de uma massa de frutas, o *marshmallow*, como uma flor de laranjeira fresca que acaba de brotar, desagrega-se em silêncio.

LE BONBON AU PALAIS 19 rue Monge Paris V^e

PUR GIN
GENUINE ANTIGUA
NOT FOR FEED
CLEAN COFFEE
PRODUCT
PRODUCT
COSTA

LA CAFÉOTHÈQUE 52 rue de l'Hôtel de Ville Paris IVe

CAFÉOTHEQUE

Aqui, fala-se de *grands crus*. De *terroirs*. De toques frutados ou florais, aromas de mel e de especiarias. Acidez do solo e índice pluviométrico. Aqui, recusam-se todas as misturas, mesmo as regionais. Todos são puristas e se orgulham disso. Aqui é uma casa do café. Uma casa de histórias. Era uma vez um grão de café que era recolhido após a sua digestão pelo pássaro japu, em alguma parte da floresta Amazônica... Aqui, nós nos deixamos iniciar.

PARIS EM DOÇURAS — Amo Paris

LA CAFÉOTHÈQUE 52 rue de l'Hôtel de Ville Paris IVe

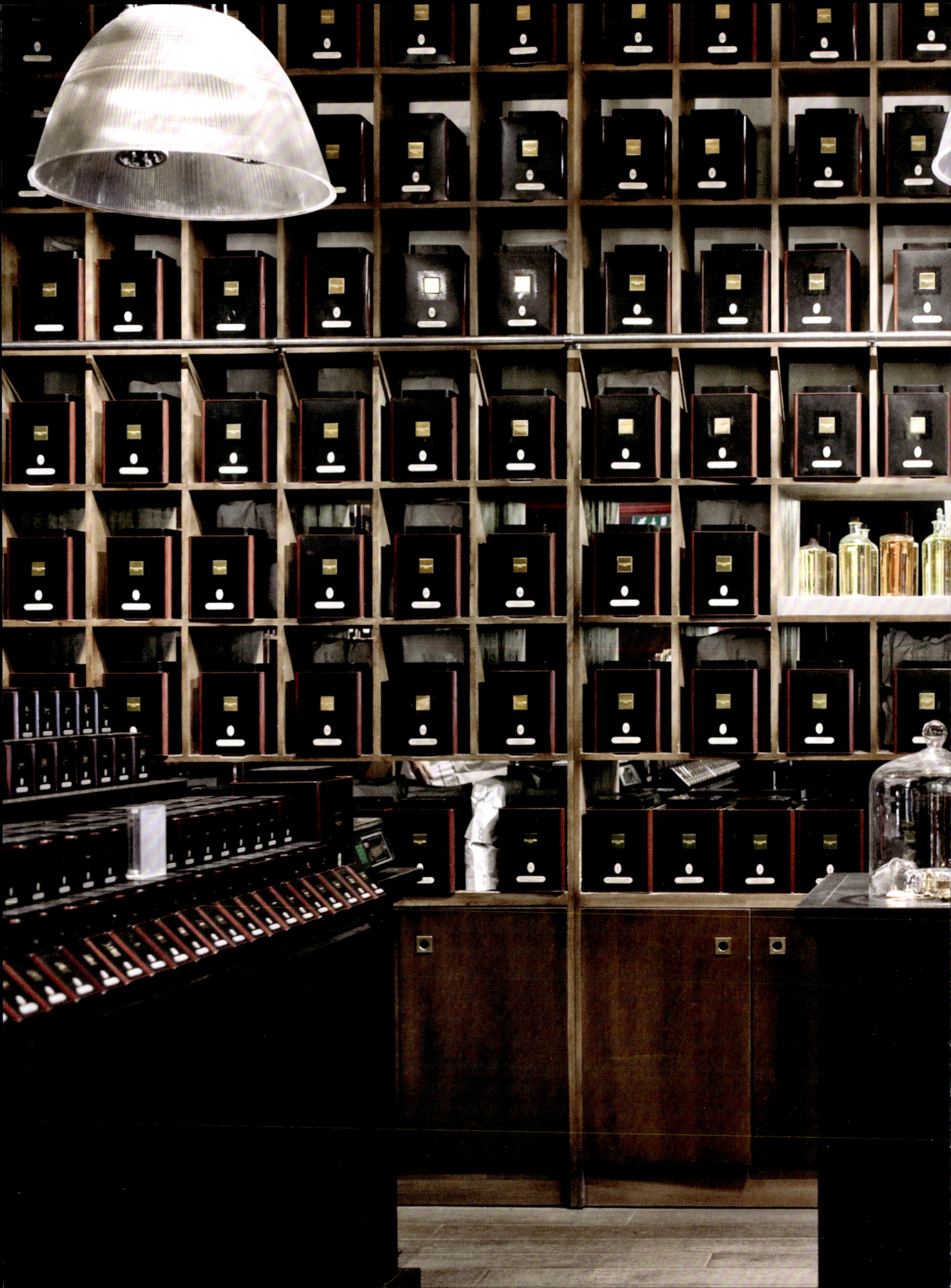

PARIS EM DOÇURAS

Amo Paris

DAMMANN FRÈRE 15 place des Vosges Paris IVe

DAMMANN

Ao abrigo das arcadas da elegante Place des Vosges, a casa de chás Dammann Frères é um porto de paz. Da seleção à importação de chás, passando pela criação de novas misturas, há três gerações essa empresa familiar perpetua seu *savoir-faire*. O cofrinho *Lumières* - um elegante estojo de couro que contém caixas de chá e uma colher infusora - ou a mala Safari - precioso serviço de chá para dois - são o cúmulo do refinamento. Além dos chás de origem, a granel, em saquinhos ou em biscoito - a do chá branco com sabor de capuchinha é sofisticada -, os chás para infusão a frio ou as tisanas - "a 40 centavos", com casca de roseiras, folha de laranjeira amarga, de alcaçuz, verbena e tomilho - nos fazem esquecer a animação do bairro do Marais e nos chamam para longínquas viagens.

PARIS EM DOÇURAS
Amo Paris

DAMMANN FRÈRE 15 place des Vosges Paris IVe

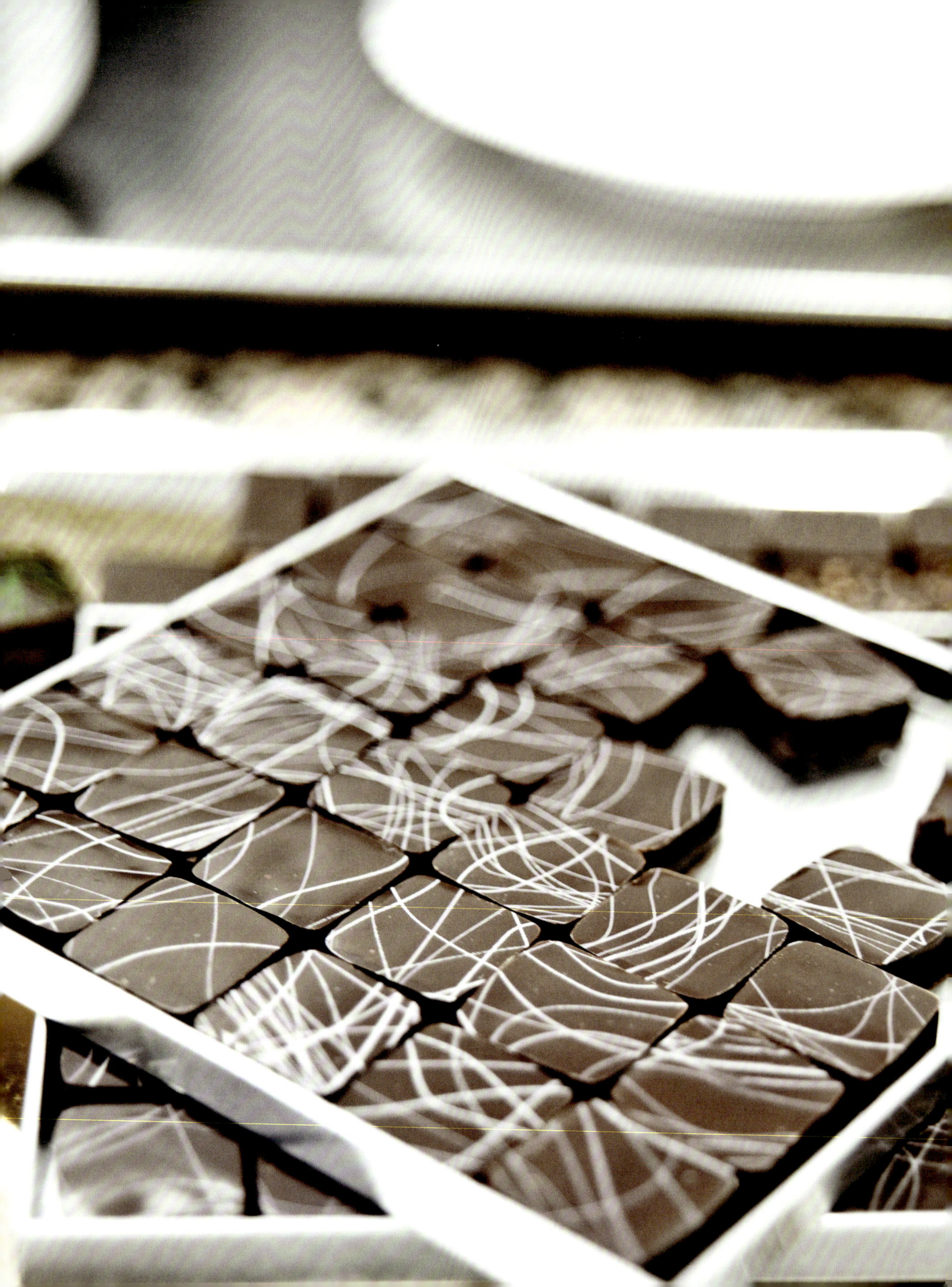

CHOCOLATERIE JACQUES GÉNIN 18 rue Saint-Charles Paris XVe

PARIS EM DOÇURAS · Amo Paris

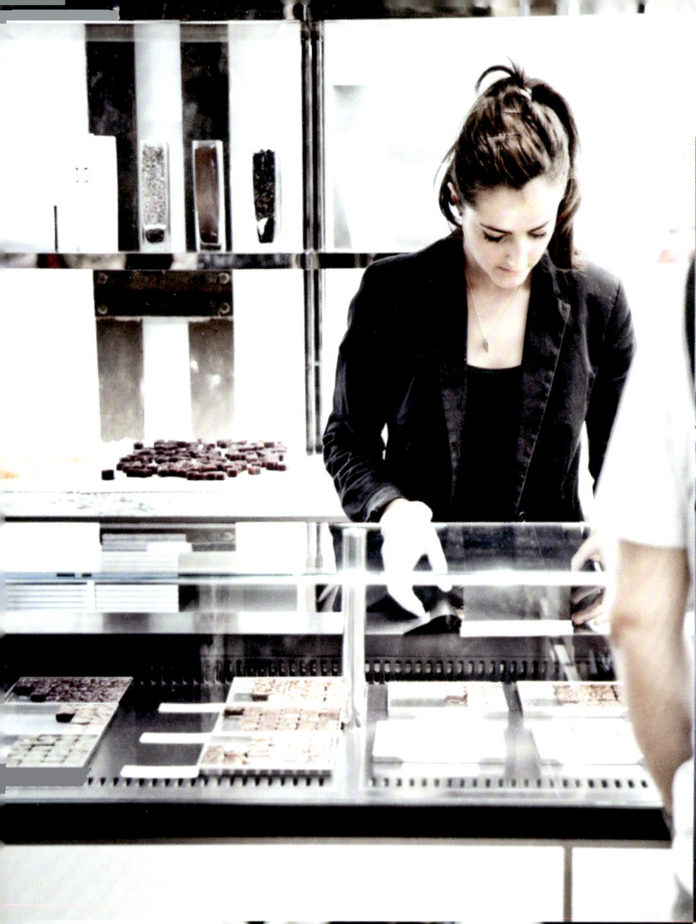
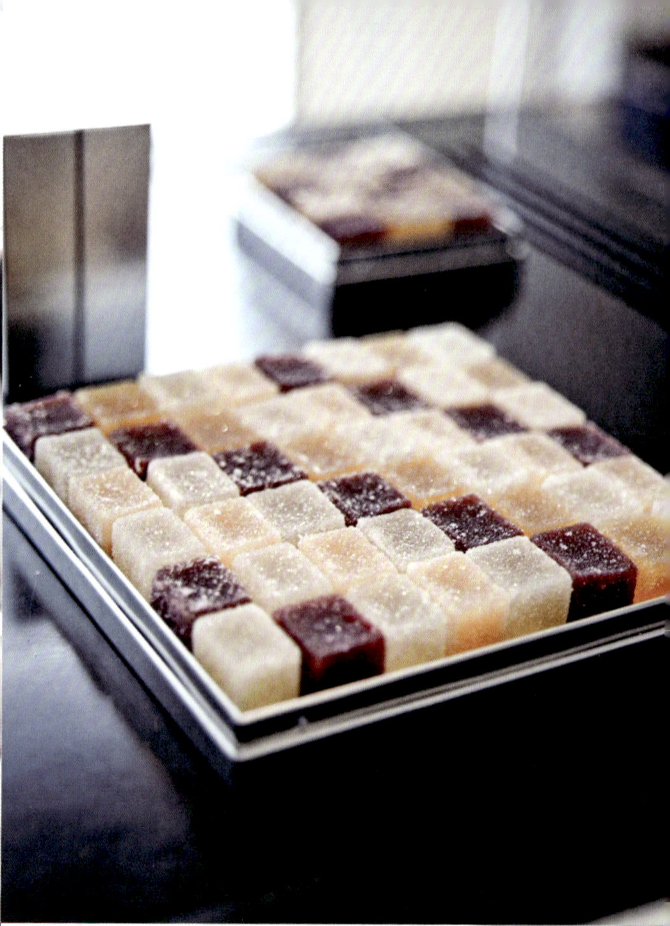
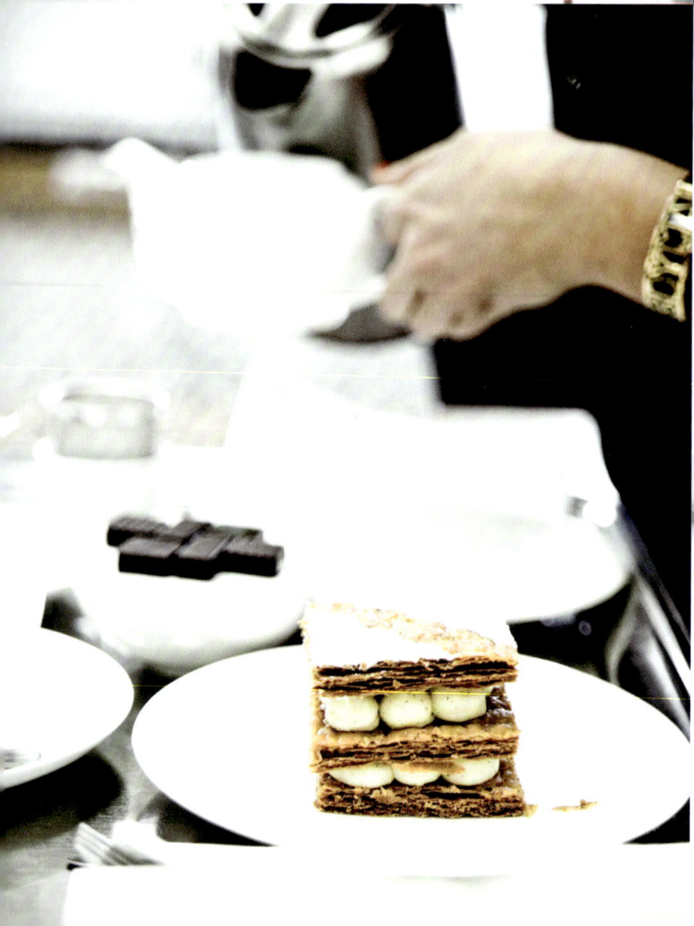
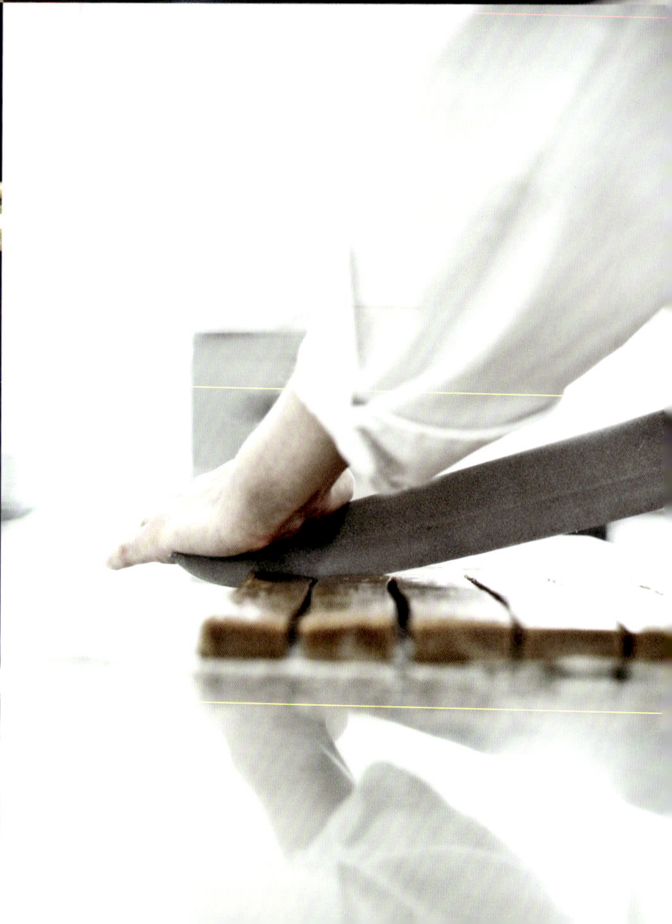

GÉNIN

Caramelo. Ou chocolate. Uma bomba de chocolate com um caramelo natural, ou uma bomba de caramelo e uma de caramelo com chocolate? A menos que seja um chocolate quente com *nougat*... Finalmente, pode ser um mil-folhas-minuto. Não, nada de deixar de lado esse arco-íris de massas de frutas, um mergulho arrebatador na textura e no perfume da fruta. Olha, vamos simplificar: uma bomba de caramelo com manteiga salgada e avelãs.

PARIS EM DOÇURAS — Amo Paris

CHOCOLATERIE JACQUES GÉNIN 18 rue Saint-Charles Paris XVe

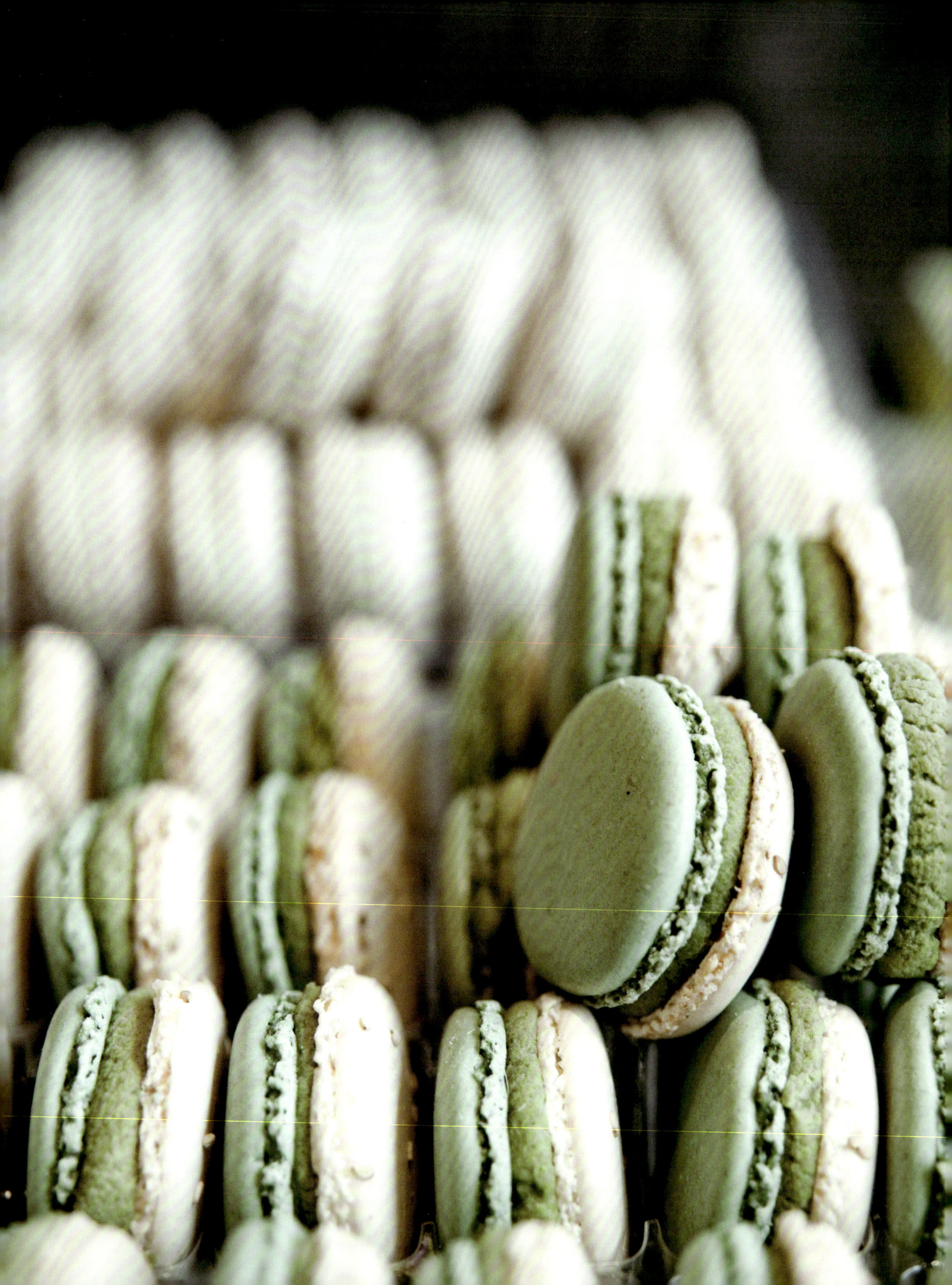

PARIS EM DOÇURAS — Amo Paris

PIERRE HERMÉ PARIS 72 rue Bonaparte Paris VIe

HERMÉ

Pierre Hermé: Então, quer provar um *macaron*? Esse é de jasmim. Tem também de canela -, de cerejas-*griottine* -, pistache, rosa, chocolate, caramelo, *wasabi*-morango, abricó--pistache e chocolate-ao-leite-maracujá e muitos outros...

Alain Ducasse: Você sabe que eu gosto deles duros e sem recheio!

PH: Eu gosto deles molinhos, cremosos, com apenas uma crosta crocante. Há muitas escolas!

AD: E então, por que deixou a sua querida Alsácia e a pâtisserie da família?

PH: Para aprender. Vim para Paris com 14 anos e não saí daqui quase nunca. De uma coisa a outra, quis criar minha própria casa e exercer minha profissão como desejava para dar uma visão contemporânea da arte da confeitaria: ir ao essencial, não colocar decoração de chocolate quando não é necessária. Tudo o que faz um bolo, um *macaron* ou um chocolate deve contribuir para o gosto e o equilíbrio.

PARIS EM DOÇU... Amo Paris

PIERRE HERMÉ PARIS 72 rue Bonaparte Paris VIe

539

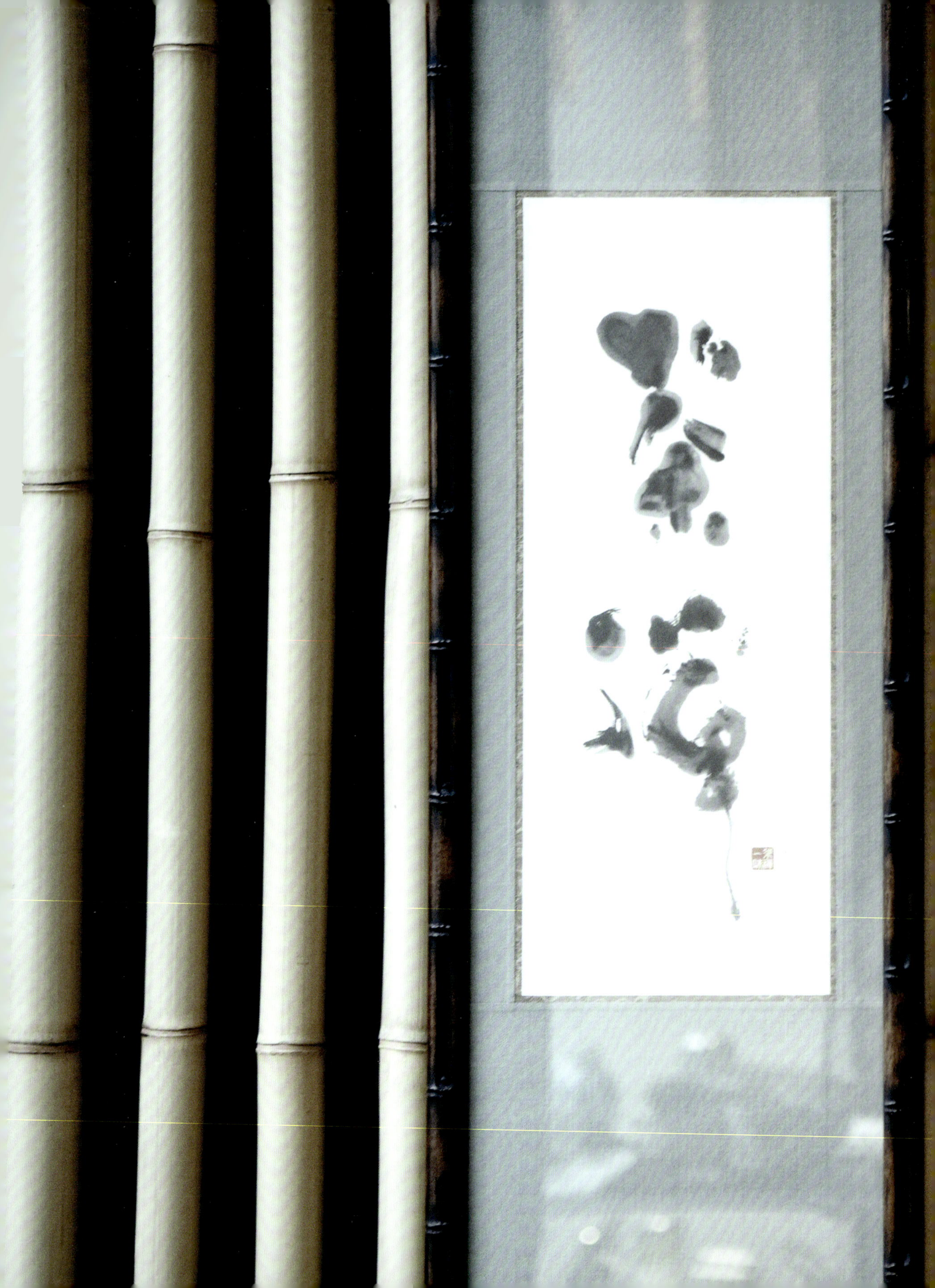

PARIS EM DOÇO
Amo Paris

JUGETSUDO 95 rue de Seine Paris VIe

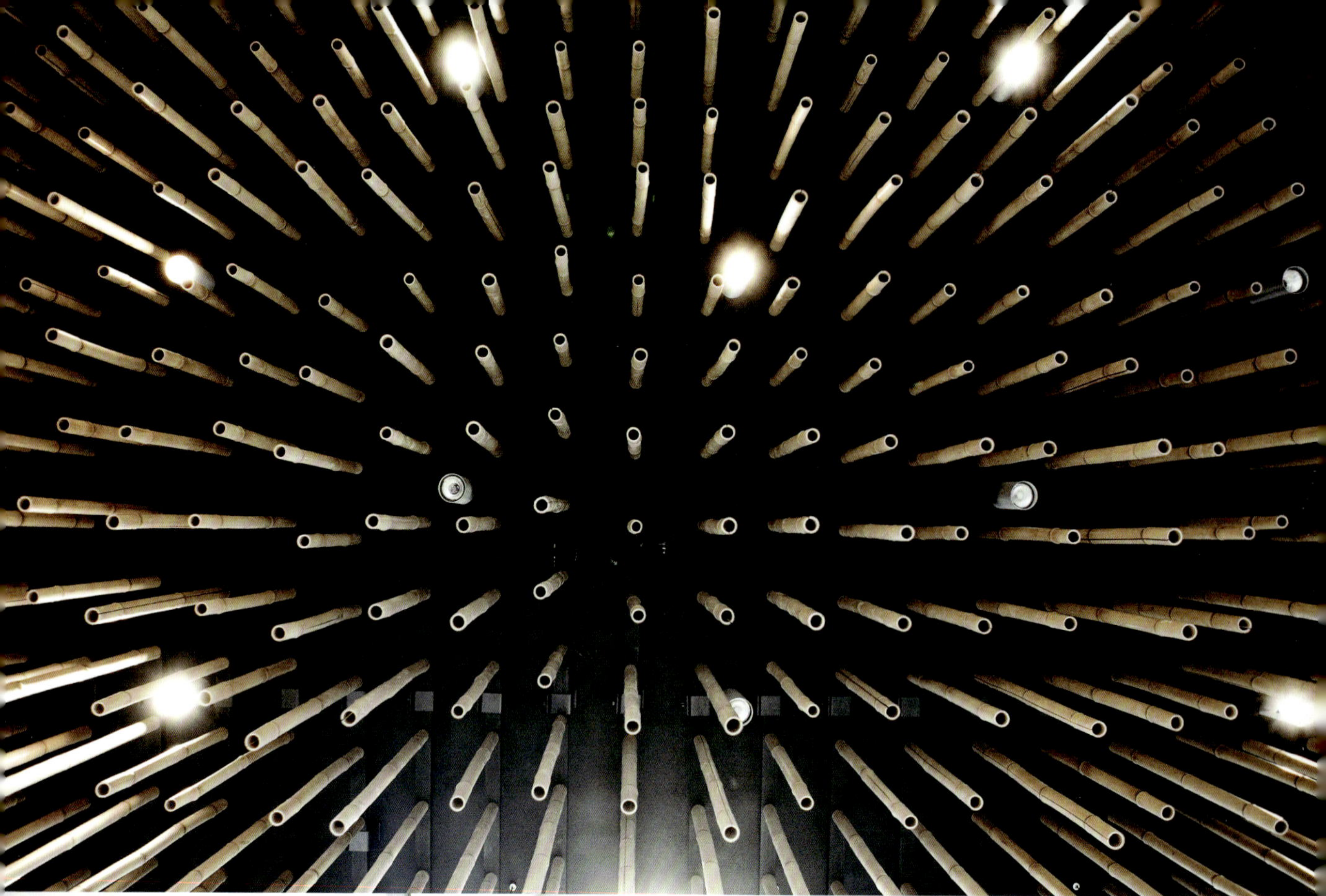

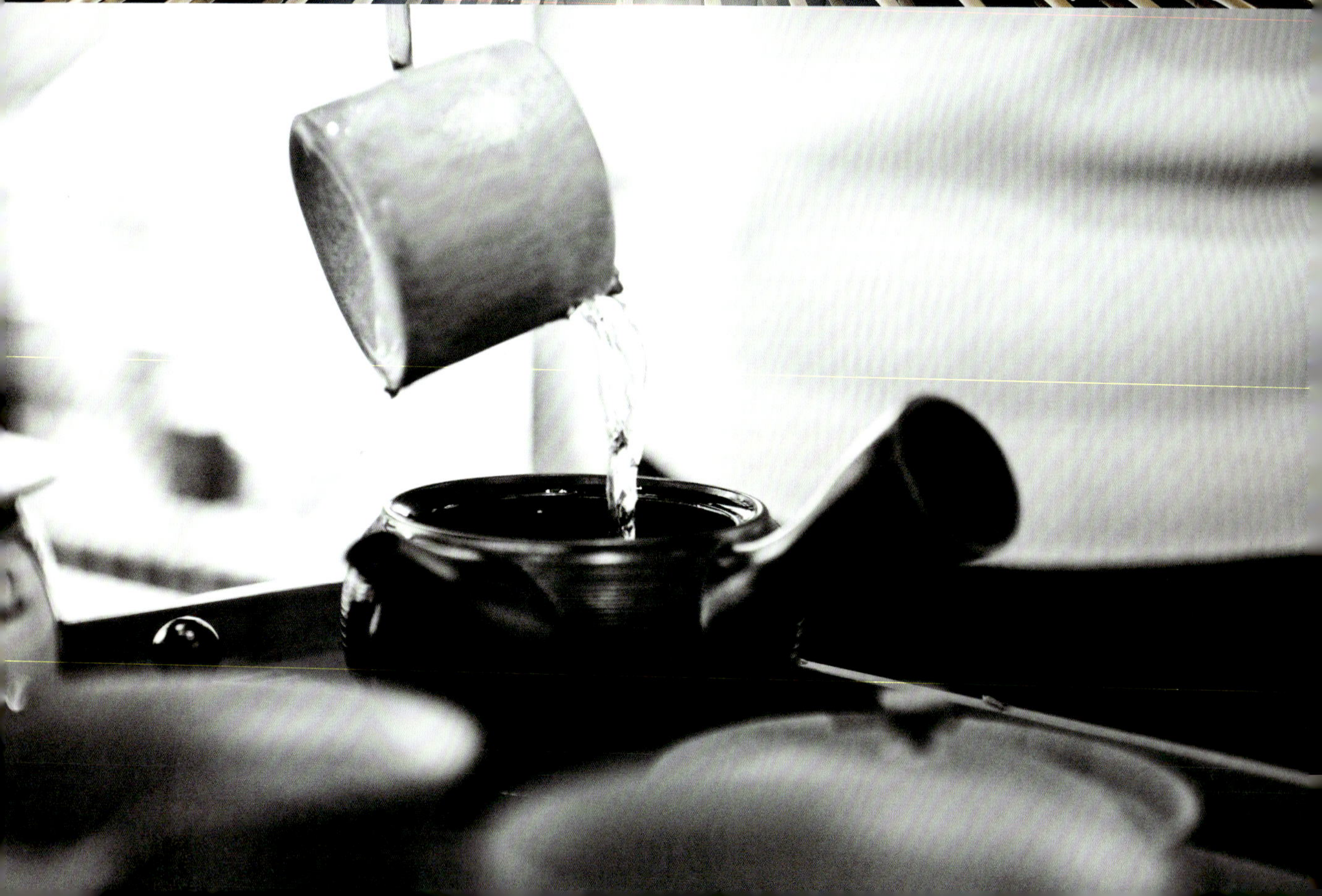

JUGETSUDO

Wabi em japonês significa "refinamento sóbrio e calmo". Jugetsudo é sem dúvida alguma um lugar *wabi*, com sua serenidade do terceiro milênio. As banquetas vindas de uma estação espacial são vizinhas do bambu, e a penumbra zen se ilumina com uma tela de vídeo. Nesse salão de chá, similar à casa Maruyama Nori, que, à moda de Tóquio, negocia com algas *nori* e chás japoneses há um século e meio, pratica-se um enfoque *cha-zen*, um casamento entre o zen e a cerimônia do chá. Especialidades como *sencha*, *genmaicha* ou *gyokuro* são degustadas no local ou vendidas em esplêndidas embalagens.

PARIS EM DOCUMENTO — Amo Paris

JUGETSUDO 95 rue de Seine Paris VIe

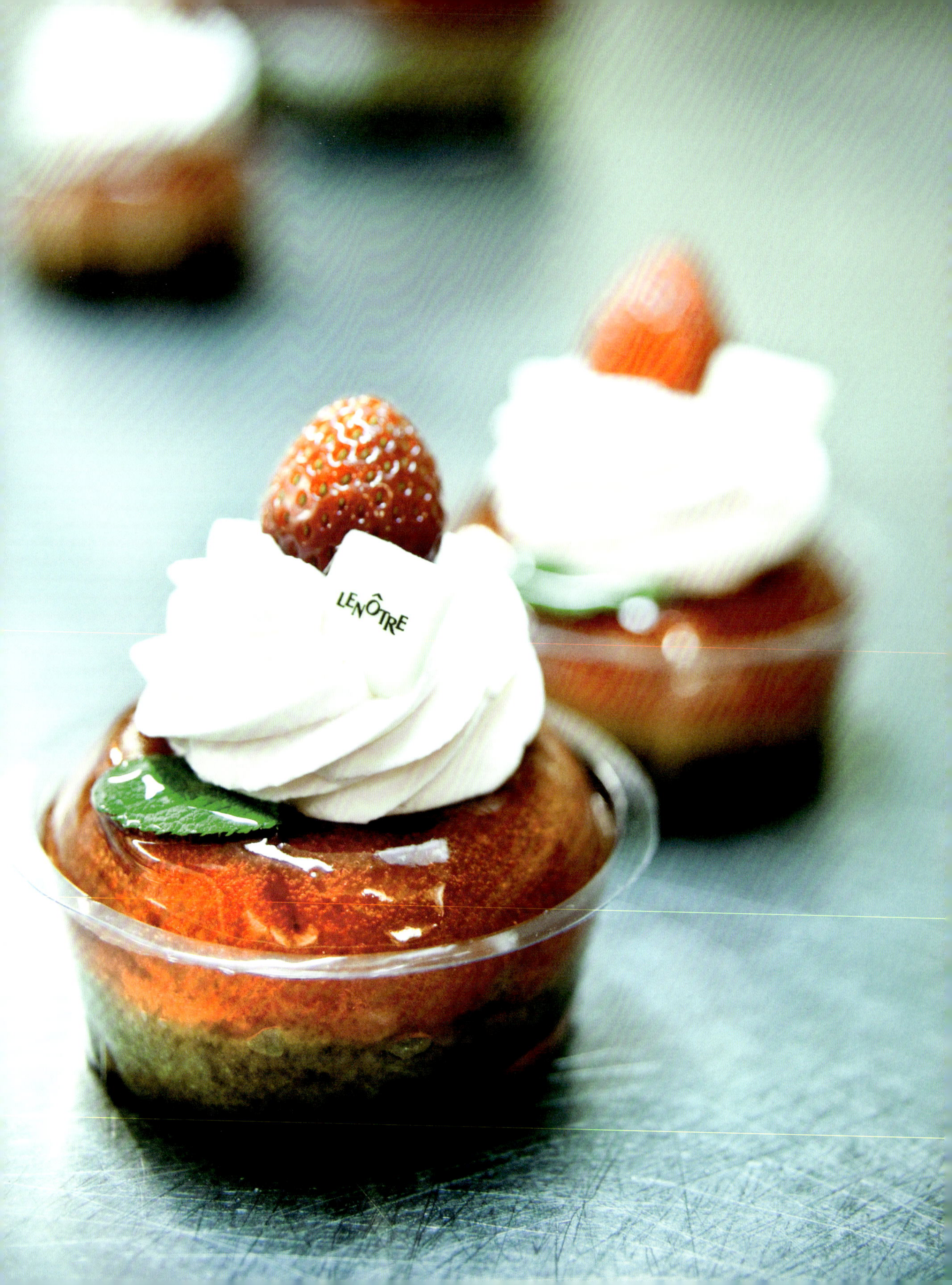
LENÔTRE

PARIS EM DOCES — Amo Paris

LENÔTRE 48 avenue Victor Hugo Paris XVIe

LENÔTRE

Gaston Lenôtre, que puxa a fila da sua geração, criador genial, generoso e precursor, soube romper com os tradicionais códigos da arte da confeitaria. Esse embaixador do bom gosto abria, há mais de quarenta anos, a primeira escola francesa gastronômica de formação e de aperfeiçoamento. Um *savoir-faire* hoje transmitido pela casa Lenôtre, que continua a valorizar o patrimônio francês.

PARIS EM DOCE Amo Paris

LENÔTRE 48 avenue Victor Hugo Paris XVIe

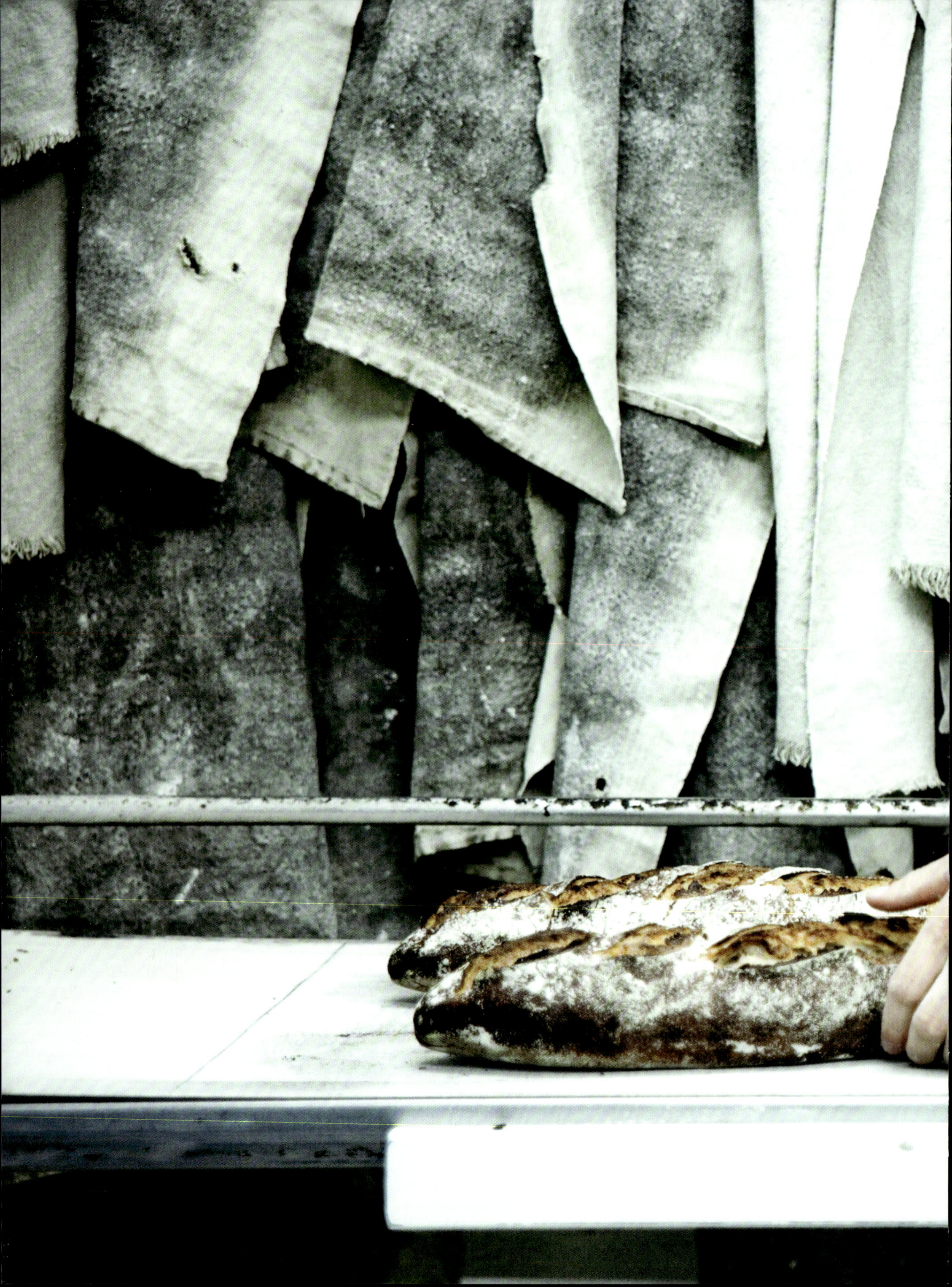

PÂTISSERIE RAOUL MAEDER 158 boulevard Berthier Paris XVIIIe

PARIS EM DOÇURAS
Amo Paris

549

MAEDER

Pão de abricó para as carnes brancas. Pão com trufas para comer com dois ovos mexidos. Pão com anis e com laranja para a hora do chá. Pão preto com avelãs, como se fosse um bolo. E, quando se escapa à fascinação pelos pães, é para cair sob o domínio de um *kugelhopf* salgado, com torresmo, amêndoa e pistache. Ou de um *bretzel*, de pura origem alsaciana. Seria preciso voltar nos dias muito frios para apreciar o delicioso chocolate quente.

PARIS EM DOCUMENTOS
Amo Paris

PÂTISSERIE RAOUL MAEDER 158 boulevard Berthier Paris XVIIIᵉ

551

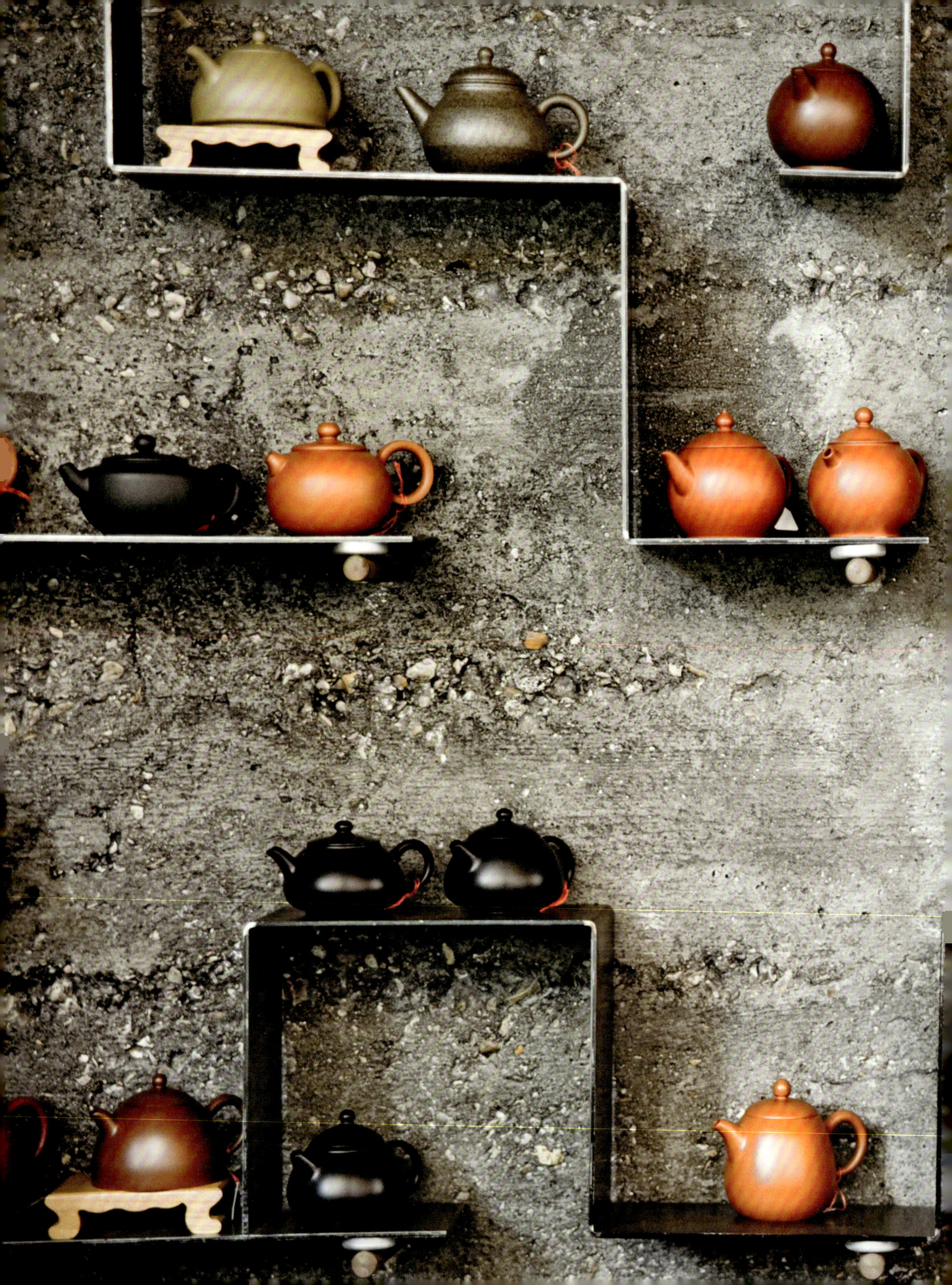

PARIS EM DOÇURAS — Amo Paris

MAISON DES TROIS THÉS 33 rue Gracieuse Paris Vᵉ

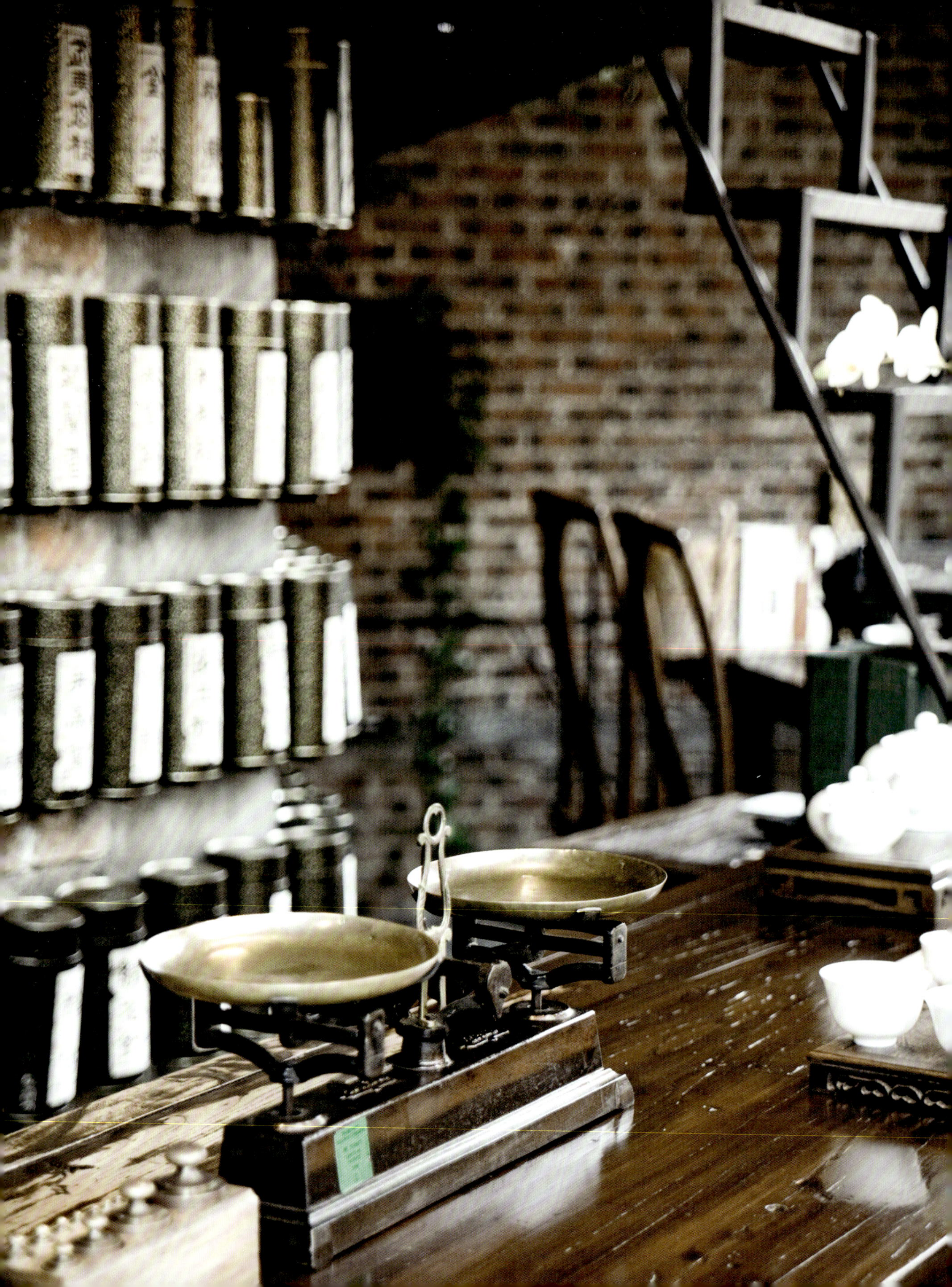

MAISON DES TROIS THÉS

Tocamos. Esperamos a porta se abrir. No templo do chá chinês, rodeado de silêncio, o ritual já começou. Descobre-se o universo infinito da folha mágica, dos chás verdes da primavera, que acabam de ser colhidos. *Pu-Erh* de guarda, como para os grandes frascos. Temos de tirar os sapatos para tomar lugar no salão de chá em que se degusta a água preciosa em *zhong* (cerimônia chinesa simples) ou em *gong fu cha* (cerimônia sofisticada), graças à ciência infinita de *maître* Tseng.

MAISON DES TROIS THÉS 33 rue Gracieuse Paris V^e

PARIS EM DOÇURAS — Amo Paris

MAR IAGE FRE RES

Ele responde ao doce nome de número 419. Estranho, nesses lambris cor de chocolate, nessa atmosfera de *bombonière*, essa numeração administrativa. Mas *tamaryokucha* é quase impronunciável. No entanto, suas belas folhas retorcidas, de um verde sombrio, seus toques sutis, sua textura sedosa e seu sabor *umami* fazem dele um chá especial. E acompanhando um filé de peixe branco cozido em *papillote* - embalado em papel-alumínio - é uma revelação aromática.

PARIS EM DOÇURAS
Amo Paris

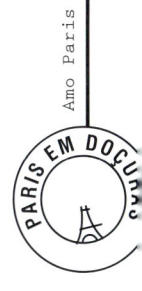

MARIAGE FRÈRES 30 rue du Bourg-Tibourg Paris IV\ :superscript:`e`

MAISON
d'Iran
20 €

PARIS EM DOÇURA — Amo Paris

PAIN DE SUCRE 14 rue Rambuteau Paris IIIe

PAIN DE SUCRE

Essa pâtisserie tem tudo para agradar. Nathalie Robert e Didier Mathray - antigo *chef pâtissier* de Pierre Gagnaire - são os donos e nos recebem. Não lhes faltam nem humor nem imaginação. O "pão de sal" deles tem espírito, e sua massa arenosa com trigo sarraceno e *foie gras* - alguém tinha de pensar nisso - é um irresistível exemplo. Os sabores contrastantes da carne de peito de pato e das cebolinhas cristalizadas e ligeiramente aciduladas são simplesmente memoráveis. Não deixem de experimentar a *pirouette pomme* - torta de maçãs caramelizadas ao alecrim, creme de amêndoas, pistache e limão - resplandescente de equilíbrio. Todos os sabores da região reunidos ma boca. Temos um único desejo: voltar logo.

Sablé au beurre des Charentes

2.5 €

PARIS EM DOCO
Amo Paris

PAIN DE SUCRE 14 rue Rambuteau Paris IIIe

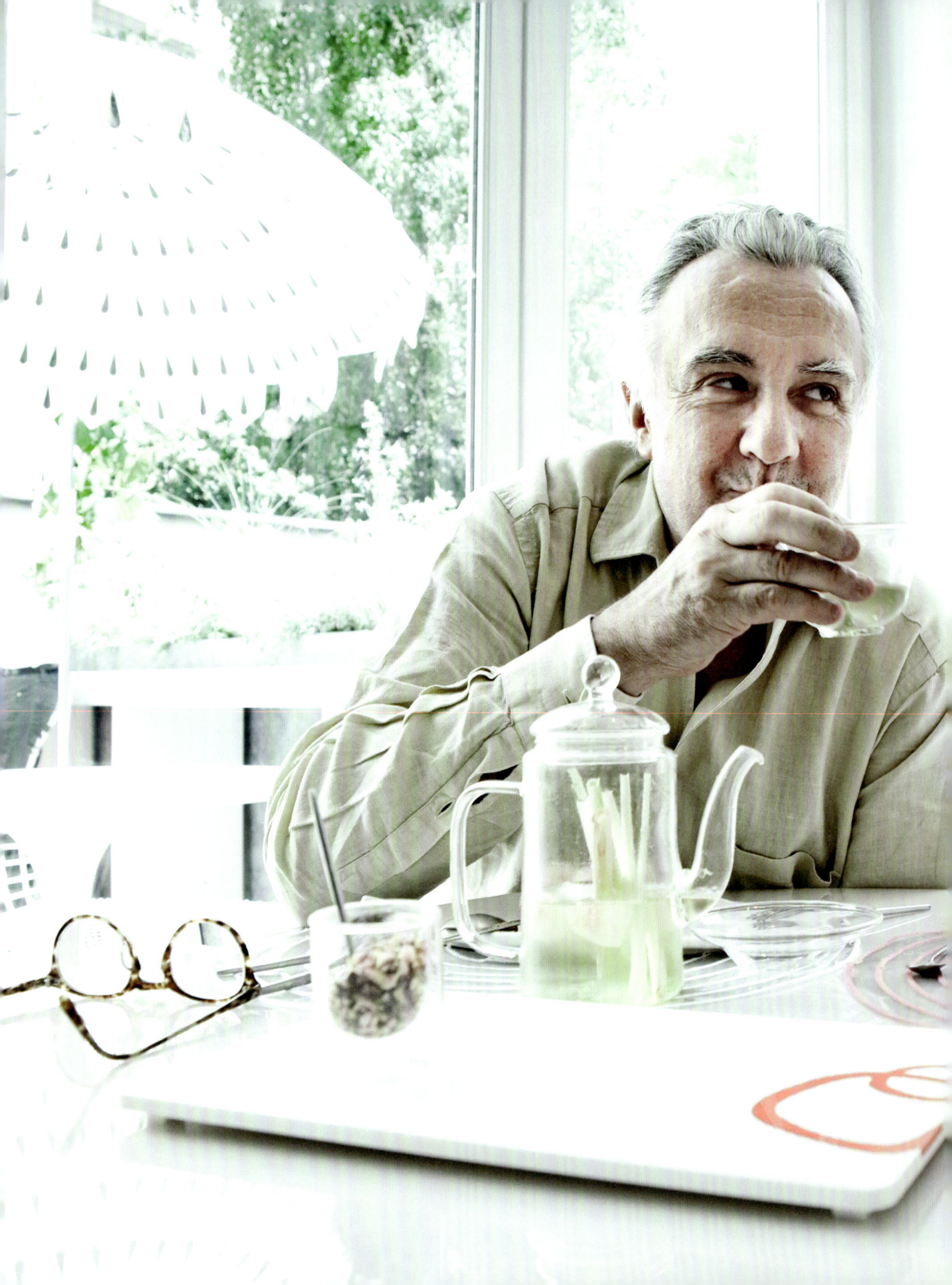

LA PÂTISSERIE DES RÊVES 93 rue du Bac Paris VIe

Amo Paris

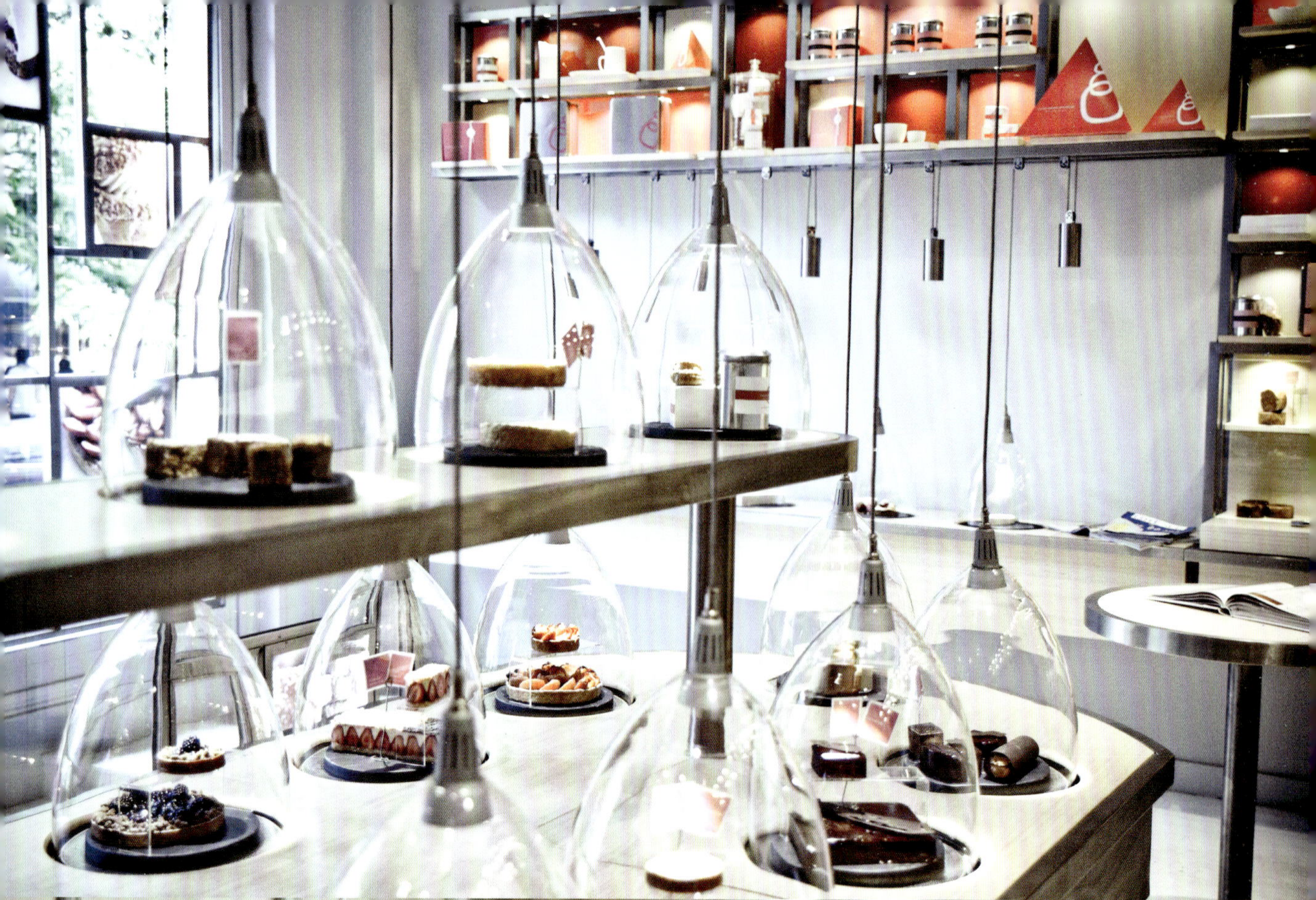

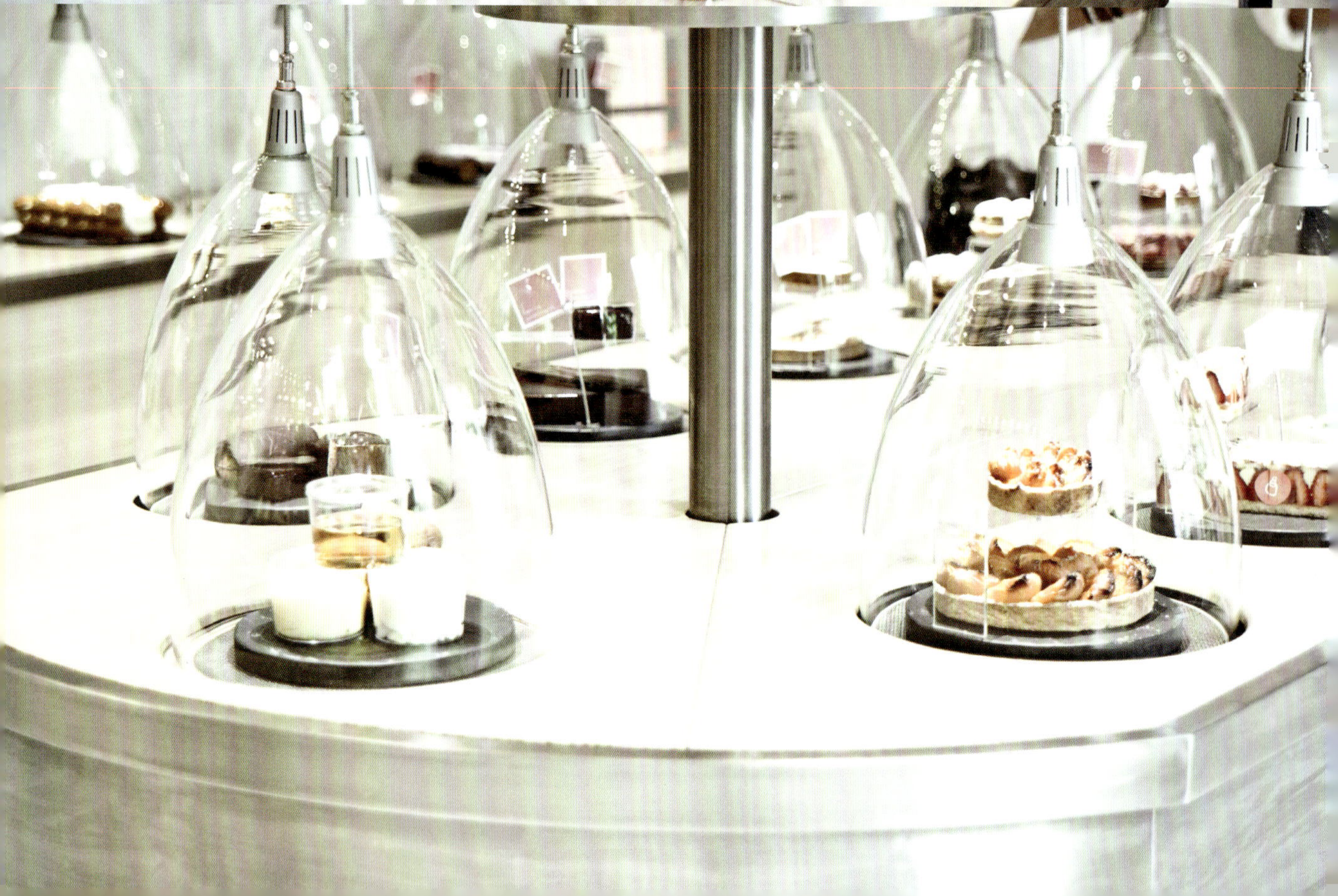

PÂTISSERIE DES RÊVES

Teoricamente, um mil-folhas deve ser crocante. Nada disso. Esse derrete na boca. Ele se dissolve como uma aristocrata em um frufru de creme de baunilha, sustentado até o derradeiro suspiro pelo espartilho de uma técnica implacável. Somente no domingo – senão, ninguém iria mais trabalhar.

E há duas! Depois da rue du Bac, Philippe Conticini, um dos maiores *pâtissiers* de sua geração, investiu também na filial da rue de Longchamp. Enfim! Venha redescobrir seus clássicos: *paris-brest*, torta Tatin com chantilly *mascarpone* ao limão, bombas ao chocolate ou ao café forte, ou os bolos da estação.

LA PÂTISSERIE DES RÊVES 93 rue du Bac Paris VIe

PARIS EM DOÇU... Amo Paris

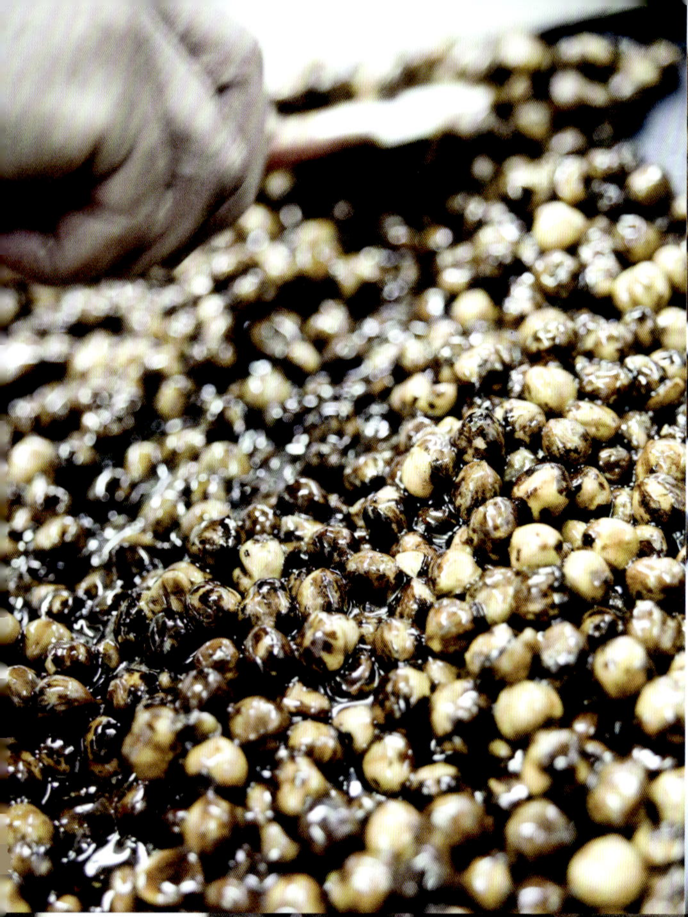
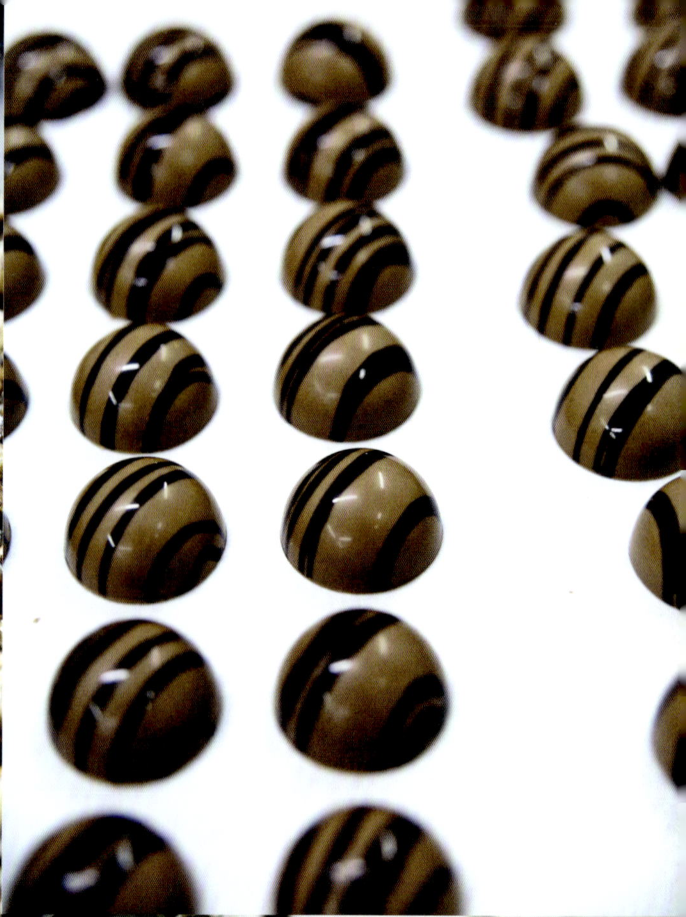
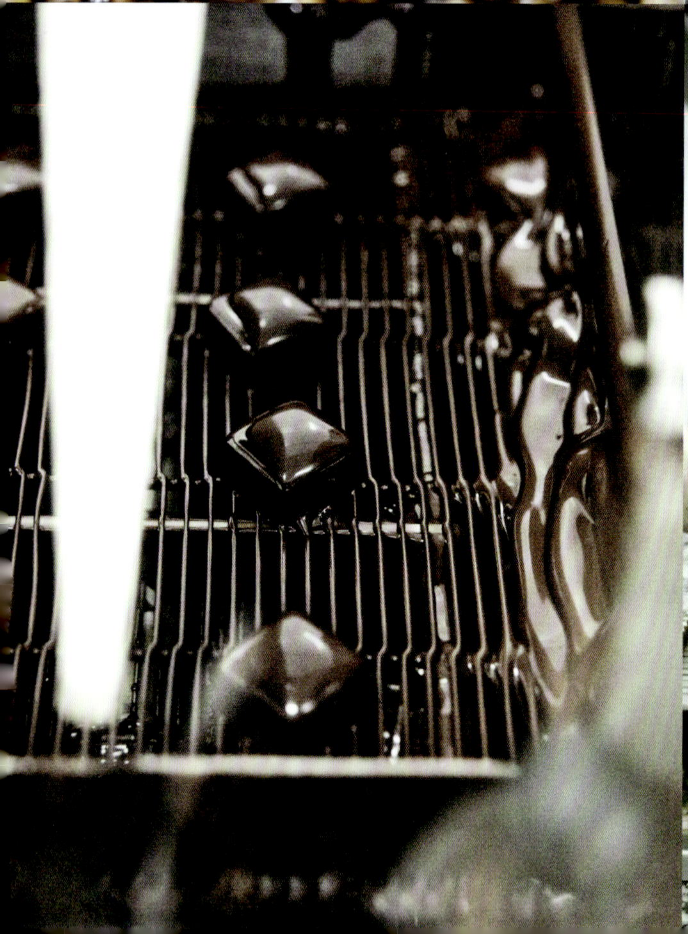
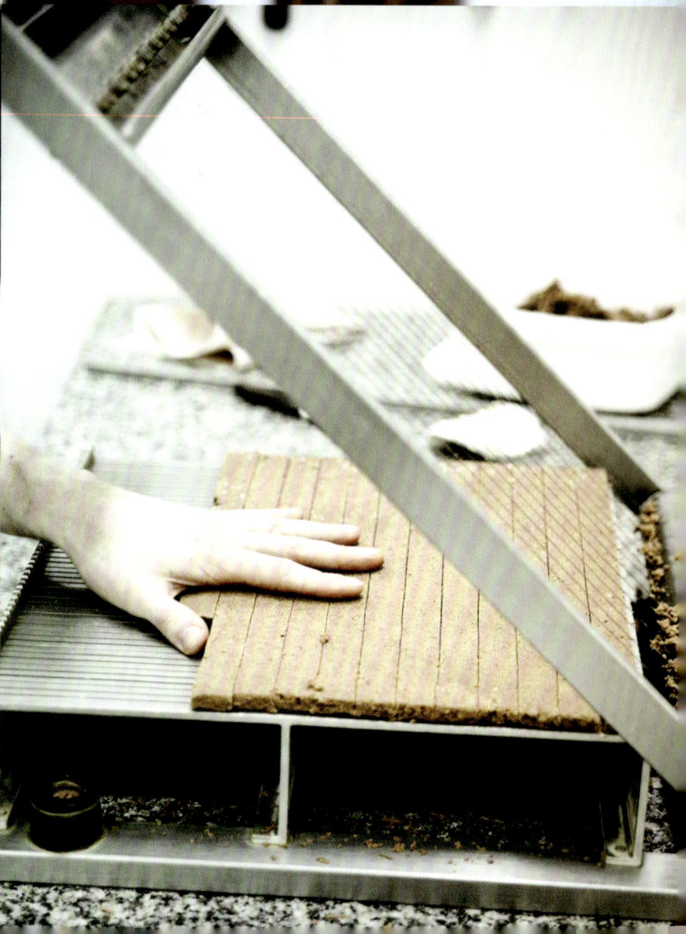

RÉ GIS

Amo Paris

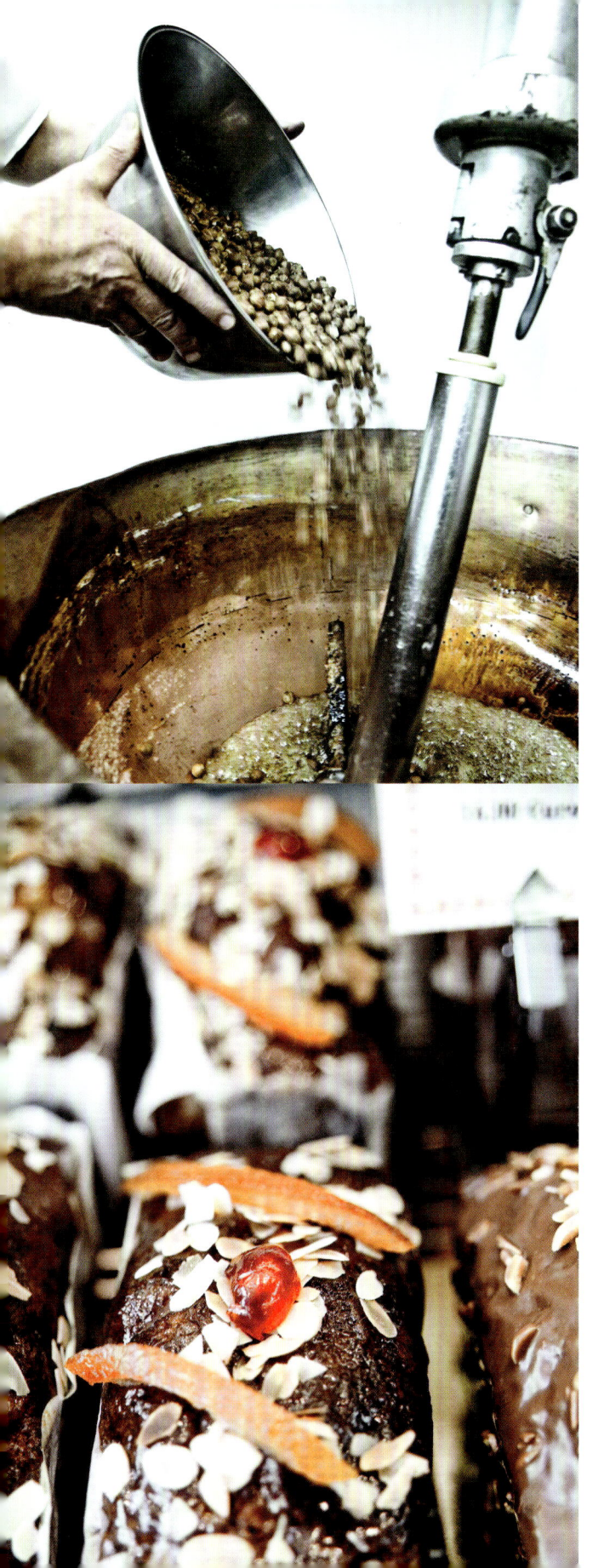

PARIS EM DOÇURAS

A massa de frutas atinge o sublime. Fina preparação artesanal, contém até 80% de polpa de frutas na sua receita. O marrom-glacê é imperial, castanha transalpina cristalizada e conservada em calda, que abriga no seu coração uma lágrima de xarope de açúcar - a joia escondida no coração do lótus. Quanto aos chocolates, são todos preparados diariamente, com um cuidado infinito. Com bom endereço, há meio século.

RÉGIS CHOCOLATIER 89 rue de Passy Paris XVIᵉ

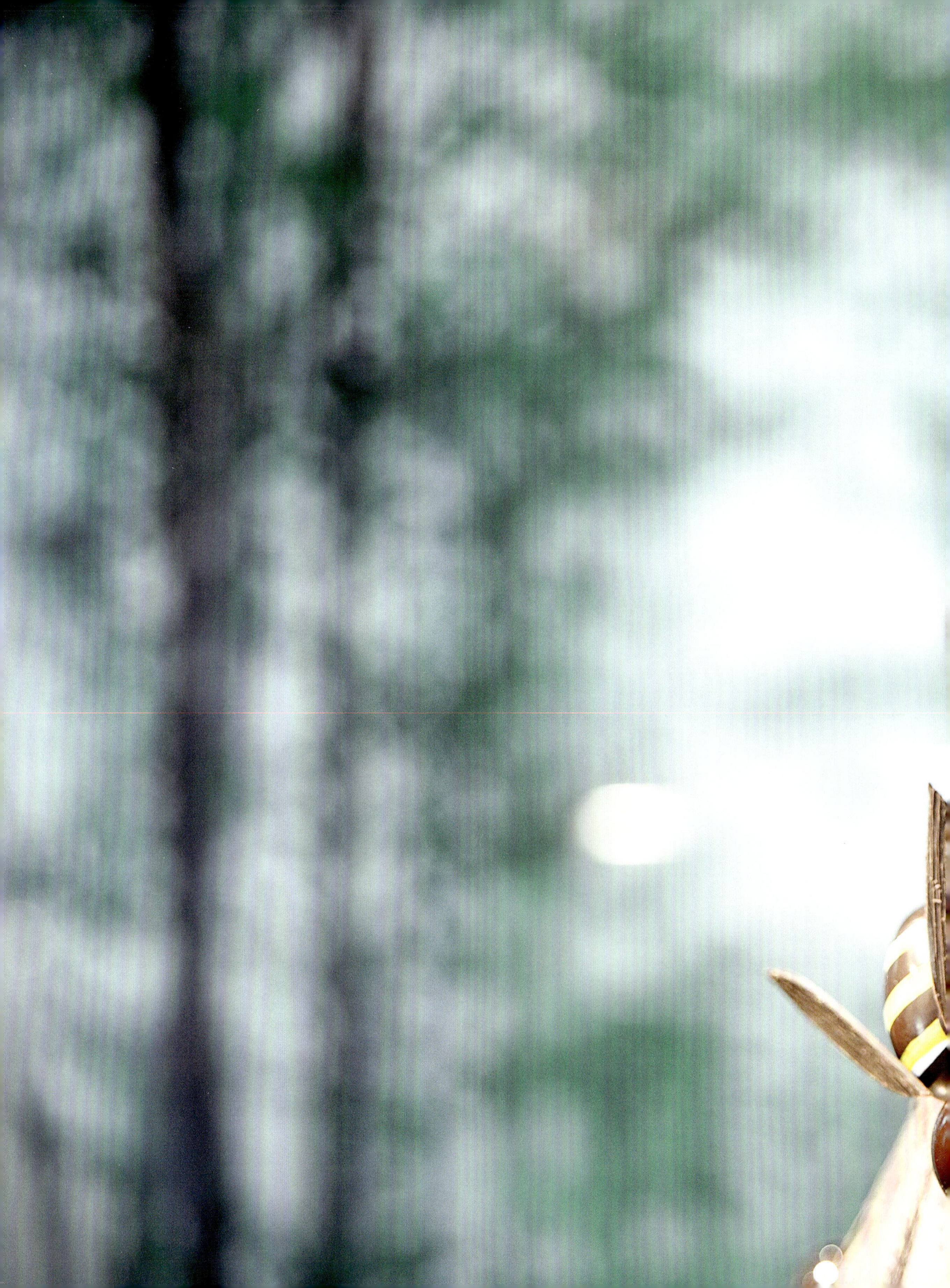

PARIS EM DOCUMI — Amo Paris

PATRICK ROGER 108 boulevard Saint-Germain Paris VIe

40€

RO GER

PARIS EM DOÇURAS — Amo Paris

PATRICK ROGER 108 boulevard Saint-Germain Paris VI⁰

Grande mestre *chocolatier*, Patrick Roger não tem medo de nada. Esse Melhor Artesão da França é um artista extravagante e muito inspirado. Procurando a excelência, não faz concessão alguma. O mel de todas as flores que se encontra nos seus caramelos provém das colmeias que ficam no teto de sua chocolateria!

Seus bombons de chocolate *Couleurs* oferecem casamentos sutis. Caramelo cremoso, verbena e yusu para o *Sauvage*, cor de ardósia, ou ainda caramelo, vinagre e uva para o *Rafale*, um botão de ouro amarelo. A menos que não se sucumba aos bocados de chocolate que respondem aos nomes evocativos de *Jalousie*, *Insolence*, *Fantasme* ou *Marie Galante*...

écoledecuisine
ALAIN DUCASSE

PARIS EM DOÇURAS Amo Paris

ÉCOLE DE CUISINE ALAIN DUCASSE 64 rue du ranelagh Paris XVIe

Chal tourn. 180 °C 15:41
Opération en cours
Modifier

O maior desafio de Miele é a perenidade da empresa e dos aparelhos que ela comercializa. "Sempre melhor" é o seu lema, a serviço da inovação: materiais sempre ecológicos e resistentes para os produtos seguros, duráveis e altamente performáticos. A segurança dos aparelhos eletrodomésticos de alta qualidade e longa duração, para um impacto ambiental reduzido, constitui a principal missão dessa empresa, sendo ao mesmo tempo a garantia de sua notoriedade.

MIELE

MIELE 55 boulevard Malesherbes Paris VIII

PARIS EM DOÇURAS — Amo Paris

PERENE

A cozinha é um lugar onde as pessoas gostam de se encontrar para partilhar instantes felizes. Momentos emocionais fortes, em um espaço adaptado. Na École de Cuisine Alain Ducasse, Pérène e sua talentosa equipe colocaram o seu saber a serviço do gosto e das expectativas exigentes. Artesãos experimentados, souberam traduzir essa excelência nas cozinhas-ateliês dedicadas aos prazeres dos sentidos e concebidas de maneira o mais próxima possível da necessidade doméstica. Elas são o resultado das verdadeiras trocas de valores.

cuisine OLIVE

PARIS EM DOÇURAS
Amo Paris

PERENE 16 avenue Mozart Paris XVI⁰

PARIS EM DO ÇURAS

EU GOSTO TAMBÉM...

LE CHALET DES ÎLES

Lac Inférieur du Bois de Boulogne / Paris XVIe

Ir ao restaurante de barco não é coisa que acontece todo dia em Paris. A travessia é breve, mas os passageiros gozam esses instantes roubados à vida parisiense. À beira do lago, os salgueiros formam um escudo impenetrável e doce. Nessa atmosfera calma, a laranjada repentinamente tem um sabor diferente.

HARRY'S NEW YORK BAR

5 rue Daunou / Paris IIe

No subsolo revestido de veludo vermelho, nesse mesmo piano, Gershwin compôs *Um americano em Paris*. A partitura foi queimada durante a guerra, para acender a lareira... Os americanos de Paris vêm sempre se deleitar com o legendário café irlandês. As noitadas ficam efervescentes quando as eleições presidenciais americanas estão próximas.

579

JEAN-PAUL HÉVIN CHOCOLATIER
231 rue Saint-Honoré / Paris I*er*

Os chocolates de Jean-Paul Hévin são únicos. Seus ganaches de chocolate extranegro, suas favas *grands crus*, suas misturas pouco açucaradas poderiam nos fazer temer um enfoque um pouco austero. Mas não há frieza. E sim elegância. Ele ostenta combinações de chocolate-queijos-aromas, como esses *époisses*-cominho, esse *pont-l'évêque* com tomilho, esse *chèvre-noisette*, ou esse *roquefort--*nozes. Arte pura.

LADURÉE

21 rue Bonaparte / Paris VI°

A casa Ladurée tem muito que ver com seu nome... Há cerca de 150 anos, o número 16 da rue Royale - um dos primeiros salões de chá da capital - recebe todos os gourmands, habitués ou turistas. No coração de Saint-Germain-des-Prés, uma menção especial ao Ladurée da rue Bonaparte. Cristalizando a arte de viver à francesa, Ladurée perpetua a grande tradição confeiteira inovando com o antológico *macaron cassis-violette*, ou com os divinos *Religieuse à la rose*.

PÂTISSERIE ARNAUD LARHER

53 rue Caulaincourt / Paris XVIII°

Formado com Fauchon e Pierre Hermé, o homem não esperou pelos galões tricolores, ganhos em 2007, para inscrever o seu nome com pó de ouro no mundo da gourmandise. Suas criações ficam muito tempo na boca e na memória, como o seu *marshmallow* ao chocolate ou o seu Frisson, ganache com polpa de limão. Arnaud Larher inventa uma bomba rosa com papoula e revisita um *macaron* pistache. Sorvetes no verão e chocolate quente à antiga no inverno levam o consumidor ao estado de pecado. Muito encantador.

MULOT

76 rue de Seine / Paris VIe

Tortas com frutas da estação, bolos de cerejas negras, tortinhas individuais ou grandes, generosas e macias, não falta nada. Bem diante de vocês, sanduíches variados e bem recheados também fazem salivar... À sua direita, seduzidos pelo cheiro, façam sua escolha entre a coleção de chocolates refinados e a multidão de *macarons*. A menos que não queiram ficar petiscando por ali... Não é por nada que há 25 anos a pâtisserie Mulot se impõe, bem no coração de Saint-Germain-des-Prés.

NANI

102 boulevard de Belleville / Paris XXe

Aparentemente uma pâtisserie magrebina como tantas existentes no bairro. Na verdade, Nani é a primeira pâtisserie *kosher* de Paris. É aqui que se deve procurar um mil-folhas tunisiano, um *Idéal*, um *Boulou* de amêndoas. Mas o melhor de tudo - o Santo Graal - são os vidros opalinos que lotam a vitrine. Desde 1962, o estabelecimento confecciona seu próprio xarope de orchata, com gosto de amêndoas e cremoso como uma via láctea em noite de lua cheia.

LE PALAIS DES THÉS

64 rue Vieille du Temple / Paris IIIe

No centro da loja em madeira clara freme um grande samovar. Pode se servir: a degustação do dia favorece a paixão. Uma seleção sábia de *grands crus* asiáticos, de descobertas do fim do mundo, de misturas leves e floridas. Os conselhos são pacientes: se você precisar de uma hora para encontrar seu chá ideal, melhor!

THE TEA CADDY

14 rue Saint-Julien le Pauvre / Paris V^e

A rua é primaveril, o salão de chá aconchegante conquistou a preferência das inglesas gourmandes. Ao lado de uma flor de chá servida em uma xícara Blue Willow, Sophie Fort propõe *scones* com creme batido e doce de morango à moda da casa, ou uma divina torta de maçãs. *English breakfast* sob encomenda, para as incorrigíveis do *ovo-bacon*.

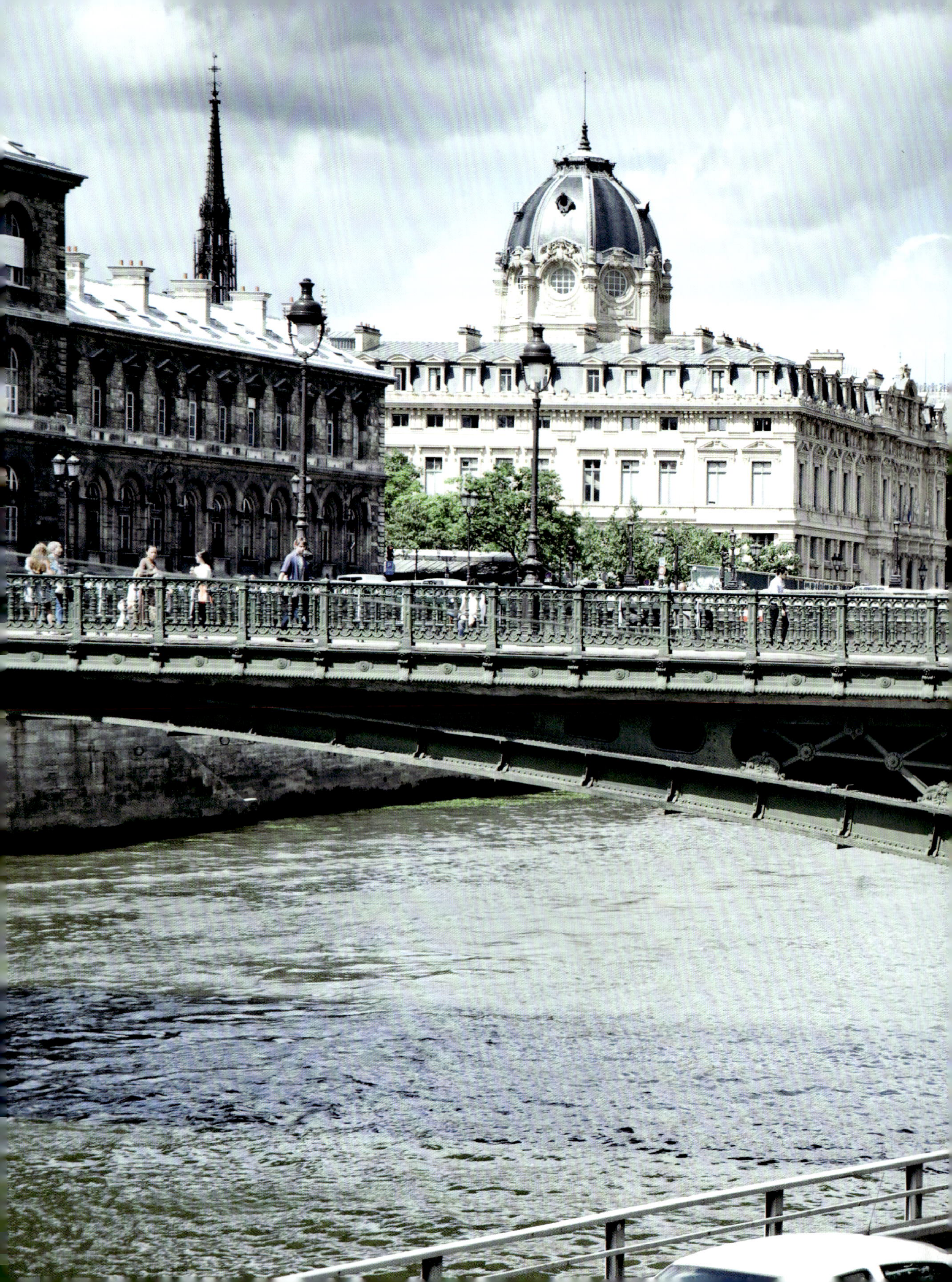

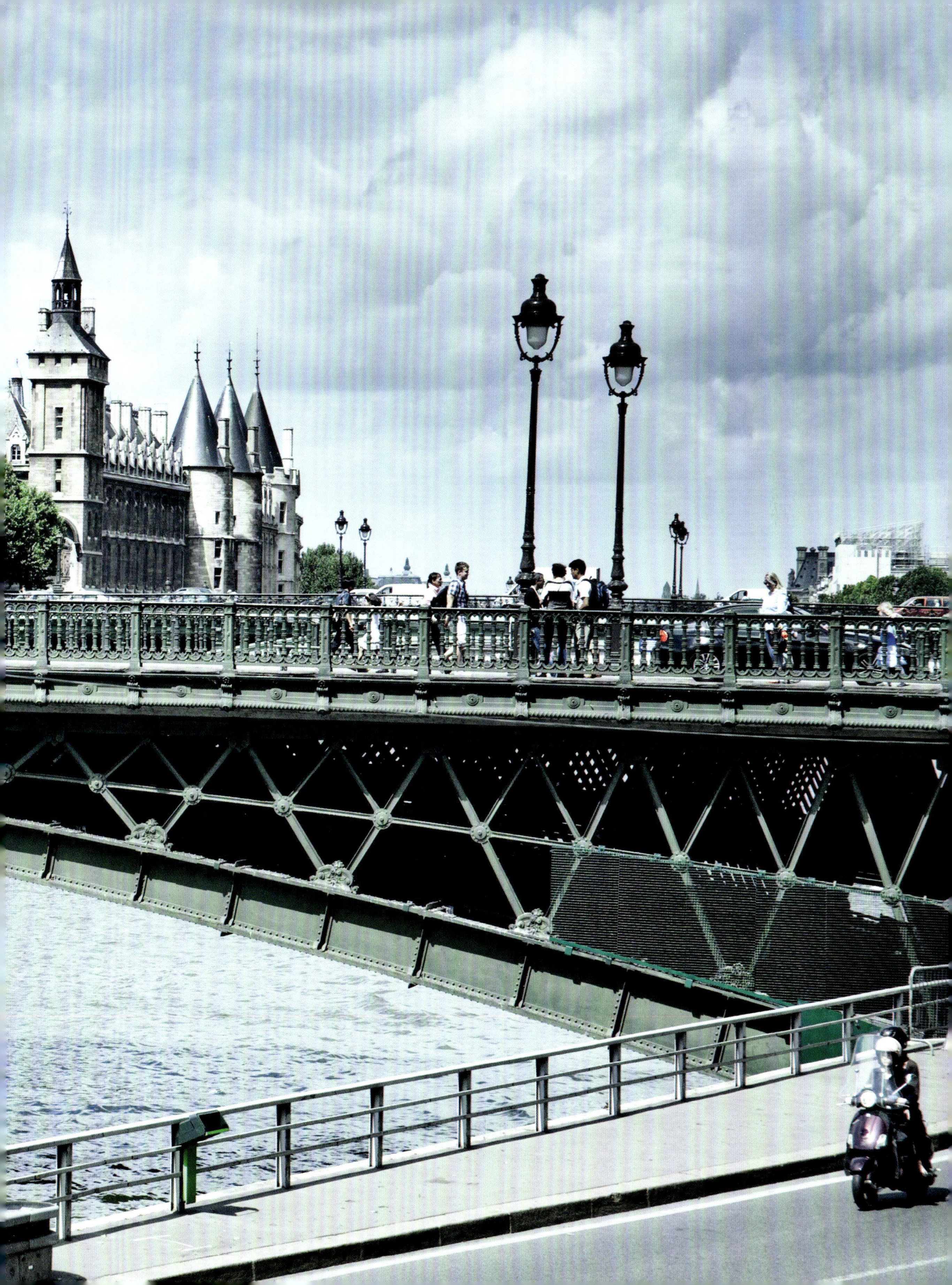

ÍNDICE ALFABÉTICO

L/ Livro	E/ Encarte		A/ Arrondissement	T/ Tipo de comércio
L/	E/		A/	T/
21	4	1728	VIIIe	RESTAURANTE
13	4	21	VIe	RESTAURANTE
17	4	39 V	VIIIe	RESTAURANTE
25	4	58 Tour Eiffel	VIIe	RESTAURANTE

A

401	32	A.A.A. Asie Antilles Afrique	XIe	ÉPICERIE
405	32	Afaria	XVe	RESTAURANTE
29	4	Alain Ducasse au Plaza Athénée	VIIIe	RESTAURANTE
37	4	Alfred	Ier	RESTAURANTE
391	22	Aligre (Marché d')	XIIe	MERCADO
291	22	Alleosse (Fromagerie)	XVIIe	QUEIJARIA
501	32	Amici Miei	XIe	RESTAURANTE
281	5	Arôme (L')	VIIIe	RESTAURANTE
501	32	As du Falafel (L')	IVe	ÉPICERIE
39	5	Assiette (L')	XIVe	RESTAURANTE
43	5	Atelier de Joël Robuchon (L')	VIIe	RESTAURANTE
281	5	Auberge du Bonheur (L')	XVIe	RESTAURANTE
392	22	Auberge Pyrénnées-Cévennes	XIe	RESTAURANTE
299	22	Aubrac Corner	VIIIe	RESTAURANTE
502	32	Aux comptoirs des Indes	XIe	RESTAURANTE
47	5	Aux Deux Amis	XIe	BRASSERIE
301	22	Aux Lyonnais	IIe	RESTAURANTE

B

51	5	Bain Marie (Au)	VIIe	CUISINE
307	22	Ballon et Coquillages	XVIIe	PEIXARIA
55	6	Balzar	Ve	BRASSERIE
392	23	Bar à Patates	XVIe	MERCADO
59	6	Bar aux Folies	XXe	CAFÉ
63	6	Baratin (Le)	XXe	RESTAURANTE
311	23	Barthélemy	VIIe	QUEIJARIA
393	23	Bastille (Marché)	XIe	MERCADO
283	6	Bateaux Parisiens	VIIe	RESTAURANTE
67	6	BE	VIIIe	PADARIA
315	23	Beillevaire (Fromagerie)	XXe	QUEIJARIA
282	6	Bellechasse (Hôtel le)	VIIe	HOTEL
71	7	Benoit	IVe	RESTAURANTE
517	44	Berthillon (Glacier)	IVe	SORVETERIA
409	32	Betsy Bernardaud	VIIe	ÉPICERIE
77	7	Bidou bar	XVIIe	BAR
81	7	Bistrot Paul Bert	XIe	RESTAURANTE
521	44	Bonbon au Palais (Le)	Ve	CONFISEUR
283	7	Brasserie Lipp	VIe	RESTAURANTE
319	23	Boucherie Michel Brunon	XIIe	AÇOUGUE
413	33	Byzance Champs Élysées Bellota / Bellota Rive Droite	VIIIe	ÉPICERIE

C

85	7	Café Constant	VIIe	CAFÉ
89	7	Café de Flore	VIe	CAFÉ
93	8	Café de la Nouvelle Mairie	Ve	CAFÉ
417	33	Café Maure de la Mosquée de Paris	Ve	CAFÉ
525	44	Caféothèque (La)	IVe	SALÃO DE CHÁ/CAFÉ
421	33	Caffè dei Cioppi	XIe	RESTAURANTE
223	15	Camondo (Musée Nissim de)	VIIIe	CUISINE
393	24	Cantin (Fromagerie Marie-Anne)	VIIe	QUEIJARIA
95	8	Carré des Feuillants (Le)	Ier	RESTAURANTE
284	8	Cave de Joël Robuchon (La)	VIIe	RESTAURANTE
284	8	Cave de l'Os à Moelle (La)	XVe	BAR
285	8	Cave des Papilles (La)	XIVe	ADEGA
99	8	Caves Augé (Les)	VIIIe	ADEGA
579	44	Chalet des Îles (Le)	XVIe	RESTAURANTE
285	9	Chapeau Melon	XIXe	BAR

L/ Livro	E/ Encarte	A/ Arrondissement	T/ Tipo de comércio

L/	E/		A/	T/
3	9	Chardenoux (Le)	XIe	RESTAURANTE
107	9	Chartier (RESTAURANTE)	IXe	RESTAURANTE
111	9	Chateaubriand (Le)	XIe	RESTAURANTE
502	33	Cherche Midi (Le)	VIe	RESTAURANTE
323	25	Chez Flottes	Ier	RESTAURANTE
286	9	Chez Georges	XVIIe	RESTAURANTE
394	25	Chez Georges	IIe	RESTAURANTE
115	9	Chez l'Ami Jean	VIIe	RESTAURANTE
119	10	Chez l'Ami Louis	IIIe	RESTAURANTE
123	10	Citrus Étoilé	VIIIe	RESTAURANTE
127	10	Closerie des Lilas (La)	VIe	RESTAURANTE
131	10	Costes (Hôtel)	Ier	RESTAURANTE
135	10	Cour Jardin (La)	VIIIe	RESTAURANTE
139	10	Crémerie (La)	VIe	RESTAURANTE
394	25	Crêpes et Galettes	Ve	ÉPICERIE

D

327	25	D'Chez Eux (Auberge)	VIIe	RESTAURANTE
425	33	Da Rosa épicerie fine	VIe	ÉPICERIE
529	44	Dammann Frères	IVe	SALÃO DE CHÁ/CAFÉ
429	33	David (Boucherie)	IVe	AÇOUGUE
433	34	Dehillerin	Ier	CUISINE
503	34	Dejean (Marché)	XVIIIe	MERCADO
331	25	Desnoyer (Boucherie Hugo)	XIVe	AÇOUGUE
286	11	Deux Magots (Les)	VIe	CAFÉ
143	11	Divellec (Le)	VIIe	RESTAURANTE
335	25	Dôme (La Poissonnerie du)	XIVe	PEIXARIA
287	11	Dôme (Le)	XIVe	RESTAURANTE
147	11	Drouant	IIe	RESTAURANTE
151	11	Du Pain et des Idées	Xe	PADARIA

E

155	11	Écailler du bistrot (L')	XIe	RESTAURANTE
339	26	Écume Saint-Honoré (L')	Ier	PEIXARIA
437	34	El Fogón	VIe	RESTAURANTE
395	26	Enfants Rouges (Marché des)	XVe	MERCADO
343	26	Épicerie du Père Claude (L')	IIIe	ÉPICERIE

F

287	12	Fines Gueules (Les)	Ier	RESTAURANTE
288	12	Flaubert (Le)	XVIIe	RESTAURANTE
441	34	Florence Kahn	IVe	ÉPICERIE
157	12	Fontaine de Mars (La)	VIIe	RESTAURANTE
161	12	Forum (Le)	VIIIe	BAR
165	12	Fougères (Les)	XVIIe	RESTAURANTE
288	12	Fouquet's	VIIIe	ÉPICERIE
503	34	Foyer Vietnam	Ve	RESTAURANTE
169	13	Frenchie	IIe	RESTAURANTE

G

289	13	G. Detou	IIe	CUISINE
289	13	Garde Manger (Le)	XIIe	ÉPICERIE
445	34	Gazzetta (La)	XIIe	RESTAURANTE
533	44	Génin (Chocolaterie Jacques)	XVe	CONFISEUR
504	35	Goumanyat	IIIe	ÉPICERIE
173	13	Gourmets des Ternes (Les)	VIIIe	RESTAURANTE
347	26	Graineterie du marché (La)	XIIe	ÉPICERIE
177	13	Grande cascade (La)	XVIe	RESTAURANTE
351	26	Gros-La Fontaine (Marché)	XVIe	MERCADO

H

579	45	Harry's New York Bar	IIe	BAR
537	45	Hermé Paris (Pierre)	Ier	PÂTISSERIE
590	45	Hévin Chocolatier (Jean-Paul)	VIe	CONFISEUR

L/	E/		A/	T/
L/ Livro	E/ Encarte	A/ Arrondissement	T/ Tipo de comércio	

I

L/	E/		A/	T/
504	35	I Golosi	IXe	RESTAURANTE
449	35	Idea Vino	XIe	ÉPICERIE
453	35	Il Campionissimo	IIe	RESTAURANTE
505	35	Il Vino	VIIe	RESTAURANTE
395	26	Itinéraires	Ve	RESTAURANTE
455	35	Izraël	IVe	ÉPICERIE

J

290	13	Jadis (RESTAURANTE)	XVe	RESTAURANTE
181	14	Jeu de Quilles (Le)	XIVe	RESTAURANTE
541	45	Jugetsudo	VIe	SALÃO DE CHÁ/CAFÉ
189	14	Jules Verne (Le)	VIIe	RESTAURANTE

K

459	37	Kaiseki	XVe	RESTAURANTE
185	14	Kei	IIe	RESTAURANTE

L

581	45	Ladurée	VIe	PÂTISSERIE
581	45	Larher (Pâtisserie Arnaud)	XVIIIe	PÂTISSERIE
195	14	Lasserre	VIIIe	RESTAURANTE
199	14	Laurent (Le)	VIIIe	RESTAURANTE
203	15	Ledoyen	VIIIe	RESTAURANTE
545	47	Lenôtre	XVIe	PÂTISSERIE

M

549	47	Maeder (Pâtisserie Raoul)	XVIIe	PÂTISSERIE
553	47	Maison des Trois Thés	Ve	SALÃO DE CHÁ/CAFÉ
207	15	Mama Shelter	XXe	RESTAURANTE
557	47	Mariage Frères	IVe	SALÃO DE CHÁ/CAFÉ
211	15	Meurice (Le)	Ier	RESTAURANTE
505	37	Michelangelo	XVIIIe	RESTAURANTE
575	47	Miele	VIIIe	CUISINE
215	15	Mon Vieil Ami	IVe	RESTAURANTE
463	37	Mora	Ier	CUISINE
219	15	Moulin de la Vierge (Le)	XIVe	PADARIA
506	37	Moussa l'Africain	XIXe	RESTAURANTE
582	47	Mulot	VIe	PÂTISSERIE
506	37	Murciano (Boulangerie)	IVe	PADARIA

N

582	48	Nani	XXe	PÂTISSERIE
507	37	Non Solo Cucina	XVIe	RESTAURANTE
507	38	Non solo pasta	XVIIIe	RESTAURANTE
508	38	Nouvelle Mer de Chine (La)	XIIIe	RESTAURANTE

P

559	48	Pain de Sucre	IIIe	PÂTISSERIE
508	38	Pakkai	XIIIe	ÉPICERIE
583	48	Palais des Thés (Le)	IIIe	SALÃO DE CHÁ/CAFÉ
509	38	Panzer (Charcuterie)	IVe	AÇOUGUEY
291	16	Papilles (Les)	Ve	ÉPICERIE
509	38	Paris Store	XIIIe	ÉPICERIE
396	27	Passy (Marché)	XVIe	MERCADO
563	48	Pâtisserie des Rêves (La)	VIe	PÂTISSERIE
292	16	Pavillon de la Reine (Le)	IIIe	HOTEL
396	27	Père Claude (Le)	XVe	RESTAURANTE
577	48	Pérène	XVIe	CUISINE
227	16	Petit Moulin (Hôtel du)	IIIe	HOTEL
292	16	Petit Vendôme (Le)	IIe	RESTAURANTE
292	16	Petrossian	VIIe	RESTAURANTE
231	16	Pharamond	Ier	RESTAURANTE
510	38	Pho Dong Huong	XIe	CONFISEUR

L/	E/		A/	T/
510	39	Pho Tai	XIIIe	RESTAURANTE
511	39	Piccola Toscana	IXe	ÉPICERIE
235	17	Poilâne (Boulangerie)	VIe	PADARIA
293	17	Poule au pot (La)	Ier	RESTAURANTE
353	27	Pousse Pousse	IXe	CONFISEUR
290	14	Pré Verre (Le)	Ve	RESTAURANTE
239	17	Prunier (RESTAURANTE)	XVIe	RESTAURANTE

Q

396	27	Quatrehomme (Fromagerie)	VIIe	QUEIJARIA
357	27	Quincy (Le)	XIIe	RESTAURANTE

R

361	27	Racines	IIe	RESTAURANTE
365	28	Raspail (Marché)	VIe	MERCADO
243	17	Rech	XVIIe	RESTAURANTE
293	17	Régalade (La)	XIVe	RESTAURANTE
511	39	Réginette (La)	VIIIe	RESTAURANTE
567	48	Régis Chocolatier	XVIe	CONFISEUR
294	17	Relais Louis XIII (Le)	VIe	RESTAURANTE
249	18	Relais Plaza (Le)	VIIIe	RESTAURANTE
294	18	Repaire de Cartouche (Le)	XIe	RESTAURANTE
295	18	Rest. Joséphine 'Chez Dumonet'	VIe	ÉPICERIE
397	28	Ribouldingue	Ve	RESTAURANTE
512	39	Rino	XIe	RESTAURANTE
569	49	Roger (Patrick)	VIe	CONFISEUR
253	18	Rosa Bonheur	XIXe	RESTAURANTE

S

513	39	Sardegna a Tavola	XIIe	RESTAURANTE
369	28	Saturne	IIe	RESTAURANTE
257	18	Savoy (RESTAURANTE Guy)	XVIIe	RESTAURANTE
373	28	Schmid Traiteur	Xe	AÇOUGUEY
261	18	Select (Le)	VIe	CAFÉ
467	39	Sou Quan	Ve	ÉPICERIE
375	28	Spring	Ier	RESTAURANTE
513	40	Stresa (Le)	VIIIe	RESTAURANTE
471	40	Sur les Quais	XIIe	ÉPICERIE

T

473	40	Tête dans les olives (La)	Xe	ÉPICERIE
583	49	The Tea Caddy	Ve	SALÃO DE CHÁ/CAFÉ
379	28	Joël Thiébault maraîcher	XVIe	MERCADO
265	19	Thoumieux (Hôtel)	VIIe	RESTAURANTE
269	19	Train bleu (Le)	XIIe	RESTAURANTE

V

383	29	Vérot - Charcutier (Gilles)	VIe	AÇOUGUEY
387	29	Verre volé (Le)	Xe	ADEGA
273	19	Voltaire (Le)	VIIe	BAR
477	40	Voy Alimento (au Bar des Artisans)	Xe	BAR
481	40	VT Cash and Carry	Xe	ÉPICERIE

W

295	19	Wepler	XVIIIe	RESTAURANTE
397	29	Wine by One	Ier	ADEGA
485	40	Workshop Issé	IIe	RESTAURANTE

Y

277	19	Yachts de Paris	IVe	RESTAURANTE
489	41	Yam'Tcha	Ier	RESTAURANTE

Z

493	41	Ze Kitchen galerie	VIe	RESTAURANTE
497	41	Zerda Café	Xe	RESTAURANTE

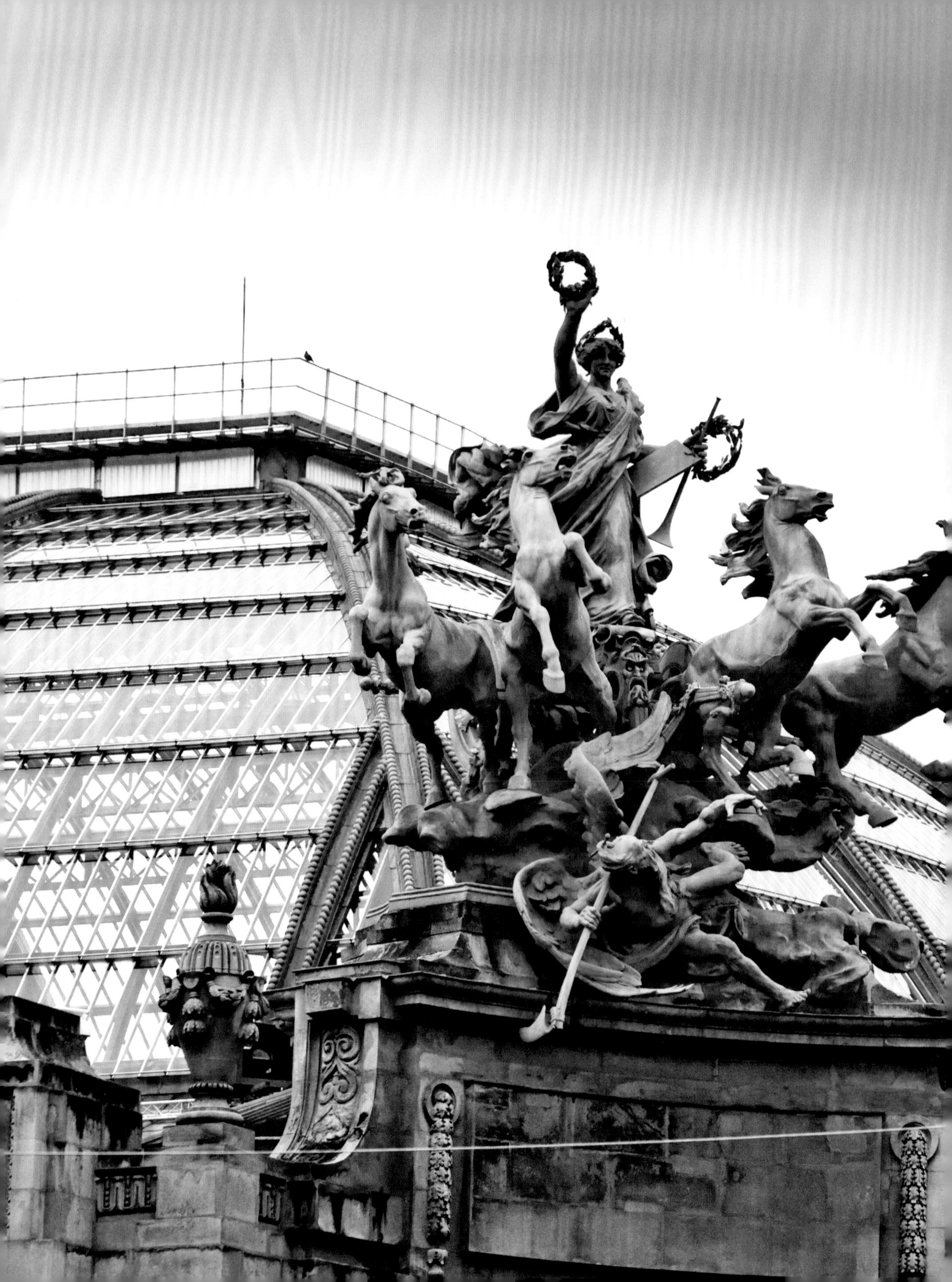

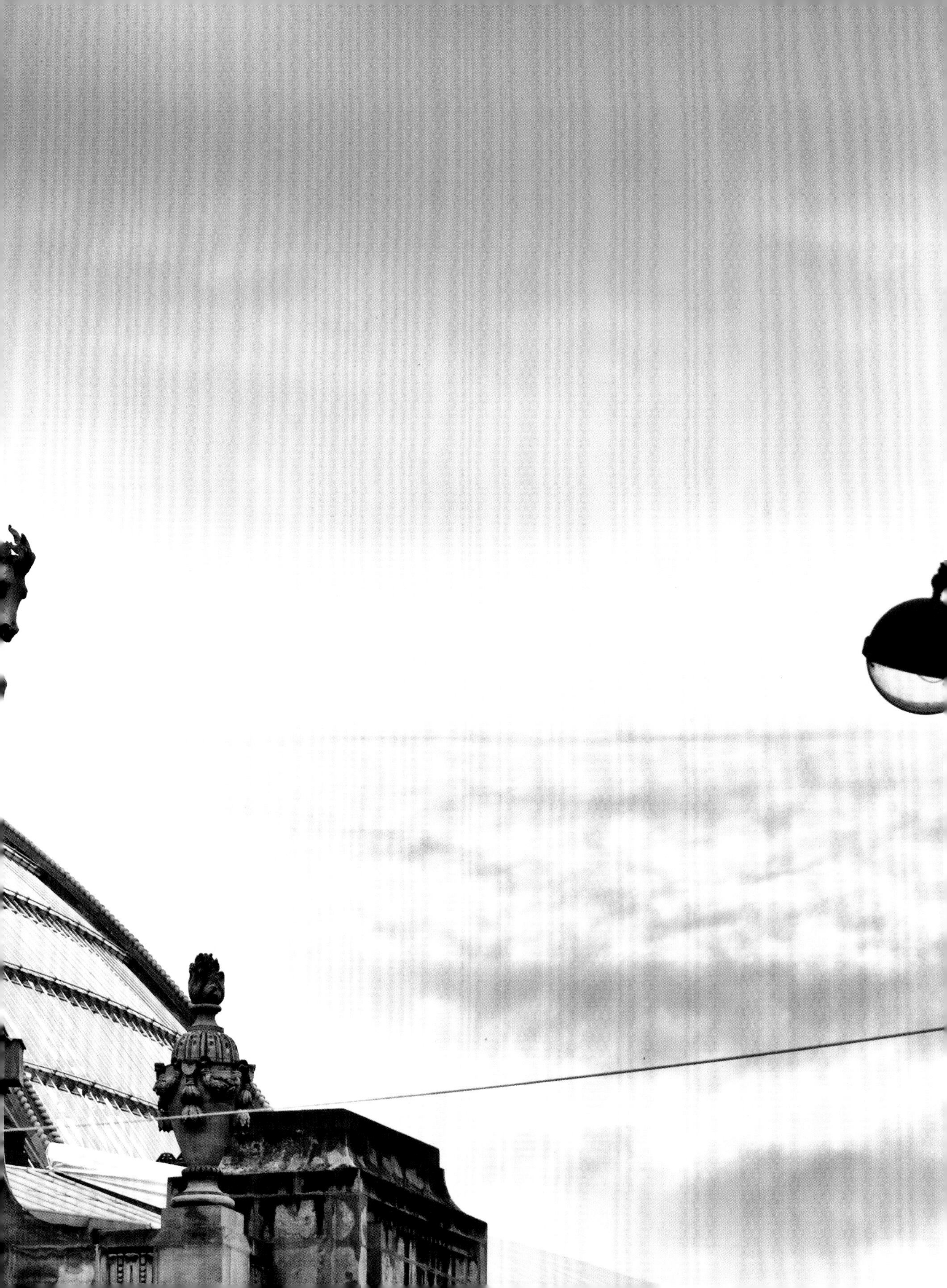

Este livro é uma história do gosto, de gourmandises, de paixões e entusiasmo! Mas é também uma incrível aventura humana da qual me sinto obrigado agora a agradecer a todos os atores.

Os meus agradecimentos vão, em primeiro lugar, a todos os que nos fizeram compartilhar sua profissão e sua paixão: artesãos, artistas, açougueiros, charcuteiros, chefs de cozinha, chocolateiros, confeiteiros, cozinheiros, merceeiros, fornecedores, queijeiros, horticultores, peixeiros, donos de restaurantes, bem como a todos os que nos guiaram nesse percurso.

Agradeço a Frédérick e. Grasser Hermé, a cozinheira do cozinheiro, que deu o ritmo de nossos passos nesta aventura. Sua curiosidade, suas descobertas e intuições constituem uma inesgotável fonte de inspiração.

Agradeço a todos os que se sentaram à mesa conosco para partilhar um prato, um copo, um momento de amizade. Agradeço particularmente a Betsy Bernardaud, que nos recebeu em sua casa e nos preparou um delicioso sanduíche Reuben, depois do mercado.

Agradeço a todos os que deram vida a este livro e tornaram essa aventura possível.

Agradeço a:
- Pierre Monetta, fotógrafo, que soube traduzir em imagens, com grande sensibilidade, a alma de todos esses lugares e dos que os animam.
- Pierre Tachon, diretor artístico, que deu a esta obra a harmonia, o equilíbrio e a modernidade que eu desejava.
- Claire Dixsaut, redatora, pela fineza de sua escrita.
- Christophe Saintagne, chef de cozinha e colaborador próximo, pelos seus preciosos conselhos.
- Escola de Cozinha, que nos recebeu para um concurso de doces que ficará nos anais!

Emmanuel Jirou Najou, diretor das edições; Alice Vasseur, responsável pelo marketing e pela multimídia; Aurélie Legay, editora; e a equipe editorial. Laëtitia Teil, Benédicte de Bary e Caroline Briens.

E, é claro, agradeço à minha família, pelo seu indefectível apoio.

Agora, é com vocês: eu lhes passo a vez. Saboreiem, sirvam-se novamente, descubram ou redescubram, reinterpretem Paris, com seu molho predileto!

AGRA DECI MENTOS

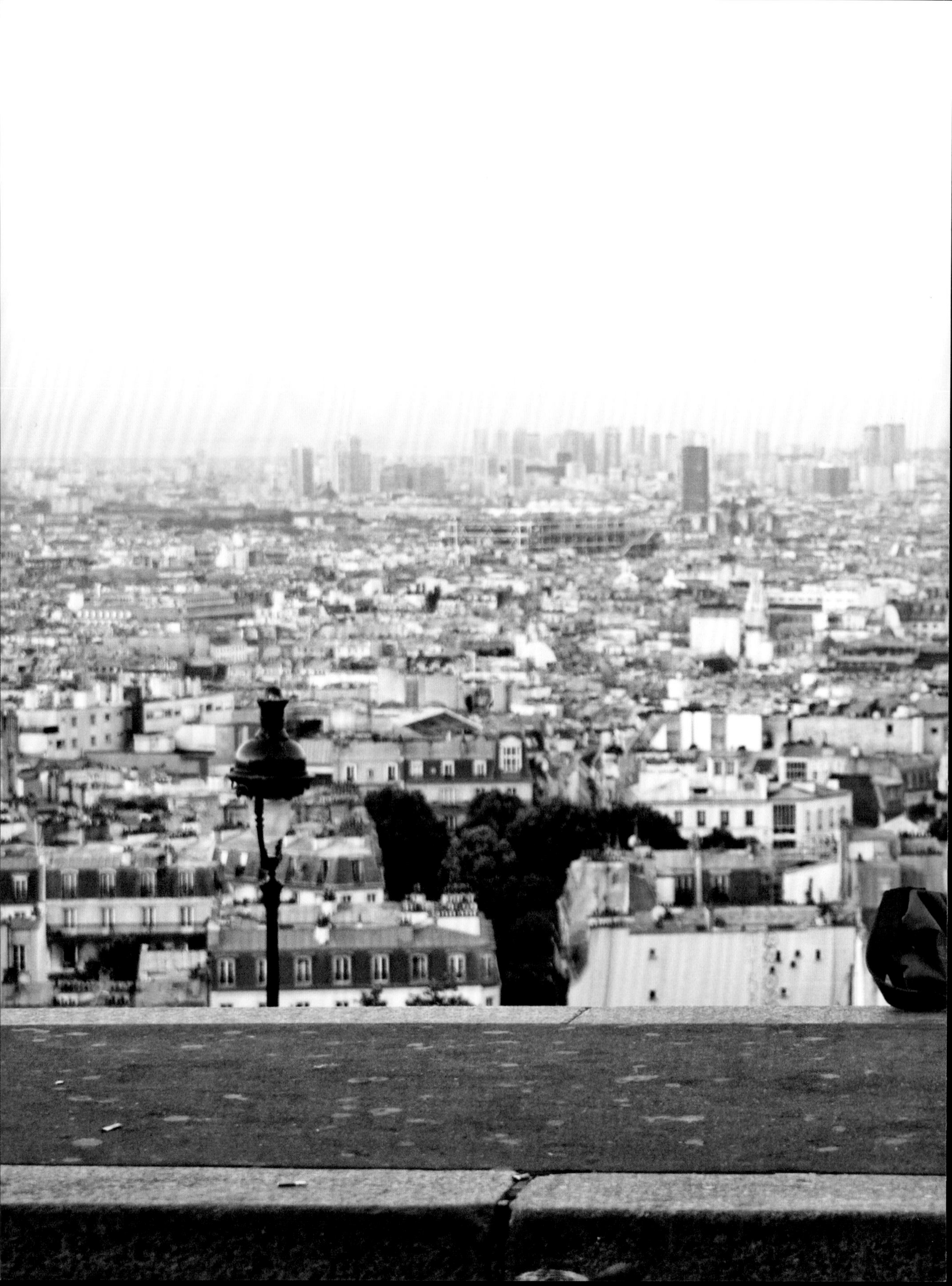

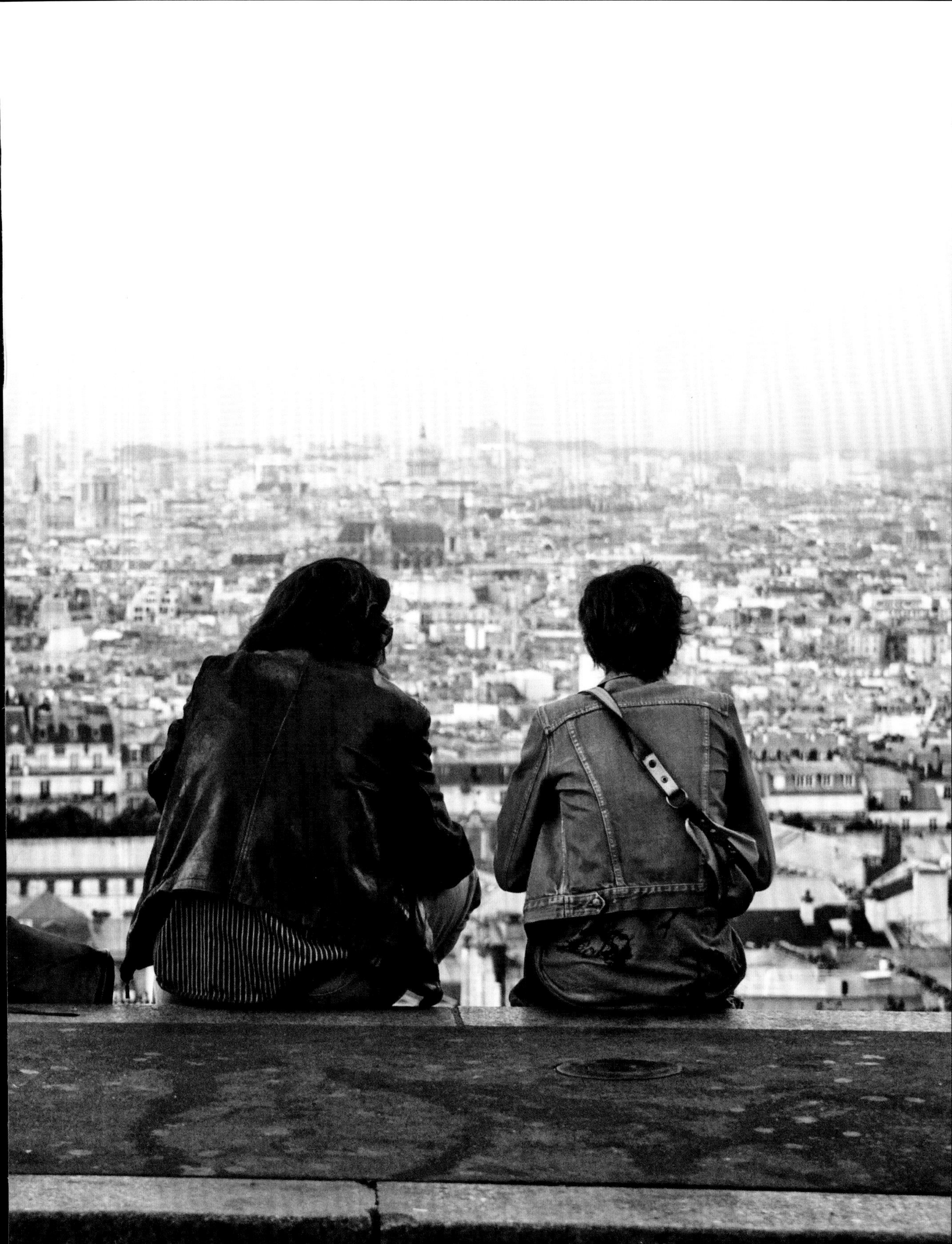

ADMINISTRAÇÃO REGIONAL DO SENAC
NO ESTADO DE SÃO PAULO

Presidente do Conselho Regional
Abram Szajman

Diretor do Departamento Regional
Luiz Francisco de A. Salgado

Superintendente Universitário e de Desenvolvimento
Luiz Carlos Dourado

EDITORA SENAC SÃO PAULO

Conselho Editorial
Luiz Francisco de A. Salgado
Luiz Carlos Dourado
Darcio Sayad Maia
Lucila Mara Sbrana Sciotti
Jeane Passos Santana

Gerente/Publisher
Jeane Passos Santana (jpassos@sp.senac.br)

Coordenação Editorial
Márcia Cavalheiro Rodrigues de Almeida (mcavalhe@sp.senac.br)
Thaís Carvalho Lisboa (thais.clisboa@sp.senac.br)

Comercial
Jeane Passos Santana (jpassos@sp.senac.br)

Administrativo
Luís Américo Tousi Botelho (luis.tbotelho@sp.senac.br)

Título Original
J'aime Paris
© LEC, 2011

Coautora
Frédérick e. Grasser Hermé

Fotografias
Pierre Monetta

Direção Artística / Projeto Gráfico
Pierre Tachon / Soins Graphiques

Redação dos Textos
Claire Dixsaut
Frédérick Grasser e. Hermé
Christophe Saintagne

Edição de Texto
Luiz Guasco

Preparação de Texto
Marcia Nunes

Revisão de Texto
Luiza Elena Luchini de Paula
Leticia Castello Branco
Jandira Queiroz
Johannes C. Bergmann

Tradução
Cecília Prada

Editoração Eletrônica
DB Comunicação

Foto da Capa
Key Graphic

Proibida a reprodução sem autorização expressa.
Todos os direitos reservados a
EDITORA SENAC SÃO PAULO
Rua Rui Barbosa, 377 – 1º andar – Bela Vista – CEP 01326-010
Caixa Postal 1120 – CEP 01032-970 – São Paulo – SP
Tel.(11) 2187-4450 – Fax (11) 2187-4486
E-mail: editora@sp.senac.br
Home page: http://www.editorasenacsp.com.br

© Edição brasileira: Editora Senac São Paulo, 2011.

Dados Internacionais de Catalogação na Publicação (CIP)
(Câmara Brasileira do Livro)

Ducasse, Alain
    Amo Paris : minha Paris do sabor em 200 endereços / Alain Ducasse, Frédérick e. Grasser Hermé ; fotos Pierre Monetta ; tradução Cecília Prada. – São Paulo : Editora Senac São Paulo, 2011.

    Título original: J'aime Paris : mom Paris du goût em 200 adresses.
    ISBN 978-85-396-0126-4

    1. Culinária Francesa 2. Gastronomia – Paris (França) – Guias I. Grasser Hermé, Frédérick e. II. Monetta, Pierre. III. Título.

11-07531   CDD-641.01309436

Índice para catálogo sistemático:
1. Paris : França : Gastronomia : Alimentos e bebidas : Guias   641.01309436